MW00588515

Isabel la Católica

Manuel Fernández Álvarez

ISABEL LA CATÓLICA

ESPASA

ESPASA FÓRUM

© Manuel Fernández Álvarez, 2003
© Espasa Calpe, S. A., 2003

Primera edición: octubre, 2003
Segunda edición: diciembre, 2003
Tercera edición: enero, 2004
Cuarta edición: febrero, 2004

Diseño de colección: Tasmanias
Ilustración de cubierta: *Isabel la Católica,* por Juan de Flandes.
Academia de la Historia, Madrid. Foto Oronoz
Ilustraciones de interior: Oronoz, Robert Everts, Prisma, Fototeca 9 × 12 y Archivo Espasa
Foto del autor: Juan Miguel Sánchez Vigil

Depósito legal: M. 6.932-2004
ISBN: 84-670-1260-9

Espasa, en su deseo de mejorar sus publicaciones, agradecerá cualquier sugerencia que los
lectores hagan al departamento editorial por correo electrónico: sugerencias@espasa.es

Impreso en España / Printed in Spain
Impresión: HUERTAS, S. A.

Editorial Espasa Calpe, S. A.
Complejo Ática - Edificio 4
Vía de las Dos Castillas, 33
28224 Pozuelo de Alarcón (Madrid)

A quienes, en lo íntimo de sus moradas, han abierto este libro con la esperanza de saber algo más sobre la reina Isabel y sobre su época.

Que se trata de un personaje importante, lo sabéis muy bien; puede que no haya otro igual en toda nuestra historia. Y que en su reinado ocurrieron grandes cosas, algunas de las que invitan a las recias polémicas, también lo sabéis perfectamente. Por eso he de confesaros que escribí este libro con el mayor cuidado. Pero también con gran ilusión, incluso con pasión a veces.

Pues, bien: Yo quisiera que algo de esa ilusión y de esa pasión llegara hasta vosotros.

Eso querría decir que mi tarea no ha sido en balde.

Cordialmente

ÍNDICE

A MODO DE BREVE PRÓLOGO

Un prólogo breve, en efecto, porque en él solo quiero subrayar dos cosas, y para ello no hacen falta demasiadas palabras: mi intención al escribir este libro y la relación de mis agradecimientos hacia quienes lo han hecho posible.

En primer lugar, por lo tanto, mi declaración de intenciones. Si eso siempre es conveniente, para que el lector sepa a qué atenerse, pienso que es casi necesario cuando se trata de una biografía sobre un personaje tan importante, como es el caso de Isabel la Católica. Pues como indico en una carta que se me ocurrió escribir a mis amigos, los libreros, estamos ante una mujer que no había nacido para reinar, pero que tuvo sus oportunidades, y las supo aprovechar a fondo. Y que más tarde daría buena cuenta de que sí que había nacido para reinar, con aquella fuerza que tenían entonces los monarcas, esto es, para intentar grandes cosas. Es cierto que algo tan terrible como la Inquisición tuvo no poco que ver con ella; pero también que hazañas tan increíbles como el final de la Reconquista, con Granada al fondo, o el sueño de un nuevo mundo —el sueño de América— fueron posibles gracias a su poderoso aliento. Fue valiente ya en sus años juveniles, cuando se trataba de escoger un marido, luchando contra viento y marea para casarse con el que deseaba, saltándose incluso las rígidas normas de su tiempo. Tuvo grandes aciertos, pero también sus errores; aciertos que he celebrado y errores que no he omitido, porque a fin de cuentas soy historiador y me debo a la sociedad en la que vivo, y esa sociedad tiene derecho a conocer su historia verdadera, toda su historia. Sin triunfalismos infantiles, pero también sin renunciar al orgullo legítimo cuando nuestros antepasados nos dan pie para ello.

Añadiré que Isabel y su tiempo ha sido un tema constante de estudio a lo largo de toda mi vida universitaria; que no en vano he sido, durante tantos años, profesor de Historia Moderna en la Universidad; primero en la de Valladolid —y de esto hace más de sesenta años, que tan viejo soy—, después en la Complutense de Madrid, y finalmente en la de Salamanca, donde actualmente resido. Y lo cierto es que todos los años, al comenzar cada curso, dedicaba mi clase, a lo largo de los dos primeros meses, a tratar de la España de los Reyes Católicos, siempre poniendo a debate ante mis alumnos los principales puntos de aquel reinado. Con lo cual quiero decir que las páginas que ahora le he dedicado son el fruto de muchos años de reflexión, de muchas lecturas y del examen de no pocos documentos.

No voy a citar a muchos testigos, pero, al menos, sí a uno de ellos, siempre presente en mis trabajos, en mis investigaciones (¡esas búsquedas en Simancas!), en mis lecturas y en mis debates: la profesora Ana Díaz Medina.

Y ahora, vaya la serie de mis agradecimientos. En primer lugar, a todos mis colegas que con sus estudios me han deparado tanto material y tanta ayuda. Y como la lista sería interminable, aparte de que a lo largo de mi obra el lector curioso puede irlo descubriendo, solo citaré a uno de ellos, porque, en efecto, con él mi deuda es inmensa: me refiero al gran estudioso de la época de Isabel, Tarsicio de Azcona, y a su libro, verdaderamente magistral, titulado *Isabel la Católica*.

Pero no solo los estudiosos me han ayudado en mi tarea. No puedo menos de recordar a la editorial Espasa, que ha puesto a mi disposición toda su experiencia, y que con un formidable equipo ha hecho que todo fuera más fácil, más seguro y, sobre todo, más entrañable. Y al frente de ese equipo una mujer excepcional: Pilar Cortés García-Moreno. Una mujer que ha sabido escoger bien a su gente; ejemplo de ello, su colaboradora Olga Adeva. Asimismo, no puedo olvidar que otra mujer, de otra casa editorial, Ana Calzada, directora editorial de Carroggio, S. A., me estimuló a iniciar mi tarea recordándome que ya había hecho para ellos, años atrás, aquella *España y los españoles en los tiempos modernos* [1], cuya primera parte tiene por principal personaje a Isabel; y en el Apéndice el lector lo podrá comprobar. Yo le respondí que era autor de una sola editorial, y que mis relaciones con Espasa eran tan antiguas que a punto estaba de cumplirse el medio siglo. A lo que Ana Calzada me sugirió: «¿Y por qué no llegar a un acuerdo para

---

[1] En *Historia de España,* vols. 3 y 4, Barcelona, Carroggio, S. A., 1976.

lanzar tu *Isabel* en dos versiones: una la que tanto quieres, en Espasa Fórum, y otra con otro formato y grandes ilustraciones, donde entraríamos nosotros?». Y en esas estamos.

Los agradecimientos. Nada más grato para mí que reconocerlos, porque así puedo proclamar que esta obra es deudora de muchas colaboraciones. La de los correctores, por ejemplo, sobre todo cuando son de la calidad de Raimundo Pradillo. La de Juan Miguel Sánchez Vigil, que con tanto celo ha cuidado de las ilustraciones; la de Mercedes López Molina, a cuyo cargo ha quedado la portada... O la de mi ayudante, a la hora de poner a limpio en el ordenador (¡qué instrumento tan terrible, pero tan necesario!) lo escrito con tan endiablada pluma. Es cuando entra en juego mi buen amigo José Manuel Veda Aparicio, siempre con sus dudas que hay que aclarar y con sus sugerencias, que demuestran su amplia cultura.

Y está, claro, mi familia. Una vez más, el ámbito familiar, la casa donde día a día he ido emborronando folios tras folios, leyendo —¡en voz alta!—, corrigiendo y volviendo a corregir, porque todo cuidado es poco, y porque el primer crítico de un libro debe ser el propio autor, ayudado por la sufrida familia que ha de conllevar sus buenos y malos momentos. Y ahí está, firme, mi mujer, Marichún: y ahí están mis hijas, en especial Susana, que no en vano es filóloga y está atenta a enmendar mis yerros gramaticales, que los malditos siempre se deslizan con una pasmosa facilidad; pero también María, a la que, como colega en lides de tareas históricas, acudo en consultas telefónicas para salvar la distancia de su casa leonesa.

¿Queda alguien por citar? A buen seguro, y a esos van mis disculpas. Pero hay uno que no olvido, el que he dejado para el último momento. Y ese eres tú, lector querido. Y tú, mi lectora preferida. En vosotros he pensado constantemente. Y por eso a vosotros y a vosotras, como habéis podido comprobar, he querido dedicar, en carta autógrafa, mi libro.

Es algo que quiero reiterar ahora, y de este sencillo modo: con mi cordial agradecimiento por estar ahí presentes, por escribirme, por llamarme, por darme alientos, incluso por vuestros reproches, cuando os enfadáis conmigo.

Porque ese es vuestro derecho y ese es mi gozo.

Mi gozo también: el saber que, al estar mi libro en vuestras manos, yo sigo vivo.

MANUEL FERNÁNDEZ ÁLVAREZ

Introducción

La época de Isabel

No hay modo razonable de hablar sobre un personaje, y más si se trata de uno de los grandes de todos los tiempos, si no lo situamos previamente en su época. Es entonces, tras ponerle ese marco, cuando somos capaces de comprenderlo, de apreciarlo y de valorarlo.

En ese sentido, la época en que vivió Isabel la Católica, la que va desde el año 1451, en el que nace, hasta el de 1504, en el que muere, está enmarcada por dos acontecimientos de primer orden. En primer lugar, dos años después de su nacimiento se produce, en la otra punta de Europa, nada menos que la caída de Constantinopla en manos del naciente Imperio turco; esto es, la desaparición del Imperio bizantino, que había brillado a lo largo de todo un milenio. Algo de tanta trascendencia, que no en vano la historiografía tradicional lo consideraba como el final de la Edad Media; curiosamente, sería la España de Isabel la que daría, medio siglo más tarde, la justa réplica a ese avance musulmán, con la conquista del reino nazarí de Granada.

De tanta trascendencia o más, si cabe, fue el otro fenómeno ocurrido en Occidente: el de las navegaciones oceánicas, y con ello, el magno descubrimiento de América, en el que tanto protagonismo tendría la gran Reina. Eso ocurriendo en una Europa occidental, donde las monarquías nacionales iban a dar una peculiar nota política. Y si eso ocurría a oriente y occidente de Europa, no podemos olvidar que en la zona central, en una franja que iba desde los Países Bajos hasta Italia, se estaba desarrollando un movimiento cultural tan pujante que todavía percibimos su perfume: ese al que damos el nombre de Renacimiento; precisamente esa misma Italia con la que la España isabelina tendría tantos contactos, y no solo políticos (como la conquista de Nápoles), sino también culturales. ¿Haría falta recordar ahora que la misma tumba de la Reina, como la de su marido Fernando, que puede admirarse en la catedral granadina, fue obra de un escultor italiano, de nombre Domenico Fancelli?

Por ello, trataremos de presentar ahora cómo era esa Europa, la Europa de Isabel, fijándonos sucesivamente en esos aspectos ya señalados: la caída de Constantinopla frente al empuje turco; la hazaña de los descubrimientos geográficos desplegada por los nautas portugueses, y, finalmente, el estallido de ese movimiento cultural que llamamos Renacimiento, y que se produce con especial brío en tierras de Italia.

Porque es en esa Europa tan inquieta, la que es la proa del mundo moderno, donde Isabel lleva a cabo, con la inestimable ayuda de su marido Fernando el Católico, su gran tarea que convierte a España en la primera potencia política de su tiempo. Y eso es lo que queremos destacar desde el primer momento: la obra de Isabel la Católica, como es notorio, no es de ámbito local; ni siquiera, o al menos no solo, de ámbito nacional. Es una obra política de alcance universal que se inserta plenamente en la Europa del Renacimiento.

LA CAÍDA DE CONSTANTINOPLA: LA AMENAZA TURCA

En cuanto a la caída de Constantinopla, la mayor ciudad de la Cristiandad, si algo puede sorprender es que resistiese tanto a los embates de sus enemigos, en especial después de que la marejada turca fuera apoderándose no solo de la asiática región de Anatolia, sino de los territorios que el Imperio bizantino poseía en el oriente de Europa. En ese sentido, la conversión de los otomanos al islamismo les dio una cohesión y una moral de la que hasta entonces carecían, que durante siglos les iba a transformar en un Imperio verdaderamente temible.

¡El Imperio turco! Uno de los acontecimientos más notables desarrollados entre la Baja Edad Media y el Renacimiento (siglos XIV al XVI). Es la increíble historia de un pueblo nómada, mal articulado, valiente y violento, salido de las estepas de Asia, capaz tan pronto de ataques esporádicos como de desaparecer de la escena, hasta que encuentra un caudillo que logra aglutinarlo, de darle un objetivo, de imponerle una fe y una disciplina; tal sería la tarea de Otman, ese mítico personaje que vive entre finales del siglo XIII y comienzos del XIV (m. en 1326).

Estamos ante uno de los grandes personajes de la Historia. La leyenda habla de una súbita transformación, fruto de un sueño, según el cual un ángel le revela un futuro grandioso, para él y para su pueblo, si se convierte al Islam y lleva a ese pueblo suyo a la guerra santa contra el infiel. Lo cierto es que el islamismo ya había penetrado en no pocas tribus turcas, pero Otman, dotado de una particular fuerza espiritual, combinando las condiciones del caudillo religioso con las del político y las del soldado, supo aunar a su pueblo, dándole una misión: la conquista para el Islam del caduco Imperio bizantino.

Por decirlo con los términos del poeta, Constantinopla se ofrecía a los turcos como un espléndido botín.

Pero para que aquel intento se convirtiera en una realidad, despojando a la Cristiandad de todo el sudeste de Europa (sin olvidar las plazas que Bizancio poseía a principios del siglo XIV en la asiática Anatolia), fue preciso que se dieran una serie de factores: el debilitamiento del Imperio bizantino, provocado incluso por la Cruzada de principios del siglo XIII (la época del llamado Imperio latino), y la división de la Cristiandad, enzarzada en interminables luchas internas; baste recordar aquí la fatigosa guerra de los Cien Años entre Francia e Inglaterra, que durará hasta bien entrado el siglo XV, precisamente el siglo de la caída de Constantinopla en manos de los turcos.

Algo más habría que tener en cuenta: la temible operatividad del Imperio turco. De una crueldad pavorosa con aquellos pueblos que osaban resistirles, empalando hombres (el horrible tormento que desgarraba a las víctimas, sentándolas brutalmente sobre recios troncos terminados en afilada punta, que les penetraba por el ano) [1], violando mujeres, y degollando chiquillos y ancianos; imponiendo, por lo tanto,

---

[1] La crueldad de la justicia con sus castigos corporales era una dura realidad de la época; mas lo que se sabía de los turcos excedía todo lo imaginable. Los relatos del tiempo son escalofriantes, como el que hace el anónimo autor del *Viaje de Turquía,* un ex cautivo de las galeras turcas que lo presenció:

> Dos castigaron delante de mí el día que nos prendieron: al uno cortaron los brazos, orejas y narices…, y al otro empalaron…

¿Y qué cosa era empalar? Él nos lo dirá:

> La más rabiosa y abominable de todas las muertes. Toman un palo grande, hecho a manera de asador, agudo por la punta, y pónenle derecho, y en aquél le espetan por el fundamento, que llegue cuasi a la boca, y déjanle así vivo, que suele durar dos y tres días. Cuáles ellos son, tales muertes dan. En toda mi vida vi tal crueldad. [*Viaje de Turquía,* ed. A. G. Solalinde, Madrid, Col. Austral, Espasa Calpe, 1946, pág. 38.]

el terror con sola su presencia, esclavizando y deportando al más duro de los cautiverios a los supervivientes, hasta dejar despoblados territorios enteros.

El terror; eso es lo que producía la mera voz de que llegaban los turcos. Una Europa aterrorizada, a lo largo de más de dos siglos. Todavía en pleno siglo XVI un español universal, el humanista Luis Vives, dejaría constancia de ello en un escrito suyo, destinado a dar la voz de alarma a toda la Europa cristiana. Lo tituló: *De Europae dissidiis et bello turcico;* esto es, de las divisiones de Europa cuando era una realidad la guerra con Turquía[2]. Allí expresa Luis Vives lo que suponía caer bajo el dominio turco, como había ocurrido al pueblo húngaro tras el desastre de Mohacs:

> Después de esto, el Turco, derramado por Hungría, saqueó, pasó a fuego y sangre las ciudades, asoló el campo y sembró matanza y estrago dondequiera...

Y añade:

> ... cometiéronse muchos horrores...[3]

De ahí el peligro si invadían Alemania. Entonces:

> ... no quedaría esperanza alguna de que todo el Occidente no cayese en su poder y de que no emigraran al Nuevo Mundo en grandes flotas los que no quisiesen vivir bajo su dominio[4].

Ahora bien, el Turco aplicaba a un tiempo con habilidad el trato benevolente a todos los que se le sometían, fijando dos reglas de oro: el respeto a la religión del vencido, de forma que pudiera seguir practicándola libremente, y no someterles al atropello de los insufribles impuestos, antes marcándolos con moderación; por lo tanto, dejando una vía libre para tranquilidad de las almas y para alivio de las bolsas.

---

[2] Obsérvese esa referencia expresa a Europa, por ese humanista español del Quinientos, contemporáneo de Carlos V, tan negada curiosamente por algunos estudiosos actuales, menos informados de lo que debieran en cuanto a los clásicos de la época.

[3] Luis Vives, *Obras completas,* ed. Lorenzo Riber, Madrid, Aguilar, 1948, II, pág. 47.

[4] Ibídem, pág. 61.

Y algo más que les haría verdaderamente distintos al resto de los imperios que la historia había conocido: imponiendo la entrega de un cupo de niños de los pueblos vencidos, para convertirlos en los futuros soldados de uno de los cuerpos más aguerridos de todos los tiempos: los temibles genízaros.

Y eso sí que era sorprendente: que la fuerza militar de aquel Imperio, por el que dominaba y se extendía tan rápidamente, viniera a descansar y apoyarse en las reservas humanas de las naciones vencidas. Es verdad que las potencias marítimas del Mediterráneo venían aplicando ese principio desde la Antigüedad al poner al remo de sus galeras a los cautivos que lograban en sus victorias. Pero lo hecho ahora por los turcos en su expansión por tierra era mucho más calculado: los niños arrebatados a los cristianos eran llevados a la Corte y cuidadosamente educados como grupo de élite, para que en el futuro integraran aquella invencible infantería de los genízaros, e incluso, en los casos más destacados, para que formaran parte de los cuadros de mando del Estado otomano. Y eso sí que era notable y sorprendente: «No hay en la historia —señala el estudioso alemán Hans Heinrich Schaeder— otro ejemplo de un Estado sustentado sobre el esfuerzo de esclavos pertenecientes a razas extranjeras»[5].

Entre los avances del temible Imperio turco sobre el bizantino, un hecho de armas tuvo especial significado: la batalla de Nicópolis, librada en 1396, en la que contingentes de media Europa cristiana combatieron en esa región del Bajo Danubio contra Bayaceto I. Allí lucharon franceses, alemanes, ingleses, flamencos e italianos, codo con codo con polacos y húngaros, y allí fueron derrotados, diríase que aplastados por la superior máquina guerrera turca.

Cuando se fue extendiendo por la Cristiandad la magnitud de aquel desastre sufrido, fue como si se diera ya por perdida cualquier otra acción contra el prepotente enemigo turco. Durante horas y horas, las campanas de París tocaron a muerte; moría también la esperanza de poder librar a Constantinopla del asedio turco.

Sin embargo, lo que parecía ya inevitable, que Bayaceto I tomase al asalto la codiciada capital del antiguo Imperio bizantino, iba a demorarse aún durante medio siglo. Inesperadamente, a Constantinopla le salió un fuerte aliado: Timur o Tamerlán, el caudillo mongol, que

---

[5] En su estudio sobre el Imperio turco, inserto en la *Historia Universal,* dirigida por Walter Goetz, Madrid, Espasa Calpe, 1954, t. V, pág. 573.

penetraba por Anatolia a toda furia, lo que obligó a Bayaceto I a cambiar de planes, aplazando su ansiado asalto a la capital bizantina. Enfrentados mongoles y turcos en Angora (1402), sufrió Bayaceto su primera derrota, cayendo incluso prisionero de Tamerlán; derrota que le produjo tal depresión que, no superando su prisión, al poco le sobrevino la muerte.

Como suele ocurrir en los imperios en gestación, regidos por el sistema del caudillaje, la muerte de Bayaceto I supuso el caos en el pueblo turco. Pasarían cerca de dos décadas hasta que otro gran soldado, Murad II (1421-1451), consiguiera restablecer la unidad, la disciplina y el empuje de su pueblo. En 1444 tomaba al asalto la ciudad búlgara de Varna, sobre el mar Negro, y cuatro años después derrotaría en los campos de Kosovo a un abigarrado ejército cristiano, integrado por húngaros, alemanes y checos. Ya todo parecía a punto para que Murad II se lanzase sobre Constantinopla, ciudad inerme, casi sin guarnición, y que se había quedado sin aliados que pudieran asistirle.

Solo una cosa podía detener a Murad II: la propia muerte, que le alcanzó en 1451.

(Era el mismo año en el que, en una pequeña villa de la lejana España, nacía una princesa: Isabel de Castilla, Isabel de España. Una princesa que, andando el tiempo, sería la única que lograría nivelar la balanza de aquella feroz pugna entre el mundo musulmán y el mundo cristiano, conquistando —o mejor dicho, reconquistando— el reino nazarí de Granada, el último enclave que los musulmanes poseían en la Europa occidental.)

La falta de reacción de los reyes de la Cristiandad —en parte por la ineficacia de las anteriores ayudas, en parte por sus propios intereses— hizo más fácil el último asedio de Mahomet II (1451-1481) a Constantinopla, quien apenas si necesitó dos meses para doblegar la resistencia de sus postreros defensores, dos años después de subir al trono.

Tal ocurriría el 29 de mayo de 1453. Un grave acontecimiento que, quizá por considerado como inevitable, siguió sin hacer reaccionar a los soberanos de Europa. Situación bien reflejada en la carta latina que el gran humanista Eneas Silvio Piccolomini escribió al Turco y que, traducida al romance, venía a decir:

> Tú eres sin duda el mayor soberano del mundo. Tan solo te falta una cosa: el bautismo. Acepta un poco de agua y te

convertirás en el señor de todos estos pusilánimes que llevan coronas consagradas y se sientan en tronos bendecidos...

De ese modo, aquel gran humanista, que para entonces ya había sido elegido Papa y tomado el nombre de Pío II (1458-1464), podía recordar los primeros tiempos del cristianismo, convertido ya en religión del Imperio romano:

> Sé mi nuevo Constantino: yo seré para ti el nuevo Silvestre[6]. Conviértete al cristianismo y juntos fundaremos desde Roma, mi ciudad, y desde Constantinopla, ahora tuya, un nuevo orden universal[7].

Carta que no llegaría a su destinatario —parece que jamás se mandó—, pero que pone de manifiesto cómo se reconocía en Roma el contraste entre la agresividad y el empuje de los otomanos, frente al encogimiento de los medrosos y acobardados príncipes cristianos.

De ahí la importancia que tendría para esa Europa cristiana, tan a la defensiva en Oriente frente al poderío musulmán, que en Occidente surgiera lo que nadie esperaba, una potencia capaz de batir al Islam en Granada, que llevaba casi ocho siglos en la fe del Corán.

EL DESAFÍO PORTUGUÉS: EL MAR TENEBROSO

El otro gran acontecimiento de aquella época fue, sin duda alguna, la impresionante expansión portuguesa por el Océano, arrostrando los peligros de aquel Mar Tenebroso, como lo llamaban y lo temían todos los navegantes de la Europa occidental.

Eso venía de muy atrás, del corazón del Medievo. Así, cuando el geógrafo musulmán El Edrisí describe en el siglo XII la península Ibérica, al tratar del Océano lo hace con palabras impregnadas de misterio, que todavía sugestionan profundamente a quien las lee:

---

[6] Se refiere, claro, al papa Silvestre (314-335), bajo cuyo pontificado procedió el emperador Constantino a declarar al cristianismo como religión oficial del Imperio romano.

[7] Carta recogida por Franco Cardini en su espléndido libro *Europa 1492. Retrato de un continente hace quinientos años*, Madrid, Anaya —Círculo de Lectores—, 1991, pág. 14.

Nadie sabe —nos dice— lo que hay en ese mar, ni puede averiguarse, por las dificultades que oponen a la navegación las profundas tinieblas, la altura de las olas, la frecuencia de las tempestades, los innumerables monstruos que la pueblan y la violencia de sus vientos. Hay, sin embargo, en este océano un gran número de islas habitadas y otras desiertas; pero ningún marino se atreve a penetrar en alta mar, limitándose a costear sin perder de vista el Continente. Empujadas hacia delante las olas de este mar, parecen montañas y caminan sin romperse, y si no fuera por esto sería imposible franquearlas[8].

Ese penetrante aroma de misterio que venía con el aire de la mar saturaba las tierras costeras que miraban al Océano, es decir, a ese Mar Tenebroso. España y Portugal eran las avanzadas de tierra firme, hacia Occidente. Cercano al sepulcro del apóstol Santiago se hallaba el cabo Finisterre. Y no había peregrino que después de rezar ante la tumba del Apóstol no se sintiese atraído por el Mar Tenebroso. En los dos relatos que nos quedan del viaje del noble checo Rhosmithal, los escritos por sus servidores Schaschek y Tetzel, integrantes ambos de su comitiva, en ambos campea esa fascinación que ejercía sobre los hombres de Europa el Mar Tenebroso, cuando mediaba el siglo XV. Por entonces Portugal se afanaba por arrancar a la mar sus secretos; pero era hacia el sur, no hacia occidente, que era hacia donde apuntaba el cabo Finisterre. Schaschek nos relata su conmoción, al asomarse a aquellas aguas alborotadas, con estas sencillas palabras:

… más allá no hay nada más que las aguas del mar, cuyo término nadie más que Dios conoce[9].

Esa sencilla frase, que hoy nos resulta verdaderamente impresionante y que basta para reflejar la fuerte carga emotiva que sacudía el alma de aquel centroeuropeo, se hace amplio comentario en el otro servidor, en Tetzel, quien nos dice:

Desde Santiago fuimos a Finisterre, como le llaman los campesinos, palabra que significa el fin de la tierra. No se ve más allá sino cielo y agua, y dicen que la mar es tan borrascosa

---

[8] Véase mi libro *Viajes y viajeros desde el Renacimiento hasta el Romanticismo,* Madrid, 1956, pág. 15.

[9] Ibídem, pág. 16.

que nadie ha podido navegar en ella, ignorándose por tanto lo que hay más allá.

Y añade, como dramática síntesis de aquella inquieta época:

> Dijéronnos que algunos, deseosos de averiguarlo, habían desaparecido con sus naves y que ninguno había nunca vuelto [10].

¿Quién no ve aquí esa fuerza que empuja al hombre, sin descanso, a conocer, es decir, a penetrar en el misterio, avanzando hasta el límite de sus dominios, sea en el espacio, sea en el tiempo? La época antigua había explorado su mundo, como lo hace la actual con el suyo. Las naves de tartesos, fenicios, griegos y cartagineses habían rozado los bordes del misterio en sus viajes a las islas Casitérides, en sus intentos de periplos sobre África, en sus expediciones hasta la lejana Thule o hasta las Afortunadas. Las falanges de Alejandro se habían asomado al Índico; al mar del Norte, las legiones romanas. Desde Aristóteles la creencia en la esfericidad de la Tierra era casi un axioma, así como el de la existencia de la «Terra Australis». La posibilidad de los viajes oceánicos debía de ser tema corriente, a juzgar no solo por la conocida profecía de Séneca en su tragedia *Medea* [11], sino sobre todo por estas otras palabras del mismo autor, que se encuentran en su obra *Naturalium questionum,* donde dice:

> El espectador curioso desea salir de su estrecha sede. En realidad, ¿qué distancia hay entre las playas extremas de España y la India? Poquísimos días de navegación, si sopla para la nave un viento propicio [12].

Parecía España (la España romana, claro, o sea, España y Portugal), pues, desde la Antigüedad el lugar propicio para saltar sobre el abismo, para vencer al Océano. Y aunque la Edad Media retrocedió infinito empírica y científicamente, después, al contacto con la cultura musulmana, que había asimilado gran parte de la antigua, volvió al cabo de los siglos a mostrarse altamente sensible para las empresas

---

[10] *Viajes y viajeros...,* ob. cit., pág. 17.
[11] «... venient annis saecula seris, quibus Oceanos vincula rerum laxet...» (ibídem, nota 182).
[12] Ibídem, pág. 17.

descubridoras. Si la Antigüedad había creado la hermosa leyenda de la Atlántida, la Edad Media hablaba de las fabulosas Antillas, lejanas islas hacia occidente adonde habían llegado en el año 711 el arzobispo de Oporto y otros seis prelados huyendo de España, después de la derrota de Guadalete. Ingenuas narraciones sobre exploraciones en el Océano, y los peligros que entrañaban, eran transmitidas de generación en generación. A lo largo del siglo XV, hasta su muerte, acaecida pocos años antes de la llegada de Rosmithal a España, en 1460, Enrique el Navegante había creado en Portugal una auténtica necesidad: la descubridora, encauzada a buscar el paso marítimo hacia las Indias orientales costeando la tierra africana.

Tal sería el desafío portugués. Ahora bien, para que aquello pudiese prosperar tuvieron que darse una serie de condiciones, que no suelen ponerse de manifiesto por los historiadores europeos, en particular por los españoles. Y la primera, que Portugal se convirtió en el primer Estado moderno, entendiendo por tal el que se configura con los rasgos de un Estado nacional.

En efecto, la diferenciación histórica de Portugal se remonta al siglo XII, gracias al largo reinado de uno de sus estadistas más notables, bajo cuya égida Portugal se convierte en Reino. Ese personaje es Alfonso I. A su muerte, en 1185, Lisboa es ya portuguesa y la nueva nación cuenta con un centro espiritual: el monasterio de Alcobaça, de la Orden cisterciense. Un siglo más tarde, a finales del XIII, Portugal ha concluido su proceso secular de Reconquista, sin las oscilaciones de su vecina Castilla, y ha fijado sus fronteras con los castellanos en unos límites que prácticamente siguen siendo los actuales. Los años 1279 y 1297 son, a este respecto, dos fechas significativas. En 1279, Alfonso III concluye la Reconquista con la toma de Faro, en los Algarves, y elimina la frontera sur musulmana, dos siglos antes de que lo haga España; y en 1297 el tratado de Alcañices fija su frontera con Castilla. A mediados del siglo XIII ya tiene Portugal funcionando sus Cortes, con la participación de las ciudades, y establecida su Universidad, la fundación de don Dionís, que acabará fijando su sede en Coimbra.

Esa fuerte estructuración nacional permite comprender la fácil superación de la crisis sucesoria producida a la muerte del rey don Fernando sin hijos legítimos en 1383; que encumbrará la dinastía Avís, con Juan I; situación consolidada en el campo de batalla, con la aplastante derrota de los castellanos en Aljubarrota, la batalla por antonomasia del reino luso, recordada en el célebre monasterio de tal nombre (Batalha). Se ponen así las bases para el impresionante despliegue en

Ultramar, que los portugueses realizan en el siglo XV. Restablecida la paz con España (después del intento de Alfonso V de intervenir en el pleito entre Isabel la Católica y Juana), por el tratado de Alcáçobas de 1479, y resueltas las nuevas dificultades planteadas por las rivalidades descubridoras, con el tratado de Tordesillas de 1494; coronada la empresa de enlazar con las Indias orientales, después del viaje de Vasco da Gama (1497-1499), se abría ya para Portugal su nueva etapa consolidadora de su imperio marítimo. Es la que se corresponde con la época del tardío Renacimiento europeo y la Reforma.

La gesta portuguesa era de tal magnitud que provoca una de las obras maestras de la literatura universal: *Os Lusiadas* de Camoens.

Camoens pertenecía a la generación que había crecido a la sombra de tan magnos sucesos. Él mismo conocía los riesgos de tamañas travesías, de forma que su testimonio nos adentra de lleno en aquella fascinante aventura, como era el bordear con unas naos tan inseguras toda la costa occidental africana, para doblar el cabo de Buena Esperanza y adentrarse en el mar Índico, en ruta hacia las Indias orientales; un viaje interminable y lleno de riesgos. Todo aquello superaba a lo que se sabía y se ensalzaba de las gestas marineras de la Antigüedad, de forma que con razón podía escribir Camoens en su canto épico:

> Quédense a un lado las grandes navegaciones emprendidas por el sabio griego [Ulises] y por el troyano [Eneas]; enmudezca la fama que Alejandro y Trajano consiguieron con sus victorias...

¿Acaso no había quedado todo aquello superado por los nautas portugueses? Así que, fiero de su gente, Camoens añade:

> Yo canto el corazón ilustre lusitano, a quien obedecieron Neptuno y Marte. Cese, en fin, todo cuanto ensalza la poesía antigua, y ceda el puesto a las heroicas hazañas que voy a celebrar...[13]

La mayor parte de aquellas gestas tuvieron lugar sincrónicamente al reinado de Isabel, desde que los portugueses lograron dejar atrás las costas arenosas del Sahara occidental para bordear el África ecuatorial.

---

[13] Luis de Camoens, *Os Lusiadas,* canto primero, estrofa tercera; sigo la edición del Círculo de Lectores, Barcelona, 1972, pág. 19.

En 1447 se asomaban ya a unas tierras tan distintas, que con razón las bautizaron Cabo Verde. Isabel tenía nueve años cuando murió el impulsor de toda aquella gesta, Enrique el Navegante, del que sin duda oyó hablar. En 1471, cuando la entonces Princesa de Asturias se enfrentaba a la enemiga del marqués de Villena, los portugueses alzaban en el África ecuatorial el castillo de San Jorge de la Mina.

Eran los tiempos en los que Luis XI de Francia pugnaba con Carlos el Temerario por el ducado de Borgoña, y cuando todavía Inglaterra se veía inmersa en la guerra civil de las Dos Rosas, que no se resolvería hasta que en 1485 Enrique VII no lograse la victoria de Bosworth sobre el siniestro monarca Ricardo III.

Eso pondría las bases de las grandes monarquías nacionales del occidente de Europa, las de Francia e Inglaterra.

EL NUEVO IMPULSO CULTURAL: EL RENACIMIENTO

Sin entrar en la polémica de los precedentes del Renacimiento, que tanto atosigó a los contemporáneos de Huizinga, y dando por sentado que los tuvo, y de todo género, a lo largo de los siglos de la Edad Media tardía, podemos dar como válida la tesis de que con el Renacimiento irrumpen, con un empuje magnífico, los llamados tiempos modernos. Y ese empuje es ante todo vital, es decir, demográfico. El último siglo medieval se había cerrado con una catástrofe demográfica, fruto de la terrible peste negra, de las malas cosechas enlazadas y de las guerras sin fin que asolan la Europa occidental, mientras en la oriental se siente cada vez más fuerte la presión del pueblo turco. Esa catástrofe demográfica del siglo XIV tendrá su reflejo fiel en la obsesión por la muerte que campea sobre aquella sociedad. La muerte no es ya la liberación de un alma que aspira a la eternidad; la muerte no es, tampoco, el mensajero de la divinidad. La muerte es algo más —y ahí está el tono macabro—: es un personaje que se impone a los mortales y que los trata con sarcasmo, o por mejor decir, los maltrata. Tiene una presencia física, y lo que es más, una voluntad propia. Cada mortal va seguido por una muerte, que se alza siniestra a sus espaldas y se divierte con su víctima.

Esa visión espeluznante de la existencia da paso, de pronto, a un ímpetu, a unas ansias de vivir formidables. Con la superación de la crisis demográfica, Europa parece entregarse a la alegría de la vida terrena, como un convaleciente que ha superado una larga y grave enfermedad y percibe con mayor fuerza el color y el sabor de las cosas. De pronto el mundo parece como una fruta madura al alcance de la mano de los mortales. Los europeos del siglo XV se lanzan a este torbellino de vivir.

Por lo tanto, sobreviene un corte con los ideales ascéticos que campeaban en la Edad Media. Es cierto que esos ideales aparecían ya gravemente erosionados y habían perdido buena parte de su contenido. Cuestión de interés sobre la que será preciso volver. De momento es importante señalar que, unido a ese afán de vida, está el deseo de alcanzar fama. La gloria de vivir en la memoria de los hombres no será ya un privilegio de reyes, guerreros y santos; ahora quieren participar de ella los poderosos, tanto los de antiguo cuño, respaldados por sus linajes, como los nuevos, a los que dan firmeza los negocios hábilmente manejados. Y además, los artistas, los sabios humanistas y los literatos. Por lograr fama el hombre del Renacimiento no dudará, en ocasiones, hasta en emplear la violencia, aunque ello le depare la muerte física: *mors acerba, fama perpetua*. Por perpetuarse, cualquier burgués de mediano pasar gastará parte de su caudal en hacerse un retrato, y así la clientela de los pintores, aun de pequeña y mediana talla, crece constantemente.

Pues lo cierto es que la época del Renacimiento coincide en Europa con una eclosión de vitalidad. No hemos de tomarlo como algo casual, sino como dos hechos fuertemente trabados. A la anterior atonía demográfica sucedía por todas partes un impulso vital ascendente. No es que el hambre y la peste hubieran desaparecido, pero los años de escasez se espaciaban cada vez más y el europeo medio, mejor alimentado, superaba con menos bajas los ataques pestíferos. Por todas partes el comercio crecía en intensidad, las ciudades se esponjaban, las rutas eran cada vez más frecuentadas. Una ola de prosperidad recorría el continente entero, vivificando los más apartados rincones, pues los tiempos de la bonanza no eran solo del comercio. Una población en auge daba más clientes a la industria artesana, fijaba a los obreros en sus oficios y atraía más brazos del campo circundante. A su vez, esa población en alza, con mayores posibilidades económicas, exigía más alimentos de la campiña y extendía más y más su radio de influencia sobre la zona comarcana. Por otra parte, el hecho de que los caminos se viesen más transitados favorecía a los lugares, grandes y chicos, apostados en las principales rutas. En otras palabras: la riqueza atraía la riqueza, en particular después que la guerra de los Cien Años dejó de asolar los campos de Francia. Por toda Europa, los bosques y los pantanos empezaron a mermar, en beneficio de las tierras de labor. Los países del este suministraban cada vez más trigo, madera y pieles a cambio de paños, armas y otros productos manufacturados. El comercio más caro seguía siendo el que se establecía con el Lejano Oriente, a través de los puertos del Mediterráneo oriental. Un comercio que hacía a Europa deficitaria en su balanza de pagos con Asia, con el consiguiente drenaje de sus reservas de oro y plata. Para remediar esa necesidad, se habían puesto al máximo rendimiento las minas argentíferas del centro de Europa, y la técnica alemana había dado un notorio avance en la industria extractora de minerales, así como en su posterior tratamiento, pese a lo cual la situación seguía siendo desfavorable, pues la alta civilización oriental no pedía nada a la europea, salvo sus metales preciosos.

Un impulso hacia el exterior. Un impulso marítimo. Con más precisión aún, la necesidad de asaltar el murallón del Océano, aquel Mar Tenebroso tan temido por el hombre del Medievo. ¿Tiene algo de extraño que fueran los pueblos iberos los primeros en conseguirlo? Portugal, con su amplia fachada sobre el Océano; España, con su mano metida en el mar, a la que por algo se llama Finisterre.

Aquella Europa próspera y abundante, pero con este problema acuciante de falta de medios de pago, se vio forzada a la búsqueda ansiosa del oro y, para ello, a volcarse hacia el exterior. Ese impulso, en su primera fase, tomó la dirección atlántica, en parte por la especial situación de los pueblos ibéricos, en parte también por el contrafuerte político que Europa encontró en el sudeste, con las constantes oleadas de los otomanos. No eran estos los únicos problemas que preocupaban a Europa. En aquellos inciertos años de los principios de la Edad Moderna estaba aún por dilucidar, entre tantas cosas, cuál sería la estructura política del nuevo Estado. Pues una cosa era clara: había que salir de la débil armazón del Estado feudal. Los pueblos precisaban, ante el mayor esfuerzo competitivo que se les exigía, estructuras políticas más eficaces que las que había proporcionado, hasta la fecha, el Estado medieval. En Italia proliferaba el tipo de ciudad-Estado, donde una urbe de relieve imponía su ley y sus necesidades dentro de un ámbito reducido, a escala regional. En Alemania, la ambiciosa fórmula imperial dejaba traslucir la impotencia de un emperador frente a la fuerza creciente del colegio de príncipes electores. En los países escandinavos y en el este polaco, la fórmula política albergaba pueblos distintos: en el norte, daneses, noruegos y suecos se agrupaban bajo la Unión de Kalmar, mientras en el este polacos y lituanos aunaban sus esfuerzos por el acuerdo de Lublín. De modo que la fórmula nacional solo apuntaba, de momento, dentro del área occidental, en la Europa que se había visto más afectada por los duros tiempos de la guerra de los Cien Años.

Así pues, era una Europa que se hallaba a la defensiva en el sudeste, en expansión hacia el oeste, que en el centro del Mediterráneo, a lo largo de la península italiana, había amontonado sus riquezas en una serie de Estados minúsculos, incapaces de una seria resistencia, y que pronto se verían amenazados por parte de franceses, de alemanes, de aragoneses, de castellanos y hasta de turcos.

Objetivo, Italia: esa era una de las metas que pronto se plantearon las más pujantes cancillerías europeas. Otra fue la de buscar el camino del oro. Europa conseguía el oro nigeriano a través de las caravanas que enlazaban los centros productores con los puertos de la costa norteafricana. Para ello tenía que utilizar a los intermediarios árabes, que se hacían pagar bien caros sus servicios. La cuestión estribaba, por lo tanto, en conectar directamente con el corazón del África negra para conseguir más oro y más barato; esto es, lo importante era que las naos europeas bordeasen con fortuna la costa atlántica africana, penetrando más allá del mundo conocido. Tal sería la tarea a la que lanzó Enrique el Navegante al pueblo portugués, como ya hemos visto. Sin olvidar que esa tierra del oro africano era lugar propicio para obtener esclavos, señuelo que también apreciamos en las navegaciones de castellanos hacia las islas Canarias.

Aun así, con estas alternativas políticas y con tales tensiones sociales, lo más característico del tiempo viene dado por las inquietudes culturales. Los descubrimientos de los eruditos estaban presentando ante la asombrada Europa el mundo espiritual grecolatino. Era como una mansión magnífica cuyas habitaciones habían sido cerradas casi por completo en los siglos del largo Medievo, y que ahora se abrían de par en par para delicia de los visitantes. El entusiasmo que tal acontecimiento estaba produciendo solo puede medirse diciendo que únicamente los descubrimientos geográficos le llegaban a la par. Y para comprenderlo hay que tener bien presente todo el fabuloso legado cultural del mundo antiguo, en especial de Grecia. En la poesía épica como en el teatro, en la filosofía como en las matemáticas, en la arquitectura como en la escultura, las obras maestras producidas por el genio griego se contaban por docenas. Y en su mayoría habían desaparecido, conociéndose a lo sumo sus títulos por referencias de autores posteriores. Ese era el caso del grandioso Platón y, por lo tanto, de Sócrates; la figura mejor conocida, aunque no desde luego en su totalidad, era Aristóteles. Ahora los descubrimientos de los eruditos ponían en circulación los escritos de los sabios antiguos. Precisamente cuando a poco una técnica afortunada deparaba, con la imprenta de Gutenberg, la posibilidad de hacer cientos y cientos de ejemplares a precios módicos. Todo el mundo culto podía leer a los antiguos. Se revivían sus hazañas y sus avatares, toda su prodigiosa historia, a través de sus poetas y de sus historiadores, de sus dramaturgos y de sus pensadores; de Homero como de Esquilo, de Herodoto como de Platón. Las audaces teorías sobre la forma y composición de la Tierra volvían a circular. Se repetía, con la escuela pitagórica, que el libro de la Naturaleza estaba escrito en caracteres matemáticos, y se volvía a pensar, con Aristarco de Samos, que la Tierra podía ser que fuese la que diera vueltas alrededor del Sol, y no a la inversa; de hecho, en los escritos de Copérnico aparece la cita de Aristarco de Samos. Esto es, la cultura antigua volvía a manar, como una fuente preciosa de la que todo el mundo quería beber. Los sabios se dedicaban afanosos a profundizar sus conocimientos sobre la Antigüedad, cuyo brillo les cegaba, y alcanzaban fama por sus descubrimientos y sus comentarios; así se hizo famoso Poggio, cuando en un viaje hecho por fines eclesiásticos, como legado de Roma en el Imperio, encontró al paso en un convento suizo un manuscrito de Quintiliano.

Los poderosos de la Tierra —reyes como príncipes de la Iglesia, nobles y mercaderes— protegían con magnificencia a esos eruditos y estudiosos de la Antigüedad. Las cortes de Roma, Florencia, Nápoles y Milán, o las más pequeñas de Mantua y Ferrara, así como las de Francia, Inglaterra y España, acogían espléndidamente a los fomentadores de los nuevos estudios. La gloria de Lorenzo el Magnífico se ponía de manifiesto ante toda Europa porque amparaba una nueva Academia que agrupaba a figuras como Marsilio Ficino y Pico della Mirandola. La fama de la imprenta veneciana de Aldo Manuccio se cimentaba, sobre todo, en su cuidadosa edición de textos clásicos con comentarios críticos de los mayores sabios. Y todo venía de bastante atrás, pues baste recordar que Petrarca estaba más orgulloso de su obra latina que de sus escritos italianos, y que si algo lamentaba era que en su formación faltara el conocimiento de la lengua griega. Y no es que la cultura gótica no hubiese dado obras maestras en las artes y en las letras. En realidad, ya entonces había empezado su admiración sin límites por la Antigüedad, a través de Aristóteles, si bien con tan estrecho dogmatismo que pronto vino a frenar la evolución del pensamiento.

¿Qué es lo que de más singular trae consigo la cultura antigua? El desarrollo de la personalidad, en contraste con las masas uniformes de las civilizaciones del antiguo Oriente, sean los egipcios de las pirámides o los sumerios y acadios de Mesopotamia. También contrastaba con la Edad Media europea, época de artistas anónimos. Pues el Renacimiento rinde culto a la personalidad al admirar la prodigiosa galería de personajes que le ofrece el mundo antiguo. Estaba, además, el sentimiento entre heroico y trágico que de la existencia tenía el hombre de la Antigüedad grecorromana: aquel valorar lo heroico como el esfuerzo del hombre por alcanzar la plenitud de sus posibilidades, por escalar la cima de su humanidad, aunque tras la grandeza acechase una suerte adversa. Lo cual podía ocurrirle a un personaje de leyenda y a una figura histórica, a Aquiles como a Alcibíades; y no solo a soldados o a políticos, puesto que de igual forma se había enfrentado Sócrates con su trágico destino.

Pues bien, a esas grandes personalidades del pasado pronto fueron incorporándose las de la Europa renacentista.

Y entre ellas, una mujer cabe destacar, una mujer nacida para la política y para alentar grandes empresas; pero también una Reina protectora de las artes y de las letras, que no en vano su efigie, junto a la de su marido Fernando, está en el medallón que adorna la fachada de la Universidad de Salamanca, con este lema en su orla:

La Universidad para los Reyes
y los Reyes para la Universidad.

PARTE PRIMERA

A LA CONQUISTA DEL PODER

1
LA INFANTA DE MADRIGAL

NACE UNA REINA

El viajero que partiendo de Peñaranda toma la vía de Medina del Campo se encuentra, a mitad de camino, cuando lleva recorridas unas cuatro leguas, con una vista que no deja de sorprenderle. Después de pasar algunos pequeños pueblos (Rágama, Rasueros), de pronto, al culminar una pequeña cuesta, divisa a lo lejos una villa de tonos cárdenos, que destaca sobre los campos de trigales que la circundan. Si tiene la suerte de que el día sea medianamente luminoso, como es frecuente en la meseta, aun en los meses de invierno, podrá comprobar pronto que es villa amurallada y de razonables proporciones. Tiene ante sí a Madrigal de las Altas Torres, lugar ilustre; un lugar que ocupa un puesto de honor en la historia hispana.

Y ello porque en Madrigal, como es tan notorio, nació Isabel de Castilla, Isabel de las Españas, o si se quiere recordar el título pontificio, Isabel la Católica.

El viajero se acerca curioso, pues, a la histórica villa. Viniendo como viene de Peñaranda de Bracamonte —acaso ha salido, y muy temprano, de Salamanca, la ciudad del Tormes, la del alto soto de torres cantada por Unamuno—, entrará en Madrigal por la puerta de Cantalapiedra, que conserva muy bien su recia estructura bajomedieva. Una calle ancha, buena para que circulen toda clase de carros, le conducirá hasta unas callejas que, bajando una ligera cuesta, le permitirán alcanzar un hermoso paseo, en cuyos aledaños está un convento de aspecto tosco: es el convento de las madres agustinas, otrora casona palaciega del patrimonio regio, antes de que Carlos V, allá por el año 1525, la cediera a las monjas agustinas para que mejoraran su alojamiento; y no es extraño que tal quisiera, porque la abadesa del convento, doña María de Aragón, era tía suya; era un secreto a voces: doña María era hija natural de Fernando el Católico.

No es de extrañar, por lo tanto, que a la casona-palacio de Madrigal llegara en la primavera de 1451 Isabel de Portugal, la segunda esposa del rey Juan II de Castilla, y que allí diera a luz una niña muy blanca, muy rubia —no en vano era nieta de la reina Catalina de Plantagenet—, a la que pondría su propio nombre: Isabel.

Madrigal era entonces, a mediados del siglo XV, una villa bien amurallada y de relativa importancia como lugar regio, bien situada en un cruce de caminos, a cinco leguas tanto de Medina del Campo, hacia el norte, como de Arévalo, hacia levante, y ambas con regios castillos, tanto por su imponente traza militar como porque del Rey eran. Todavía en el siglo XVI sabemos, por los censos que posee el Archivo de Simancas, que tenía casi setecientos vecinos (por lo tanto, en torno a cuatro mil habitantes), de ellos veinticinco hidalgos, de los de escudo en puerta para acreditar su noble ejecutoria (de los que todavía pueden contemplarse algunos bien conservados), y treinta y cuatro clérigos, aparte de los frailes y monjas que vivían en su entorno, como las ya citadas madres agustinas. Dos iglesias de traza entre gótica y mudéjar (de particular importancia la de San Nicolás de Bari) completaban la monumentalidad de la villa.

Esa es, y así era a mediados del siglo XV, Madrigal de las Altas Torres, asentada en el vértice de un triángulo de especial significado en la vida de Isabel la Católica, si recordamos los otros núcleos urbanos, el de Arévalo, donde pasó su niñez, y el de Medina del Campo, donde moriría medio siglo después, en 1504.

Y la primera pregunta que nos hacemos, cuando ya avistamos los muros de la antigua casona palaciega que tenían los reyes de Castilla, antes de que Carlos V la cediera a las madres agustinas, es por qué Madrigal tiene de pronto esa importancia, qué fue lo que llevó a la reina Isabel, la portuguesa, la segunda esposa de Juan II de Castilla, a escoger Madrigal cuando sintió cercano su primer parto.

Y eso es lo que convendría tener en cuenta. No se trata de que los dolores del alumbramiento la cogieran en plena marcha por los campos de Castilla, pese a que era una realidad el nomadismo de la Corte castellana en aquella época.

Porque, en verdad, existieron otros motivos. En primer lugar, no es posible olvidar que Isabel de Portugal se había casado, cuatro años antes, el 22 de julio de 1447, en la villa de Madrigal. Ni tampoco que esa fue la primera prenda, el primer lugar que el Rey, su marido, le dio en arras, junto con la ciudad de Soria; dote con la que al punto se hizo la Reina. En efecto, sabemos que diez días después de la boda, el 2 de agosto de aquel año de 1447, Isabel de Portugal tomaba posesión de su nuevo dominio de Madrigal[1]. Por lo tanto, se comprende que la Reina viese en la villa de Madrigal su natural refugio, cuando sintió cercano el momento del parto.

¿Cómo era la Reina? ¿Joven, vieja? ¿Hermosa, fea?

Evidentemente, joven, mucho más que el Rey, su marido, Juan II, que tenía entonces cuarenta y seis años y que, cuando menos, le doblaba la edad. De hermosa y sensual la califica uno de sus mejores estudiosos. Lo de hermosa, no nos cabe duda; lo de sensual, cabe suponerlo. En cuanto a su juventud, sin conocer sus años precisos, sí podemos creerlo, a poco que demos crédito a los poetas del tiempo, y en particular a Gómez Manrique, quien cantaría a la reina Isabel con estos versos:

> ... cuya honestidad,
> seso, bondad e virtud,
> para ser en joventud,
> es en grande stremidad.

Está claro que para Gómez Manrique la reina Isabel en 1453, que es cuando el poeta escribe estos versos (celebrando el nacimiento del infante don Alfonso), no tendría más de veinte o veintidós años, de forma que cuando casó con Juan II no pasaría de los quince, lo cual explicaría que tardase cuatro años en tener a su primera hija, la entonces infanta Isabel.

Aquella chiquilla —que por tal la tendríamos ahora—, que el poderoso valido don Álvaro de Luna había ido a buscar a Portugal, era hija del infante portugués don Juan y nieta del conde de Barcelos. De pronto, se vio incorporada a la Corte de Castilla con un protagonismo que acaso pidiera más edad. Pero en todo caso, muy bella, una «ardiente belleza lusitana», en expresión de Luis Suárez.

---

[1] El dato nos lo precisa Luis Suárez, el más completo especialista del reinado, en su erudito estudio «Los Trastámaras de Castilla y Aragón en el siglo XV» (en *HEMP*, t. XV, págs. 192 y 214, n. 26; lo obtiene del Archivo de Simancas, Patronato Real, leg. 49, fol. 30).

La Reina tuvo su difícil parto el 22 de abril de 1451, si damos crédito a la anotación del doctor Toledo, médico de la Corte, que nos precisa incluso la hora: las cinco menos veinte de la tarde. Un texto que merece la pena ser recordado:

> Nasció la santa Reyna Católica doña Ysabel, fija del rey don Juan el Segundo e de la reyna doña Ysabel, su segunda mujer, en Madrigal, jueves, XXII de abril, IIII horas e dos tercios de hora después de mediodía, año Domini 1451 años[2].

Ahora bien, estamos ante un texto con alguna interpolación o un testimonio muy tardío, ya que Isabel recibió el título de Católica de manos del papa Alejandro VI en 1496. Aun así, es la fecha considerada como más fiable por la mayoría de los historiadores. La anotación del doctor Toledo se complementa con la única carta que conocemos de Juan II en la que comunica la buena nueva a la ciudad de Segovia. La escribe desde Madrid, cuatro días después del parto de la Reina, y dice así:

> Fágovos saber que, por la gracia de Nuestro Señor, este jueves próximo pasado, la reyna doña Ysabel, mi muy cara e muy amada muger, encaesció [sic] de una Ynfante. Lo qual vos fago saber porque dedes muchas gracias a Dios, así por la deliberación de la dicha Reyna, mi muger, como por el nascimiento de la dicha Ynfante; sobre lo qual mandó ir a vos a Julián de Bustos, levador de la presente[3].

Como puede verse, Juan II no indica el día exacto del nacimiento de su hija, salvo que había ocurrido el jueves anterior al 26 de abril; lo que da la pista concreta, porque el día 22 señalado por el doctor Toledo fue precisamente el Jueves Santo de aquel año de 1451.

La carta del Rey, además de darnos una idea del laborioso parto de Isabel de Portugal —eso de dar gracias a Dios por «la deliberación» de la Reina—, lo que es natural, pues se trataba de su primer hijo, nos permite asegurar que Juan II no estuvo acompañando a la Reina en

---

[2] *Codoin*, vol. XIII, pág. 20.
[3] Cit. por Azcona, *Isabel la Católica. Estudio crítico de su vida y su reinado,* Madrid, Biblioteca de Autores Cristianos, 1993 (cito por esta edición que tengo la fortuna de poseer con afectuosa dedicatoria de su autor), pág. 11.

aquel momento; de ahí que, al cogerle en Madrid la noticia, tarde cuatro días en anunciarla a la ciudad de Segovia.

Podría sorprender lo poco que se sabe de la primera época de Isabel, cuando era Infanta de Castilla, tanto mientras vivió con su padre, Juan II (muerto en 1454), como durante los años que pasó con su madre, la ya Reina viuda, en Arévalo. Está claro que la escasez de noticias se halla en relación con la poca importancia que se daba entonces a la futura gran Reina. Se trataba de una Infanta de Castilla, eso sí, por lo tanto en la línea sucesoria al trono tras su hermanastro Enrique IV y su hermano Alfonso; pero nadie pensaba en ella, posiblemente porque Enrique IV ya jugaba un papel político de primer orden cuando era Príncipe de Asturias.

Sin embargo, eso nos vale para entender el silencio de los cronistas de la época, no el de los documentos.

Pues, por pena, no contamos ni siquiera con el acta parroquial del bautizo de la Infanta, que posiblemente se haría en la iglesia de San Nicolás de Bari, tan cercana a la casona-palacio de Madrigal. Todo el esfuerzo de un investigador de la talla de Tarsicio de Azcona solo pudo conseguir un dato cierto: el nombre de su nodriza, María Lopes, a buen seguro una portuguesa del cortejo de la madre, quien pasando el tiempo, en 1495, recibiría una regia recompensa de 10.000 maravedíes,

porque la dicha María Lopes dio a Su Alteza de su leche[4].

Lo que nos lleva a la reflexión, pues todo eso nos prueba que Isabel la Católica, la gran Reina de Castilla, la gran Reina de España, no solo es hija de la portuguesa, sino también la hija de leche de otra portuguesa, aquella María Lopes que

... dio a Su Alteza de su leche.

Y a saber, como es muy probable, si no tendría también algún hermano o alguna hermana de leche, algún otro hijo de María Lopes criándose en la Corte de la mano —y de los pechos— de aquella nodriza portuguesa.

Y esto no deja de tener su importancia. Esto podría explicar el porqué más tarde, cuando la Infanta niña se convierta en Reina todo-

---

[4] Tarsicio de Azcona, *Isabel la Católica*, ed. cit., pág. 14, nota 29.

poderosa, y una vez superada la primera fase agresiva protagonizada por Alfonso V de Portugal, Isabel siempre tienda a mantener buenas relaciones con el reino vecino, bien dándole sus hijas en matrimonio (como sería el caso de las princesas Isabel y María), bien siendo generosa, a la hora de superar dificultades diplomáticas, para asentar una buena y duradera paz entre ambas coronas, como lo haría en el tratado de Tordesillas de 1494.

Pero volvamos a su niñez, cuando vive todavía su padre Juan II de Castilla. En esos tres años, la belleza de la joven Reina, su madre, producía impacto en la Corte, en contraste con el caduco monarca, trabajado más por las intrigas y los conflictos interminables del reino, que por los mismos años.

Porque de la hermosura de la reina Isabel de Portugal no nos cabe duda alguna. Nos basta recordar los versos del marqués de Santillana, ya en sus años postreros (recordemos que el poeta-marqués murió en 1458).

Pues, por fortuna, si las crónicas nos dicen poco sobre la segunda boda del rey Juan II con Isabel de Portugal, tenemos la suerte de contar con un testigo de primera fila: el marqués de Santillana.

En efecto, nuestro gran poeta del siglo XV, el autor de las famosas *Serranillas,* no solo asistió en Madrigal de las Altas Torres a las bodas regias, sino que cantó en aquella ocasión la belleza de la nueva Reina. Desde los primeros versos de su *Canción a la Reina* el poeta expresa su primera opinión sobre Isabel de Portugal. Nada sabe todavía —ni él, ni nadie— sobre sus cualidades morales, pero una cosa resulta evidente: su belleza. Y con esa realidad manifiesta juega su pluma, al gusto renacentista: la belleza tiene que ir aunada con la virtud, que siempre rechazó la fealdad. Así nos cantará, desde los primeros versos, a

… la reyna fermosa.

Por eso espera y desea que su virtud esté a la altura de su belleza:

Dios vos faga virtuosa
Reyna bien aventurada,
Quanto vos fizo fermosa.

Que de ese modo comienza su canción a la Reina portuguesa, que bien merece ser recordada aquí y ahora:

CANCIÓN A LA REINA

del marqués de Santillana

Dios[5] vos faga virtuosa
Reyna bien aventurada,
quanto vos fizo fermosa.

I

Dios vos fizo sin emienda
de gentil persona y cara,
e sumando sin contienda,
qual Gioto non vos pintara.
Fízovos más generosa,
digna de ser coronada,
e reyna muy poderosa.

II

Siempre la virtud fuyó
a la exterma fealdad,
e creemos se falló
en compañía de beldat;
pues non es quistión dubdosa
ser vos su propia morada,
ilustre Reyna fermosa.

III

Pues loen con gran femençia
los reynos, donde nascistes,
la vuestra mucha esçelençia
e grant honor que les distes,
e la tal graçia graçiosa
por Dios a vos otorgada,
gentil Reyna valerosa[6].

---

[5] En el texto, *Diga;* creo que por errata.
[6] Marqués de Santillana, *Canciones y decires,* ed. de Vicente García de Diego, Madrid, Espasa (Clásicos Castellanos), 1954, págs. 192 y 193.

UN REINO ALBOROTADO

La boda portuguesa, el enlace de Juan II de Castilla con aquella jovencísima y hermosísima Isabel de Portugal, que de un estatus nobiliario saltaba al primer rango de la realeza, y que parecía asegurar la posición del privado don Álvaro de Luna, afianzándole frente a sus enemigos, no trajo la paz al Reino, como se hubiera podido esperar.

Estamos ante una época enrevesada a más no poder. La existencia de aquellos cuatro Estados cristianos (Portugal, Castilla, Navarra y Aragón) aumentaba las dificultades, porque todos estaban inmersos en luchas internas que se acrecían además, acudiendo a formar alianzas y contraalianzas con sus otros vecinos: En Portugal, la privanza del duque de Coimbra cerca del Rey, Alfonso V, era combatida por el resto de la alta nobleza, en particular por el duque de Braganza. En Aragón, aquel otro Alfonso V, el Magnánimo, con su querencia napolitana, había dejado el poder en manos de su hermano y lugarteniente, el que luego sería rey con el nombre de Juan II; pero aquí a las disensiones entre los dos grandes grupos catalanes de la Biga y la Busca había que añadir la propia, y verdaderamente grave, por afectar a la misma casa real, entre Juan II y su hijo Carlos, el famoso Príncipe de Viana; con lo cual, además, el conflicto saltaba al reino de Navarra, que se disputaban padre e hijo, un reino también dividido en dos partidos poderosos y rivales: los beamonteses (de la casa de Beaumont), vinculados a la montaña, y los agramonteses (de la casa de Gramont), que lo eran de la Ribera.

Unos enfrentamientos que pronto degeneraron en declarada guerra civil, tanto en Cataluña como en Navarra, y que no dejó al margen a Castilla.

En efecto, también en Castilla el partido del poderoso valido don Álvaro de Luna se vio pronto combatido por no pocos personajes de la alta nobleza, como el Almirante y el conde de Benavente. Por otra parte, el Príncipe de Asturias formaba su propio bando, buscando la alianza de Juan II, el aragonés, no el de su padre; y de la forma más firme: con la boda con su hija Blanca de Navarra. Era, por lo tanto, yerno del aragonés.

Pero no eran alianzas firmes, y esto es lo que da incluso más nota de inestabilidad a todo aquel período. Pues, curiosamente, se observa un fenómeno de deslizamiento, en los príncipes castellanos, como si vacilaran entre la alianza aragonesa y la lusitana. Baste recordar los siguientes hechos: las sucesivas bodas, tanto de Juan II como de su hijo

Enrique IV. Ambos casan, por primera vez, con princesas aragonesas, o vinculadas al reino de Aragón; para después, al enviudar o al anular su primer matrimonio, buscar una princesa portuguesa. De ese modo, vemos que Juan II casa en primeras nupcias con María de Aragón, hija de Fernando I el de Antequera; y a su muerte, en 1445, lo hará dos años después con Isabel de Portugal, hija del infante don Juan. A su vez, Enrique IV se casa en primeras nupcias con Blanca de Navarra, quien (como ya hemos indicado) era hija de Juan II de Aragón, y tras conseguir el anulamiento de dicho matrimonio en 1453, lo haría con la princesa Juana de Portugal, hija del rey luso don Duarte y hermana del rey Alfonso V. Y cuando se fragüe la cuestión de la boda de Isabel la Católica, curiosamente veremos que surgen dos pretendientes: uno, el aragonés, representado por el príncipe Fernando (futuro Fernando el Católico, quien a la postre sería el vencedor), y otro, el portugués, con el propio Alfonso V el Africano, que ya para entonces, hacia 1468, había enviudado.

Diríase que, más que el pleito sostenido entre dos príncipes, lo que estaba en juego era el pleito entre dos pueblos. Castilla tenía que elegir entre su unión con Portugal o su unión con Aragón.

Algo tan decisivo en la posterior historia de España, y aun de Europa, que tendremos que prestarle toda nuestra atención llegado su momento. Pero, por lo pronto, una cosa era evidente: que el caos se apoderaba de aquella España, sin acabar de encontrar al hombre —o a la mujer— de Estado con energía y talento suficientes para superar tantos conflictos, tantas divisiones y tantas rivalidades. Porque a la pugna entre las Casas reinantes había que añadir la de los más encumbrados linajes, que aspiraban al poder a costa de la Corona y, por supuesto, a costa también del sufrido pueblo, tanto del de los grandes dominios campesinos como del de las ciudades.

Veamos lo que ocurre en Castilla, incluso un poco antes del nacimiento de la infanta Isabel. En 1447, don Álvaro de Luna, ensoberbecido por su triunfo al lograr el matrimonio del rey Juan II con su candidata Isabel de Portugal, pero, al mismo tiempo, alarmado por la suerte que había corrido su aliado portugués el duque de Coimbra, desplazado en la Corte lusa por el duque de Braganza, decide iniciar la ofensiva contra el clan nobiliario castellano enemigo suyo. Y ese fue su primer error. Hasta entonces, se había presentado como el defensor del trono, contando con el apoyo popular; pero después se le vio luchar por su propia privanza y por su propio poder, con lo que su causa se debilitó notoriamente. En 1449 se formaba una liga nobiliaria en

Coruña del Conde, con el apoyo de Juan II de Aragón y del Príncipe de Asturias, el futuro Enrique IV. Todavía Álvaro tendría capacidad de reacción, buscando el apoyo del Príncipe de Viana (recordemos que estaba enfrentado con su padre, Juan II), y, en su pugna con la alta nobleza, consigue expulsar de Castilla nada menos que al Almirante y al conde de Benavente.

Pero no eran más que apariencias. Pronto surgirían las debilidades.

Un Reino grandemente alterado, donde la autoridad regia no acababa de imponerse, pero que tampoco era del todo orillada.

La impresión que da la lectura de las crónicas, como la del rey Juan II o la del condestable don Álvaro de Luna, compuesta por el caballero Gonzalo Chacón, es como hallarse ante un hervor de pasiones reencontradas, de ambiciones y codicias sin cuento y de un hacer y deshacer de tratos entre unos y otros, tan pronto amigos y aliados como rivales y enemigos. Todo es fugaz; nada parece perdurable. Tan pronto los duques, condes y marqueses que integran la alta nobleza castellana se muestran amenazadores, arrinconando al Rey, como es Juan II el dominador y vencedor, con la ayuda de su privado, don Álvaro de Luna.

El caos se apodera de Castilla. Surgen por todas partes nuevos competidores, nuevas fuerzas, nuevas ambiciones; por supuesto, la del príncipe heredero don Enrique, arrastrado a ello por sus propios validos. Pero también entran en juego los grandes magnates de los reinos vecinos, empezando por los Infantes de Aragón, sin olvidar al otro Juan II, el aragonés, o a los altos personajes del reino portugués como el duque de Coimbra.

En ese embrollo, en ese continuo tejer y destejer, de cuando en cuando tienen la voz los diplomáticos y se intentan acuerdos de paz y sosiego, pronto rotos por nuevos enfrentamientos armados, que acaban en escaramuzas, más que en verdaderas batallas. Cuando un magnate sale al campo con doscientas lanzas y mil peones, ya parece que manda todo un ejército.

En todo caso, los pueblos son los que padecen tantas marchas y contramarchas de las bandas armadas, tantas plazas cercadas, en especial en las dos mesetas; plazas tan pronto ganadas como perdidas, que pasan de las manos del Rey a las de los Grandes, dando un signo de inquietante inestabilidad al Reino. Ningún suceso parece lo suficientemente importante, ninguno tiene el aire de ser decisivo. Todo es fugaz, empezando por los propios personajes.

Esa nimiedad es la que sería recordada por el poeta —en este caso, Jorge Manrique— treinta años después, como algo vivido por él cuando era un muchacho de trece o catorce años.

En efecto, hacia 1476, cuando muere su padre, Jorge Manrique recordaría aquellos tiempos tan desordenados, y a sus personajes como cosa fugaz, como puro humo:

> ¿Qué se hizo el rey don Joan?
> Los Infantes de Aragón
> ¿qué se hicieron?

Un sordo ruido de espadas sacadas en vano que no apagaba el sonido de las fiestas cortesanas: los saraos, los cantos de los trovadores, los discreteos de galanes de la Corte con las hermosas señoras de la alta nobleza, ricamente alhajadas, vestidas y perfumadas:

> ¿Qué se hicieron las damas,
> sus tocados e vestidos,
> sus olores?
> ¿Qué se hicieron las llamas
> de los fuegos encendidos
> d'amadores?

Danzas y canciones junto con el chocar de las espadas. Y todo en vano. Todo fugaz y efímero:

> ¿Qué se hizo aquel trovar,
> las músicas acordadas
> que tenían?
> ¿Qué se hizo aquel dançar,
> aquellas ropas chapadas
> que trayan?

Y en ese trasiego, en ese continuo bregar contra la alta nobleza, con constantes claudicaciones, Juan II buscaba en cuanto podía alguna tregua, para estar con su mujer. Aquella hermosa joven, aquella princesa portuguesa cada vez le atraía más, como si de repente, cuando ya estaba cerca del medio siglo, quisiera apurar el resto de vida que le quedaba. Las Navidades de 1447 las pasa en Valladolid con Isabel, que le acompaña después en algunas de sus idas y venidas por las dos mesetas. En el otoño de aquel año se le ve en Ávila con la Reina. En diciembre, don Álvaro de Luna homenajea a los Reyes en su castillo-palacio de Escalona, que era lugar desconocido para Isabel,

> ... porque la Reina no había visto aquella tierra suya, especialmente aquella villa de Escalona, como no había mucho tiempo que era venida de Portugal en los reinos de Castilla...[7]

Pero lo más frecuente sería que la Reina morase en Madrigal, donde sabemos que a mediados de julio de 1450 va a verla Juan II, y con tanta entrega que nueve meses después, y en el mismo Madrigal, nacería la infanta Isabel. Y de igual modo, en 1452 nos encontramos con que otra vez el Rey, haciendo un hueco en su vertiginoso ir y venir por Castilla, pasa diez días con su mujer, a lo que contribuyó el privado,

> ... conosciendo el buen Maestre el grand amor que el Rey, su señor, tenía con la Reina, su mujer, tobo manera cómo por algunos días se viniese a deportar e haber alguna recreación con ella...[8]

Y, curiosamente, en aquel triángulo de personalidades que bien pudiera parecer en armonía y hasta amoroso, se iba gestando un drama que conmovería a toda Castilla, y que aún nos sigue golpeando: la caída del valido, incluida su afrentosa muerte en el cadalso.

PRISIÓN Y MUERTE DE DON ÁLVARO DE LUNA

Suceso sorprendente, de los más sonados y dramáticos del siglo XV castellano: la prisión y afrentosa muerte en el cadalso, degollado, del que había sido tan poderoso valido del monarca, al que había dirigido, en lo grande y en lo menudo, durante más de treinta años.

Era como la perfecta trama, el mejor de los argumentos para los sermones dominicales en cualquiera de los púlpitos de España, en especial en los días de Semana Santa: de la vanidad de las cosas del mundo, de cuán súbita e inesperadamente llega la muerte, entrando tanto

---

[7] Galíndez de Carvajal, *Crónica;* cit. por Pedro A. Porras Arboledas, *Juan II,* Palencia, 1995, pág. 270.

[8] Cit. por Porras Arboledas, *Juan II*, ob. cit., pág. 285.

en las casas de los humildes pobres como de los ricos y poderosos. Es más, cómo la fortuna seguía haciendo girar su rueda, y cómo despeñaba de lo más alto al poderoso y encumbrado para hacerle caer, no ya en la pobreza, sino en la ignominia y en la vergüenza de la muerte en el cadalso. Era el pasar de la mesa del Rey al hacha del verdugo. Y para los que habían sufrido la soberbia y los atropellos del Maestre de Santiago (que a tanto había alcanzado su fortuna), también era como que al fin se cumplía la justicia divina.

Se decía que en la conjura que dio al traste con el valimiento del Condestable y con la pérdida de la gracia regia había intervenido la propia Reina, Isabel de Portugal; lo cual era aumentar la confusión. ¿Cómo había sido posible que aquella princesa portuguesa, que tan notoriamente había debido su fortuna a la mano de don Álvaro, hasta el punto de forzar este la voluntad regia para que efectuara aquel matrimonio, orillando otros y muy ventajosos, como los que ya se platicaban en la Corte de Francia; cómo era posible que acabara revolviéndose contra su gran y único protector? Los cronistas consignan el hecho, sin dar una explicación satisfactoria, pues no cabe pensar en un amor contrariado de aquella jovencísima princesa, dada la avanzada edad del Condestable, que por entonces rondaba ya los sesenta años. Sí, ciertamente, los afanes de Isabel por desplazar al valido del favor regio, para ser ella la única que sobre Juan II mandase. Ahora bien, para tal fin hubiera bastado con el destierro del valido. Hay que pensar en un arrebato del monarca, propio de los tímidos de carácter, queriendo probar con aquel acto cruel que nadie estaba libre de la *ira regis*.

Lo cierto es que, de forma sorprendente, aquella joven y hermosa princesa de la casa Avís de Portugal, en vez de mostrarse rendida y partidaria a ultranza del que tanto la había encumbrado, lleva a cabo una labor de zapa en el ánimo regio, en aquel rey Juan II que tantos años le llevaba y que cada vez se mostraba más rendido a su voluntad. De tal forma que al fin la Reina consigue la detención de don Álvaro de Luna.

Y acaso eso hubiera sido suficiente para las ambiciones de la portuguesa: la caída del valido, que le daba amplio campo para gobernar ella a su marido, y de ese modo a Castilla entera.

Pero lo que ocurrió después desbordó los secretos deseos de Isabel de Portugal. Don Álvaro de Luna no solo iba a sufrir prisión, sino también la muerte a manos del verdugo, por lo tanto de forma pública, en cadalso alzado en el corazón de la villa de Valladolid. Y no por fallo del tribunal que le juzgaba, sino por mandato expreso del monarca.

Tal ocurriría en 1453, cuando la infanta Isabel, la futura gran Reina de España, apenas si contaba dos años de edad. Con lo cual se nos dispara la pregunta: ¿Conmovió aquel dramático suceso a la Infanta niña? ¿Le produjo dolor a poco la muerte del mismo Rey, su padre, fallecido al año siguiente de 1454? Imposible, dicen no pocos eruditos, pues a tal edad los niños viven en su propio mundo, ajenos a los vaivenes propiciados por los adultos.

Pero eso no es del todo cierto. De entrada, tales sucesos produjeron un cambio radical en la Corte castellana: durante unos meses estuvo en alza la privanza de la Reina. Pero poco después se produce el relevo en el trono al encumbrarse Enrique IV, tras la muerte de su padre, Juan II. Y eso sí que sería un profundo cambio, eso sí que provocaría una profunda alteración en la vida de la infanta Isabel, que de ser la hija del Rey reinante pasaba a ser la hermanastra del que se había sentado en el trono. En vez de vivir en la Corte, pasaba a ser relegada poco menos que al destierro, junto con su madre, la reina viuda Isabel, en la villa de Arévalo.

Por otra parte, a partir de aquellos hechos, en particular del sangriento final de don Álvaro de Luna, la opinión pública quedó conmocionada en Castilla. Aunque el antiguo valido fuera odiado por no pocos y envidiado por tantos, su final no había estado exento de cierta grandeza, por la misma presencia de ánimo con la que don Álvaro había aceptado su destino. Y esa fue pronto la conmovedora noticia que corrió por calles y plazas, de la que se hicieron eco cronistas y poetas. De forma que pronto se acabó incorporando a la memoria colectiva de las gentes de Castilla. Pues bien, en ese ambiente se crió la infanta Isabel, a quien tan de cerca tocaban aquellos sucesos. Y así, cuando corriendo los años el poeta Jorge Manrique los recordara en sus versos dedicados a la memoria de su padre, el conde de Paredes de Nava, no le resultarían extraños a la antigua Infanta ya, para esas fechas de 1476, Reina de Castilla.

En los versos de Jorge Manrique se echa de ver que el poeta sigue impresionado con aquel trágico suceso, aunque hubieran pasado más de veinte años; eso sí, un asunto espinoso, porque de cierta manera parecía estar implicada la figura de la madre de la Reina, y que, por lo tanto, lo mejor era tratarlo de pasada, no fuera a provocar la cólera regia.

Porque basta con releer aquellos versos para comprender que algo estaba flotando todavía en el ambiente de la Corte, algo oscuro en aquella dramática muerte, algo que imponía un dedo en los labios.

Oigamos al poeta:

> Pues aquel gran Condestable
> Maestre que conoscimos
> tan privado,
> non cumple que dél se hable,
> mas solo cómo lo vimos
> degollado.

Silencio, pues, que no era cuerdo hablar sobre su vida, si bien no se podía ocultar lo evidente, su afrentosa muerte:

> ... cómo lo vimos
> degollado.

Eso había ocurrido en aquel breve período de tiempo en que la Infanta era la hija del Rey, la hija de Juan II, la única hija. Ahora bien, aunque fuese el mimo del padre, no cabe pensar en que le acompañase en su continuo trasiego por las dos Castillas, tan pronto en Burgos como en Soria, en Madrid como en Toledo. De hecho, sabemos —y ya lo hemos comentado— que ni el mismo nacimiento de la Infanta coge a Juan II al lado de su esposa, sino que tiene noticia de su parto estando en Madrid. Y como de esa forma seguiría el ir y venir del Rey, una de las imágenes que quedarían grabadas en la memoria de la Infanta sería el del continuo movimiento de los correos trayendo noticias del padre-rey ausente.

Pero también quedaría el de la dramática muerte de don Álvaro de Luna, no de forma directa, claro está, pero sí por tantas referencias y tantos testimonios que a la Infanta niña le iban llegando. Empezando por el de su propia madre, que cuando enviuda y se retira al castillo de Arévalo, cuyos monumentales muros aún nos siguen impresionando, no dejaba de gritar enloquecida, entre sus almenas:

> ¡Don Álvaro, don Álvaro!

Esto es, la Reina viuda, su madre, no clamaba por la sombra de su marido, el rey don Juan, sino por la del valido y antiguo protector, caído después a instigación suya y convertido en la dramática víctima de una auténtica conjura de palacio. Y eso debe de tener una explicación, porque la Reina viuda no rompió nunca los lazos con el entorno de don Álvaro.

En efecto, no deja de llamar la atención el que, en su retiro de Arévalo, Isabel fuera acompañada del comendador de Montiel, Gonzalo Chacón, persona que había sido de toda confianza de don Álvaro de Luna, hechura y criado suyo, como entonces se decía. Y al tal Gonzalo Chacón le fue encomendado nada menos que la custodia de los dos hijos de la Reina viuda, los infantes Isabel y Alfonso.

Por lo tanto, un dato más a tener en cuenta para comprender el respeto con el que la memoria del antiguo privado de Juan II era tenido en el entorno de la infanta Isabel, respeto que se mantendría cuando la Infanta de Castilla se convierte en Reina de España.

Pues, en efecto, la soberbia capilla del Condestable, que es una de las maravillas de la catedral toledana, sabemos que había sido destruida durante los graves alborotos de 1449, en los que tanto protagonismo tuvo Pedro Sarmiento. Y no cabe olvidar que su espléndida reconstrucción, para dar asentamiento definitivo a los restos de don Álvaro de Luna y de su esposa doña Juana de Pimentel (tanto el soberbio retablo de la capilla como los dos sepulcros del valido y de su mujer, estos obra del maestro Sebastián) [9], se contratan a finales de la década de los ochenta, en pleno reinado, por lo tanto, de Isabel la Católica, lo que venía a ser como una reparación a su memoria [10].

Algo que cuando visitamos esos lugares, ya la cartuja de Miraflores, ya la catedral de Toledo, nos hace reflexionar.

NACIMIENTO DEL INFANTE DON ALFONSO

El infante don Alfonso nace a finales de 1453, el 17 de diciembre de ese año. Y también en Madrigal [11]. Por entonces, la Infanta aún no te-

---

[9] «De la qual vista se siguió... que el cuerpo del bienaventurado Maestre fue llevado con mucho honor e solenidad a aquella capilla que así había fundado...» (*Crónica de don Álvaro de Luna,* ed. Juan de la Mata Carriazo, pág. 436; cit. por Tarsicio de Azcona, *Isabel la Católica,* ob. cit., pág. 55).

[10] Refiriéndose a Juan II y a su valido, don Álvaro, nos afirma Luis Suárez: «Dos grandes figuras que pesarían mucho en la memoria de Isabel: fue ella, directa e indirectamente, quien propició la erección de los grandes monumentos sepulcrales, el de la nave central de la cartuja de Miraflores, para sus padres, y el de la capilla del Condestable en Toledo para devolver honor a las cenizas que se consumían entre malhechores en San Andrés de Valladolid» (Luis Suárez, *Isabel I, Reina,* Barcelona, Editorial Ariel, 2001, pág. 11).

[11] Según Porras Arboledas, fue el 15 de noviembre y en Valladolid (véase su obra *Juan II,* ob. cit., pág. 295).

nía los tres años; solo dos años y ocho meses. Pero ya empezaba a ser todo un personajillo. Y no hace falta mucha imaginación para darse cuenta de que miraría con recelo, al menos al principio, la irrupción de aquel hermanillo que le desplazaba del centro de atención materno. Otro desplazamiento se producía, y ese de mayor envergadura. Porque el nacimiento de Alfonso suponía cambiar el derecho de sucesión. Ya Isabel no era la que iba detrás de su hermanastro Enrique en la lista sucesoria al trono de Castilla. Ese puesto correspondía ahora al nuevo Infante; lo cual, dada la reconocida impotencia del futuro Enrique IV, tenía su importancia, sobre todo con aquella inquieta y ambiciosa nobleza, siempre anhelando nuevos cambios.

Pero eso sería más adelante. De momento, asistimos a una Corte de Juan II que ha puesto sus reales en Valladolid.

Allí pasó el invierno. En la primavera se le vio moverse entre Ávila y Medina del Campo, mostrando ya signos de una salud seriamente quebrantada. Regresa a Valladolid para encontrarse con su esposa. De pronto, un súbito mal, y su vida que se acaba.

Era el 21 de julio de 1454. Juan II tenía entonces cuarenta y nueve años. El suyo había sido uno de los reinados más infecundos, llenos de revueltas y colmado de desórdenes.

Empezaba un nuevo reinado: el de Enrique IV, que para entonces ya había iniciado las negociaciones de su nueva boda con una princesa de Portugal: Juana de Avís, hija póstuma del rey don Duarte.

LOS PRIMEROS AÑOS DE ISABEL: ARÉVALO

Poco sabemos de la infanta Isabel en sus primeros años de orfandad, una vez muerto Juan II, salvo que los vivió en Arévalo, donde se refugió su madre la reina viuda Isabel de Portugal.

Era un ambiente, en buena medida, portugués. Y no solo por la madre, aunque ya eso sería bastante. Pero también contaba su nodriza, aquella María Lopes, que aparece en las cuentas del tesorero Gonzalo de Baza. Y también algunas damas portuguesas del entorno de la Reina, como Beatriz de Silva, la que andando los años sería la fundadora en Toledo de la Orden de religiosas concepcionistas, con la que la Infanta mantendría estrechos lazos de amistad toda su vida.

Por lo tanto, la dulce lengua portuguesa sería en la que la Infanta empezaría a forjar sus primeros sueños, y eso es un trasfondo a tener en cuenta, en especial cuando, pasado el tiempo, veamos sus relaciones con Portugal [12]; porque si bien a la hora de escoger marido pensará en un príncipe aragonés —y ello nos obligará a las oportunas reflexiones—, y si en sus primeros años de gobierno se ve enzarzada en una áspera guerra con el Rey luso —cosa que le viene impuesta por la ambición de Alfonso V—, lo cierto es que Isabel siempre mostrará gran debilidad por Portugal.

Durante siete años, entre 1454 y 1461, la villa de Arévalo se convertiría en el hogar de la Infanta. Otros grandes escenarios atraen también nuestra atención: Valladolid, donde se desposaría con tanta astucia; Granada, la que conquistaría con tanto esfuerzo; Barcelona, donde pasaría una de las pruebas de fuego, con el atentado a su marido; Salamanca y Santa Fe, escenarios de los debates colombinos; pero pocos como Madrigal, Arévalo y Medina para reflexionar sobre su obra: Madrigal donde nació, Arévalo donde pasó su niñez y Medina del Campo donde murió.

Del Madrigal de su niñez no pudo guardar recuerdo alguno, dados sus pocos años cuando abandonó la villa. Pero sí de Arévalo, donde la Infanta abre sus ojos a la vida y empieza a entender sobre lo que sucedía en su entorno, y haciéndose las inevitables preguntas de qué había pasado para ser arrojada a tal orfandad, con su padre muerto tan pronto, incluso para la época, pues no había cumplido los cincuenta; y con su madre cayendo en una depresión cada vez más profunda.

¿Qué supuso la vida en Arévalo para aquella chiquilla? Su día a día transcurriría sobre todo dentro del recinto de su formidable castillo, que todavía impone al espectador con su soberbia traza. Pero también en el palacio de la Plaza, que por eso lleva tal nombre de Plaza Real; palacio, o casona palaciega, hoy por pena desaparecido [13]. La estancia en el castillo fue sin duda mayor, dando lugar a la entrañable amistad con Beatriz de Bobadilla, la hija del alcaide, que con sus catorce años, pues había nacido en 1440, se erigió desde el primer momento en la protectora de los juegos de la Infanta niña; que no en vano la llevaba tanta edad. Protección que no olvidaría Isabel en toda su vida.

---

[12] «Isabel —nos dice su gran biógrafo Luis Suárez— conocía y comprendía muy bien el portugués, probablemente su primera lengua en tiempos de aprendizaje» (Luis Suárez, *Isabel I, Reina*, ob. cit., pág. 9).

[13] Con razón se lamenta Vidal González Sánchez de esa pérdida en su estudio *Isabel la Católica y su fama de santidad, ¿mito o realidad?*, Madrid, Ediciones Internacionales Universitarias, 1999, pág. 35.

Hoy se va bien a esa histórica villa, situada en la autopista que une por la meseta Madrid con La Coruña, a mitad de camino entre Medina y Villacastín. Cercada por los ríos Adaja y Arevalillo, muestra testimonios abundantes de su anterior grandeza: iglesias como las de San Miguel, Santa María y San Martín dan clara muestra de la existencia de una mano de obra mudéjar. Hoy sabemos, en efecto, que su población morisca era importante en el siglo XV.

Esa morería estaba emplazada en el Arrabal, a la vera del río Arevalillo, con la calle Larga, las Tercias, el Albaicín, la plazuela de San Andrés, y algunas otras callejas menores. Todo ello constituyendo una de las aljamas más notables de la comarca abulense, teniendo a su frente un alfaquí, esto es, un doctor o sabio en las leyes de su pueblo[14].

También era de cierta importancia su judería, de forma que en tan pequeño lugar vivían en paz las tres religiones. Y no deja de ser significativo que fuera en Arévalo donde Juan II, el padre de Isabel, lanzase su pragmática poniendo bajo su amparo tanto a los moros como a los judíos de todos sus reinos. Y eso el 6 de abril de 1443, ocho años antes, pues, del nacimiento de Isabel[15].

Arévalo, pues. El viajero que llega a la villa desde Madrigal avista al punto a su siniestra la masa de su regio castillo. Su Plaza Mayor no es bella ni uniforme, pero guarda el ambiente de otras épocas, con sus casas de dos plantas y con sus soportales, donde destacan las torres casi gemelas de San Martín, la de los Ajedreces y la Nueva, ambas de traza mudéjar.

El censo de 1591 daba para Arévalo una población de 870 vecinos, de los cuales 721 eran pecheros. Contaba con buen número de familias hidalgas, 170; y con un clero numeroso: 91. Su importancia arrancaba de la fuerza de su lugar, que le había hecho asiento de castillo real, y del señorío que tenía sobre la tierra circundante, que con más de cuatro mil vecinos le hacía destacar en toda la provincia, siendo solo superada por Ávila. Por lo tanto, con cierta prosperidad. De todas formas, con un aire rural, propio de la mayoría de las villas meseteñas.

---

[14] Serafín Tapia, *La comunidad morisca de Ávila,* Ávila, 1991, pág. 60.
[15] Pragmática de don Juan II tomando bajo su amparo a proteger a los judíos y moros del Reino (B.N., Ms.; publ. por J. Amador de los Ríos, *Historia social, política y religiosa de los judíos de España y Portugal,* Madrid, ed. Aguilar, 1973, págs. 992 a 994).

¿Cómo fue la vida de la entonces Infanta del Reino en aquellos años primeros de Arévalo? Una primera nota advierten todos los historiadores: la escasez de noticias sobre la niñez de Isabel. Lo cual es significativo: la Infanta niña no era noticia importante para los cronistas.

O lo que es lo mismo: nadie suponía que estaba germinando una de las figuras políticas de mayor trascendencia e importancia, no ya solo a nivel nacional, sino incluso mundial.

Pero tratemos de ver algo más sobre esos siete años de su niñez pasados en Arévalo, bajo el cuidado de su madre, la reina viuda Isabel de Portugal. El relato del cronista, en este caso Fernando del Pulgar, nos la presenta como una pobre huérfana, afectada tanto por la muerte del rey Juan II, su padre, como por la enajenación mental de su madre, Isabel. El paso de la vida en la Corte regia, siempre más regalada, a las privaciones y estrecheces del castillo de Arévalo fue otra nota significativa.

Aquello sentenciado por el cronista:

> Vínole el entender, y junto con él los trabajos y cuidados. E lo que más grave se siente en los reales, mengua extrema de las cosas necesarias...

Infortunio sobre infortunio. Al dolor de la pérdida sufrida, a la orfandad tan pronto sentida, cuando la Infanta apenas si tenía tres años, la penuria de la vida en el encierro del castillo de Arévalo.

Una estampa dolorosa que hoy se empieza a poner en duda, en especial en cuanto a las estrecheces en que vivía la Reina viuda en Arévalo, y por lo tanto, la penuria sufrida por la Infanta en su niñez. Por lo pronto, las rentas de Isabel de Portugal, marcadas en su contrato matrimonial, rondaban los tres millones de maravedíes anuales [16], a los que habría que añadir las que correspondían a sus dos hijos, Isabel y Alfonso, marcadas por el difunto soberano Juan II en su Testamento. Al infante Alfonso se le asignaban prebendas de tanta importancia como el Maestrazgo de la Orden de Santiago y el cargo de condestable de Castilla, así como las rentas de las villas de Huete, Escalona, Ma-

---

[16] La Reina viuda tenía asignados 1.355.000 mrs. en concepto de mantenimiento, a los que había que añadir las rentas de la ciudad de Soria y de las villas de Madrigal y de Arévalo. Las de Madrigal pudo precisarlas Tarsicio de Azcona para principios del siglo XVI, pasando de los 600.000 mrs., y, como el mismo autor nos indica, las de Soria y Arévalo eran superiores (Tarsicio de Azcona, *Isabel la Católica*, ob. cit., págs. 53 y sigs.). Por lo tanto, el total asignado a la Reina viuda no bajaría, a todas luces, de los tres millones de maravedíes.

queda, Portillo y Sepúlveda; y a Isabel, hasta que cumpliera los diez años, las rentas de la villa de Cuéllar. Es cierto que Enrique IV, presionado por sus privados, pondría dificultades al cumplimiento del Testamento; pero eso sería, especialmente, en relación con las altas dignidades que Juan II había reservado para su hijo Alfonso, que a todas luces eran excesivas dada su edad. No olvidemos que el Infante tenía en 1454 solo un año. Resultaba desmesurado verle, pues, nada menos que al frente de la Orden de Santiago y como Condestable de Castilla. Bien es verdad que para representarle en esos cargos, hasta que cumpliese los catorce años, el Rey había designado a un personaje de su Corte, Juan Padilla. Pero a nadie asombró que Enrique IV, al tomar el relevo a su padre, hiciera caso omiso de aquellos nombramientos, dándolos a sus favoritos, lo cual sería, a su vez, nuevo motivo de agravio de los descontentos, que pronto pulularon en la Corte, integrando la Liga nobiliaria que tanto alteraría el nuevo reinado, sobre todo a partir de los años sesenta.

Aun así, los tres millones de maravedíes que, un año con otro, llegaban al castillo de Arévalo podrían cubrir los gastos principales de aquella pequeña Corte, ya que tendrían un poder adquisitivo (en aquellos géneros en los que es factible realizar la comparación, como los alimentos y el vestido) bastante aproximado al millón de euros de nuestros tiempos.

De no menor interés tiene para nosotros el penetrar en la vida diaria de la Infanta niña, y en particular en cuanto a su formación. Sabemos que la tutoría de los dos hermanos, Isabel y Alfonso, quedaba bajo el cuidado de la Reina viuda, asistida por dos personajes de la Iglesia: el obispo de Cuenca, Lope de Barrientos, y el prior del monasterio de Guadalupe, fray Gonzalo de Illescas; una asistencia más formularia que real, llevada forzosamente a distancia [17]. De hecho, el personaje clave al que vemos en Arévalo teniendo a su cargo a los dos Infantes es a un noble muy vinculado al régimen anterior, como hombre de confianza del condestable don Álvaro de Luna. Ese personaje —ya lo hemos visto— es Gonzalo Chacón. Por él mismo sabemos —si es el autor de la *Crónica de don Álvaro de Luna*— que en una ocasión llevó a los dos Infantes a Toledo, lo que hoy podríamos entender como una pequeña excursión, pero que para la época, y dada su corta edad, casi les debió de parecer toda una aventura.

---

[17] Luis Suárez, *Isabel I, Reina,* ob. cit., pág. 10.

Él mismo nos lo cuenta. Se refiere a la muerte de Juan II y de cómo quedaron a su cargo los dos Infantes, en lo que le había ayudado que su esposa fuera dama de la Reina viuda:

> E fue dado cargo dellos, así por él lo valer, como por cabsa de una mujer...

Esa mujer era su esposa:

> ... al que ya diximos Gonzalo Chacón, comendador de Montiel; el qual, como acaesciese que fuese con aquellos Infantes a Toledo... [18]

En los primeros años, sin duda, los pequeños Infantes tendrían la ayuda materna, al menos en las prácticas piadosas, pues Isabel de Portugal profesaba una sincera fe cristiana y era gustosa de oír misa diaria en su propia capilla, para lo que tenía licencia pontificia, incluso aunque el Reino estuviese en entredicho, concedida por el papa Nicolás V en 1449, a poco, por lo tanto, de la incorporación de Isabel al trono de Castilla [19]. Y a la Reina la ayudaría alguna de sus damas, como aquella notable mujer que trajo de Portugal, Beatriz de Silva, que todavía muchos años después seguiría considerada y apreciada por Isabel, ya Reina de España.

Otras conjeturas giran en torno a la labor que pudieran realizar, en el campo cultural como en el religioso, los frailes del convento de San Francisco de Arévalo, de los que era muy devota la Reina viuda. De hecho, sabemos que fray Martín de Córdoba dedicaría una de sus obras a la Infanta, como especial ofrenda, el día de su cumpleaños en 1467; los que hacía entonces la Infanta, convertida ya en un personaje del mundo político castellano, eran dieciséis, y la obra del franciscano, la titulada *El jardín de las nobles doncellas*. ¿Fue entonces cuando germinó aquel espíritu franciscano que tanta fuerza cobraría en los últimos años de la Reina?

Por lo tanto, todo hace pensar en una vida sencilla, lejos de las tensiones y de las pugnas de las grandes Cortes, con una Isabel creciendo al lado de su hermano Alfonso, sin duda entre juegos y riñas, pero en suma

[18] *Crónica de don Álvaro de Luna,* cit. por Tarsicio de Azcona en su *Isabel la Católica,* ob. cit., pág. 55.
[19] Tarsicio de Azcona, *Isabel la Católica,* ob. cit., pág. 57, nota 142.

unos años para recordar como venturosos cuando el vértigo de la gran política absorbiera a la Infanta. Tanto es así que, cuando Isabel tiene oportunidad, la vemos volver a Arévalo al lado de su madre, y es más, para organizar una pequeña representación teatral de la mano nada menos que de Gómez Manrique, el mismo que había compuesto años antes aquellos versos para celebrar el nacimiento del infante don Alfonso[20].

Unos años que Isabel recordaría, pasado el tiempo, no sin pena, en aquella protesta contra su hermanastro Enrique IV, por haberla arrebatado, a ella y a su hermano Alfonso, del lado de su madre:

> ... de cuyos brazos —los de la reina Isabel—, inhumana y forzosamente, fuimos arrancados el señor rey don Alfonso mi hermano y yo, *que a la sazón éramos niños...*[21]

De lo que no cabe duda es que a aquel rincón semiolvidado por los cortesanos llegaban de cuando en cuando las noticias más importantes de lo que acaecía en el Reino. Los primeros años del reinado de Enrique IV fueron también los más tranquilos. Hasta las mismas campañas que verano tras verano se montaban contra el reino de Granada tenían un aire de fiesta, ocultando el drama que toda guerra esconde en su seno. Y ello hasta el punto de que la misma joven Reina, aquella Juana de Avís que había llegado de Portugal para convertirse en la segunda esposa de Enrique IV, gustaba de participar en ellas, acompañada de sus damas, como si lanzar alguna que otra flecha al campo granadino fuera un deporte arriesgado, más que una auténtica campaña bélica[22].

Y también algún que otro rumor, más o menos inquietante, más o menos escandaloso, como chismorreos de aquella Corte regia: así, las nuevas amistades del Rey, al que daba por alzar a hombres de oscuro linaje; así, lo que se decía con asombro de que tuviera una guardia mora; así, el que se hablase de sus visitas a otras damas de la Reina, como doña Guiomar, la bella portuguesa.

Y, de pronto, la inesperada noticia que lo había de cambiar todo: la Reina, aquella Juana de Avís que tantos requisitos y tantas condicio-

---

[20] Luis Suárez, *Isabel I, Reina,* ob. cit., pág. 11.
[21] Fragmento de la carta circular de Isabel de 1 de marzo de 1471 (véase la ob. cit. de Azcona, pág. 58).
[22] Rogelio Pérez Bustamante y José Manuel Calderón Ortega, *Enrique IV de Castilla,* Burgos, 1998, págs. 108 y 109; cf. con el relato de José Luis Martín Rodríguez, *Enrique IV de Castilla,* Hondarribia, 2003, págs. 108 y sigs.

nes había puesto para aceptar el convertirse en la segunda esposa de Enrique IV el Impotente, estaba preñada. Noticia acompañada de la gran interrogante, que todavía sigue flotando en el aire: de la madre, no había duda alguna; pero ¿quién era el padre?

Por lo tanto, la nueva trajo otro cambio inmediato: los Infantes serían llamados a la Corte del Rey.

Y de ese modo los años de la infancia, los años tranquilos pasados en el castillo de Arévalo, quedarían irremisiblemente atrás.

En el castillo de Arévalo quedaría sola, abandonada a sus penas cada vez mayores, la reina viuda Isabel de Portugal. Un desamparo que haría crecer sus horas de angustia, que poco a poco la arrojarían al pozo de la locura, que sería ya un lastre en aquel linaje, brotando de generación en generación.

Mientras que, por su parte, la infanta Isabel pasaba de la descuidada niñez, tal como había transcurrido en Arévalo, a las preocupaciones de una vida cortesana siempre llena de asechanzas.

Bien lo podía recordar la Infanta, como un reproche, en la carta a su hermanastro el Rey, al referirse a los tiempos en los que vivía bajo el amparo de su madre:

> … de cuyos brazos, inhumana y forzosamente, fuimos arrancados…

EN LA CORTE DE ENRIQUE IV

Hoy tenemos una idea más precisa de esa figura enigmática gracias al precioso estudio que hizo en 1930 el gran historiador Gregorio Marañón. Aquel Príncipe, el hermanastro mayor de la infanta Isabel, a quien llevaba veintiséis años —por lo tanto, representante de otra generación, algo que hemos de tener en cuenta—, llevaba ya mucho tiempo metido hasta los codos en la política activa castellana, y en la trepidante forma que le habían dado las pugnas nobiliarias enfrentadas con el Rey, Juan II, y con su valido, don Álvaro de Luna. Y tanto, que podría hablarse de un enfrentamiento generacional, pues las más de las veces nos encontramos con un Príncipe rebelde levantado en armas frente a su padre; lo cual podría dar una estampa engañosa, de un personaje audaz y ansioso de poder, cuando en realidad solo era la cabeza visible del partido nobiliario, fácil de manejar por el político ambicioso de turno, que en los primeros años de su andadura política lo fue don

Juan Pacheco. Llegaba al poder en 1454, pero no como un experto hombre de Estado seguro de sí mismo, sino como un eterno aprendiz, aunque su propia apariencia física indicara lo contrario.

En efecto, era de aspecto corpulento, muy alto para su época —en torno a los 1,85 metros de estatura—, de cabeza robusta, pero débil de mente; según el juicio de Marañón, estaríamos ante un tímido. Y, como todos los tímidos, fácil de manejar por cualquier cortesano ávido de poder y sin demasiados escrúpulos morales.

Su desgracia fue padecer un carácter esquizoide, agravado por su mala fortuna en las lides amorosas. Casado muy joven, a los dieciséis años, con la princesa Blanca de Navarra, fue incapaz de superar la prueba decisiva de la primera noche de bodas, y ese fracaso, pronto objeto de burla en la Corte, le lastró ya toda su vida; de forma que en todos los años en que duró su primer matrimonio jamás logró consumarlo, siempre con la penosa imagen de su frustrada noche de bodas que le hacía fallar una y otra vez con su joven esposa, aunque hubiera conseguido experiencias más positivas con otras mujeres; pero nunca con aquella Princesa, con aquella Blanca de Navarra, a la que dejaría, cuando al fin se anuló el matrimonio, tan virgen como la había recibido.

Según el gráfico comentario del cronista de Juan II, la Princesa

quedó tal cual nació... [23]

De ahí su pronta nota de impotente, algo infamante, sobre todo para la dura mentalidad de la época. El Rey no era un hombre, en el pleno sentido que a la palabra daba aquella sociedad; y, a riesgo de reiterar los vocablos, estaba tentado a decir que ese era el sentir de los hombres del tiempo. Una mala fama de impotente que al punto circuló con escándalo y con burlas crueles en los corrillos de palacio, saltando pronto a calles y plazas de la Corte, y de golpe en golpe, corriendo por campos y lugares de todo el Reino.

Esto, que podría parecer una conclusión lógica nuestra a tal situación, sin que precisara base testimonial de la época, la tuvo, sin embargo; de forma que nuestra frase casi viene a transcribir, ceporbé, la empleada por los cronistas, como en este caso la de Alonso de Palencia, en su *Crónica de Enrique IV*.

---

[22] Cit. por Gregorio Marañón, *Ensayo biológico sobre Enrique IV de Castilla y su tiempo,* Madrid, Col. Austral, ed. a cargo de Julio Valdeón, 1998, pág. 64.

Veámoslo directamente:

> Empezaron a circular atrevidos cantares y coplas —nos
> dice Palencia— de palaciegos ridiculizando la frustrada con-
> sumación del matrimonio...[24]

Algo que influiría poderosamente en la evolución de la misma política, de la gran política, si así llamamos a la que pone en juego, a veces de modo poco limpio, la suerte de los pueblos. Pocas veces una crisis amorosa tuvo tanta repercusión en la historia.

Y eso nos lleva de nuevo a la inquietante pregunta: ¿Cómo era, en
verdad, Enrique IV? Tarsicio de Azcona, en su magistral estudio sobre
Isabel la Católica, se lo plantea de forma inspirada, en un texto que no
puede ser más evocador:

> ¡Enrique IV! No podemos ocultar —nos dice— que senti-
> mos una aguda perplejidad al aproximarnos a su persona y a
> su reinado...[25]

Y ahora es cuando se impone comentar el análisis hecho por Gregorio Marañón, en su citado libro sobre el infortunado Rey castellano.

Marañón tuvo la fortuna que alcanzan pocos investigadores. Au-
nando al tiempo sus condiciones de historiador y de hombre de ciencia,
como gran médico que era, supo hacer un diagnóstico certero del mal
que aquejaba a Enrique IV: el Rey era un esquizoide, esto es, alguien
propenso a la demencia, acompañado de una timidez, muy patente en
su comportamiento con el sexo femenino: en suma, un tímido sexual.
Ese diagnóstico, elaborado sobre la lectura atenta de los textos de los
cronistas y reflexionando sobre el comportamiento del Rey, vino corroborado por lo que, en verdad, fue un golpe de fortuna inesperado; porque cuando apareció el estudio de Marañón, en 1930, lo ideal hubiera
sido poder estudiar directamente el mismo cadáver del monarca, y
ocurría que este había desaparecido. Se sabía, por la documentación del
tiempo, que había sido enterrado en el monasterio jerónimo de Guadalupe, presumiblemente en su iglesia, como era lo habitual en tales casos.
Pero lo cierto era que las búsquedas realizadas en el monasterio guada-
lupano, y no solo en la iglesia, no habían dado resultado alguno.

---

[24] La referencia, en el libro de César Silió Cortés, *Isabel la Católica,* Madrid, Espasa
Calpe, 1943, pág. 28.
[25] Tarsicio de Azcona, *Isabel la Católica,* ob. cit., pág. 19.

Aquello se había convertido en un misterio. ¿Cómo habían podido volatilizarse los restos nada menos que de todo un rey? ¿Quién se había podido atrever a profanar su tumba?

Y de pronto, la increíble noticia: de forma totalmente inesperada, habiendo necesidad de hacer una reparación en la iglesia del convento, en un sitio de muy difícil acceso, como era el de las espaldas del retablo, se encargó a un operario que se deslizara por una maroma, instalada desde lo alto a tales efectos, por el hueco que quedaba entre el retablo y la pared maestra del ábside de la iglesia. Y fue ese operario el que se topó, a las primeras de cambio, con dos ataúdes en pésimo estado, pero conteniendo dos momias bien conservadas, sobre todo una de ellas. No cabe duda de que los gélidos inviernos de la sierra de Guadalupe habían hecho su labor. Y así pronto se pudo comprobar que se trataba nada menos que de los cadáveres del rey Enrique IV y de su madre, la reina doña María de Aragón. Y, por suerte para Marañón y para la gran historia, la momia del monarca estaba en muy buen estado.

Tal descubrimiento se hacía en 1946, dieciséis años después de que Marañón hubiera escrito su ensayo sobre Enrique IV.

Al punto se dio la noticia a Madrid, y concretamente a la Real Academia de la Historia, de la que era miembro tan principal Marañón. Así que la docta institución encargó a una comisión que se desplazara inmediatamente al monasterio de Guadalupe y que diera detallada cuenta de lo que allí se había encontrado. Por supuesto, en esa comisión, junto con personalidades del rango de don Manuel Gómez Moreno, estaba el propio Gregorio Marañón.

Hoy conocemos su dictamen, publicado en el prólogo a la cuarta edición de su libro, aparecida en 1947.

Centrémonos en la descripción que hace de la momia de Enrique IV. Acaso sea una forma algo macabra de evocar su reinado, pero entiendo que muy acorde con lo que sabemos de sus desventuras.

Entresacamos sus párrafos más relevantes:

> Lo primero que destaca en la momia de Enrique IV es su corpulencia...
> La talla actual de la momia es de 1'70 metros. Se calcula que la momificación completa disminuye la talla del vivo en 12 a 15 centímetros... Puede, sin temor a errar, calcularse en más de 1'80 metros la talla que don Enrique tuviera en vida.
> El cráneo es de notable robustez... La frente es alta y dilatada... Robusta es también la mandíbula inferior, muy bien conservada, con todos sus dientes, así como los de la supe-

rior... De muelas faltan algunas, comprobándose que padeció de ellas, como atestiguan sus biógrafos. Los ojos, cerrados y muy separados, como corresponde a la amplitud de desarrollo de los senos frontales, y la boca es grande, mostrando todavía el prognatismo inferior que le imponía la enérgica mandíbula.

Y añade el informe de la comisión:

Así era, pues, el infeliz monarca. Como le habían pintado sus cronistas: alto, recio, desgarbado de cuerpo, de anchas caderas, de cabeza redonda, grande y prognática. Así le sorprendió la muerte, de cuya causa no queda rastro en el cadáver.

Gómez Moreno y Marañón se hacen unas reflexiones del más alto nivel:

Lo que queda del que fue rey de Castilla —añaden— permite suponer cómo sería su figura. Lo que pasó en el corazón y en el cerebro que alentaron en ella, podemos, con acierto o con error, imaginarlo, pero nada más. La discusión queda para siempre abierta...

Y terminan, de forma teatral:

La verdad de este gran drama quizá no la supo el mismo protagonista, a cuya cabeza, colocada, al cabo de los siglos, sobre el altar mayor de Guadalupe, queríamos interrogar; y parecía contestarnos con una mueca que era también una irónica interrogación.

Este largo informe sobre el macabro hallazgo de la momia del Rey, del que hemos sacado los fragmentos más significativos, lo firmaron, ya de regreso en Madrid, el 18 de marzo de 1947, los académicos Manuel Gómez Moreno y Gregorio Marañón[26].

Con esa espectacular aparición de la momia de Enrique IV pudo Marañón contrastar sus anteriores conclusiones sobre el monarca, con los datos que ahora obtenía a través de su esqueleto, para confirmar su

---

[26] Recogido en el prólogo que aparece a partir de la cuarta edición de la obra de Gregorio Marañón, *Ensayo biológico sobre Enrique IV de Castilla...*, ob. cit., págs. 18-28. Debe manejarse la más reciente publicada a cargo del profesor Julio Valdeón (Madrid, 1998), con notable prólogo del reciente académico.

tesis de que estamos ante un esquizoide que en el campo erótico cabría calificar como un tímido y débil sexual. Lo cual tendría sus fuertes repercusiones en su vida matrimonial, que en el caso de los reyes supone que alcancen también a la propia seguridad nacional.

Ya hemos visto el fracaso de Enrique IV en su primer matrimonio con Blanca de Navarra, una Princesa que era de su misma edad, en torno a los dieciséis años; un fracaso agravado psíquicamente por el hecho de la publicidad que se le dio, al conocerse inmediatamente en la Corte lo que en aquella noche de bodas había ocurrido. Y se comprende que, lastrado por aquel primer revés, el Príncipe siempre volviera a fracasar ante su joven esposa cuantas veces lo intentara. Y eso a lo largo de los tres años en que, según los cronistas, lo pretendió. El matrimonio tardaría aún otros diez años en anularse, lo que no deja de sorprender. Tan largo período de tiempo no hizo sino remachar en la opinión pública que estaban ante un caso manifiesto de un Príncipe impotente, calificativo injurioso con el que le acabaría conociendo la Historia. Se hablaría de desviaciones sexuales, lo cual era para aquellos tiempos otra injuria añadida.

Y, sin embargo, el Príncipe lucharía contra esa etiqueta. En primer lugar, trataría de demostrarse a sí mismo su hombría frente al sexo femenino, buscando nuevas relaciones con otras mujeres, fuera, por lo tanto, del matrimonio.

Los relatos de los contemporáneos son, a este respecto, harto significativos. Algunas mujeres de Segovia, seguramente escogidas entre las de vida airada, no dudaron en asegurar que el Príncipe había cumplido con ellas como hombre hecho y derecho. Es más, afirmaron que era tan potente como podía serlo el que más. Y no dejaron ahí, en términos generales, su testimonio, sino que llegaron a describir lo más íntimo, como lo pedía la curiosidad popular, asegurando que el Príncipe:

> … tenía una verga viril firme y daba su débito y simiente viril como otro varón…

Por lo tanto, su fracaso matrimonial habría que achacarlo a alguna brujería, a cualquier hechizo, a una especie de maldito ligamento. No olvidemos que aquella sociedad estaba inmersa en la mentalidad mágica, y que la mayoría de las veces la explicación a sus males se buscaba en esas causas. Pero, en definitiva, para aquellas segovianas que habían conocido al Príncipe —y aquí el verbo conocer tiene toda su fuerza erótica—,

... le habían visto y hallado varón potente, como otros poten-
tes...[27]

Testimonios sospechosos, buscados por el poder, aunque acaso
ciertos, porque la impotencia de Enrique IV había podido ser ocasional, propiciada por su primera mala experiencia con Blanca de Navarra. Y así lo debía de entender el propio Príncipe cuando en 1453,
todavía en vida de su padre Juan II, tras conseguir la anulación de su
matrimonio con Blanca de Navarra, negocia una nueva boda, en este
caso con una princesa portuguesa: Juana de Avís. La sentencia de anulación está dada por el obispo de Segovia el 11 de mayo de 1453, y el
20 de diciembre del mismo año se firman las primeras capitulaciones
del nuevo matrimonio del Príncipe con su prima Juana de Portugal.
Cuando Juana llega a Castilla, en mayo de 1455, lo hará ya no como
Princesa, sino como Reina, pues para entonces se ha producido la
muerte de Juan II. Quiere decirse con ello que el cambio producido en
la cumbre no altera la decisión de Enrique IV, que mantiene su propósito de casarse con Juana de Portugal.

No entraremos en los detalles de las nuevas capitulaciones matrimoniales, salvo para recordar que las fuertes exigencias de la Corte
portuguesa vienen a confirmar la opinión generalizada respecto a las
dudas que había en torno al nuevo Rey castellano, en cuanto a sus posibilidades para obtener sucesión: nada menos que el depósito previo
de cien mil florines de oro a favor de la prometida; los cuales se hicieron efectivos al día siguiente de la firma de las capitulaciones; esto es,
el 21 de diciembre de 1453 se hace dicha entrega a dos mercaderes de
Medina, en presencia de Lope González, procurador de la Princesa, en
doblas castellanas, las cuales estaban:

... en tres talegones muy grandes de lienço...[28]

Este infeliz monarca tendría un reinado relativamente largo. Durante veinte años se mantendría en el poder, hasta su muerte súbita,

---

[27] Las citas de las mujeres segovianas, recogidas por Marañón, *Ensayo biológico sobre Enrique IV de Castilla y su tiempo*, ob. cit., págs. 69 y sígs. Según otros testimonios,
Enrique IV podía eyacular, pero no penetrar, lo que daría lugar a curiosos recursos
prácticos. (Véase el estudio de José Luis Martín Rodríguez, *Enrique IV...*, ob. cit.,
págs. 232 y sigs.)
[28] Tarsicio de Azcona, *Isabel la Católica,* ob. cit., pág. 30.

que le sorprendería tras un intento de jornada de caza al Pardo, si hemos de creer a su cronista Alonso de Palencia; en todo caso, de forma tan fulminante que ni siquiera le dio tiempo a desnudarse, muriendo con las mismas polainas de cuero con que sería encontrado siglos después en el monasterio de Guadalupe; señal inequívoca de que fue tratado con tanto desprecio en su muerte como lo había sido en vida.

Bajo este desastrado, y en ocasiones turbulento, reinado transcurrió la niñez y la juventud de Isabel la Católica. Hasta los diez años en la villa de Arévalo, juntamente con su hermano Alfonso, al lado de su madre, la reina viuda Isabel de Portugal. Más tarde, a partir de 1461, al ser llamada a la Corte con motivo del nacimiento de la princesa Juana, entrando ya de lleno en la vorágine de la gran política, que la acabaría alzando al puesto de heredera de la Corona de Castilla.

Pero todo ello no sin serias dificultades, como hemos de ver.

Isabel vivió esos primeros años de su infancia en Arévalo en una Castilla relativamente en paz y sosiego, que contrastan con los agitados tiempos que alterarían la última etapa del reinado de su hermanastro Enrique IV.

En efecto, ya algunos cronistas recogieron esa diferencia entre los dos períodos del reinado enriqueño, con una divisoria marcada por el manifiesto de la alta nobleza pronunciado en Burgos en 1464, incitador ya del enfrentamiento contra el Rey. Bástenos con la referencia de Fernando del Pulgar, cronista que vivió aquella época:

> Reinó —Enrique IV— veinte años, y en los diez primeros fue muy próspero...

Y añade poco después:

> Fenecidos los diez primeros años de su señorío, la fortuna, enbidiosa de los grandes estados, mudó, como suele, la cara próspera, e començó a mostrar la adversa... [29]

---

[29] Fernando del Pulgar, *Claros varones de Castilla,* ed. de J. Domínguez Bordona, Madrid, Espasa Calpe (Clásicos Castellanos), 1954, págs. 12 y sigs. Esos primeros años pacíficos están confirmados por otros muchos testimonios, como los citados por Tarsicio de Azcona procedentes de un proceso de la época, en que no pocos testigos lo señalan. Así, uno de ellos, Luis Díaz de Toledo, declararía: «Por mucho tiempo y espacio de más de diez años estovieron estos Regnos muy pacíficos e avía en ellos muy grand justicia...» (Azcona, *Isabel la Católica,* ob. cit., pág. 63).

Una paz interior, se entiende, pues fue también la época de las campañas contra el reino de Granada que, aunque no demasiado vivas, tuvieron algunos resultados positivos, como la recuperación de la ciudad de Gibraltar. Un período en el que Enrique IV logró una envidiable situación exterior, consiguiendo la alianza de Alfonso V de Portugal y hasta siendo solicitado por la Generalitat de Barcelona para que les liberase de la tiranía de Juan II de Aragón y aceptase la corona catalana. Todo ello culminado con unas excelente relaciones con Roma, tanto con el papa Calixto III (1455-1458) como con Pío II (1458-1464) y con Paulo II (1464-1471). Roma anhelaba encontrar una respuesta en la Cristiandad frente a la catástrofe sobrevenida en Oriente con la pérdida de Constantinopla, y veía en Castilla la oportunidad de una contraofensiva cristiana contra el mundo musulmán, con lo que el Rey castellano tenía un apoyo especial[30].

Esa paz y esa seguridad parecían afianzarse con el nacimiento de la princesa Juana, asegurando la sucesión, cosa tan importante en las monarquías autoritarias. ¿No era acaso esa razón la que había llevado a Enrique IV a su segundo matrimonio con Juana de Avís, la que le había convertido en cuñado del monarca luso Alfonso V? Era la forma con que lo había anunciado al Reino:

> … como yo esté sin mujer —razonaba Enrique IV— sería gran razón de casarme, así por el bien de la generación que me suceda en estos reinos, como porque mi real estado con mayor autoridad se represente…[31]

Sin embargo, el nacimiento de la princesa Juana, aunque al principio fuese recibido con toda normalidad, sin ninguna muestra de recelo en cuanto a su legitimidad (algo en lo que coinciden los mejores especialistas del reinado)[32], traía la semilla de la discordia. Y ello porque

---

[30] Eloy Benito Ruano, «Granada o Constantinopla» [en *Hispania,* t. XX (1960), págs. 267-314].

[31] En la *Crónica del rey don Enrique el Cuarto* de Diego Enríquez del Castillo, cap. XIII; cit. por Marañón, *Ensayo biológico…,* ob. cit., pág. 73.

[32] Azcona dedica catorce páginas al tema, bajo el concluyente título: «Nacimiento legítimo de Juana de Castilla» (ob. cit., págs. 38-52). Por su parte, Luis Suárez indica: «En el estado actual de nuestros conocimientos documentales, el historiador no tiene más remedio que decir que no existe constancia alguna que impida creer que aquel embarazo fuera el resultado de los tratamientos a que Enrique IV fue sometido». Si bien añade: «Tampoco se encuentra en condiciones de afirmarlo» (ob. cit., pág. 15).

cuando la posición de Enrique IV fuese más débil, iba a ser fácil a sus adversarios recordar sus muchos años de impotencia con la primera esposa, Blanca de Navarra, e incluso los que había tardado en conseguir sucesión del segundo matrimonio con Juana de Portugal. En suma, aquel embarazo tardío, cuando ya la Corte se afirmaba en la impotencia, o en la esterilidad del Rey, resultaba sospechoso y se prestaba a las murmuraciones, que saldrían a la luz cuando estallase la crisis política, con el enfrentamiento del Rey con la alta nobleza castellana.

Pero, de momento, lo que vivió la infanta Isabel, al ser llevada a la Corte, fue el bautismo de la nueva cristiana, con su primer protagonismo oficial, pues el Rey quiso distinguirla como madrina de la neófita.

Entrado el verano de 1461, la reina Juana anunció a Enrique IV, su marido, que estaba embarazada. Era el anhelado deseo del Rey, tanto más cuanto que ello debía poner fin al escandaloso estigma de su dudosa virilidad; ya veremos que las cosas no ocurrirían así. Por lo pronto, el Rey cuidó de proteger aquel embarazo, trasladando a su mujer al seguro de una villa de sosegado ambiente. Y la villa escogida sería Aranda, donde curiosamente sabemos que un siglo más tarde también la elegiría Carlos V para que en ella creciese su nieto don Carlos.

Cuando se anuncia ese suceso, Enrique IV tenía treinta y seis años y llevaba más de veinte intentando inútilmente tener descendencia, de ellos trece con su primera esposa, Blanca de Navarra, y después seis con Juana de Portugal. Por lo tanto, todo un acontecimiento. Gran alegría para el Rey y no poca sorpresa para la Corte, habituada a considerar al matrimonio regio como estéril.

Por eso una consecuencia política de la mayor envergadura: el embarazo de la Reina anunciaba un cambio inmediato en algo tan importante como el orden sucesorio al trono de Castilla. Hasta entonces, ese orden sucesorio recaía en los hermanastros del Rey, los infantes Alfonso e Isabel. Ahora los Infantes quedaban postergados a un lugar secundario, desplazados del poder por el hijo o hija que diese a luz la reina Juana.

De pronto, aquellos Infantes que crecían a su aire en la olvidada villa de Arévalo, adquirían, por ese mismo hecho de su desplazamiento, un especial protagonismo: eran piezas importantes en el juego político, podían convertirse en cabezas de una rebelión nobiliaria, si caían

---

Un largo razonamiento sobre el tema, en la obra de José Luis Martín Rodríguez, *Enrique IV...*, ob. cit., págs. 208 y sigs.

en manos de algún poderoso noble descontento. En consecuencia, el Rey ordenaría su inmediata custodia, sacándolos del hogar materno, para llevarlos a la Corte.

Una orden llevada a cabo con medidas de fuerza que causaron asombro y dolor en la pequeña Corte de Arévalo. Con razón los Infantes, y sobre todo Isabel, que ya contaba con diez años de edad, lo sintieron como si se hubieran convertido en personas puestas bajo sospecha. Así lo recordaría años después, en su carta-manifiesto de 1471, aquello que ya hemos comentado, que ella y su hermano Alfonso habían sido arrancados por la fuerza,

... inhumanamente...

de los brazos de su madre.

Ahora bien, no de forma cruel. Nada de ser tratados como presos, con incierto destino. Enrique IV estaba lejos de ser un soberano duro, y mucho menos sanguinario. Los Infantes quedaban a buen recaudo, sin duda, pero tratados como correspondía a su categoría principesca. Y así, cuando se realizara el bautismo de la hija del Rey, veremos a la infanta Isabel siendo designada madrina y, por lo tanto, teniendo un destacado protagonismo.

Cercano ya el parto de la Reina, por lo tanto en pleno invierno, Enrique IV ordenó el cuidadoso traslado —en andas, para mayor seguridad— de su esposa a Madrid. De ese modo, el 28 de febrero de 1462, Juana daría a luz en el viejo alcázar regio madrileño una niña, a la que se pondría su propio nombre.

Había nacido Juana de Castilla, a la que la maledicencia cortesana pondría años después un humillante título: Juana la Beltraneja.

Pero eso sería pasado algún tiempo, cuando las intrigas nobiliarias trajeran a Castilla los aires de una guerra civil, enfrentándose con su Rey natural. Pues, por lo pronto, no hubo ninguna reacción adversa, siendo celebrado el principesco nacimiento con la solemnidad y con las «alegrías» que pedía la tradición: solemne bautismo, convocatoria de Cortes para el juramento de reconocimiento de la nueva heredera del trono, y fiestas populares; las «alegrías» de que nos hablan los documentos.

Y en primer lugar, el bautismo de la neófita.

Asistamos a ese acto. Es importante que nos fijemos en él, porque sería el primero en el que la infanta Isabel tendría un destacado papel.

Estamos en Madrid, y más concretamente en su viejo alcázar regio. El día, el 8 de marzo de 1462. La comitiva del bautizo hace su entrada solemne. La recién nacida es llevada por su madrina, la infanta Isabel, que aún no ha cumplido los once años. Una chiquilla, por lo tanto, pero sin duda consciente de la importancia que se le está dando. Porque los sucesos posteriores acabarán enfrentando a esos dos menudos personajes, pero de momento la realidad es que el Rey ha querido vincular a los dos, haciendo que su hermanastra sea una de las madrinas de su hija; la otra lo sería la marquesa de Villena. Y al frente de la ceremonia religiosa, todo un arzobispo primado, Alfonso Carrillo, arzobispo de Toledo. Nada hace presagiar, pues, el adverso destino que aguarda a la princesita niña.

Todo lo contrario. Al punto, Enrique IV convoca Cortes del Reino, para que su hija sea jurada como heredera de la Corona de Castilla, cosa que ocurriría dos meses más tarde, ya en plena primavera. En esa ocasión será el arzobispo Carrillo quien lleve en sus brazos a esa frágil Princesa que acaba de cumplir los dos meses. Y todos los presentes, conforme el ritual de tal acto, van jurando a Juana de Castilla como heredera del trono: el alto clero, la alta nobleza y los procuradores de las Cortes, como representantes de las ciudades del Reino.

Ninguna nube, pues, en el horizonte político de la dinastía. Al menos, aparentemente.

Aparentemente solo, en efecto, pues hoy sabemos que nada menos que el marqués de Villena, el antiguo privado del Rey, el mismo que dos meses antes había sido uno de los padrinos en el bautizo de Juana, tiene sus reservas. Y tantas, que antes de la ceremonia se atreve a un acto secreto de protesta, ante notario.

¡El antiguo privado del Rey, aquel Juan de Pacheco que había manejado siempre a Enrique IV a su antojo, se enfrentaba ahora a su soberano! Cierto que de momento solo en secreto, no dejando traslucir nada de su enemiga. Pero ¿qué declaraba Pacheco ante el notario? Nada menos que la nulidad de su juramento, porque Juana no era la que tenía derecho a la sucesión de la Corona de Castilla. Eso quiere decir que aquel ambicioso cortesano estaba ya preparando la gran rebelión contra Enrique IV y por ello quería demostrar, cuando se presentase la ocasión, que en puro derecho no estaba obligado por el juramento que se le había exigido, porque había sido forzado y constreñido a ello, y no lo había realizado libremente.

¿Qué estaba pasando? Que lo mismo que un enfermo es peligroso que deje de raíz las medicinas que está tomando, el Rey —si se quiere, un enfermo por lo inestable de su carácter— no comprendió cuán grave era dejar a un lado al antiguo privado para volcar todo su favor en nuevos cortesanos; tal, Miguel Lucas de Iranzo, al que nombraría nada menos que Condestable de Castilla, y sobre todo Beltrán de la Cueva, mayordomo mayor de palacio, al que elevaría por aquellos días a la alta nobleza castellana, nombrándole conde de Ledesma e incluso prometiéndole el Maestrazgo de Santiago, la gran preeminencia que su padre, Juan II, había reservado para el infante don Alfonso.

Por lo tanto, se estaba incubando una recia tormenta política, que estallaría cuando la posición de Enrique IV se debilitase, por torpezas en el gobierno del Reino, y sobre todo cuando el panorama internacional se le volviese en contra.

Maquinaciones a las que era ajena Isabel, evidentemente, aunque algo sospechara. En abril de aquel año de 1462 cumplía ya los once años. Estaba en el centro del poder, en la propia Corte regia; era la Infanta, y su mirada atenta empezaba a captar aquellos signos de que algo no iba bien en el Reino. Por otra parte, las mercedes de su hermanastro, el Rey, volcadas tan aparatosamente sobre Beltrán de la Cueva, le afectaban de forma directa, pues una de ellas sería Cuéllar, la villa que Juan II le había dejado en su Testamento. Enrique IV, por lo tanto, elevaba a su privado a costa también de la infanta Isabel.

Era un abuso de autoridad regia.

Era también una torpeza, porque al mostrarse tan desmedidamente generoso con Beltrán de la Cueva, el antiguo mayordomo de palacio, no hacía sino favorecer un escándalo. ¿No sería que con ello trataba de pagar algún secreto favor? El más turbio, puesto que si durante tantos años se había mostrado impotente, de pronto le había nacido una hija. De ahí la pregunta que estaba en el aire: ¿Quién era, en verdad, el padre?

Por esas fechas, ¿cómo era tratada Isabel? ¿La podemos considerar como una cautiva, junto a su hermano Alfonso, en la Corte real, en los aposentos palaciegos donde vivía la reina Juana con la Princesa niña? Es la impresión que se saca de la carta-manifiesto que años después daría a conocer Isabel, exactamente en 1471, y a la que ya nos hemos referido. En esa carta, las alusiones a la enemiga de la Reina son indudables. Así, al quejarse de la orden regia de sacarla de Arévalo, arrancándola de los brazos de su madre, comenta Isabel:

> … y así fuimos llevados a poder de la reina doña Johanna…

No por cariño, sino como personas puestas en sospecha de la Reina, temerosa de que reaccionasen Isabel y su hermano Alfonso contra los intereses de su hija, desde el punto y hora en que se sintió embarazada. De forma que de ella había partido la idea, o al menos así lo pensaba Isabel:

> ... que esto procuró —la reina Juana— *porque ya estaba preñada...*

No era entrar en otra familia; era como quedar prisioneros en la Corte, con todos los peligros que intereses políticos tan fuertes siempre conllevan. Y de eso también se lamenta la Infanta:

> Si esta fue para nosotros peligrosa custodia, a vosotros es notorio...

Tal era el sentir general, del que pronto se haría eco la Liga nobiliaria, bien es cierto que mirando por sus intereses y como medio para poner a la opinión pública en contra del gobierno de Enrique IV.

En ese orden de cosas, ¿qué valor tiene el testimonio de un cortesano adscrito a la Corte de Aranda, donde vivían los Infantes junto a la reina Juana? Se trata de un documento encontrado por Azcona en Simancas, una carta de un tal Guiguelle escrita a Enrique IV en el verano de 1463 en la que le da cuenta de la vida en aquella Corte, con especial referencia a la salud de la familia regia; de forma que salen a relucir, sucesivamente, la reina Juana, la Princesa niña y los dos infantes Isabel y Alfonso, todo con un tono de igual deferencia, como si ninguna nube enturbiase aquella plácida existencia.

Concretamente, de Isabel y Alfonso dirá Guiguelle al Rey:

> Los señores Infantes, vuestros hermanos, están mucho gentiles, guárdelos nuestro Señor[33].

Y algo a tener en cuenta: cómo refleja también aquella carta una de las grandes aficiones regias, y que tantos quebraderos de cabeza le daría. Me refiero a su guardia mora:

> Los caballeros moriscos y moros de Vuestra Alteza están bien. Hoy han tomado sueldo...[34]

---

[33] Carta publicada por Tarsicio de Azcona, en su libro tan importante para conocer esta época y este reinado, *Isabel la Católica,* ob. cit., pág. 47.
[34] Ibídem.

Por entonces, hacia ese año de 1463, los dos Infantes viven, pues, en Aranda, en las casonas palaciegas donde moraba la reina Juana con su hija la Princesa niña. Eran dos muchachos que ya empezaban a comprender el cúmulo de intrigas que les circundaban, pues Isabel contaba ya los doce años y Alfonso había cumplido los diez. Se sentían vigilados, sin duda, mas no cautivos. Enrique IV, su hermanastro, los tenía en su poder, pero no era un malvado del que hubiera que temer una barbaridad.

En resumen, hoy podemos decir que hubo violencia en el traslado de los Infantes, sacados de Arévalo, dejando allí sola y a su desventura a la reina madre Isabel de Portugal; pero que en la nueva Corte de la reina Juana, si bien tenidos bajo custodia, los Infantes de Castilla no fueron tratados con rigor, tan ajeno al modo de ser de Enrique IV.

Pero entre tanto la situación política se iba agravando. Aquel colmar de mercedes regias a Beltrán de la Cueva acabó poniendo en el disparadero al marqués de Villena. Sin duda, tenía muy presente lo que había ocurrido al que había sido tan prepotente privado del anterior monarca, la dura y adversa suerte de quien, habiendo caído en desgracia, había acabado siendo degollado. También él, Pacheco, había sido durante tantos años el gran privado del entonces Príncipe de Asturias, Enrique, que ahora daba sus preferencias al nuevo valido, Beltrán de la Cueva.

Por lo tanto, todo a temer. Y por ello, todo a precaver, y con la máxima urgencia.

LA REBELIÓN NOBILIARIA

Ese sería el motor de la apresurada reunión de la alta nobleza castellana, tenida en Burgos al final del verano de 1464. Allí se juntaría lo más representativo de las dos Castillas: los poderosos nobles que señoreaban gran parte de Castilla la Vieja: el almirante don Fadrique, don Rodrigo Pimentel, conde de Benavente; García de Toledo, conde de Alba; Enrique Enríquez, conde de Alba de Liste; Rodrigo Manrique, el famoso conde de Paredes, que aparece en los versos imperecederos de su hijo Jorge Manrique; Diego Stúñiga, conde de Miranda. Y también otros grandes poderosos señores, como don Álvaro Stúñiga, conde de Plasencia; los Fajardo de Murcia, el maestre de Alcántara y, por supuesto, don Juan de Pacheco, marqués de Villena.

No faltaban tampoco algunas de las principales figuras del alto clero: Carrillo, el más bullicioso y el más poderoso de todos, arzobispo de Toledo, que también se encontraba preterido y postergado por el Rey, entregado como se le veía a figuras advenedizas, encumbradas de pronto a lo más alto. Y Fonseca, arzobispo de Sevilla. Y, asimismo, Acuña, obispo de Burgos.

Una formidable Liga nobiliaria que había conseguido también la adhesión de los cabildos municipal y catedralicio burgaleses, con lo cual se aparecía a la opinión pública casi como la voz del país entero, que se enfrentaba con el mal gobierno de Enrique IV.

Y así surge el manifiesto del 28 de septiembre de 1464, que tanta repercusión tendría en la evolución de los acontecimientos, afectando ya directamente a la suerte de la infanta Isabel y de su hermano don Alfonso, por cuanto se pregonaba que los dos Infantes estaban cautivos, y que la princesa Juana no era la verdadera hija del Rey, no teniendo, por lo tanto, ningún derecho a la sucesión al trono de Castilla.

Es una protesta de la Liga nobiliaria contra el mal gobierno de Enrique IV, una protesta impulsada por no pocas ambiciones, donde se echa de ver la mano airada de un marqués de Villena, despechado por haber sido desplazado del poder. Pero el manifiesto está escrito con suma habilidad, aprovechando todos los errores cometidos por el Rey, empezando por su débil carácter, que le había dejado en manos de un advenedizo: Beltrán de la Cueva.

De ese modo, la Liga trataba de orillar el que se la acusase de desacato regio: el Rey estaba «secuestrado» por Beltrán de la Cueva, y lo que procedía era liberarle. Por otra parte, se cuidaba mucho la cobertura religiosa: aquella Corte protegía a los infieles —la guardia mora del Rey era una prueba de ello—, con menosprecio de la Iglesia católica. Y se pregonaba que se miraba por el bien público, denunciando el continuo quebrantamiento de la Justicia, aquella por la cual los Reyes eran instituidos como tales; esto es, para administrar pronta y recta justicia.

Y aún faltaba algo: declarar públicamente lo que el marqués de Villena había insinuado en su secreta protesta en las Cortes de 1463, a saber: que la princesa Juana no era la legítima heredera del trono, porque no era hija del Rey; y lo que era más fuerte: que tal cosa era bien conocida por el monarca:

> ... pues a Vuestra Señoría e a él —Beltrán de la Cueva— es bien manifiesto ella no ser hija de Vuestra Señoría...[35]

---

[35] Cit. por Azcona, *Isabel la Católica*, ob. cit., pág. 92.

Finalmente se pedía al Rey que acudiese a la ciudad de Burgos, donde había puesto su emplazamiento la Liga, acompañado de los dos Infantes, pero sin el odiado privado, para convocar Cortes en las que el infante don Alfonso fuese jurado heredero del trono, denunciando el peligro de que aquellos malos consejeros del Rey, concretamente Beltrán de la Cueva, intentasen la muerte de los Infantes, para asegurar la sucesión de la princesa Juana:

> ... procuraran la muerte a los dichos Infantes, porque la sucesión destos regnos venga a la dicha doña Johanna... [36]

Mensaje que no podía ser más injurioso, dado que se presentaba a Enrique IV no ya como Rey «secuestrado» y engañado, sino como sabedor y consentidor de todo, incluso del emparejamiento de la Reina con su privado, para lograr una sucesión que él era incapaz de conseguir. En suma, no solo era impotente, sino también cornudo, el más grave insulto que aquella sociedad podía lanzar. Algo para encender los ánimos de cualquiera, por muy pacífico que fuera.

Y, sin embargo, ese no sería el caso de Enrique IV. Su reacción, sobre todo pensando en la mentalidad de la época, fue sorprendente. No con furia, sino con mansedumbre, acaso excesiva, o al menos imprudente, porque alimentaba con ello la sospecha, que ya se iba haciendo general y pública, sobre la ilegitimidad de su hija Juana.

Eso fue lo que ocurrió en la reunión que el Rey tuvo a poco en Valladolid con sus consejeros para acordar lo que procedía hacer como réplica más adecuada al ofensivo manifiesto de la Liga nobiliaria. Allí pudo oír Enrique IV las más vivas instancias para que actuara con mano dura, como merecía tan insolente desacato contra su autoridad regia. En particular, el obispo López Barrientos, acaso olvidando no poco a lo que estaba obligado por su condición de prelado, le incitó a tomar las armas contra aquellos rebeldes.

No fue de esa opinión Enrique IV. Al contrario, rebatió al Obispo con unas razones que hoy le habrían hecho el más popular de los reyes, pero que en aquellos mediados del siglo XV le traerían baldón y menosprecio general:

> Los que no habéis de pelear, padre Obispo —tal contestó Enrique IV—, ni poner las manos en las armas, sois muy pródigos de las vidas ajenas.

---

[36] César Silió Cortés, *Isabel la Católica,* ob. cit., pág. 43.

Y todavía añadió más, como adelantándose a nuestros tiempos, en los que a buen seguro que sus razones serían más celebradas que en los suyos:

> Bien paresce que no son vuestros hijos los que han de entrar en la pelea, ni vos costaron mucho de criar...[37]

¿No parece que estamos oyendo a cualquier admirable pacifista de nuestros días? ¿Qué pensar de un Rey tan conmiserativo, tan cuidadoso de velar por las vidas ajenas, antes que por su propio prestigio? Uno no sabe si admirarse o si apiadarse, porque aquella no era fruta para esos tiempos. Aquella sociedad pedía hombres duros, violentos, enérgicos. Nada de blanduras ni de contemplaciones. De ahí la sentencia del Obispo, advirtiendo gravemente al Rey de lo que le había de costar su blando comportamiento:

> Quedaréis por el más abatido rey que jamás ovo en España e arrepentido eis, señor...[38]

Pero Enrique IV, conforme a su modo de ser conciliador, prefirió la negociación con los rebeldes, antes que el enfrentamiento. Una postura que le debilitaba aún más, por cuanto que podía entenderse como un reconocimiento de que algo habría de cierto en las acusaciones de la Liga, en especial en lo referente a la dudosa legitimidad de la princesa Juana, en su discutida situación de heredera del trono.

Y esa situación la sentiría ya la Infanta, en su confinamiento en Aranda, en los aposentos regios donde vivía con su hermano Alfonso, bajo la vigilancia de la reina Juana y de los servidores del rey Enrique IV. Pues difícilmente podían cerrarse el paso a los rumores que circulaban sobre los graves acontecimientos que estaban ocurriendo en

---

[37] César Silió Cortés, *Isabel la Católica,* ob. cit., pág. 43.

[38] Cit. por Luis Suárez, «Los Trastámaras de Castilla y Aragón...», estudio cit., pág. 259; cita tomada, como lo hacen Silió y R. Pérez Bustamante y J. M. Calderón Ortega, de la crónica de Enrique Enríquez del Castillo, *Crónica del rey don Enrique el Cuarto,* Madrid, BAE, vol. LXX, págs. 138 y sigs. Aunque ya hace años que se viene revisando el reinado de Enrique IV, mostrando los aspectos positivos de su gobierno (revisión bien recogida en el cit. prólogo de Julio Valdeón a la nueva edición del célebre estudio de Gregorio Marañón, ob. cit., págs. 15-22), solo he visto en Torres Fontes esa valoración del bondadoso Rey «amante de su pueblo» (véase su *Estudio sobre la crónica de Enrique IV del doctor Galíndez de Carvajal,* Murcia, 1946).

el Reino. Y aún más cuando llegó la orden de que el infante Alfonso debía incorporarse al séquito regio, como prenda de cambio, para apaciguar a la Liga nobiliaria que así lo exigía.

A partir de ese momento, cuando corría el otoño de 1464, los acontecimientos se precipitarían. Y cada vez más se acrecentaría el protagonismo de Isabel, que a sus trece años cumplidos la vemos ya como un personaje expectante, creciendo entre la incertidumbre y la esperanza. Ver salir a su hermano Alfonso de Aranda, sin conocer con seguridad su destino, la llenó sin duda de zozobra; pero pronto supo que la Liga lo protegía. Y es más: que lo proclamaba como el verdadero heredero del trono.

Y lo que era más sorprendente: en las negociaciones del Rey con la Liga, tenidas aquel otoño de 1464 entre Cabezón y Cigales, Enrique IV accedía a las exigencias de los nobles, poniendo una sola condición: que en su día el Infante —ya con la promesa de convertirse en el heredero del trono— se casase con la princesa descabalgada, con aquella niña Juana a la que ni siquiera nombraba como su hija.

Era como una compensación, para que el desplazamiento de la princesa Juana no fuera tan absoluto; al menos, ya que dejaba de aspirar a ser la Reina propietaria de la corona, que se convirtiese en la esposa del Rey. Pero aparte de que eso tenía que quedar largo tiempo aplazado, dada la corta edad de Juana, que en aquel otoño no había cumplido aún los tres años, y por lo tanto de dudoso cumplimiento, estaba ya la cuestión evidente de que el Rey admitía, de modo implícito, la ilegitimidad de la Princesa niña; o, al menos, que consideraba tan fuerte la opinión pública que la tenía por sospechosa, que prefería llegar a un acuerdo antes que a la lucha armada.

Una vez más, Enrique IV se vio engañado por sus enemigos. La entrega del infante Alfonso a la Liga no supuso la inmediata pacificación del Reino. El Rey no tuvo más remedio que aprestarse a la lucha.

Y así fue como la infanta Isabel se vio sacada de Aranda y llevada, con la Corte de la Reina, a la ciudad de Segovia, cuyo alcázar regio ofrecía más garantías contra un posible golpe de mano de la Liga.

Eran tiempos cada vez más revueltos. La entrada en el nuevo año de 1465 cogió a las dos fuerzas, a las de los fieles al Rey y a las que iban aglutinando los nobles de la Liga, preparándose para la lucha abierta, que parecía cada vez más inevitable. Unos, los partidarios del Rey, en torno a Salamanca; los otros, los de la Liga nobiliaria, haciéndose fuertes en Ávila.

LA FARSA DE ÁVILA

Y de pronto, la escandalosa noticia: el 5 de junio de 1465 los nobles habían alzado un tablado fuera de las murallas de Ávila donde habían colocado un muñeco con todos los atributos regios: corona, cetro y espada. Era una representación bufa del rey Enrique. Y declarando así su rebeldía, las cabezas más importantes de la Liga entraron en aquella farsa para ir despojando al muñeco de sus atributos regios. El primero en entrar en aquel insolente juego fue el arzobispo de Toledo, Alonso Carrillo, que arrebató al muñeco la corona; y después, el marqués de Villena le arrancó el cetro, el conde de Plasencia la espada, y finalmente otros nobles —entre ellos el conde de Paredes—, ya en tumulto, echaron por el suelo el muñeco pisoteándolo con saña.

Tal fue la escandalosa farsa de Ávila. La Liga se alzaba abiertamente en rebelión contra Enrique IV y proclamaba un nuevo Rey, conforme a sus deseos: el Infante se convertía para aquellos rebeldes en Alfonso XII:

¡Castilla, Castilla, por el rey don Alfonso!

Fue un grito de rebelión que escandalizó a casi todo el Reino. Los rebeldes no eran muchos, pero sí poderosos.

Y lo que ahora nos importa resaltar: el protagonismo de Isabel fue creciendo cada vez más. La Liga exigía el final de su confinamiento en la Corte de la reina Juana, y que con plena libertad pudiese vivir en Arévalo, junto a su madre, la Reina viuda Isabel. Y además, lo que no deja de ser notable, tanto Enrique como Alfonso iban a rivalizar en concederle mercedes, asegurando de ese modo su estatus principesco. Enrique IV le donaría la villa de Casarrubios del Monte; y por su parte, Alfonso nada menos que Medina del Campo, que era, a todas luces, uno de los más importantes burgos de Castilla[39].

El gesto del nuevo Rey, el infante don Alfonso, era algo natural que se correspondía con el gran afecto que existía entre los dos hermanos; pero el de Enrique IV llama más la atención. En su carta-donación se expresa en términos muy afectivos, como si quisiera salir al paso de los reproches de la Liga nobiliaria en cuanto al abandono en que tenía a su hermanastra. El Rey expresaría a la Infanta:

… el grande amor que vos he…

---

[39] Tarsicio de Azcona, *Isabel la Católica,* ob. cit., págs. 126 y sigs.

De ahí que deseara verla acrecentada en su estado.

... porque vos más bien tengáis con que vos mantener[40].

Esa donación enriqueña a su hermana estaba fechada a 12 de marzo de 1467, seis meses antes de que el Rey perdiera la ciudad de Segovia y con ella la custodia de la Infanta. Por lo tanto, ya en los últimos momentos de su confinamiento, Isabel iba afianzando su posición.

No cabe duda: el tiempo jugaba a su favor. Era algo que cada vez resultaba más evidente: ya nadie podía ignorar a la Infanta.

La misma comisión que había tratado de llegar a un compromiso entre el Rey y la Liga nobiliaria lo había puesto de manifiesto, exigiendo a Enrique IV que pusiera casa propia a su hermana. Incluso se le advertía que el sitio de la Infanta debía ser en Arévalo, junto a su madre, la reina viuda Isabel de Portugal. Y en el caso de que el Rey quisiera seguir manteniéndola bajo su custodia, debería tenerla en el alcázar de Segovia y en todo conforme a su rango de Infanta de Castilla.

Tal había sido el acuerdo sobre el futuro de Isabel propuesto por aquellos cinco compromisarios, en lo que se nota la mano de los dos representantes de la Liga nobiliaria, Pacheco y Zúñiga, pero que sería aceptado por los dos designados por Enrique IV: el comendador Gonzalo de Saavedra y Pedro de Velasco, con el visto bueno del padre general de los jerónimos, fray Alonso de Oropesa, que actuaba como árbitro para resolver los puntos encontrados[41].

Se estaba creando un estado de opinión cada vez más favorable a Isabel. Por momentos resultaba más evidente que la Infanta podía jugar un papel decisivo en la lucha que se había desatado, en aquella guerra civil que zarandeaba a Castilla. Consciente de ello, Enrique IV trató de utilizarla a su favor, prometiéndola en matrimonio a uno de los Grandes, el maestre de Calatrava, Pedro Girón.

---

[40] El texto de la carta de Enrique IV, en Tarsicio de Azcona, *Isabel la Católica,* ob. cit., pág. 126.

[41] Para los otros puntos importantes tratados por la Comisión, que darían lugar a lo que se conocería como Sentencia de Medina, que atajaba la tendencia absolutista de la Corona, con la creación de un Consejo de nueve miembros, limitador de las funciones regias (integrado por tres representantes de la alta nobleza, otros tres del alto clero y los de las ciudades de Burgos, Toledo y Sevilla, como las tres principales de Castilla la Vieja, de Castilla la Nueva y de Andalucía), véase el estudio de Luis Suárez Fernández, «Los Trastámaras de Castilla y Aragón...», ob. cit., págs. 261 y sigs.

Precisamente era Pedro Girón, hermano del marqués de Villena, uno de los magnates que más habían soliviantado el Reino contra Enrique IV, alzando media Andalucía a favor del infante don Alfonso; pero ante la posibilidad de casarse con Isabel, lo que le añadía el señuelo de entrar en el orden sucesorio a la Corona de Castilla, se entregó con todas sus fuerzas al bando regio, consiguió de Roma la dispensa del voto de castidad que había hecho como maestre de la Orden de Calatrava, y se puso en marcha desde su villa de Almagro para consumar aquel anhelado matrimonio; un matrimonio desigual en la edad, pues Girón triplicaba en años a la Infanta. Él pasaba de los cuarenta, e Isabel apenas había cumplido los quince. Ahora bien, una disparidad bastante frecuente en la época. La Infanta ya había entrado en la pubertad y podía ser entregada en matrimonio. Y en cuanto a la diferencia de linajes, aunque no fuese un caso insólito, sí podía tomarse como un abuso del Rey, deseoso de asegurar su posición sacrificando para ello a su hermanastra.

Algo que parecía irremediable, cuando en aquella primavera de 1466 Pedro Girón dejó Almagro, con imponente séquito, para ir a la Corte. Y de repente, otro personaje entró en escena, más poderoso que ninguno, la misma muerte, que en aquella ocasión cumplió bien su oficio, a favor de la desvalida Infanta; y de forma tan oportuna para la Liga que no pocos sospecharon que el veneno había andado por medio:

> Túvose grandes sospechas de que algunos grandes del reino, a quienes pesaba de aquel matrimonio, le hicieron dar ponzoña con que muriese...

Tal era la sospecha que aún subsistía un siglo después, cuando Rades Andrada hizo su *Crónica* de la Orden de Calatrava [42]. Pero lo más probable es que se viera acometido de un mal repentino, quizá de un brote de pestilencia, que le dejó fuera de combate.

Era el mes de mayo de 1466. Fue uno de los momentos delicados de aquellos primeros años de Isabel. A partir de entonces cada vez se mostró más segura de su suerte.

Y así fue como un año después la ciudad de Segovia, donde Enrique IV creía tener seguras a su mujer, a su hija y a su hermana, caía en manos de la Liga nobiliaria. La reina Juana pudo refugiarse en el alcázar, que se mantuvo fiel al Rey, pero no consiguió llevarse consigo a Isabel.

---

[42] Rades Andrada, *Crónica de Calatrava,* Toledo, 1572, pág. 77.

Era la hora de la libertad para la Infanta. La fecha, el 17 de septiembre de 1467.

A partir de ese momento la veremos creando su propio destino.

La muerte del infante Alfonso

La libertad para Isabel suponía el poder escapar al control de Enrique IV y de la reina Juana, su mujer; y quizá aún más: de sus partidarios más radicales, que veían en ella un estorbo, cuando no un peligro para sus planes.

¿Y dónde ir? ¿Dónde refugiarse? Pocas dudas cabían. A diez leguas de distancia estaba Arévalo, la Corte de su madre, un lugar fuerte y seguro, donde podría encontrarse con su hermano Alfonso, para ella Alfonso XII, el nuevo Rey de Castilla. Además, ¿no estaban allí Gonzalo Chacón y aquellos otros servidores que siempre le habían sido tan fieles?

Para Isabel, a sus dieciséis años, aquella escapada de Segovia, aquella bajada hacia Santa María de Nieva, en aquella jornada de septiembre, cuando ya declinaba el verano en la meseta, cruzando los pinares tan abundantes en esa zona, para ponerse finalmente en Arévalo, era un día de verdadero gozo. Un viaje que debió de hacer en un vuelo; posiblemente de un tirón, en una sola cabalgada.

Al viajero, cuando hace esa ruta hoy día, después de tantos siglos, y va bordeando la muralla segoviana, dejando atrás, en lo alto, la imponente traza del alcázar, que ha sido más una prisión que una morada, no puede menos de evocar a la rubia Infanta de Castilla estrenando su libertad, consciente de que un cambio importante se estaba operando en su vida.

En cuanto a Isabel, se encuentra al fin con su hermano en Arévalo. Allí pueden revivir durante unos meses sus años infantiles, al lado de su madre.

Con una diferencia: para una parte de Castilla, Alfonso es el nuevo Rey, un soberano muy joven, pues no tiene más que trece años, lo que convierte a Isabel, su hermana, en la heredera del trono mientras Alfonso no tenga descendencia.

Son unos meses felices, unos meses para recordar toda la vida. Ambos hermanos pasan aquel otoño juntos, en el castillo que alberga a su madre, la Reina viuda. Y como está cercano el día del cumpleaños de Alfonso, esos catorce años que pueden hacer pensar en un gobierno cada vez más personal del muchacho, Isabel quiere prepararle una sorpresa y encarga a Gómez Manrique una composición poética. El propio poeta nos lo dice:

> Un breve tratado que fizo Gómez Manrique...

Pero no por su propio capricho o deseo, sino por encargo:

> ... a mandamiento de la muy ilustre señora Ynfante doña Isabel...

Lo que deseaba la Infanta era celebrar una gran fiesta en honor de su hermano, con la sorpresa de ese recital a cargo de diversas musas, donde se festejara que Alfonso había entrado ya en la edad viril, y donde se recordara también aquellos últimos años en los que a los dos hermanos les habían pasado tantas cosas, tantas aventuras y tantos peligros, para alcanzar al fin la venturosa libertad. Un recital poético cerrado por la intervención de la propia Isabel, que saludaba al nuevo Rey con unos versos ingenuos, pero en los que Gómez Manrique había sabido expresar el hondo afecto fraterno de la Infanta:

> Dios te quiera hacer tan bueno
> que excedas a los pasados
> en los triunfos y victorias
> y en grandeza temporal...

Era la gloria terrena. Pero a la piadosa Isabel no le bastaba con las glorias del mundo, de modo que terminaría deseando:

> ... tu reinado sea tal
> que merezcas ambas glorias
> la terrena y celestial[43].

Eso ocurría el 17 de diciembre de 1467, el día del cumpleaños del Infante-Rey. Pronto llegaron las Navidades, y el invierno, que tan duro es en la meseta.

Y pasaron los meses, como si el mundo no existiera, como si solo valiera lo que se encerraba en los muros del fuerte castillo de Arévalo.

---

[43] Cit. por Tarsicio de Azcona, *Isabel la Católica,* ob. cit., pág. 130.

Fue en ese tiempo cuando Alfonso, dando muestras del cariño que profesaba a su hermana, le hace donación de la villa de Medina del Campo, donación que Isabel agradece tanto, que inmediatamente encarga a Gonzalo Chacón que tome posesión de ella en su nombre, en un documento en el que feliz y orgullosa estampa su firma:

Yo, la Infanta [44].

Por esas fechas, Isabel acude entonces a esa Medina del Campo, que desde entonces se convertiría en uno de sus lugares preferidos, aunque estuviera tan lejos de suponer que acabaría siendo testigo de los últimos días de su vida.

Eso ocurría a mediados de marzo de 1468, cuando ya apuntaba la primavera, y como si para los dos hermanos, insisto, no existiera más mundo que el que se encerraba entre aquellos pequeños lugares tan queridos: Madrigal, Medina y Arévalo.

Pero el mundo existía fuera de aquellas almenas. Y de pronto un correo trajo a los hermanos una alarmante noticia: aquel Enrique IV, que parecía ya vencido y destronado, había dado signos de vida. Buena parte del Reino seguía considerándolo como su único Rey verdadero. Y en esa parte entraba nada menos que la ciudad de Toledo.

Por lo tanto, era preciso dejar el refugio materno de Arévalo y enfrentarse con la realidad. Decidieron que lo mejor era situarse en Ávila, ciudad muy fuerte y para ellos muy leal, dejando Arévalo a mediados de junio.

No pudieron llegar. Cuando tenían Ávila ya a su alcance, haciendo un alto en Cardeñosa, el Infante-Rey se ve acometido de unas fiebres. Acaso producidas por algunas aguas contaminadas. En principio, nada para alarmar. La juventud de Alfonso podrá con el mal.

Pero el mal crece. E Isabel nada puede hacer, más que cuidar lo mejor que puede a su hermano, para finalmente ayudarle a bien morir.

Era el 5 de julio de 1468.

Una noticia luctuosa que volaría por toda Castilla. A Enrique IV le llega al día siguiente, hallándose en Madrid. Y al punto, consciente de su importancia, manda una circular a todas las ciudades del Reino. Nada de reproches por lo ocurrido, nada de echar lodo sobre aquel que se había levantado en su contra. Su hermano era un muchacho

---

[44] Cit. por Tarsicio de Azcona, *Isabel la Católica,* ob. cit., pág. 128.

inocente y su muerte le había llenado de dolor; pero también era cierto que con ello se abría la ocasión para conseguir, entre todos, que la paz volviera a Castilla:

> Fágovos saber —así comienza el Rey su carta— que yo, estando aquí en la villa de Madrid... para entender e dar orden en la paz e sosiego destos mis regnos, me llegó nueva cómo ayer martes, cinco días deste mes de julio, plogo a Nuestro Señor de llevar para sí a mi hermano, de lo qual yo he avido muy grand dolor e sentimiento, así por ser mi hermano como por morir en tan tierna e inocente edad... [45]

Carta que firmaba en Madrid, a 6 de julio de 1468.

Es evidente la intención de Enrique IV de olvidar las alteraciones pasadas. Quien había muerto en tan tierna edad, su hermano Alfonso, era inocente de todo lo que había ocurrido. Pero su muerte deparaba la ocasión para concertar una paz duradera.

Ahora bien, una paz en la que había que contar con la infanta Isabel, cuyo protagonismo crecía cada vez más y más.

---

[45] *Memorias del rey don Enrique IV,* ob. cit., pág. 454.

2
¿INFANTA, O PRINCESA HEREDERA DEL TRONO?

A la muerte de su hermano Alfonso, Isabel, con diecisiete años, tenía ante sí un difícil futuro. Pues estaba inmersa en una Castilla rota en mil banderías, con un poder regio que era una ruina y una España dividida en cuatro reinos que parecían irreconciliables. Y por si fueran pocas las dificultades, con dos vecinos en el campo internacional bien desarrollados y articulados, con seguros proyectos nacionales sumamente ambiciosos que les hacían más peligrosos: Francia y Portugal.

De momento, Isabel se enfrentaba con una tarea muy concreta: recoger el legado de su hermano Alfonso y presentarse como la única heredera al trono de Castilla. No es de creer que en aquellas jornadas de 1468 proyectara mucho más. Uno de los rasgos de su carácter era su sentido de la realidad, de afrontar en cada momento los retos posibles, el saber ir ganando, día a día, año tras año, las batallas políticas que se iban rotando.

Y fue de ese modo como fue consiguiendo el pasar de Infanta a Princesa y de Princesa a Reina de Castilla, y lograr la conjunción con la Corona de Aragón, la victoria sobre los partidarios de la princesa Juana —la victoria, en suma, en la guerra civil desatada en Castilla—, la pacificación del Reino —el *debellare superbos,* que llenaría los primeros años del gobierno—, para acometer después las grandes empresas nacionales: el final de la Reconquista (una empresa que se tornaba quimérica para sus inmediatos antecesores), el apadrinamiento de la hazaña del descubrimiento de América y ayudar a su marido Fernando a doblegar a Francia en la pugna por el reino de Nápoles.

Una gigantesca tarea política que dejó boquiabiertos a los hombres de su tiempo, que se resistían a creer lo que estaban viendo; y en eso los testimonios de los extranjeros, tanto de los contemporáneos, como Jerónimo Münzer, o como los del siguiente siglo, como Baltasar de Castiglione, son unánimes: Isabel se había encontrado con una Castilla desmembrada, un puro caos, y la devolvía a sus sucesores como la espina dorsal de un Imperio que iniciaba un impresionante despliegue: el primer Imperio de la Edad Moderna, que parecía resucitar los tiempos áureos de la Edad Antigua, los tiempos del Imperio de Roma.

Esa es, sin duda, la grandeza de Isabel, no exenta, claro está, de algunos lunares, como hemos de ver.

Y en esa larga carrera, en ese impresionante *curriculum* político, de momento una tarea: afianzarse como la heredera al trono, marcando su propio criterio y no consintiendo en ser manipulada por los levantiscos jefes de la Liga nobiliaria.

Eso nos lleva a situarnos en aquella Castilla del verano de 1468, a raíz de la muerte del infante don Alfonso, el que sus partidarios —y la propia Isabel— titulaban Rey con el nombre de Alfonso XII de Castilla, desde la proclamación hecha en aquella jornada de Ávila de 1465. Castilla llevaba, por lo tanto, tres años dividida, con dos reyes enfrentados y con gentes armadas yendo y viniendo por sus campos y ciudades, de modo que la anarquía era la nota imperante para sus sufridos pueblos.

Porque esa era la cuestión: frente a un Rey débil y vacilante, como Enrique IV, incapaz de imponer su autoridad, y frente a las desmedidas ambiciones de la alta nobleza, siempre ansiosa de incrementar sus dominios y sus riquezas, estaba el pueblo inerme, ansioso de aclamar a quien le devolviera el mínimo orden y la mínima justicia que le salvara de la ruina y de la opresión que estaba sufriendo. Y el mérito de Isabel estribaría en darse cuenta de ello desde el primer momento.

De ahí la popularidad que al punto consiguió en toda Castilla Isabel. La Princesa se alzaba como una esperanza, y supo responder a ella.

LAS VISTAS DE GUISANDO

Nunca se resaltará bastante lo que había supuesto para Isabel la muerte de su hermano Alfonso. Era su único hermano, al que tan entrañablemente estaba unida, desde los años infantiles. Era además su Rey, al que había reconocido como tal, desligándose abiertamente de Enrique IV, el «excelente rey», tal como le había declarado en aquellos versos recitados el día de su cumpleaños, el 17 de diciembre, en las fiestas celebradas en Arévalo.

Por lo tanto, la sensación de soledad fue increíble para Isabel. Pero no podía abandonarse a su dolor. Refugiada tras los fuertes muros de la cercana ciudad de Ávila, Isabel tuvo muy pronto que tomar decisiones de la máxima gravedad. Y eso es lo que asombra, dado el golpe sufrido, y dado que tan solo tenía diecisiete años. Pero no había tiempo que perder, porque la situación se agravaba de día en día, con el quebranto que había supuesto para la Liga nobiliaria la pérdida de aquel joven Príncipe al que habían proclamado Rey de Castilla.

A Isabel se le presentaba un dilema: o bien seguir el camino trazado por su hermano Alfonso, haciéndose proclamar Reina como su heredera que era, lo cual le ponía en guerra abierta con Enrique IV; o bien optar por la vía negociadora.

En principio, tanteó la primera posibilidad. Era la más acorde con su dignidad y con la fidelidad a la memoria de su hermano Alfonso, el que se había titulado Rey. ¿Obró así por consejo de aquellos que estaban en su entorno, como Chacón o Cárdenas? Posiblemente. De hecho, sabemos que mandó cartas a las ciudades del Reino, cuando ya la grave enfermedad de su hermano Alfonso hacía prever su pronta muerte, en las que se titulaba

> ... legítima heredera e sucesora que soy del dicho señor Rey, mi hermano... [1]

Y en esa línea se mantuvo al principio. Cárdenas, uno de sus hombres de máxima confianza, sería el encargado de ir notificando la muerte del pretendiente junto con los derechos de Isabel al trono de Castilla, que para sus partidarios había quedado vacante, al rechazar el gobierno de Enrique IV.

Es un arranque de Isabel no exento de arrogancia. Resultaba evidente. Ella y nadie más que ella era la única que podía aspirar al trono:

> Es notorio y manifiesto yo ser legítima e derecha sucesora destos Regnos... [2]

La derecha sucesora, esto es, la justa, la legítima.

---

[1] Isabel a las ciudades y villas de la Corona de Castilla, en este caso a Jerez de la Frontera. El texto, en Tarsicio de Azcona, *Isabel la Católica,* ob. cit., pág. 137.

[2] Ibídem.

Pero esa situación no se podía mantener. Los hechos pronto obligaron a Isabel a cambiar de táctica. De día en día, las noticias que iban llegando a su Corte eran cada vez más alarmantes. El partido enriqueño crecía continuamente, en parte por el desconcierto y el desánimo que había cundido entre los miembros de la Liga nobiliaria, al perder a su candidato, el príncipe Alfonso, y en parte porque en todo el Reino se anhelaba que de una vez por todas se hiciese la paz, acabando con el caos y la anarquía en que había caído Castilla.

Así había ocurrido que en Burgos la Santa Hermandad de las ciudades y villas del Reino se había aliado con algunos magnates destacados —los Haro, los Mendoza— para apoyar la causa de la paz, que era a su entender la de Enrique IV. Y se sabía también que otros Grandes, de los miembros más relevantes de la Liga, se mostraban vacilantes.

Ante ese panorama tan contrario, Isabel toma la iniciativa. Tiene que entenderse con su hermanastro. La vía de la negociación se impone. Y le escribe una carta, cuyos principales puntos conocemos por el eco que provoca en el Rey: ella nada haría en su contra. Una carta cuyo original no se conoce, pero que posiblemente, y para causar más impresión, estaría toda ella escrita de la mano de Isabel, pues de igual forma, toda autógrafa, es la que le contesta Enrique IV.

El Rey se mostraba satisfecho:

> Tenoos en muy gran merced porque me scrive que no fará cosa de que yo reciba enojo...

A los deseos de concordia manifestados por Isabel, Enrique IV se muestra sensible. También él, conforme a su carácter conciliador, está deseando llegar a un acuerdo con su hermanastra. Incluso se muestra sumamente afectuoso, aunque hoy nos parezca dudosa su sinceridad. Le asegura

> ... que no hay cosa que yo pueda faser por vos servir y complaser que no la faga, así como hermana...

Y le recuerda: es el único ser querido que le queda, sin duda aludiendo con ello a la reciente muerte de Alfonso:

> También, señora, vos suplico siempre se acuerda de mí, puesto que no tenéis persona en este mundo que tanto vos quiera como yo[3].

Isabel había iniciado aquellos contactos enviando al hombre de su máxima confianza, Gonzalo Chacón, al que el 20 de julio había nombrado su mayordomo mayor. Y eso lo sabemos también por el texto de la carta de Enrique IV:

> Muy virtuosa mi señora y hermana:
> Una letra de vuestra merced recebí... Muy virtuosa mi señora, porque yo he fablado con el mayordomo largo cerca desto que a vuestra merced toca, no más sino que me remito a lo qu'él a vuestra mereced scrive, suplicándole que de mí tenga creydo la vida porné por vos complaser y servir...

Ese mayordomo no puede ser otro que Gonzalo Chacón, el que había recibido aquel nombramiento por cédula de la Princesa precisamente el 20 de julio de 1468, en la que Isabel se titulaba como la Princesa heredera al trono, que sería el título que exigiría en las negociaciones con Enrique IV:

> Isabel, por la gracia de Dios, Princesa e legítima heredera subcesora en estos regnos de Castilla y León...

Estamos, por lo tanto, en esa nueva etapa de la vida de Isabel. Ya no es la Infanta de Castilla. Es la Princesa heredera del trono. Renuncia a desplazar a Enrique IV, como había querido hacer su hermano Alfonso (o por mejor decir, los nobles que lo habían manipulado), pero mantiene íntegras sus aspiraciones a ser en el futuro la nueva Reina de Castilla.

Las bases para llegar a un acuerdo firme con Enrique IV estaban puestas. Y eso sería lo que ocurriría en las vistas de Guisando.

---

[3] Esta notable carta autógrafa de Enrique IV a Isabel fue encontrada por Tarsicio de Azcona en el Archivo de Simancas. Para Azcona, aunque sin fecha, se habría escrito antes de julio de 1468. (Véase su obra *Isabel la Católica*, ob. cit., pág. 127.) Sin embargo, creo que puede tener otra interpretación, pues parece extraño que el Rey asegurase ser el que más la quería, no ya porque viviera la Reina viuda, la madre de Isabel, que, recluida en Arévalo y cautiva de sus pesadillas, ya no contaba en la vida práctica de la Princesa; pero sí que tal dijera Enrique IV en vida de Alfonso.

Ese verano de 1468 fue decisivo en la vida de Isabel. También lo fue en la historia de Castilla. La muerte del Infante abría la oportunidad de unas negociaciones con Enrique IV, donde de nuevo intrigaba el marqués de Villena. Ese era un signo notorio del debilitamiento de la Liga nobiliaria. E Isabel, bien aconsejada seguramente por Gonzalo Chacón, buscó, como hemos visto, la vía de la negociación, pero decidida a defender lo que creía sus sagrados derechos: la herencia del trono. A cambio, algo tenía que ofrecer, y no poco: que Enrique IV viviera ya en paz el resto de su reinado.

Sobre esas condiciones transcurrieron las reuniones previas de los plenipotenciarios de ambas partes, tanto en Castronuño como en Ávila, a mediados de agosto. Y sobre ellas se dio luz verde a las vistas de Guisando un mes más tarde. Por lo tanto, sin pérdida de tiempo, como si las postreras jornadas de aquel verano fueran la última oportunidad para llevar un poco de paz a Castilla.

Y de ese modo, el 17 de septiembre salía Isabel de su refugio de Ávila para poner su campamento en Cebreros. En su cortejo se notaban algunas ausencias, pero todavía le acompañaba Carrillo, el turbulento arzobispo de Toledo, aunque a trancas y barrancas, pues era partidario del enfrentamiento abierto y de que la Infanta se proclamase Reina.

El acuerdo inicial se basaba en que Enrique IV, saliendo de Madrid por aquellas fechas, pusiera sus reales en un lugar cercano, que sería el de Cadalso, próximo a San Martín de Valdeiglesias, y a unas cuatro leguas de Cebreros. Eso permitía un fácil acercamiento entre los dos a mitad del camino, siendo el lugar escogido los campos de Guisando, hoy tan celebrados por sus famosos verracos celtíberos en piedra (los «toros de Guisando»).

No fue pequeña la primera jornada para Isabel, saliendo de Ávila bien temprano para recorrer, con el aparato que ya imponía a sus actos, las seis leguas que le separaban de Cebreros, ascendiendo por la paramera de Ávila. En ello transcurrió todo aquel día, en un lento desplazamiento que le dio lugar para reflexionar. Porque sabía bien lo que quería y lo que estaba dispuesta a conceder; pero también que enfrente tenía hábiles cortesanos sin mayores escrúpulos, dispuestos a tenderle una trampa.

Una trampa, a buen seguro. Pero ¿cuál?

Había dos puntos que siempre se dejaban sin aclarar: la suerte que correría la princesa Juana y el matrimonio de Isabel, que con sus diecisiete años tenía la edad perfecta para ello.

Porque se pedía un sacrificio a Enrique IV al que era extraño que accediese, y era el despojar a su hija Juana del derecho a la Corona. Era tanto como reconocer públicamente el rumor de su bastardía, de que la Reina su mujer le había engañado y que Juana no era su hija verdadera. Un reconocimiento tanto más difícil de hacer cuanto que suponía corroborar la impotencia del monarca y volver a traer a la memoria de todos las tristes jornadas de su estéril boda con la princesa Blanca de Navarra. Es cierto que habiendo llamado Enrique IV a su lado a su esposa Juana, entonces en Alaejos, para que estuviera presente en aquellas negociaciones, se había encontrado con que la Reina, por entonces en abierto adulterio con Pedro de Castilla y en estado avanzado de gestación, había desoído la orden regia y se había escapado con su amante, refugiándose en Cuéllar. Eso debilitaba la posición del Rey, sobre todo en cuanto a la legitimidad de su hija.

Y estaba, además, la cuestión de los futuros esponsales de Isabel. Hoy sabemos que el marqués de Villena esperaba sacar de ellos la red con la que sujetar a Isabel y dejarla pronto fuera de juego: que la Infanta fuese declarada Princesa no importaba, si se entregaba al poder regio y si en un futuro próximo se concertaba su boda con Alfonso V de Portugal. Eso acabaría alejando a Isabel de Castilla. Sería una Reina, sí, pero en Lisboa, no en Valladolid o en Madrid. Y al tiempo se obtenía una compensación para la princesa Juana, que en principio parecía la gran sacrificada; pues no habría una sola boda hispano-portuguesa, sino dos, y en este caso los segundos desposorios serían los de la princesa Juana con el hijo de Alfonso V, con el añadido de que ellos y sus sucesores fueran los herederos tanto de Portugal como de Castilla.

Y esa era la trampa preparada a Isabel, en la que los consejeros de Enrique IV estaban seguros que caería facilísimamente la Infanta. ¿Acaso no era una chiquilla sin experiencia alguna? Que desarmase a sus partidarios y que los devolviese a la fidelidad del Rey, con el señuelo de convertirse en Princesa. Pues como tal, una vez la paz entre los dos hermanastros jurada y solemnizada por la presencia del nuncio apostólico, Antonio Giacomo Venier, la nueva Princesa había de vivir en la Corte, cayendo de ese modo en el antiguo cautiverio palaciego y a merced de las bodas que se le impusiesen.

Por lo tanto, unos avisados cortesanos seguros de engañar a la ingenua doncella, a la «virtuosa» Infanta, como la designaba Enrique IV en sus cartas. Solo que la virtuosa Isabel iba bien prevenida. A sus consejeros (Chacón y Cárdenas, especialmente) no se les ocultaba que el sacrificio de Enrique IV, aquel orillar a su hija Juana, era cosa demasiado fuerte para que no escondiese algún secreto motivo. Y que a Isabel se le iba a proponer algo que escondía un peligro.

Naturalmente, su futura boda. Eran conocidos los tanteos anteriores de Enrique IV con Alfonso V de Portugal en 1466. Y ahí estaría encubierta la trampa: que sin más, sin especificar nombres ni fechas, se exigiese de Isabel que accediese a casarse por la mano de Enrique IV, que era a la vez su Rey y su hermano.

Y allí era donde Isabel tenía que mostrarse astuta, que su respuesta fuera lo bastante ambigua para dejarle las manos libres. Un sí, pero... Un sí, siempre que fuera contando con su aquiescencia. En definitiva, la boda canónica, ¿no tenía como requisito formal la libre voluntad de los contrayentes? Que el Rey la reconociese como Princesa heredera. Con eso le bastaba. El resto, un futuro problemático, incluida esa boda, ya se vería.

Hasta en política, cada día tiene su afán. Y para Isabel el inmediato, el de aquellas jornadas de mediados de septiembre de 1468, el que Enrique IV la reconociese con los títulos que le eran debidos.

Con ese planteamiento, en la mañana del 19 de septiembre de 1468, salió Isabel de Cebreros hacia los campos cercanos de Guisando, para su entrevista con Enrique IV. De igual modo, el Rey dejaba su campamento de Cadalso.

Esas serían las vistas de los Toros de Guisando. Isabel iba caballera a la jineta de una mula cuyas bridas eran llevadas nada menos que por el arzobispo Carrillo. De ese modo daba muestras de su poderío. A la vista de su hermano descabalgó, haciendo intento de besarle la mano, como signo de fidelidad, lo que el Rey impidió, abrazando a su hermana.

Y fue cuando se oyó al Rey proclamar a Isabel como

Princesa primera y legítima heredera...

Un reconocimiento que suponía la sumisión de Isabel y sus partidarios, a los que el Rey volvía a su gracia, perdonando los anteriores agravios. Y confrontado y confirmado por el legado romano Antonio Giacomo Venier, para sacralizar aquella paz bajo el signo de Roma, con los poderes que para ello el papa Paulo II le había dado.

Ya Isabel era Princesa de Asturias.

A partir de ese momento aparecen los primeros documentos con la firma conjunta de ambos. Y así, desde Casarrubios del Monte, pequeño lugar cercano al de las vistas de Guisando, el Rey y la Princesa escriben a la ciudad de Segovia dándole cuenta de todo lo acordado. Y firman

Yo el Rey. Yo la Princesa.

Era la nueva Princesa de Asturias, de cuyo dominio mandaría al punto tomar posesión Isabel, encargando de tal misión al conde de Luna y a un jurista de su entorno, Rodríguez de Baeza.

El primer gran paso para convertirse en Reina de Castilla estaba dado.

Pero todavía restaban años de vaivenes y de altibajos hasta que, a la muerte de Enrique IV, su sueño se convirtiese en realidad.

Y la primera cuestión: cómo zafarse del cautiverio al que le quería someter el marqués de Villena, llevándola a Ocaña, y cómo podía librarse del matrimonio que le tenía concertado Enrique IV con Alfonso V de Portugal, para realizar la boda que anhelaba, sabedora que solo de ese modo conseguiría aquella libertad de movimientos que harían grande su futuro reinado.

La siguiente batalla, por lo tanto, era preparar su matrimonio conforme a su voluntad y no el que se le quería imponer. Y ello pasaba por algo inmediato: su fuga de Ocaña.

LA FUGA DE OCAÑA

En aquellos días difíciles de 1468, tras las vistas de Guisando, Isabel parecía a merced de los planes del marqués de Villena, que otra vez se había hecho con la voluntad del Rey. ¿Quién podía esperar nada de aquella joven Princesa? Se le había contentado con su anhelado título del principado de Asturias, pero se le tenía ya preparado un honroso exilio, convirtiéndola en Reina de Portugal. ¿Y qué podía hacer Isabel frente al astuto político? Don Juan Pacheco, marqués de Villena y últimamente reconocido por Enrique IV como gran maestre de la Orden de Santiago, hacía mucho tiempo que estaba metido en la política, desde que había sido puesto por don Álvaro de Luna al lado del entonces Príncipe de Asturias. ¡Y eso había ocurrido en 1441! Villena llevaba, pues, casi treinta años manejando los hilos de la política castellana, tan pronto gobernando a Enrique, tan pronto al infante Alfonso, y hasta enfrentándose en su día con todo el poder de Juan II. Y a todos los había manejado a su antojo o los había inquietado seriamente con su enemiga.

¿Qué podía temer de aquella inexperta muchacha que por su rango se asomaba al gran escenario? ¡Además, era una mujer!

Pues bien, esa aparente debilidad jugaría a favor de la reciente proclamada Princesa de Asturias. Se deja llevar por el Rey a la villa de Ocaña, tan en las manos de Villena, donde tiene que vivir bajo continua vigilancia. Y espera.

Tiene que esperar su oportunidad en aquellos meses del otoño de 1468 y del invierno de 1469. Y esa oportunidad le llega con la primavera. El Rey ha dejado Ocaña camino de Andalucía, tan revuelta como buena parte del Reino, acompañado del privado. En Ocaña ha quedado la Princesa, medio cautiva.

Es toda una novela. Isabel, que ha cumplido los dieciocho años, decide actuar. Tiene que escaparse de aquel encierro. Y sabe hacerlo. ¿No está próximo el primer aniversario de la muerte de su hermano Alfonso? Pues bien: es preciso organizar sus solemnes honras fúnebres en Ávila, donde están sus restos. Por lo tanto, tiene que estar presente; ella, la hermana, tiene que organizarlo todo, tiene que presidirlo todo. Las damas enriqueñas que quieran acompañarla, que lo hagan.

Nadie, en Ocaña, se atreve a estorbar su marcha. Y pocas de las damas enriqueñas y del marqués de Villena se atreven a seguirla, temerosas de aquellos caminos amenazados por tantos nobles violentos, más parecidos a bandoleros.

Y de ese modo, Isabel se encuentra pronto fuera de la Corteprisión de Ocaña. Cumple lo prometido, y en Ávila preside los actos fúnebres en honor de su hermano Alfonso. Pero ya no vuelve atrás. De Ávila pasa a Madrigal. También ha corrido sus peligros. Arévalo mismo está en poder del conde de Plasencia, don Álvaro Stúñiga, que entonces militaba en las filas del marqués de Villena. E Isabel tiene que pedir socorro al arzobispo Carrillo, ejemplo del prelado-soldado, pero que es el más poderoso de sus aliados. Y Carrillo responde a su llamamiento, acude a Madrigal y escolta a la Princesa hasta Valladolid.

Valladolid formará ya, desde entonces, con Madrigal, Arévalo, Guisando y Medina, uno de los lugares más evocadores de la geografía sentimental isabelina. La villa de Valladolid era, de hecho, una de las más importantes ciudades del Reino, con voz y voto en Cortes, con un celebrado Estudio universitario y además sede de la Chancillería. Era, pues, centro y capital de la administración de la Justicia, esa justicia de que tanto necesitaba el Reino de Castilla, y de la que pronto Isabel se alzará como la gran defensora.

Todo un símbolo.

Por lo tanto, Valladolid es el lugar perfecto para lo que Isabel pretende: nada menos que su matrimonio, el matrimonio que ella quiere, no el que tratan de imponerle Enrique IV y el marqués de Villena.

Y es donde entra en juego otro Príncipe haciendo la gran historia: Fernando, Príncipe de Aragón, que además también es Rey, pues su padre, generoso, y para que no esté en desventaja con el pretendiente portugués, le ha cedido el reino de Sicilia.

Estamos ante uno de los grandes acontecimientos de la Historia de España, la conjunción de dos personajes de primer orden, que cada uno por sí hubiera sido capaz de hacer grandes cosas, pero que actuando conjuntamente llevarán a cabo verdaderos prodigios, consiguiendo poner los fundamentos del Imperio español, el primer Imperio de los tiempos modernos, y transformando a Castilla, que de un país caído en la anarquía y en el más absoluto de los caos se convertirá bajo su gobierno en el motor de aquella expansión política sin precedentes en la Historia de España.

¿Cómo pudo ocurrir ese fenómeno, ese milagro político? ¿Cómo se fraguó esa boda, que iba a suponer también la conjunción de dos pueblos, de dos coronas, la de Castilla y la de Aragón?

LOS PRETENDIENTES DE LA PRINCESA

La Princesa estaba bien advertida respecto al matrimonio que le quería preparar el Rey, ahora aleccionado por el marqués de Villena; tanto más que era un proyecto que venía de los años atrás. Y sabía cómo eludirlo, con respuestas evasivas. Pero, a la postre, la situación se tornaría cada vez más difícil si no conseguía otra solución. Y esa no podía ser más que casarse, en efecto, pero con otro pretendiente[4].

Y no le faltaban a la Princesa, sobre todo a partir de la muerte de su hermano Alfonso, cuando su papel político tomó tan gran protagonismo, del que pronto se hicieron eco las cancillerías de la Europa occidental. De pronto, Isabel pareció una novia ideal para las casas reinantes, tanto en Francia como en Inglaterra. Así, Luis XI, que tan reciente tenía su brillante intervención en España, con ocasión de su arbitraje entre Enrique IV de Castilla y Juan II de Aragón, pensó que era

---

[4] José Luis Martín Rodríguez, «Novios para Isabel», en su reciente libro *Enrique IV de Castilla,* ob. cit., págs. 255-258.

una buena oportunidad para asegurar su posición internacional casando a su hijo con la Princesa de Castilla.

Pero otro era el pretendiente más idóneo para Isabel. ¿Acaso la Corona de Aragón no tenía un Príncipe heredero? ¿Y no era verdaderamente notable cuestión? Tenía aproximadamente la edad de la Princesa (de hecho, Isabel le llevaba unos meses). Y se decía de él que se había mostrado, pese a su corta edad, eficaz colaborador de su padre, Juan II. Por otra parte, y era noticia a tener en cuenta, ya había mostrado su poderío en otras batallas más placenteras con dos damas de la Corte aragonesa, de las que había engendrado sendos hijos (que, por cierto, luego darían buen juego en la gran política).

Ese personaje, que parecía tan bien dotado en todos los órdenes de la vida, era Fernando. ¿Le llegaron a Isabel noticias particulares de todas sus hazañas? A buen seguro que fue bien informada, y en especial de las amorosas; pero eso, antes que un impedimento o una decepción, le tuvo que tranquilizar. Como a cualquier otra mujer, el pasado no le preocupaba ni le alarmaba demasiado. Al contrario, con la penosa experiencia que se tenía en la Corte castellana de los infructuosos resultados del rey Enrique, era un alivio el conocer que en ese terreno el Príncipe aragonés pisaba bien firme.

Por lo tanto, Fernando era el candidato preferido de Isabel. Y más que el preferido, el único que cumplía todos los requisitos por ella deseados. A fin de cuentas, era también un Príncipe español que hablaba su lengua, que tenía su edad y que poseía el mismo nivel palaciego. Nada de un rey caduco que la arrastrara lejos de Castilla, sino un heredero, como ella, de otra corona hispana, con el que poder ponerse de acuerdo en todo, tanto en las cuestiones domésticas como en las políticas.

Curiosamente, no fue Isabel o alguno de sus partidarios el primero en tantear aquel enlace tan brillante, sino la Corte aragonesa. Pues ocurrió que Juan II, tan acosado por las rebeliones de sus súbditos, consideró que era necesario asegurar su posición internacional mediante la boda de su hijo Fernando con aquella Princesa castellana. Y puso tanto ahínco en ello que incluso colmó de mercedes a los consejeros más allegados de Isabel, como Chacón y Cárdenas. Y, lo que fue más importante, envió al mejor diplomático que entonces tenía a su servicio, a Pierres de Peralta, cuyo papel resultó decisivo. Llevaba plenos poderes de su Rey, que en principio hubiera dado por buena una alianza matrimonial con la familia del poderoso marqués de Villena; pero Peralta entendió muy pronto que no era ese el enlace apropiado y que había que aspirar a algo más alto. ¿Acaso no estaba en Castilla la princesa Isabel en situación de casarse? Y de ese modo llegó a la Princesa la petición que más estaba deseando. A principios de 1469, todavía en su semicautiverio de Ocaña, Isabel ya ha tomado una decisión: su boda con Fernando de Aragón.

Era entrar en el gran juego de la Historia.

Por aquellas fechas escribe Isabel su primera carta a Fernando. No es una carta de amor; es una cortesana carta de aquiescencia, un dar el sí al estilo palaciego, tal como una princesa de mediados del siglo XV debía escribir a su pretendiente, dejando entrever las cosas más que afirmándolas, como en esas relaciones al gusto antiguo en que hasta el cuerpo se insinúa más que se muestra crudamente al desnudo.

La carta, publicada y comentada por Jaime Vicens Vives, uno de los mejores historiadores que ha tenido la España del siglo XX, y que ahora, como un homenaje a su memoria, reproducimos aquí, dice así:

> Al senyor mi primo, el rey de Sicilia
> Senyor primo: Pues que el Condestable va allá, no es menester que yo más escriva, sino pedirhos perdón por la respuesta ser tan tarde, y porqué se detardó él os dirá a vuestra merced.

Por lo tanto, en principio no es más que el anuncio de un mensajero; eso sí, un mensajero muy especial, un miembro de la alta nobleza castellana, el Condestable de Castilla:

> Suplicos que le déys fe...

A continuación la doncella, la «virtuosa princesa», como la titulaba Enrique IV, se explaya algo más, como rendida ya su voluntad a la de su pretendiente y pariente. Y tímidamente añade:

> ... y a mí mandéys lo que quisierdes que haga agora, pues lo tengo de hazer.

Eso es todo lo que puede decir. Lo demás, que no era poco, quedaba para el mensajero:

> Y la razón que más que suele para ello hay, dél la sabréis, porque no es para scrivir.

Y termina, otra vez rendida:

De la mano que fará lo que mandarle eis.
La Princesa[5].

ISABEL: SU RETRATO

Pero ¿quién era la que estaba detrás de esa mano? Quiero decir, ¿cómo era la Princesa que tal escribía? ¿Cómo era la mujer? Una pregunta que a buen seguro que se formuló sobre la marcha el destinatario, aquel Fernando que ya se veía novio de la Princesa de Castilla sin conocerla.

Por supuesto, algunas nociones sí tenía: Isabel era una joven Princesa, aproximadamente de su edad, dotada de un carácter fuerte, al que esperaba un futuro que de momento era un misterio; un misterio que se convertiría en un porvenir muy brillante. Pero eso lo sabemos ahora, a toro pasado. En aquel invierno de 1469 apostar por Isabel lo que se puede decir es que era arriesgado.

Pero volviendo a la pregunta que se haría el novio. ¿Cómo era su prometida castellana? Porque lo físico también cuenta. Y Fernando a buen seguro que preguntaría al mensajero que le llegaba de Castilla.

También nosotros nos hacemos esa pregunta, al cabo de tantos siglos. ¿Cómo era aquella Isabel, cómo era aquella joven Princesa? Animosa, sin duda. En otro caso, no se hubiera atrevido a desafiar al poder de su hermanastro, Enrique IV, ni a su poderoso y astuto privado, el marqués de Villena, que le tenían preparada una boda tan distinta.

¿Y físicamente? Acudamos a los textos, acudamos a los testimonios de los contemporáneos.

Por ejemplo, al retrato que nos hace de ella el cronista Fernando del Pulgar.

Es un retrato de la Reina, no de la Princesa. Está hecho a finales del siglo XV, cuando Isabel lleva más de veinte años en el poder, con toda la majestuosidad que imponen tantas hazañas cumplidas: la victoria sobre los partidarios de la otra Princesa, la mal llamada Juana la Beltraneja; la pacificación del Reino, antes tan turbulento; el sometimiento

---

[5] Jaime Vicens Vives, *Fernando el Católico, príncipe de Aragón, rey de Sicilia, 1458-1478*, Madrid, 1952, pág. 247.

de la levantisca nobleza; el alzarse como campeona del catolicismo, siendo reverenciada por la Iglesia como la extirpadora de la herejía (aquella terrible purga de los conversos acusados de judaizar; en suma, todo lo que está detrás de la tremenda palabra que es la Inquisición); el acometer sin desmayo la guerra contra el reino nazarí de Granada, hasta conseguir lo que muy pocos pensaban que era posible: poner cima a la secular Reconquista. Y, además, por añadidura, lo que parecía como un regalo de los cielos: nada menos que el haber apadrinado el descubrimiento del Nuevo Mundo.

Por lo tanto, es preciso rastrear en el retrato de Pulgar no poco para adivinar los rasgos que pertenecían ya, en lo físico y en lo espiritual, a la joven Princesa hacia 1469, cuando pocos eran los que daban por seguro que algún día se habría de convertir en la primera Reina de España.

Pulgar nos la retrata así:

De estatura media, rubia «e muy blanca», de ojos entre verdes y azules y rostro alegre. No nos describe una belleza, pero sí una mujer de buen porte, incluso majestuoso (pero ya hemos indicado que eso se lo darían en buena parte tantos años de ir de triunfo en triunfo).

> Esta Reina —nos dice el cronista— era de mediana estatura, bien compuesta en su persona, muy blanca e rubia; los ojos entre verdes e azules...

Pero ¿con una mirada dura, altiva, impertinente? ¡No! El cronista sabe que esto es importante, que el retrato no está completo sin esa referencia, que hay que decir algo más sobre el físico de la Reina. No se atreverá a lo que más atrae a los sentidos, aquello que lleva más carga erótica —la boca, los pechos, las piernas—, porque a fin de cuentas nos está hablando de «la virtuosa señora», como la titulaba su hermanastro, el rey Enrique IV; pero sí nos dirá la impresión que provocaba a quien la veía. Y así nos añade:

> El mirar gracioso e honesto, las facciones del rostro bien puestas, la cara muy fermosa e alegre.

Y conforme a esa cara «fermosa e alegre», el trato con las gentes:

> Era muy cortés en sus fablas...

Dueña de sus sentimientos, ni en los partos gemía:

> ... forzábase a no mostrar el decir la pena que en aquella hora sienten e muestran las mujeres...

Era muy religiosa; no en vano llevaba el título de Católica:

> ... era católica e devota...

Y atención a esta otra cualidad que nos indica Pulgar de la Reina, porque invita al gran debate:

> Era muy inclinada a facer justicia, tanto que le era imputado seguir más la vía de rigor que de la piedad.

Aquí no estaríamos, pues, ante la Reina santa, sino ante la enérgica Soberana que iba a imponer el orden en Castilla a toda costa. Y de ese modo exigía ser al punto obedecida, sin ningún reparo y sin dilación alguna:

> Quería que sus cartas e mandamientos fuesen cumplidas con diligencia...

De ese modo, en la disyuntiva de todo gobernante, y a diferencia con su hermanastro, el rey Enrique, prefería ser temida antes que amada:

> Era mujer de gran corazón, encubría la ira e disimulábala...

Pero tras esta alabanza, el cronista nos descubre su pensamiento:

> ... e por esto que della se conocía, ansí los Grandes del Reino como todos ellos, los otros, temían de caer en su indinación...

No era generosa, porque cuidaba de que no disminuyese el patrimonio regio. Pero era firme en sus propósitos, de modo que una vez tomada una grave decisión difícilmente se volvía atrás, por muchas que fueran las dificultades que surgieran; conducta admirable que le daría triunfos asombrosos, como los de la guerra de Granada. De igual modo, gustaba de cumplir su palabra, salvo que las circunstancias le obligasen a mudar.

¿Y el porte externo? No estaremos ante la sencilla mujer que de Infanta semiolvidada había ascendido a lo más alto de la grandeza: a ser Reina, y Reina triunfante. De forma que gustaría que algo de esa grandeza se mostrase también en su modo de presentarse en la Corte:

> Era mujer cerimoniosa en sus vestidos e arreos y en el servicio de su persona...

Y conforme a la vestimenta, el trato de los cortesanos: Atención a esta advertencia del cronista:

> ... e quería servirse de homes grandes e nobles, *e con grande acatamiento e sumisión.*

Esa era la Reina de las grandes hazañas, de las que Pulgar destaca dos de muy distinto signo, aunque en cierto modo tuvieran su conexión: la esforzada lucha por lograr el final de la Reconquista y la dura y terrible acción inquisitorial contra los conversos acusados de judaizar.

Y en cuanto al resto del retrato de la Reina, no carente de atractivo, viene corroborado por otros testimonios que tenemos de la época, como el del viajero alemán Jerónimo Münzer, que visita a los Reyes Católicos en 1495, diciendo de Isabel que era

> ... de agradable faz...

Se le presenta de majestuoso porte, más bien alta y algo gruesa. Pero para entonces Isabel había ya cumplido los cuarenta y cinco años; otra cosa era aquella Princesa, a sus dieciocho recién estrenados. Nos podemos quedar, pues, con la estampa de una graciosa joven rubia, de ojos verdes y tez muy blanca, y sobre todo, con la mujer de carácter firme con las ideas muy claras. Ella está decidida a ser la futura Reina de Castilla, por lo que Fernando se ha de comprometer a no intentar sacarla del Reino, ni a ella ni a sus hijos. Tal sería uno de los puntos principales de las capitulaciones firmadas en Cervera por el enviado de Isabel, Gómez Manrique, con el príncipe Fernando, a principios de marzo de 1469. Lo que quiere decir que los mensajes secretos van y vienen desde Ocaña hasta la Corona de Aragón, burlando el cerco que el marqués de Villena había puesto en torno a Isabel[6].

---

[6] Jaime Vicens Vives, *Fernando el Católico,* ob. cit., pág. 248; cf. Tarsicio de Azcona, *Isabel la Católica,* ob. cit., págs. 160 y sigs.

¿Falta algo? Cierto: sus relaciones con Fernando. Aquel matrimonio de Estado, aquella unión por razones políticas, ¿en qué había parado?

APARECE FERNANDO

Los historiadores nos hacen con frecuencia la advertencia de que la Historia debe moverse lejos de la fantasía, siempre sobre datos firmes y dejando a un lado los sueños más o menos poéticos; un sano consejo siempre y cuando no olvidemos que la Historia la hacen los hombres y mujeres de cada tiempo, y que en ellos y en ellas sí que pueden anidar sueños extraños, ideales de heroísmo y de entrega a empresas que parecen imposibles, afanes de hazañas que luego puedan ser cantadas por los trovadores y los poetas de las generaciones posteriores. Y esos relatos circulan por las Cortes de la Cristiandad, dejando su huella, marcando su influencia.

Algo que no debe olvidarse. Como no debemos olvidar que en los años juveniles de Isabel y de Fernando circulan ya los relatos de los caballeros aventureros, de aquellos que arriesgan su vida por salvar a una dama, y más si es una princesa rubia que ha caído en poder de unos malvados enemigos. Esa es la esencia de la cultura caballeresca bajomedieval, que tan viva está en los mediados del siglo XV. Los libros de caballerías, como el más famoso de todos, el *Amadís de Gaula,* tienen sus primeras versiones desde principios del siglo; personaje que se hace tan popular que hasta los caballeros podían poner su nombre a sus fieles perros, como haría aquel caballero sevillano Lorenzo Suárez de Figueroa, muerto en 1609, que se hace enterrar en la catedral, con su estatua yacente y a sus pies un can en cuyo collar aparece el nombre de Amadís [7]. Huizinga nos cuenta cómo a mediados del siglo XV están por todas partes los caballeros aventureros, como aquel Juan de Bonifacio que aparece por Amberes en 1445. Y esa ansia de aventura está emparejada con la imagen del combate por la doncella cautiva; una doncella que, curiosamente, en aquellos relatos poéticos, se aparece siempre como una hermosa joven de cabellos rubios.

Estamos, evidentemente, ante unas actitudes artificiosas, con una notoria carga erótica y que envuelven otros aspectos más crudos de

---

[7] Ramón M. Tenreiro, Prólogo a su edición crítica de *Libros de caballerías,* Madrid, 1935, pág. 14.

aquella existencia; pero no por ello dejan de ser operativos, en especial en una época de la vida. Con razón comenta Huizinga que estamos ante un juego tan bello como engañoso y que por todas partes nos encontramos también con hombres calculadores, políticos y comerciantes, solamente embebidos de las ansias de poder y de dinero. Pero aun así, añade certeramente:

> Y lo eran, ciertamente. Pero la historia de la cultura debe interesarse tanto por los sueños de belleza y por la ilusión de una vida noble, como por las cifras de población y tributación...[8]

Teniendo en cuenta todo esto es como comprenderemos mejor la novelesca forma en que aparece en la historia de España, como gran personaje, Fernando de Aragón, el joven prometido de la princesa Isabel.

Tenemos un relato de un humanista de la época que le trató en su juventud. Se trata del cronista Alonso de Palencia. Su relato se ha dejado de lado, a causa de sus alardes literarios y de su deseo de acrecentar su protagonismo; pero lo cierto es que Alonso de Palencia es uno de los enviados por Isabel al Reino de Aragón con la misión de apremiar a Fernando a que vaya a Castilla, para cerrar las bodas capituladas en marzo de 1469 con el Príncipe aragonés en Cervera. Y entre la hojarasca de su prolija prosa nos encontramos con algunas referencias de primer orden, que nos dan la estampa de aquel juvenil Príncipe.

Estamos en 1469. A los requerimientos de Alonso de Palencia, Fernando se enardece:

> ... al saber los temores que su amada prometida, la princesa de Castilla, abrigaba de perder su libertad, me llamó a solas y me preguntó si creía conveniente para más rápido y oportuno amparo, que se pusiese en marcha para Madrigal...

Por lo tanto, un juvenil Príncipe que a sus diecisiete años se ve ya personaje de una aventura no exenta de peligros, puesto que se sabía cuán contrario le era el Rey de Castilla.

---

[8] Véase su magistral obra *El otoño de la Edad Media*, Madrid, Revista de Occidente, 1945, pág. 133.

Y añade el cronista, con palabras que parecen sacadas de un libro de caballerías, y que responden perfectamente al ambiente que rodeaba aquel lance:

> ... a fin de consolar a la angustiada doncella, o correr el riesgo que ella corriese...[9]

Pues nos encontramos ante una novelesca aventura, en la que flota el espíritu caballeresco de la época, y el tenerlo en cuenta nos ayudará a comprender el arriesgado viaje en que se mete Fernando, cuando deja Aragón en aquel otoño de 1469, para realizar sus bodas en Castilla.

Arriesgado viaje porque los principales pasos fronterizos estaban tomados por la nobleza adicta a Enrique IV, ya sobre aviso en cuanto a lo que los Príncipes estaban fraguando. Así que fue preciso acudir a la estratagema de que hubiera un rechazo público a la embajada que había enviado Isabel a Zaragoza, proclamando que el Príncipe era reclamado por su padre, Juan II, para que le asistiese en la guerra que tenía en tierras catalanas, mientras la embajada castellana regresaba mohína por la ruta de Calatayud, para entrar en Castilla por Medinaceli, y con signos bien marcados del fracaso de su gestión diplomática.

Mientras, se preparaba en secreto aquel arriesgado viaje, para entrar en Castilla por un paso fronterizo perdido entre las montañas de la sierra de Montalvo. Ya entrado aquel otoño, cuando los días ya menguan y las noches son cada vez más frías, Fernando se arriesga a internarse de ese modo en la altiplanicie soriana por Berdejo, franqueando el puerto Bigornia, de 1.100 metros de altitud. Va disfrazado de mozo de mulas de un grupo de mercaderes, para que nadie repare en él. Andando día y noche, con jornadas de cinco y seis leguas diarias, llega a Gómara y por malos caminos alcanza al fin, al tercer día, la plaza fuerte de Burgo de Osma, donde tiene cita con el conde de Treviño, que acude con trescientas lanzas para asistirle y protegerle; no sin que antes tenga que pasar una noche en una aldea, casi en un descampado, en el que sigue manteniendo la ficción de que es un criado más de aquel grupo de mercaderes, a los que sirve la cena. Y de ese modo, ateridos y maltrechos, coronan su propósito, pueden dormir más tranquilos en Osma y llegar al fin a Due-

---

[9] Alonso de Palencia, *Crónica de Enrique IV,* traducción del latín por A. Paz y Meliá, Madrid, 4 vols., III, pág. 291.

ñas, lugar del conde de Buendía, que por ser hermano del arzobispo Carrillo les ofrece ya un refugio seguro y cálido.

Toda una aventura que no se resaltará lo bastante; porque lo notable es que había sido hecha con todas las bendiciones paternas del Rey aragonés, Juan II, que veía en aquel matrimonio de su hijo con Isabel de Castilla la solución de sus males, convencido del futuro político de aquella pareja, y cuya alianza le ayudaría a contrapesar la enemiga francesa que por entonces sufría, de la mano de Luis XI. Su esperanza era Castilla [10].

Estamos en los primeros días del mes de octubre de 1469. A poco tiene lugar la entrevista en que se conocen, por fin, los novios, y su vista no les defrauda. Isabel tiene ante sí a un joven audaz y arrojado, y ella, por su parte, es la estampa viva de la princesa de cabellos rubios ensalzada en los libros de caballerías. Y es fácil de creer que la pasión iniciada en la distancia se incrementara desde aquellos instantes, anhelando ambos el inmediato matrimonio. Algo que además aconsejaba la prudencia, porque ya para aquellas alturas Enrique IV tenía noticias de lo que se avecinaba y su reacción podía poner en peligro lo que tanto deseaba Isabel: las bodas con el Príncipe aragonés.

Pero había una dificultad, y no pequeña: los novios eran primos segundos, y tal parentesco era un impedimento que solo se podía salvar con la oportuna dispensa pontificia. Era entonces papa Paulo II y a él se dirigió Juan II; pero por muchos esfuerzos que hizo, jamás consiguió sacarle aquel importante documento.

¿Cómo era posible? ¿Qué estaba ocurriendo? Que en aquel terreno sí que era fuerte Enrique IV, que había logrado unas excelentes relaciones con el Papa reinante. Y precisamente Enrique IV había conseguido de Roma una dispensa matrimonial similar, con la única diferencia que era para permitir la boda de Isabel, sí, pero no con Fernando de Aragón, sino con Alfonso V de Portugal; de ahí que Paulo II rechazara la petición de Juan II de Aragón: ¡No podía dar dos dispensas al mismo tiempo a la Princesa castellana para que se casara con dos pretendientes distintos!

Un fastidioso asunto que iba a obligar a los novios a tomar una medida extrema. Antes de la ceremonia matrimonial el requisito obli-

---

[10] La frase es de Jaime Vicens Vives, el gran historiador catalán: *Juan II de Aragón*, Barcelona, ed. Teide, 1952, pág. 317.

gado era la lectura de la bula pontificia autorizando la ceremonia. Ante la negativa de Paulo II, ¿qué se podía hacer?

Algo, sin duda. Algo muy arriesgado, pero que a tales alturas, y después de sortear tantas dificultades, resultaba obligado. Si había que hacer una pequeña trampa, se haría. Si era preciso falsificar una bula, pues bien, se falsificaría.

No sabemos a ciencia cierta a quién se le ocurrió la audaz idea, si al arzobispo Carrillo, al astuto Fernando —pues sabemos que en él tanto el valor como la astucia corrían parejos— o a la prudente Isabel. Lo seguro es que el Arzobispo la leyó y los novios la escucharon y que todos los presentes se conformaron con aquella comedia. ¡Qué remedio! Pues aunque los papas de aquel siglo daban todos en morirse harto pronto, estaba claro que no se podía esperar a tal evento. Calixto III había gobernado tres años, Pío II seis, y Paulo II ya llevaba cinco, desde que había sido consagrado en 1464; pero, evidentemente, no se podía aguardar a que cambiara de parecer —eso era imposible— o a que otro le sucediera en el trono. En todo caso, eso sería a tener en cuenta cuando hubiera que pedir perdón por el pecado cometido. Pero en aquel momento lo que urgía era la boda ante el pueblo, aunque fuera salvando las apariencias con una bula falsa, y aunque eso supusiese vivir una extraña vida matrimonial, en puro derecho canónico, fuera de lo que mandaba la Iglesia.

Esos son los hechos, y volvemos a recordar otra vez un juicio de Vicens Vives, lo cual, expresado como se hizo en 1952, no deja de tener su mérito. Porque resulta ingenuo considerar que los Príncipes estaban al margen de aquella atrevida apuesta. ¿Cómo podían ellos dar por buena una bula firmada por un Papa, Pío II, que había muerto hacía cinco años? Con Isabel y Fernando el historiador se encara con dos de las cabezas más lúcidas del Renacimiento, de lo que darían constantes pruebas a lo largo de su reinado. Ellos conocieron, sin duda, el valor de aquel documento, si no es que llegaron a exigirlo a los prelados de su entorno, particularmente al arzobispo Carrillo. El fracaso en Roma no podía detenerles. Era demasiado lo que estaba en juego. Para que otro Papa reinante les perdonara su atrevimiento, para eso sí que se podía esperar.

Y de ese modo tuvo lugar el matrimonio de Isabel y de Fernando. Hasta ese mismo hecho, tan normal generalmente, hubo de realizarse de forma rara y espectacular.

Pasados solo dos años, cuando Isabel haga una pública defensa de su actitud, frente a las acusaciones de su hermanastro Enrique IV, corriendo el año 1471 —y cuando ya le había nacido una hija—, mientras aducirá largos y convincentes argumentos para rebatir las acusaciones del Rey, al referirse a su matrimonio evadirá una defensa clara y precisa. Solo dirá:

> Quanto a lo que su merced dice por la dicha letra que yo me casé sin dispensación, a esto non conviene larga respuesta...

Está claro que era a ella a quien no le convenía, por las más elementales razones. Pero Isabel, con la habilidad propia de los consejeros que a su lado tenía, buscará la mejor defensa posible: en todo caso, no era materia que cayese bajo la jurisdicción regia y ella tenía muy tranquila su conciencia:

> ... pues su señoría non es juez deste caso y yo tengo bien saneada mi conciencia...

Eso sí, prometía en su momento presentar todos los documentos que el caso requiriese:

> ... segúnd podrá parecer por bulas y escrituras auténticas donde y cuando necesario fuese [11].

La boda con Fernando, pues, se imponía. El Príncipe de Aragón, su primo segundo, además de ser el heredero de la corona aragonesa —recordemos que ya venía con el título de Rey de Sicilia—, tenía a su favor —¡y no era poco!— su juventud y su animoso carácter, probado incluso en la misma guerra; un ánimo decidido confirmado en el arrojo con que había afrontado el reto de entrar en Castilla por malos caminos de montaña, para llegar donde estaba su prometida.

Por lo tanto, se comprende la satisfacción con que Isabel recibió a Fernando. Desde el primer momento en el que se vieron, se gustaron.

---

[11] Circular de la princesa doña Isabel exponiendo el derecho que tenía a la Corona de Castilla (*Colección diplomática de la Crónica de don Enrique IV,* en *Memorias de don Enrique IV de Castilla,* Real Academia de la Historia, II, 1913, pág. 636). Con fina ironía, José Luis Martín Rodríguez alude a los panegiristas de Isabel que saltan aquí a la palestra, como si se tratara de defender el honor de la Princesa (véase su estudio *Enrique IV de Castilla,* ob. cit., pág. 261).

No solo entró en juego la política; también los sentimientos naturales de aquella joven pareja. Si se quiere, el juego amoroso ayudó al montaje político. Lo afianzó, y de tal forma que haría de aquella pareja la más singular combinación para sortear los acontecimientos buenos y malos que depara cualquier proceso histórico. Jamás el poder tuvo tan excepcionales mandatarios. De ahí el milagro político que se iba a producir en España.

Isabel tuvo conciencia de ello desde el primer momento. De ahí que urgiera por una solución al difícil problema de la negativa de Roma a concederles a la pareja la debida dispensa pontificia, dado su parentesco. Aquella formalidad, por importante que fuera, no podía desbaratar sus altos planes. Y como el tiempo urgía y como lo más importante ya se había logrado —la llegada del príncipe Fernando a Valladolid—, si había que falsificar una bula del Papa, para cubrir las apariencias de cara al pueblo, pues bien, que el que supiera hacerlo que lo hiciera.

Y, a mi entender, allí empezaron Isabel y Fernando a demostrar su grandeza de ánimo. Pues no era cualquier cosa desafiar en tales tiempos a la Iglesia todopoderosa.

Ya hemos visto cómo era Isabel, según el retrato que de ella nos hace su cronista Fernando del Pulgar. ¿Y cómo era Fernando? El mismo cronista nos da una viva descripción del Príncipe que merece ser recordada. En lo físico, era de mediana estatura, como Isabel; por lo tanto, algo más alto que ella. Pero en contraste con la Princesa, no era rubio, sino de pelo muy negro. Y lo que más llamaba la atención: de faz risueña:

… los ojos rientes…

Tenía el don de gentes, ese algo tan raro y tan ventajoso para cualquiera, pero más para el que debe estar continuamente en el trato con los hombres. Esto nos lo dice el cronista de forma inequívoca:

E había una gracia singular —nos afirma—: que cualquier que con él fablase, luego le amaba e le deseaba servir, *porque tenía la comunicación amigable*…

Como el retrato está hecho en los años maduros del matrimonio, Pulgar nos puede añadir algo más, verdaderamente importante: la pareja estaba muy unida, porque Fernando no solo quería a Isabel, sino que la valoraba como mujer de Estado, lo cual en aquellos tiempos era sumamente raro:

> Era ansimesmo —nos añade— remitido a consejo en especial de la Reina, su mujer, *porque conocía a su gran suficiencia...*

No le era muy fiel —es conocido el carácter mujeriego de Fernando— y, sin embargo, la quería; algo que parece contradictorio pero que la experiencia muestra cada día que no es tan extraño. Y Pulgar nos lo dice con su preciosa prosa del siglo XV:

> E como quiera que amaba mucho a la Reina, su mujer, pero dábase a otras mujeres...

Los tiempos requerían reyes que conociesen bien el arte de la guerra, y Fernando era un experto desde muy joven:

> ... gran trabajador en las guerras...

Y añade que se había criado entre el humo de las batallas:

> Desde su niñez fue criado en guerras, do pasó muchos trabajos e peligros de su persona...

Estaríamos, por lo tanto, ante el Rey-soldado, un modelo político que tendría notable réplica medio siglo más tarde, en la figura de su nieto, Carlos V.

Comedido en la mesa, discreto en el habla, dueño de sí mismo, tanto en la buena como en la mala fortuna, estamos ante el retrato del político más hábil que dio el Renacimiento, aquel que sería admirado por el propio Maquiavelo:

> ... ni la ira ni el placer facía en él alteración...

Amaba la justicia, pero se mostraba más clemente que la Reina:

> De su natural condición era inclinado a facer justicia...

Hasta aquí, el juicio del cronista es similar a lo que nos dice de Isabel; pero añade:

... e también era piadoso, e compadecíase de los miserables que veía en alguna angustia...

Es notable cómo el cronista deja entrever sus defectos. Se decía de Fernando que era muy tacaño —¡lo dirían sus propias hijas, como Catalina!—; Pulgar lo sugería a su manera:

... no podemos decir que era franco...

De igual modo que, en su arte de la política, podía hacer que la palabra encubriese sus pensamientos:

Home era de verdad, como quiera que las necesidades grandes en que le pusieron las guerras, *le facían algunas veces variar.*

Jugador, acaso porque lo llevase en la sangre el guerrero sumado al político, recibe en eso la mayor andanada de su cronista:

Placíale jugar todos juegos de pelota e axedrez e tablas, *y en esto gastaba algún tiempo más de lo que debía...*

Pero, para terminar este cuadro, nos quedaremos con otra de sus cualidades, tal como nos la indica el cronista:

Era de buen entendimiento... [12]

LA BODA

La prodigiosa obra política de Isabel la Católica, eficazmente secundada —y en ocasiones, a la inversa— por su marido Fernando el Católico, ha hecho que la leyenda irrumpiera en su vida hasta en los menores detalles; no podía faltar, por lo tanto, en un momento tan decisivo y tan importante como el de su boda. La forma en que ambos prometidos se conocieron y la misma cronología de aquellas jornadas quedaron trastocadas. Hoy se puede conocer con toda precisión gracias a las investigaciones de Tarsicio de Azcona.

---

[12] Fernando del Pulgar, *Claros varones de Castilla,* ob. cit., págs. 147 y 148.

El 12 de octubre fue la fecha en la que Fernando, que llevaba ya unos días en Dueñas, como huésped del conde Buendía, entró en Valladolid para ser presentado a la Princesa. En la casona palaciega de Juan de Vivero, donde estaba alojada Isabel, fue recibido por el arzobispo de Toledo, Carrillo, como más alto dignatario de la Corte isabelina, y de su mano fue presentado a la Princesa; por lo tanto, no parece probable que Isabel necesitara que otro cortesano, como Gutierre de Cárdenas, le susurrara quién era su prometido, con esa frase de la leyenda: «Ese es, ese es». Un detalle de mínima importancia, aunque nos sirva para entender la natural curiosidad de Isabel, que evidentemente existió, dado lo mucho que le iba en la elección que había hecho.

Curiosidad, sin duda. ¿Repentino enamoramiento? Posiblemente. Y es cuestión digna de tenerse en cuenta, dadas las consecuencias políticas de un perfecto ensamblamiento entre los dos herederos de las mayores Coronas de España, pero que no podemos asegurar. Isabel no era la bellísima mujer que describían sus panegiristas, pero sí una gentil y joven Princesa tal como la querían los relatos de caballerías: de gracioso porte, ojos verdiazules, cabellera de oro, y además, con el toque singular de sufrir persecución por parte de poderosos enemigos, entre los que se contaba el propio Rey, su hermanastro. Por lo tanto, se daban todas las circunstancias para ilusionar al joven pretendiente que era Fernando.

A su vez, Isabel tenía ante sí al Príncipe que había arrostrado las mayores dificultades y no pocos riesgos para estar en aquella cita. Tenía la aureola de saber ya qué cosa era la guerra, lo que le había hecho hombrear. Su propia experiencia amorosa, bien aireada con los dos hijos naturales que ya tenía, antes de ser una nota peyorativa, era como una garantía de que en su caso no se iba a repetir el penoso fracaso conyugal que tanto había desprestigiado a Enrique IV. Era un joven decidido y listísimo, que tenía «los ojos rientes», en frase del cronista. Tenía don de gentes, y eso le ayudaría, en aquel importante paso, para ganarse al menos de momento la simpatía de Isabel, su prometida.

En ese día hubo algo más que presentación de los novios. Fue también cuando el arzobispo Carrillo quiso asegurar su futuro político, arrancando de los Príncipes la promesa de que nada harían en el gobierno del Reino sin su consejo. En ese sentido sí que cabe hablar de intereses particulares y de ambiciones desmesuradas. No todo era una estampa idílica. Los sobornos de los principales consejeros de Isabel, como Chacón y Cárdenas, llevados a cabo por Juan II de Aragón, ya habían dado la nota materialista de cómo se manejaban algunos de los

principales protagonistas de aquella alianza entre castellanos y aragoneses. Pero nada comparable a lo que Carrillo pretendía y exigía de los
Príncipes. Su protección tenía un precio, y ese no era pequeño. En este
sentido, los documentos son reveladores.

Los Príncipes se comprometían a poner todo el gobierno en manos del ambicioso Arzobispo, como si fuera un tercer rey:

> ... todos tres, de un acuerdo, faremos e gobernaremos como si
> un cuerpo e un ánima fuésemos...

Y en iguales términos se comprometían a la hora de conceder mercedes:

> ... seguiremos vuestro consejo e esperaremos a vuestro con-
> sentimiento y con ellas faremos...

Y otra vez, como si se tratara de una letrilla, repetían:

> ... como si un cuerpo y un alma fuésemos.

Por supuesto, a tales ofrecimientos se correspondían otras tantas
promesas del Arzobispo de emplear todas sus fuerzas en el servicio de
los Príncipes[13]. Pero, por lo pronto, algo consiguió de inmediato: que
Isabel concediera a un hijo natural suyo, Troilo Carrillo, la villa de
Atienza. Y eso en las vísperas de la boda.

No cabe duda. La cruda realidad acompañaría a los novios en aquellas jornadas. Tales son los hechos, y de ese modo hay que señalarlos.

El arzobispo Carrillo no es ningún idealista que luche por una
causa sagrada. Conoce la difícil situación de Isabel y lo valioso de su
ayuda, y se hace pagar lo más caro posible sus servicios.

Y entre esos servicios iba a estar la preparación de la bula falsa de
Pío II, a la que se había puesto la única fecha posible de un día de 1464:
el 28 de mayo. Eso quedaba bastante lejos, cinco años largos antes de
la boda, lo que a ojos vistas era tanto como proclamar su falsedad,
pues en aquellas fechas ninguno de los dos novios pensaba en aquel
matrimonio; pero no había otra posible, porque en 1464 había muerto

---

[13] El original, con la firma de los tres personajes implicados, encontrado por Tarsicio de Azcona en el Archivo de Simancas (véase su *Isabel la Católica*, ob. cit.,
pág. 174).

Pío II, y el nuevo Papa, Paulo II, ya hemos visto que se negaba a conceder la dispensa pontificia que reclamaba el partido isabelino.

Pero ante el buen pueblo, bastaba. Y así, el 18 de octubre se iniciaron los trámites de la boda, con la lectura de la supuesta bula pontificia por Carrillo y con el juramento de Fernando de respetar las leyes y costumbres del Reino de Castilla.

Fue al día siguiente, jueves 19 de octubre, cuando se tuvo la misa de velaciones, seguida de los festejos populares. Y aquella noche los novios, recogidos ya en la cámara nupcial, consumaron el matrimonio, de lo que los cortesanos atentos a tan trascendental suceso pudieron dar fe, después de comprobar en las sábanas las correspondientes señales de que la doncella había dejado de serlo.

Que así eran las cosas en aquellos siglos.

Y así tuvieron lugar las bodas de Isabel y Fernando, rodeadas de la máxima expectación. Enrique IV había abolido, cuando su segundo matrimonio con Juana de Portugal, la prueba pública de la consumación, escarmentado por lo que le había ocurrido años antes durante su primera boda con Blanca de Navarra; pero ahora el pueblo quería saber hasta qué punto la nueva pareja funcionaba, y aun con toda la tensión que ello traía consigo, los mismos novios querían demostrar que con ellos las cosas iban a ir de otra manera desde el principio; así que se restauró la costumbre tradicional, la antecámara se llenó de expectantes cortesanos, que, si no vieron, oyeron al menos lo suficiente, hasta que al fin pudieron recoger las sábanas nupciales con la prueba cierta de que Isabel había dejado de ser virgen.

Y entonces estalló el júbilo; algo que el cronista nos describe a todo color:

> Estaban a la puerta de la cámara —nos refiere Valera— ciertos testigos puestos delante, los cuales sacaron la sábana que en tales casos suelen mostrar…

Y allí fue el jolgorio, el bullicio, las músicas:

> … la cual en sacándola tocaron todas las trompetas y atabales y menistriles altos…

Y para que no cupiera duda alguna, la prueba fue aireada ante los asistentes:

... y la mostraron a todos los que en la sala estaban esperándo-
la, *que estaba llena de gente...* [14]

UN LUSTRO LLENO DE ALTIBAJOS: LA REACCIÓN DE ENRIQUE IV

Isabel era consciente de que se colocaba en una situación difícil de
mantener. Pero ella, como Fernando, junto con sus principales consejeros —y pensemos en los que le eran fieles a ultranza, como Chacón,
Cárdenas y Quintanilla—, eran partidarios de los hechos consumados.
No querían la ruptura con el Rey (Isabel siempre declarará su fidelidad
a su hermanastro), pero tampoco querían renunciar a decidir su propio futuro. Y eso les obligaba a tomar resoluciones como aquella boda,
aunque tenían bien seguro que Enrique IV y sus consejeros iban a
reaccionar en su contra.

Por eso, ya desde muy pronto, antes incluso de las bodas, Isabel
decide informar a Enrique IV de su proyecto; nada de hacerlo a escondidas, aunque sí sin contar con la aprobación regia, que sabe que no va
a tener. De ese modo, el 8 de septiembre de aquel año de 1468, Isabel
escribe una persuasiva carta a su hermanastro. Su fin, informarle de su
próxima boda con Fernando, justificar su acto tan distinto del que esperaba el Rey, y al propio tiempo tratar de tranquilizarle: en todo caso,
tanto ella como Fernando siempre le tendrían por su legítimo soberano, y aún más: también querían su afecto.

Pero oigamos a Isabel, porque nada como sus propias palabras. La
Princesa empieza recordando a su hermanastro que ella había podido
escoger la vía del enfrentamiento armado, dado que era la legítima heredera del proyecto político de su hermano Alfonso, al que, por cierto,
siempre dará el título de Rey:

> ... yo pudiera continuar el título y posesión que el dicho rey
> don Alonso, mi hermano, antes de su muerte, había conse-
> guido...

Pero para ella antes era la paz del Reino, tal como también la anhelaba Enrique IV. En consecuencia, renunciaba a sus derechos presentes, mientras él viviese, en pro de dicha paz:

---

[14] En la crónica de Diego de Valera, cit. por Gustavo Villapalos Salas, *Fernando V,*
Burgos (Diputación de Palencia), 1998, pág. 82.

> ... quise posponer todo lo que parescía aparejo de mi subli-
> mación y mayor señorío y poderío por condescender a la vo-
> luntad y disposición de vuestra excelencia...

Lo que no renunciaría, por supuesto, sería a sus legítimos derechos a la corona, cuando el Rey muriese:

> ... después de los días de vuestra señoría...

Y ya entrando en el tema de su matrimonio, que era el objetivo de la
carta, Isabel le recuerda que había tenido cuatro propuestas, pues junto
a la del Príncipe de Aragón le habían llegado las del Rey de Portugal, la
francesa del duque de Berry y la inglesa del hermano del aquel Rey.
¿Cuál escoger? Isabel reclama su legítima libertad de elección, pero
quiere al tiempo justificarla; y de ese modo, lo había comunicado con
sus consejeros y con los Grandes, prelados y caballeros del Reino

> ... demandándoles su leal parecer...

Y así fue como pareció conveniente desechar las de los tres pretendientes más alejados:

> ... que yo no case en partes tan lejanas de mi naturaleza...

Otra cosa era lo que se esperaba de Fernando:

> ... conformes del todo, loaron y aprobaron el matrimonio del
> príncipe de Aragón, rey de Sicilia..., *considerada la edad y uni-*
> *dad de nuestra antigua progenie y lo que se añadiría a la*
> *corona...*

Por lo tanto, con Fernando se apuntaba ya a un proyecto ambicioso: la unidad de las dos Coronas más relevantes de las Españas: Castilla y Aragón.

Para ello había tenido que buscar su libertad, conocedora de que
el Rey tramaba su prisión:

> ... Vuestra Señoría daba orden que yo fuese opresa y enajena-
> da de mi libertad...

De ahí que buscara el refugio de Madrigal y que hubiera pedido
socorro a sus partidarios, el Arzobispo de Toledo y el Almirante de Cas-

tilla, su tío, para celebrar sus bodas en libertad con el Príncipe aragonés; pero concluía su razonamiento asegurando al Rey el acatamiento tanto suyo como del que sería su marido:

> ... que Vuestra Alteza se deba tener por bien contento y seguro del cumplimiento de mis promesas y obedientes ofrecimientos *y de la obediencia que el dicho príncipe de Aragón debe y entiende prestar a vuestra señoría, si le quesiere recebir por obediente fijo...* [15]

Eso ¿no era descubrir demasiado su juego? Si el Rey no aceptaba la oferta de la Princesa, ¿no había el riesgo de que empleara todo su poder para impedir aquel casamiento? A principios de septiembre, Fernando todavía estaba en Aragón. ¿Iba a ser capaz de entrar en Castilla, con las bandas nobiliarias enriqueñas advertidas? Y ya hemos visto que trataron de impedirlo, controlando los pasos habituales.

Pero Fernando pasó. Quizá el Rey lo creyó tan imposible, porque sabía que su padre, Juan II, tenía una difícil batalla que librar en Gerona contra los soldados franceses y que precisaba de todas sus fuerzas, incluidas las que podía llevarle Fernando, su hijo, desde Zaragoza. De forma que Enrique IV consideró que la advertencia de Isabel no pasaba de un tanteo, para comprobar cómo lo tomaría. Y Enrique, fiel a su temperamento tan indeciso, no reaccionó a tiempo.

Y Fernando pasó. E Isabel, siguiendo fiel a su planteamiento frente a su hermanastro, otra vez cogió la pluma, o bien ordenó que se escribiera aquella carta que ella firmaría, en la que comunicaba al Rey que su prometido ya estaba en Castilla. Le reiteraba su voluntad de casarse con Fernando, como el matrimonio que más convenía a Castilla, según le aconsejaban los más altos personajes del Reino, y le añadía la nueva:

> Hago saber a Vuestra Alteza que dicho Rey y Príncipe [16] es ya venido a la villa de Dueñas...

---

[15] Isabel a Enrique IV, Valladolid, 8 de septiembre de 1469 (*Memorias de don Enrique IV de Castilla,* ob. cit., II, págs. 605-609).

[16] Naturalmente, Fernando, Rey de Sicilia y Príncipe de Aragón.

Pero también le aseguraba que su venida no era para mover ningún escándalo, sino para servirle, de forma que la paz no se alterase:

... como Vuestra Alteza viva en reposo.

Tal escribía Isabel a su hermanastro desde Valladolid el 12 de octubre; por lo tanto, una semana antes de su boda[17].

Otra vez apostando fuerte. Pero también aquí se echa de ver un aspecto con el que jugaba Isabel: la idea de que el Rey anhelaba la paz durante el resto de su vida. Y eso sí que dependía de Isabel, en eso sí podía Isabel prometer lo que fuese, bien segura de sus intenciones; como estaba segura de que cuando Enrique IV se convenciera de su sinceridad, la batalla estaba ganada.

Pero para ello aún tuvo que pasar no poco tiempo. De momento, Enrique IV, alborotado por cómo le presentaba la situación el marqués de Villena, que había vuelto a su privanza, reaccionó muy en contra, declarando que daba por nulos los acuerdos de Guisando, desheredando a Isabel y volviendo a proclamar a su hija Juana como la legítima y única heredera del trono de Castilla.

EL LUSTRO INDECISO

Entre la boda de Isabel y la muerte de Enrique IV transcurre un lustro lleno de altibajos. La situación de la Princesa, que parecía asegurada tras los acuerdos de Guisando, vuelve otra vez a ser problemática. De entrada, su popularidad está lejos de tener la fuerza que luego adquiriría; su misma boda se veía como un peligro para la paz del Reino, puesto que se daba por sentado que el Rey reaccionaría en contra, y en consecuencia el temor a que estallase la guerra entre los dos hermanos alarmó a la opinión pública[18].

Y había otros signos preocupantes de que la situación no era buena; y el primero, que Roma no acababa de conceder la ansiada dispensa matrimonial en razón del parentesco entre Fernando e Isabel. En ese

---

[17] Isabel a Enrique IV, Valladolid, 12 de octubre de 1469 (*Memorias del rey don Enrique IV,* ob. cit., II, pág. 610).

[18] Algo muy bien visto por Isabel del Val en su estudio *Isabel la Católica, Princesa (1468-1474),* Valladolid, 1974, págs. 190 y sigs.

sentido, todas las gestiones diplomáticas, cuyo peso llevaba Juan II de Aragón, estaban resultando infructuosas ante la más eficaz diplomacia de los embajadores de Enrique IV.

En consecuencia, el matrimonio de Isabel seguía siendo nulo, y en cuanto se divulgase que la bula leída en los esponsales, atribuida al papa Pío II, era falsa, todo podía tambalearse. ¿Cómo reaccionaría la opinión pública castellana ante la noticia de aquel dudoso matrimonio? ¿Qué pasaría si Roma extremaba su rigor, lanzando la pena de excomunión, prevista para los transgresores de sus mandatos? No bastaba con que Isabel declarase que tenía muy segura su conciencia; claro que la podía tener. Los novios habían ido al matrimonio conscientes de que era lo que querían, ambos habían dado su sí libremente y sin coacción alguna y la ceremonia había sido consagrada por un sacerdote; en este caso, nada menos que por el Arzobispo primado de España. Que faltase aquel documento pontificio podía considerarse, por lo tanto, como el fallo de un mero formulismo. Solo había que esperar a que Roma cambiase de opinión o a que cambiase de Papa; lo cual tampoco era demasiado difícil. De hecho, Isabel había conocido a lo largo de su corta vida la existencia de cuatro papas: Nicolás V (1447-1455), Calixto III (1455-1458), Pío II (1458-1464) y el entonces reinante Paulo II, que ya llevaba en el poder seis años, desbordando la media de aquellos pontificados, que rondaba los cinco años. Y no es que el Papa reinante fuera un anciano (Paulo II tenía cincuenta y cuatro años en 1470), sino por su género de vida, pues estamos ante uno de los papas más mundanos del siglo XV, al que gustaban sobremanera toda clase de convites, fiestas y banquetes, en los que cometía tales excesos que bien podían costarle la vida. Por lo tanto, no cabía más que esperar, puesto que el tiempo jugaba a su favor.

Y también frente a Enrique IV. Se daba por sentado que al Rey caería muy mal la boda de la Princesa con Fernando de Aragón; pero también se contaba con su aire irresoluto, con sus indecisiones, con su modo de vacilar a la hora de tener que tomar una decisión drástica. De ahí que Isabel le argumentase con tanto ahínco que, mientras viviera, ella y Fernando se mostrarían como fieles súbditos. Ellos no iban a perturbar su reinado. Respetarían el presente; lo único a que se aferraban era al futuro, a la sucesión, a la herencia de la Corona. E Isabel sabía que su hermanastro era muy sensible a esa idea de que, mientras él viviera, nada tendría que temer de los Príncipes.

Aun así, los problemas no eran pocos, porque estaba en el alero si el marqués de Villena, que tanto ambicionaba y cuya enemiga sí que era fuerte, no acabaría decidiendo al Rey a una acción vigorosa contra los que habían desobedecido su mandato, tanto más que también estaba en juego la suerte de la princesa Juana.

Otras circunstancias parecían estar en contra. En primer lugar, la caótica situación del Reino, con una economía que era un desastre y con la amenaza de una hambruna generalizada. Poner un poco de orden en aquella anarquía, frente a las bandas nobiliarias dedicadas al pillaje, parecía prioritario, y a ello no ayudaba el enfrentamiento de Isabel con el Rey, dado que su boda se podía temer que trajera una ruptura de los acuerdos de Guisando, que tanto había costado ultimar.

Y no solo era el pueblo; también la mayoría de los miembros de la alta nobleza, entre ellos no pocos de los que en 1465 habían apoyado al infante don Alfonso en la farsa de Ávila contra Enrique IV, como los condes de Plasencia y de Benavente, se mostraban ahora partidarios del Rey.

La situación se hizo tan difícil que los Príncipes consideraron que no estaban seguros en Valladolid y en la primavera de 1470 se refugiaron en Dueñas, al amparo de las almenas —y de las lanzas— del conde de Buendía, que además era hermano del arzobispo Carrillo.

Pero tampoco la amistad de los Carrillo era demasiado tranquilizadora. El Arzobispo era un hombre insaciable, tanto en cuanto al poder como respecto al oro. Apelaba a todos los medios para conseguirlo, incluso el arte de la alquimia:

> Placíale saber experiencias e propiedades de aguas e de yerbas e otros secretos de natura —nos refiere el cronista Pulgar—. Procuraba siempre haber grandes riquezas, no para tesoro, mas para las dar e distribuir, *y este deseo le fizo entender muchos años en el arte del alquimia...* [19]

Era, por lo tanto, hombre sospechoso, amigo de armar parcialidades:

> Era ome belicoso —nos refiere el mismo cronista—, e siguiendo esta su condición, placíale tener continuamente gente de armas e andar en guerras...

De tal manera que, con su ambición de gobernarlo todo, más se convertía en un aliado molesto y difícil, que útil y provechoso. Solo la

---

[19] Fernando del Pulgar, *Claros varones de Castilla,* ed. Domínguez Bordona, ob. cit., pág. 119.

necesidad obligaba a los Príncipes a buscar su alianza, aunque todas las señales indicaban que esta no podía durar mucho. El primer enfrentamiento lo tendría Fernando, durante los meses en que los Príncipes estuvieron en Valladolid. Ante un gesto de imposición del Arzobispo, el joven Fernando estalló:

> ... le dixo —nos informa el fidedigno Zurita—, como mozo más claro de lo que debiera y aquellos tiempos cupían, *que no entendía ser gobernado por ninguno, y que ni el Arzobispo ni otra persona tal cosa imaginasen, porque muchos reyes de Castilla se habían perdido por esto...* [20]

A tales dificultades, a tales contratiempos hubo que añadir el embarazo de la Princesa, con el riesgo de que diera a luz antes de que Roma legalizara su matrimonio con Fernando. En todo caso, y dada la mentalidad de la época, un hijo varón podía fortalecer su estado, dando la esperanza al pueblo de que al fin un príncipe castellano heredaría en su día la corona; pero nació una niña, Isabel, y todo se hizo más problemático. E Isabel, la madre, era tan consciente de ello que al dar la noticia al Reino prefiere dar a entender lo contrario, como lo hizo con la carta que manda a las ciudades, de las que se conserva la enviada a Trujillo:

> Sabed que por la gracia de Dios nuestro Señor —les dice—, yo soy alumbrada de un Infante, e por su inmensa bondad, quedé bien dispuesta de mi salud... [21]

Y a poco, la temida reacción de Enrique IV, con su declaración hecha en Valdelozoya en contra de la Princesa, acusándola de haber roto los acuerdos de Guisando con su matrimonio con el Príncipe aragonés, por lo que la desheredaba, al tiempo que, volviéndose de sus anteriores decisiones, proclamaba a su hija Juana como la única y auténtica heredera del Reino de Castilla; declaración que completó con la boda de Juana con aquel duque de Guyena que apenas si hacía un año había intentado casarse con Isabel.

---

[20] Zurita, *Anales*, IV, fol. 174v; cit. por la tan notable obra de Tarsicio de Azcona, *Isabel la Católica*, ob. cit., pág. 187.

[21] Isabel a Luis Chaves, regidor de Trujillo, Dueñas, 2 de octubre de 1470 (en *Memorias de don Enrique IV de Castilla*, ob. cit., II, pág. 618).

Escandalosa ruptura, porque además Enrique IV denunciaría la falsedad de la bula pontificia utilizada por los Príncipes, bula que no podía engañar a nadie:

> ... por aquella presente carta la desheredaba e daba por ninguna e de ningún valor cualquier carta o título de Princesa y subcesión de heredera que así le oviese dado... [22]

Era un momento dificilísimo, casi podríamos decir que angustioso. Isabel se veía con pocas ayudas, y de esas pocas algunas sospechosas. Las acusaciones de su hermanastro, el Rey, eran muy fuertes, con el peligro que de ser ciertas, o tomadas como tales, el pueblo le volviese la espalda. Había, por lo tanto, que reaccionar enérgicamente, lanzando a la opinión pública un manifiesto que aclarase su postura, porque el silencio podría resultar fatal.

Era entrar en una fase de combate propagandístico con resultados inciertos. Pero había que hacerlo, de forma que después de muchas deliberaciones con sus consejeros inmediatos, a los que hay que atribuir buena parte del texto, al fin, cuatro meses después de los sucesos de Valdelozoya, Isabel lanzó su réplica al Rey, lo que conocemos como su manifiesto de 1 de marzo de 1471.

Es un largo escrito de más de diez folios, del cual la Real Academia de la Historia posee una copia del siglo XVII. De él entresacaremos sus párrafos principales, porque en ellos respira y se retrata de cuerpo entero Isabel.

EL MANIFIESTO DE LA PRINCESA

En marzo de 1471, Isabel está a punto de cumplir los veinte años. Ya no es la chiquilla a la que se puede manejar de cualquier manera. Cada vez se aprecian más sus rasgos de carácter firme, de clara inteligencia y de ambición política. Está segura de sí misma, de sus derechos al protagonismo más importante, de las posibilidades de los grandes proyectos que se van anidando en su cabeza: la pacificación de Castilla, la unión de los dos reinos, la culminación de la Reconquista, el papel activo de España en la comunidad internacional.

---

[22] Enríquez del Castillo, *Crónica del rey don Enrique* (cit. por Enrique San Miguel Pérez, *Isabel I,* ob. cit., pág. 85).

Ella es la legítima heredera de la corona. No le cabe la menor duda sobre las liviandades de la reina Juana y, por lo tanto, de los nulos derechos de su hija, la princesa Juana, a la que Isabel solo dará el nombre de

> ... la hija de la Reina...

Pero ahora, en esa hora del invierno de 1471, lo primero que tiene que hacer Isabel, y de forma urgente, es defenderse. Los ataques, las acusaciones y las amenazas vertidas por el Rey en Valdelozoya no puede dejarlos pasar:

> ... si estas cosas dejase so silencio, parescería que yo misma las otorgaba por necesidad...

Por lo tanto, ha de coger la pluma para volver por su honra; eso sí, procurando hacerlo lo más moderadamente posible:

> ... responderé... lo menos deshonesta y más templado y breve que pudiere.

Lo breve no lo alcanza, pues se trata de un montón de folios en los que vuelca toda la carga que lleva dentro, con lo mucho que ha sufrido en la Corte de su hermano, desde que diez años antes había sido arrancada de los brazos de su madre.

Sin duda es un largo escrito en el que intervienen varias manos: la del príncipe Fernando; las de los consejeros más íntimos y más leales, como Gonzalo Chacón o como Gutierre Cárdenas; la de algún secretario, como Fernán Núñez, y sin duda también, la de algún jurista que aporta su conocimiento de las leyes del Reino para rebatir los argumentos jurídicos de Enrique IV sobre las penas en que había incurrido la Princesa; porque todo es poco para dar fuerza al comprometido escrito que se quiere lanzar a la opinión pública. Pero todo sumado, en el escrito está presente, de forma continua, el espíritu de Isabel, y suyos son, a todas luces, algunos de los párrafos más elocuentes. Y lo hará con gran sentimiento, en el que se mezclan la indignación y el dolor:

> Yo puedo decir con santa Susana —declara al principio de su escrito, con esa afirmación de su propia voluntad— que me

son angustias de todas partes, porque nin puedo callar sin ofender y dañar a mí, nin hablar sin ofender y desagradar al dicho señor Rey, mi hermano...

En realidad, ¿de qué se le acusa? De romper los acuerdos de Guisando, al casarse con persona sospechosa para Castilla, sin el consentimiento del Rey; y ello con falsedad en las formas, pues falsa había sido la bula pontificia leída en la ceremonia. Por todo lo cual, y ahí venía el castigo regio, Enrique IV la desheredaba, como podía hacerlo por las leyes del Reino, que así sentenciaban contra los menores de veinticinco años que se casaban sin la licencia paterna o de los hermanos mayores bajo cuya protección vivían. En consecuencia, dejaba de ser la Princesa heredera de la Corona, restituyéndose tal categoría a la princesa Juana, a la que el Rey declaraba como su legítima hija.

La apelación regia a las leyes del Reino permitiría al equipo de la Princesa una lúcida defensa, pues Isabel no estaba viviendo en la Corte bajo la protección fraterna, sino que había sido llevada allí a la fuerza, arrancada de su natural hogar, que era el de su madre, la Reina viuda recluida en Arévalo. Es un momento en el que se siente respirar a la propia Princesa, al recordar la violencia de que había sido objeto.

Se trata de aquel fragmento, que ya hemos comentado, en el que rezuma el dolor de la Princesa:

... yo no quedé en poder del dicho señor Rey, mi hermano, salvo de mi madre, la Reina, de cuyos brazos inhumana y forzosamente fuimos arrancados el señor rey don Alfonso, mi hermano y yo, *que a la sazón éramos niños...*

Pero, además, no era ella la que había roto los acuerdos de Guisando, sino el mismo Rey al incumplir todas sus promesas y al tenerla semicautiva y bajo continuas amenazas, queriendo forzarla a una boda, contra su voluntad, con el Rey de Portugal. Y no solo eso, pues el plan apuntaba a más alto, para apartar a Isabel de sus derechos sucesorios, casando a la princesa Juana con el hijo del Rey portugués:

... el qual casamiento ya vedes quánto a mí era peligroso...

Vienen después unas oscuras alusiones, que parecen dirigidas a la reina Juana, como si hiciera los papeles de odiosa madrastra con Isabel, dispuesta a todo, con tal de conseguir la corona para su hija, y de ahí el peligro que corría Isabel:

... porque si a todas las madrastras, como sabéis, son odiosos los alnados [23] y las nueras, quanto más lo fuera yo de quien tan gruesa herencia se esperaba.

Tremenda acusación. Se apunta a que estaba en peligro la vida de Isabel, para dejar libre, a ese precio, el trono para Juana. Y en todo caso, si el primero en quebrantar todos los juramentos había sido el Rey, ¿cómo podía invocar ley alguna del Reino a su favor para desheredar a su hermana? Es uno de los pasajes más logrados del manifiesto, uno de los más convincentes, pensando en el buen pueblo que lo oyera:

... por manera que yo no era obligada a guardar nada de lo prometido, *si agora no hay algunas leyes nuevas que apremien a que se guarde la fe a los quebrantadores de ella...*

Y en cuanto a las acusaciones contra su marido, como si se hubiera tratado de una elección caprichosa, Isabel enumera las buenas razones que le habían movido a ello, empezando por la consulta que había hecho a los personajes más importantes del Reino sobre cuál de los cuatro matrimonios que se le ofrecían (el portugués, el francés, el inglés y el del príncipe Fernando de Aragón) era el más idóneo para ella y para Castilla; siendo en su gran mayoría acordes que a todos aventajaba el pretendiente aragonés, tanto por su naturaleza tan próxima a Castilla, como por la herencia que esperaba —y aquí apunta otro de los grandes proyectos políticos de Isabel: la unidad de España— e incluso por su juventud; lo cual no era tanto una concesión a las naturales exigencias amorosas (que, sin duda, también contaban), sino algo de mayor impacto en la opinión pública: la posibilidad de tener una buena partida de hijos, que solucionasen de una vez por todas el espinoso problema de la sucesión, tan agudizado por la impotencia de Enrique IV.

En suma:

... yo debía casar con el Príncipe, mi señor, por ser tan natural destos regnos, que si Dios de mí dispusiese alguna cosa, a él de derecho pertenescía la sucesión dellos, *y por ser su edad conforme a la mía, y porque los regnos que él esperaba heredar eran tan comarcanos y gratos a estos...*

---

[23] Esto es, los hijastros.

Estamos ante un ambicioso proyecto político que se apunta al pueblo castellano: era la futura unidad de España la que estaba en juego. Y todo ello con un pretendiente que además venía para afianzar el orden, no para provocar escándalos, alborotos o disturbios:

> El Príncipe, mi señor, era y es el más grato y apacible y conveniente a estos regnos castellanos...

Donde Isabel se muestra más insegura es frente a la acusación de haberse casado sin la debida dispensa pontificia; es más, habiendo echado mano a una bula falsa. Pero en todo caso, como hubiera hecho cualquier joven de nuestros tiempos, Isabel alza orgullosa la cabeza para afirmar que se había casado libremente y de manos de un prelado. Y segura de que Roma acabaría cediendo, no vacila en afirmar que en su momento se presentarían todos los documentos que necesario fuere. Es cuando proclama lo que ya hemos comentado:

> Quanto a lo que su merced dice por la dicha letra que yo me casé sin dispensación, a esto non conviene larga respuesta, pues su señoría non es juez deste caso, *y yo tengo bien saneada mi conciencia, según podrá parecer por bulas y escrituras auténticas donde y cuando necesario fuere...*

Y a eso es a lo que se aplicaría con ahínco en aquellos meses, y con la mayor eficacia, como hemos de ver.

Otras dos cuestiones importantes abordaría Isabel en su escrito: la dudosa legitimidad de la princesa Juana y la amenaza de la guerra civil en Castilla. Y en ambas se mostrará tan lúcida como firme.

En cuanto a la ilegitimidad de Juana, Isabel no tenía más que acudir al propio testimonio del Rey dado en Guisando, cuando tan solemnemente había jurado ante el legado pontificio que Isabel era la única legítima heredera del Reino; lo cual venía corroborado por el escandaloso comportamiento de su mujer, la reina Juana:

> ... non había usado limpiamente de su persona, como complía a la honra de su merced...

Con lo cual, ¡cuán gran burla era todo ello! Isabel apela entonces a la honra del buen pueblo de Castilla:

> ¡Qué grande infamia y vituperio es y será para en los tiempos advenideros y de la antigua nobleza y honrada comunidad

castellana, que vos den cobre por oro y hierro por plata y ajena heredera por legítima sucesora y con tanta paciencia lo su-
fráis...

De ahí la última y grave advertencia:

> Que no permita Su Alteza que se determine por guerra lo
> que se puede determinar por vía de paz...

Era una llamada a la paz y al sosiego de que tan necesarios andaban los reinos de Castilla, pero también un toque de reflexión para el
Rey, siempre más deseoso de paz que de guerra:

> ... porque desto nuestro señor Dios será muy servido, *y su*
> *merced quitado de grandes molestias y enojos,* y estos sus Reg-
> nos y señoríos serán reducidos a paz y justicia...

Pues, de lo contrario, horrendos males podrían sobrevenir, de lo
cual se dejaba bien advertido al mismo pueblo de Castilla para que no
lo consintiera:

> ... lo cual si así continuades —esto es, si consentían que Juana
> fuese la heredera— dello resultarán quemas y robos y muer-
> tes.

Era una muy seria advertencia. Isabel lucharía por defender sus legítimos derechos al trono de Castilla, y Dios demandaría a los verdaderos culpables por todos los males que se sufrieran:

> Dios nuestro señor lo demandará a los causadores...

Pero también el pueblo de Castilla incurriría en la cólera divina:

> ... y a vosotros como a consentidores de tan grande mal[24].

Sin duda, una valiente defensa de la Princesa saliendo con valor a
luchar en aquella guerra de propaganda, para evitar la mayor y más penosa que se hiciera con las armas en la mano. Y para darle mayor efica-

---

[24] El texto del manifiesto de Isabel, en *Memorias de don Enrique IV de Castilla. Co-*
lección diplomática, ob. cit., II, págs. 630-639).

cia, firma el documento en Valladolid, cuando ya los Príncipes la habían perdido; sin duda, porque se quería ocultar a la opinión pública el revés sufrido.

En este largo alegato de Isabel, redactado en gran medida por su equipo de consejeros —su pequeño, pero eficaz estado mayor—, con la presencia de Fernando y la conformidad de la misma Princesa, uno desearía rastrear algunos aspectos de su intimidad. Tratamos de imaginarnos a la mujer, a aquella Princesa que rondaba los veinte años, que era casada, madre de una criatura que solo tenía unos meses, pero que ya daba otra dimensión a su vida. En adelante, no solo luchará por sus derechos al trono; también por los de su primogénita.

Pues bien, en esa búsqueda de la mujer apenas si encontramos algún que otro eco; así, cuando se refiere a sus años de la infancia, en la época en la que vivían ella y su hermano Alfonso, en el refugio del hogar materno,

> … de cuyos brazos inhumana y forzosamente fuimos arrancados… mi hermano y yo, *que a la sazón éramos niños*…

También la vemos de cuerpo entero, con la gran dignidad que desde muy pronto sabe dar a sus actos, cuando rechaza indignada las acusaciones vertidas por su hermano contra su honor; aquel derecho suyo que proclama de

> … responder por mi honra y fama…

O cuando protesta que jamás intentó alterar a Grandes ni a las ciudades del Reino contra su hermano, escribiéndoles solo

> … para que procurásedes que yo fuese oída y mi justicia me fuese guardada…

Esa dignidad principesca y, más que principesca, regia, brota cuando tiene que salir al paso de que su boda hubiese sido hecha torpemente y con desprecio de la vergüenza virginal. No. Ella, Isabel, hija de reyes, sabía bien cuáles eran sus deberes:

> … he dado de mí tan buena cuenta como convenía a mi real sangre…

Y con términos expresivos, sin duda con una emoción que está sintiendo cuando lo escribe, y que llega hasta nosotros, añadiría que no debe decir más, porque el tema era odioso:

> ... porque esta materia a las nobles mujeres es vergonzosa y aborrescible...

No ya las palabras; sus obras hablarán por ella:

> ... las obras de cada uno han dado y darán testimonio de nosotros ante Dios y ante el mundo.

Estamos ante la estampa de una noble, de una digna, de una «virtuosa princesa», que de ese modo la reconocía el propio Enrique IV. Pero ¿dónde aparece la esposa? ¿Dónde encontramos algún atisbo de aquella joven desposada? Usará una y otra vez, es cierto, para referirse a Fernando, la expresión de

> ... el Príncipe, mi señor...

Naturalmente, es el término correcto, la expresión adecuada, aunque estemos tentados a encontrar en ella el tono afectuoso con que sin duda sonaría en la boca de Isabel. Pero también es cierto que puede entenderse como un gesto político de habérselas con un igual, con alguien del mismo rango, orillando la referencia a la dignidad regia —recordemos que Fernando ya era Rey de Sicilia—, que podría dar lugar a un desequilibrio y a verse en una posición desventajosa, muy lejos de lo que Isabel deseaba y proyectaba.

Pero sí encontramos otro momento en que aparece la mujer, y yo diría que hasta la mujer enamorada, y es cuando proclama las virtudes de su marido:

> ... de todos los reyes y príncipes cristianos, *el Príncipe, mi señor, era y es el más grato y apacible...* [25]

La Princesa y la mujer, ambas aparecen sin duda; pero digamos que más la primera que la segunda. Isabel esconde su lado humano, no nos deja ver su ternura más que a cuentagotas. Se trata de su intimidad, en

---

[25] *Memorias de don Enrique IV de Castilla,* ob. cit., pág. 639.

la que no deja entrar a cualquiera. Ni a los de su tiempo, ni ahora, pasados tantos siglos, a los que tratamos de conocerla más a fondo.

Aunque con ello nos da, evidentemente, otro rasgo, y muy marcado, de su personalidad, en torno a la majestuosidad de su porte, que desde muy pronto adopta como el manto que cubre su regia figura.

ASEGURANDO EL FUTURO

Cuando Isabel proclamaba su manifiesto, protestando por lo sucedido en Valdelozoya, tan en detrimento de su buena fama, no estaba en Valladolid, sino en Medina de Rioseco. Hacía ya algunos meses que los Príncipes habían buscado aquel refugio familiar. Medina era la cabeza del señorío de los Enríquez, y no olvidemos que Fernando era hijo de Juana Enríquez, por lo tanto, sobrino del Almirante de Castilla; de ahí que Medina de Rioseco, en aquellos días tan inciertos, cuando el propio arzobispo Carrillo se mostraba tan tornadizo, fuera un lugar mucho más idóneo para la pareja principesca que no Dueñas, cuyo señor —el conde de Buendía— era hermano del Arzobispo. Ahora bien, el manifiesto se fechó en Valladolid. Era como dar un signo de normalidad, como si nada hubiera ocurrido desde que se habían celebrado las bodas.

He ahí otro gesto de firmeza de los Príncipes, no exento de audacia. Era un arma que tenían en sus manos y que correspondía a su modo de ser. Fernando ya había demostrado, incluso desde cuando no era más que un muchacho, que era capaz de arrostrar los peligros de la guerra, como lo había hecho en el frente catalán que su padre tenía abierto ante sus vasallos rebeldes, en especial los de la ciudad de Barcelona. ¿Y no había sido capaz también de mostrar su temple, cuando a los diecisiete años había penetrado en Castilla, por malos pasos de montaña, disfrazado de mozo de mulas para engañar a sus enemigos?

Y en cuanto a Isabel, todo en ella era serenidad, firmeza y lúcida visión de las cosas. Era «la virtuosa Princesa», como lo reconocía su propio hermanastro Enrique IV. Y eso era lo que más contrastaba con el Rey, que no hacía más que dar muestras de inseguridad, de indecisión, de ser una persona frágil a la que cualquier intrigante podía manejar a su antojo; con la agravante de que ese siempre solía ser un noble ambicioso, el tipo de noble-bandolero (por emplear la expresión del profesor Moreta) siempre dispuesto a redondear sus dominios a costa de la Castilla de realengo.

De ese modo, por toda Castilla se extendía la sensación de desamparo, de estar asistiendo a un pillaje generalizado, sin poder contar con la protección regia, sin poder esperar nada de Enrique IV, que como era una sombra de hombre, era también una sombra de Rey. De hecho, su manifiesta impotencia para engendrar un heredero, durante los muchos años que había estado casado con la princesa Blanca de Navarra, y los no pocos que habían pasado hasta el nacimiento de su hija Juana, era lo que ponía bajo sospecha a la infeliz Princesa.

Tal era el hombre, tal era el Rey. Y Castilla necesitaba perentoriamente salir de aquella anarquía. Era una situación caótica que los cronistas reflejarían en sus escritos. Oigamos a Fernando del Pulgar. Leamos con atención lo que escribía al obispo de Coria en 1473. Recordaré sus pasajes más significativos:

> Reverendo señor:
>
> … me he asentado con propósito de escrebir particularmente las muertes, robos, quemas, injurias, asonadas, desafíos, fuerças, juntamientos de gentes [y] roturas que cada día se hacen…

¿Qué pasaba, por ejemplo, en el sur? Pulgar nos lo dirá crudamente:

> Ya vuestra merced sabe que el duque de Medina con el marqués de Cádiz, el conde de Cabra con don Alfonso de Aguilar, tienen cargo de destruir toda aquella tierra del Andalucía…

Es más, olvidándose de la secular empresa de la Reconquista, no dudaban en acudir al reino nazarí de Granada para

> … meter moros…

Del reino de Murcia, ni se sabía de él:

> … [ni] carta, mensajero, procurador ni quistor ni viene de allá, ni va de acá, más ha de cinco años.

¿Qué pasaba más al norte? ¿Qué ocurría en el reino de León?

> La provincia de León tiene cargo de destruir el clavero que se llama maestre de Alcántara…

Otro tal ocurría en el de Toledo:

> Deste nuestro reino de Toledo tienen cargo Pedrarias, el mariscal Fernando, Cristobal Bermudes; Vasco de Contreras...

De modo que la propia capital vivía mustia y desamparada:

> ¿Qué diré, pues, señor, del cuerpo de aquella noble cibdad de Toledo, alcázar de emperadores, donde chicos e mayores todos viven una vida bien triste por cierto y desventurada.

No andaba mejor Castilla la Vieja:

> Medina, Valladolid, Toro, Zamora, Salamanca y eso de por ahí está debaxo de la codicia del alcaide de Castronuño...

Tan lamentable estado hacía que las guerras de Galicia, que hasta entonces las tenían como insoportables,

> ... ya las reputamos ceviles y tolerables, *immo,* lícitas...

Ante tal cuadro, el buen cronista comenta sombrío lanzando aquel su famoso lamento, que aún parece estar resonando en nuestros oídos:

> No hay más Castilla; si no, más guerras habría... [26]

En esa situación, ante ese panorama, la estampa de los jóvenes Príncipes tan llenos de energía, tan valientes, luchando por vencer tantas dificultades, por fuerza tenía que ganarse la voluntad popular. Era como la nueva Castilla, que se alzaba cada vez más briosa y pujante, ansiosa de un mínimo de orden, de rectitud en los comportamientos, de buena administración de la justicia.

En el capítulo de la firmeza, Isabel siempre estaba dando pruebas que asombraban hasta a sus colaboradores más cercanos. Fue lo que ocurrió cuando, apremiada por la necesidad, ya que sus rentas de Castilla las tenía en gran medida bloqueadas por la facción enriqueña, tra-

---

[26] Fernando del Pulgar, *Letras,* ed. de Domínguez Bordona, Madrid, Espasa Calpe (Clásicos Castellanos), 1969, págs. 117-124.

tó de remediarse con las que le había asignado su suegro, Juan II, en tierras de la Corona de Aragón. Y para que se agilizasen los trámites, nombró un secretario, Juan de Cárdenas, para que actuase en su nombre en la Corte aragonesa; una iniciativa que no fue del agrado de Juan II, que designó otro hombre de su confianza, Juan Sabastida. Pero se encontró con la réplica firme de su nuera, que no estaba dispuesta a verse corregida cuando actuaba en defensa de sus intereses, exigiendo al Rey

> ... dexarme hacer, en aquello que Vuestra Señoría me dio, lo que a mí pareciere que debo hacer...

E Isabel terminaba su queja con este arrogante juicio:

> ... pues es cierto que no haré sino lo que fuere justo[27].

Que la fortuna ayuda a los audaces, ya lo sabían los antiguos (*Fortuna audaces juvat*). Y pronto se vio que tal iba a ocurrir en Castilla. En aquel mismo año de 1471, los naturales del señorío de Vizcaya se enfrentaron con las armas en la mano contra el conde de Haro (quien, apoyado por el marqués de Villena, se quería hacer con aquel señorío), venciéndole en la batalla campal de Munguía. Y al punto, se pusieron bajo la protección de Isabel. Y así empezó a cambiar la suerte de la Princesa. A poco sería la villa de Sepúlveda la que se pasaría al bando isabelino.

No eran menores los éxitos en el ámbito internacional, gracias a los tratados de alianza firmados por Juan II con el Reino de Inglaterra y con el ducado de Borgoña, con carácter no solo político, sino también económico, pues permitían que los marinos vascos faenasen en las aguas del mar del Norte. Una prueba palmaria de aquellas buenas relaciones sería la concesión al joven Fernando del collar de la Orden del Toisón de Oro.

Era como el reconocimiento, en el ámbito europeo, de que un nuevo y notable personaje político hacía su aparición en escena.

Y con todo, la gran batalla diplomática, la más importante de todas, no sería esa, sino la librada en Roma. Pues aquel verano de 1471 iba a ocurrir algo que cambiaría la suerte de los Príncipes: el relevo en la cumbre del Pontificado.

---

[27] Véase un comentario más amplio en Tarsicio de Azcona, *Isabel la Católica*, ob. cit., pág. 201.

En efecto, el 26 de julio moría aquel Papa que se había mostrado tan contrario a Isabel, Paulo II. Pocos días después el Colegio cardenalicio elegía Papa a un franciscano, Sixto IV. Tal cambio iba a permitir a Isabel reabrir las negociaciones en Roma, en busca de la anhelada dispensa pontificia, que legalizase de una vez por todas su matrimonio. ¡Ya estaba bien de vivir bajo sospecha de la Iglesia!

Y tuvieron suerte. Cuatro meses después, Sixto IV firmaba la ansiada bula a favor de los Príncipes, al tiempo que mandaba un legado especial a Castilla: Rodrigo Borja.

La elección de Borja —el futuro Alejandro VI— ya era bien significativa de la buena voluntad del Papa, dada su vinculación con España, como nacido en Játiva. Tenía el encargo de tantear a los Príncipes, para averiguar si se podía contar con ellos para la defensa de la Cristiandad, ante la creciente amenaza turca. Recibido por Fernando en Valencia, a principios de septiembre de 1472, y por ambos Príncipes en Alcalá de Henares, a mediados de febrero de 1473, el legado pontificio quedó favorablemente impresionado. Y sus informes enviados a Roma serían tan buenos, que Sixto IV les acabaría dando todo su apoyo, como futuros herederos de la Corona de Castilla.

Y no quedó ahí la cosa. El legado pontificio traía un capelo cardenalicio a favor de Pedro González de Mendoza, dejando bien patente al interesado cuánto se lo debía a los Príncipes. Eso traería el distanciamiento definitivo de Carrillo, que lo había pretendido.

Se trataba de un buen cambio. Al tornadizo Arzobispo de Toledo le sustituiría uno de los hombres más importantes y más leales de la alta nobleza castellana, el que andando el tiempo sería llamado el tercer rey de España.

Y por si fuera poco, Juan II conseguía al fin entrar en Barcelona y dominar la rebelde ciudad, la joya de su corona.

Ya solo faltaba la reconciliación de Isabel con Enrique IV para que todo cambiase.

Eso sería lo que iba a ocurrir en Segovia, en las Navidades del año 1473.

SEGOVIA EN EL HORIZONTE

Y en el horizonte, Segovia.

¡Segovia! Una de las más antiguas y más importantes ciudades de Castilla la Vieja, la preferida de Enrique IV desde que su padre,

Juan II, se la había donado; la que alza su regio alcázar sobre formidable roca que cae a pico sobre los dos fosos que forman en su confluencia los ríos Eresma y Clamores.

La importancia de Segovia, explicable por su estratégico emplazamiento que domina el acceso al puerto de Navacerrada, lo era también por su actividad económica, como el centro fabril más pujante de los paños hechos con la insustituible lana merina castellana. Por otra parte, jugaba también un destacado papel político, ya que era una de las nueve ciudades de la meseta superior con voz y voto en las Cortes del Reino. En sus cecas se acuñaba la moneda de la Corona de Castilla. Por todo ello no es de sorprender que fuera una de las ciudades más pobladas de la meseta, solo superada por Valladolid y Toledo; naturalmente, en esos finales del siglo XV, cuando todavía faltaba casi un siglo para que Madrid se convirtiera en capital de la Monarquía. El censo de 1591 consigna para ella algo más de cinco mil vecinos, cifra que hoy nos parecería ridícula, pero que no lo era, para la escasa población de la época.

En esa ciudad, que a vista de pájaro semeja una gruesa pantorrilla con un pie de punta afilada, se asienta —y precisamente sobre ese pie— el formidable alcázar, altivo, imponente, inexpugnable. Se comprende que los reyes lo prefirieran para su alojamiento, como lo hizo en el siglo XIII Alfonso X el Sabio. También fue el lugar más querido de Enrique IV, desde sus tiempos de Príncipe de Asturias, que lo mejoró y adornó, en especial levantando la sala del solio. Y como su fuerza era tanta, allí puso su tesoro, del que se decían maravillas. Sería la

... tanta abundancia de tesoros...

de que nos habla el cronista Fernando del Pulgar[28].

Para su buena custodia contaba Enrique IV con un hombre de su entera confianza: el converso Andrés Cabrera. Ahora bien, Cabrera estaba casado con aquella antigua dama del séquito de la reina viuda Isabel de Portugal, la hija del alcaide del castillo de Arévalo. Once años mayor que la princesa Isabel, allí, entre los muros de aquel castillo, había visto crecer a la entonces Infanta de Castilla, entre 1454, cuando a la muerte de Juan II su viuda se recluyó en aquella villa, y 1461, cuando la Princesa fue llevada a la Corte de su hermanastro. Durante esos siete

---

[28] En *Claros varones de Castilla,* ob. cit., pág. 12.

años coincidieron ambas, la entonces Infanta y la que después acabaría siendo marquesa de Moya y gran confidente de la Reina; una amistad que daría abundantes frutos en aquellos años tan decisivos de la Historia de España, de lo que tendremos ocasión de hablar largo y tendido.

En 1466 Beatriz abandonaría Arévalo para casarse con el tesorero del Rey, Andrés Cabrera, siguiéndole a su destino de Segovia. Pero mantenía su afectuosa vinculación con la Princesa. De ese modo, en los festejos organizados por Isabel en Arévalo, en diciembre de 1467, para celebrar el cumpleaños de su hermano don Alfonso, nos encontramos de nuevo con Beatriz de Bobadilla.

Por esa vía se pudieron abrir unas negociaciones con Cabrera en 1473. Fue una misión que Isabel encomendó a uno de sus más eficaces colaboradores: el asturiano Alonso de Quintanilla.

Quintanilla desplegó su actividad diplomática con el mayor tesón a lo largo de 1473, yendo y viniendo entre Alcalá de Henares y Segovia, estrechando cada vez más los lazos con Cabrera. El fiel criado de Enrique IV pronto se mostró favorable a reconocer a Isabel como la heredera de la Corona, siempre y cuando tuviera a Enrique IV como su Rey y señor mientras viviera. Que el futuro fuera isabelino, mientras el presente siguiera siendo enriqueño.

¡Pero si eso era precisamente lo que Isabel había defendido siempre! Eso era lo que había prometido en las vistas de Guisando y lo que había seguido manteniendo, incluso en los momentos más espinosos de sus relaciones con el Rey, tras su boda con el príncipe Fernando.

De forma que al fin, el 15 de junio de 1473, se cerró el acuerdo que venía a poner Segovia en manos de la Princesa. Fue un trato bien visto por la ciudad, alarmada por las intrigas del marqués de Villena, que tramaba un alzamiento popular contra judíos y conversos, al modo de los que habían alterado a la ciudad de Toledo veinticinco años antes [29].

Hubo más. Gracias a la intervención de Beatriz de Bobadilla se logró lo que parecía imposible: las vistas en Segovia aquellas Navidades de 1473 entre el Rey y la Princesa. En aquella ocasión, los segovianos pudieron ver, admirados, cómo llegaban a su alcázar las dos comitivas, la de Enrique IV y la de Isabel. Fueron días de júbilo popular, doblando así las fiestas cortesanas, donde la Princesa danzó ante el Rey. ¡No en vano estaba contenta y no en vano tenía toda la juventud del mundo, con sus veintidós años!

---

[29] Luis Suárez, *Isabel I, Reina,* ob. cit., págs. 88 y 89.

Y también pudieron ver los segovianos a los dos hermanos cabalgar por la ciudad, incluso en ocasiones llevando el Rey de su mano las riendas del caballo que montaba la Princesa. Y el propio Fernando, al principio ausente en tierras catalanas, llegó presuroso para incorporarse a esas jornadas familiares, tan cargadas de alta política de Estado.

Y de ese modo Isabel logró lo que tanto había deseado.

Y eso que no faltaron todavía algunos intentos desesperados del marqués de Villena por alterar aquella paz y por revolver de nuevo las cosas entre los dos hermanos. Incluso llegó a tramar un plan para convencer al Rey de que encarcelase a Isabel y a Fernando, junto con el arzobispo Carrillo y el mayordomo Andrés de Cabrera; eso, al menos, leemos en la crónica de Fernando del Pulgar, quien añade que aquella trama fue abortada gracias a la oposición del cardenal Mendoza[30].

De otra manera iban a correr los hechos. Pues en aquel mismo año de 1474 el marqués de Villena, siempre cegado por la ambición y la codicia, iba a caer enfermo. Nada de gravedad, se pensó en un principio; unas fiebres propias del cambio de estación, cuando ya empezaba el otoño.

Fue suficiente. El 4 de octubre de aquel año moría el privado del Rey en un lugar extremeño cercano a Trujillo.

Dos meses más tarde le seguiría el propio Rey. Al volver de una cacería, en los montes del Pardo, se encontró mal y se refugió en el alcázar madrileño. Apenas si tuvo tiempo de echarse en el lecho. Ni siquiera pudo despojarse de sus atuendos de caza. Que de ese modo falleció repentinamente uno de los reyes más desventurados que tuvo España[31].

Era el 12 de diciembre de 1474. Al día siguiente, Segovia aclamaba a Isabel y a Fernando como los nuevos Reyes de Castilla.

---

[30] Fernando del Pulgar, *Crónica de los Reyes Católicos,* ob. cit., I, págs. 55 y 56.

[31] Un largo comentario en José Luis Martín Rodríguez, con citas de los poetas del tiempo. («Los poetas hablan de Enrique IV», en su estudio *Enrique IV de Castilla,* ob. cit., págs. 296-306.)

3

AL FIN, REINA, NO SIN LUCHA: LA GUERRA DE SUCESIÓN

LA PROCLAMACIÓN DE ISABEL: LOS ACUERDOS DE SEGOVIA

A Isabel no le cogió desprevenida la muerte del rey Enrique IV, su hermanastro. En realidad, era notorio el deterioro de su salud. Ya en la misma jornada en la que ambos se habían reunido, acompañados del príncipe Fernando, el Rey se sintió indispuesto y tuvo que abandonar el banquete con que se celebraba el reencuentro fraterno. Se habló incluso de envenenamiento, apuntando a lo más alto:

> La alegría de la fiesta —leemos en el P. Mariana— se enturbió algún tanto con la indisposición del rey don Enrique que le retentó un dolor de costado de tal manera que le fue forzoso irse a su palacio...

No da solo la noticia del mal; a continuación, alude al posible atentado, tal como lo creyó el pueblo:

> Lo que sucedió acaso [1] —señala—, como lo juzgan los más prudentes, el vulgo inclinado siempre a lo peor, que en todo y con todos entra a la parte, lo echaba a que le dieron algo; opinión y sospecha que se aumentó por la poca salud que en adelante tuvo y la muerte que le sobrevino antes de pasado un año... [2]

---

[1] Esto es, casualmente.
[2] P. Mariana, *Historia de España,* ed. 1788, II, págs. 420 y 421.

El envenenamiento era un rumor, a todas luces, falso, pero la mala salud de Enrique IV, algo evidente. Y aunque al príncipe Fernando la muerte de su cuñado le cogió fuera de juego, por haberse ido al Reino de Aragón, llamado por su padre, no así a Isabel. De hecho, un correo galopando toda la noche llevó de Madrid a Segovia la luctuosa nueva. Y la rápida reacción de Isabel muestra que todo estaba dispuesto para dar los oportunos pasos que le pusieran en posesión de la Corona de Castilla. En primer lugar, su proclamación en Segovia; después, la notificación a todo el Reino: a Grandes, a prelados y a las ciudades.

La proclamación en Segovia.

Eso sería tras los funerales celebrados por Enrique IV. Entonces resonaría en las plazas y calles de Segovia el grito ritual, tan esperado por la Princesa:

> ¡Castilla, Castilla, por la reina doña Isabel, y por el rey don Fernando, su legítimo marido!

Eso no es lo que nos transmite el cronista Fernando del Pulgar, que invierte los nombres; pero es lo que se deduce de las instrucciones que conocemos de Isabel, en las cartas que a continuación mandaría a las ciudades del Reino.

Conocemos la que mandó a Zamora, y en ella Isabel lo dejaría bien claro.

Sus órdenes son terminantes:

> … alcedes pendones por mí, reconosciéndome por vuestra reyna e señora natural, e al muy alto e muy poderoso Príncipe, el rey don Fernando, mi señor, como a mi legítimo marido, con las solemnidades en tal casos acostumbradas…

Y esto no es cuestión baladí. Se trataba de dejar bien sentado, desde el principio, que Isabel era la Reina propietaria de la corona y que a Fernando se le proclamaba no como Rey de Castilla —el título con el que se le cita era como Rey de Sicilia—, sino como marido de la Reina.

¿Estamos otra vez ante la práctica de los hechos consumados? No, en este caso. Isabel se ciñe escrupulosamente a las capitulaciones matrimoniales aceptadas en Cervera por Fernando[3], que lo subordinaba de forma

---

[3] Algo muy bien visto por Tarsicio de Azcona, *Isabel la Católica,* ob. cit., págs. 241 y sigs. Para J. Vicens Vives fue una ocasión perdida de una mayor aspiración a la integración de los dos Reinos.

clara a Isabel, hasta el punto de no poder abandonar Castilla ni acometer empresa alguna sin su permiso, y solo con la contrapartida de su intervención directa en la administración de la justicia en tierras castellanas.

La noticia coge a Fernando en tierras de Aragón. Su reacción primera es de cólera. Se considera postergado. ¿Acaso no es el marido? ¿Acaso no tiene él también derechos a la sucesión? ¿Va a quedar como mero Rey-consorte? Eso no está dispuesto a consentirlo. No faltan, por supuesto, los cortesanos, incluso en Castilla, que alientan sus pretensiones. De forma que el peligro de una ruptura en la cumbre, entre los mismos esposos, es verdaderamente alarmante. Un consejero de Juan II, Alfonso de Caballería, le advierte al Rey: si se produce una ruptura entre los Príncipes, el daño será irreparable:

> Muy alto e muy escellent Senyor —así comienza su carta Alfonso de la Caballería a Juan II—:
> Después quel senyor rey de Castilla, vuestro fijo, partió de Zaragoza, de paso en paso ha recibido cartas, primera del arzobispo de Toledo, enpués del Cardenal[4] significantes la quieta e pacifica succesión de Su Alteza en estos regnos de Castilla...

Todo iba bien, pues, salvo una nubecilla: la maltrecha concordia de la nueva pareja regia. Algo que salta al dominio público. El peligro era manifiesto y Juan II debía saberlo. Es más: debía intervenir:

> Vos, Senyor —el tono de la carta se torna grave—, interponeys vuestras veces con Su Alteza y con la senyora Reina, su muger, enamorándolos de la unión y concordia dellos...

De esa concordia vendrían grandes beneficios, y al contrario, innumerables males.

¿Por qué Alfonso de la Caballería se mete en esas disquisiciones y advertencias tan perogrullescas? Porque algo ha saltado que le pone en alarma:

> ...no es esto sin alguna sospecha de tal sinistro, pues es cierto que el Regno no recibe muchos reyes y el reinar no comporta companya...[5]

---

[4] El cardenal Mendoza.
[5] Alfonso de la Caballería a Juan II, Almazán, 24 de diciembre de 1474 (en *Memorias de Enrique IV*, ob. cit., II, pág. 705).

Ahí estaba el quid de la cuestión. ¿Dos reyes en la cumbre? ¿No saltaría la pugna? ¿Cómo se llegaría a un acuerdo razonable?

De momento, Isabel consigue verse proclamada como Reina propietaria. Es más, no acabaría el mes sin que algunos de los más altos personajes del Reino la reconocieran como tal.

Son cuatro grandes personajes, tres miembros de la más alta nobleza y un príncipe de la Iglesia. Los tres Grandes son el Condestable de Castilla, el almirante Enríquez y el conde de Benavente. En cuanto al príncipe de la Iglesia, el nuevo cardenal de España, don Pedro González de Mendoza. Los cuatro se han reunido en Segovia para firmar un acuerdo; para concertar una alianza, una liga de apoyo a la nueva Reina. Y los términos de ese acuerdo coinciden, en su forma de referirse a Isabel y a Fernando, con los términos en los que Isabel ha ordenado a las ciudades de Castilla que la proclamasen Reina:

> ... todos nosotros —afirman esos cuatro altos personajes— estamos conformes para hacer de seguir e servir a la Reina, nuestra señora doña Isabel, como a reina y señora natural nuestra e de aquestos regnos...

Por lo tanto, lo primero, el reconocimiento y proclamación de la nueva reina Isabel. A continuación vendrá la referencia a Fernando:

> ... como a reina y señora natural e de aquestos regnos, *con el rey don Fernando, su legítimo marido...* [6]

A esa confederación se invitaba a otros nobles, como el marqués de Santillana y el duque de Alburquerque, amén de cualquier otro que quisiera incorporarse; lo cual tendría importancia para la confirmación del futuro mapa político de Castilla, dado que todos eran conscientes de que la princesa Juana, la hija de Enrique IV, aunque tachada de ilegítima, no dejaba de tener sus partidarios. En todo caso, esos nobles nos señalan la línea política marcada por Isabel: ella era la Reina propietaria, la que tenía la plenitud del poder; un poder al que se incorporaba a Fernando, también con título regio, puesto que era

el legítimo marido.

---

[6] Confederación nobiliaria a favor de Isabel, Segovia, 27 de diciembre de 1474 (en *Memorias de Enrique IV: Documentos,* ob. cit., II, pág. 706).

Todo lo cual era motivo suficiente para que surgiesen los recelos en el ánimo de Fernando, y más en los de su entorno, que le habrían querido ver más realzado en sus funciones. Ya el mismo hecho de que Isabel le anunciara la muerte de Enrique IV sin urgirle a presentarse de inmediato en Castilla, podía dar que pensar.

Las dudas que se suscitaron en el ánimo de Fernando podrían suponerse que fueran más de sus consejeros, molestos por el escaso protagonismo que se le asignaba, si no tuviéramos testimonios directos, y en este caso del cronista Alonso de Palencia y del jurisconsulto Alfonso de la Caballería.

Fernando, perplejo por el rumbo que tomaban las cosas, abre su pecho al cronista. «Consultó mi parecer», nos dice Palencia. Y añade ya la confidencia de Fernando:

> Luego [7] me manifestó su extrañeza por no haber recibido carta alguna de doña Isabel sobre asunto tan importante...

Una extrañeza y un recelo mayores cuando le llega la noticia de que la Reina, el día de su proclamación, se había hecho preceder en el desfile de un cortesano portador de la espada, símbolo de la Justicia. ¡Y eso le afectaba directamente! Aquello se había tratado concretamente en las capitulaciones de Cervera.

Y Fernando lo acusa:

> Quisiera —se lamenta con sus consejeros— que Alfonso de la Caballería, como jurisconsulto, y tú Palencia, que leístes tantas historias, me dijeseis si hay en la Antigüedad algún antecedente de una Reina que se haya hecho preceder de ese símbolo, amenaza de castigo para sus vasallos.

Y prosigue receloso:

> Todos sabemos que se concedió a los Reyes; pero nunca supe de Reina que hubiese usurpado este varonil atributo...

Y como tanto Alonso de Palencia como Alfonso de la Caballería no pudieron citarle otro caso similar, la alarma de Fernando no hizo sino crecer:

---

[7] Esto es, al momento.

... el joven monarca se maravilló una y otra vez de la insólita acción[8]

Era un negro nubarrón que podía alterar las relaciones entre los esposos, con nefastas consecuencias para el buen gobierno del Reino que tenían que afrontar conjuntamente Isabel y Fernando. De ahí que se mostrara Alfonso de la Caballería tan alarmado y que pidiera a Juan II que interviniera, para llevar paz a los nuevos Reyes.

En efecto, el mensajero enviado por Isabel a Zaragoza, Gaspar Després, no alcanzó la capital aragonesa sino hasta el 18 de diciembre, dejando al criterio del Príncipe-rey la fecha de su regreso. Y aunque Fernando salió de Zaragoza al día siguiente de conocer el cambio producido en Castilla, que tanto le afectaba, el viaje lo hizo sin ninguna prisa, pasando por Calatayud, donde le llega más información de la proclamación de su esposa en Segovia, con el completo ceremonial de tan solemne caso, incluido el desfile de la Reina, siendo antecedida por Gutierre de Cárdenas, portador de la espada. O lo que era lo mismo, representando a Isabel en la plenitud de sus funciones como soberana salvaguardadora de la Justicia. Ahora bien, en las capitulaciones de Cervera ese era un aspecto que se trataba, y en el que se reconocía protagonismo a Fernando. ¿No estaba siendo demasiado orillado? Aun así, Fernando no apresuraría su marcha. No entraría en Castilla hasta el 24 de diciembre, pasando la Nochebuena en Almazán; precisamente la misma fecha y desde el mismo lugar en el que Alfonso de la Caballería escribiría tan alarmado a Juan II.

Algo era evidente: Fernando estaba sumamente contrariado por la forma en que se había hecho la proclamación de la Reina y el segundo término en que había quedado. Sigue su itinerario a través de la alta meseta soriana —Berlanga, Burgo de Osma—, afrontando una fuerte tormenta de nieve. El 31 de diciembre llega a Turégano, y allí se detiene. Está solo a una jornada de Segovia. Pero debe hacer un alto en su camino. No entrará en Segovia hasta el 2 de enero de 1475.

¿Qué estaba ocurriendo? Isabel le pide tiempo para tener a punto su solemne entrada. O quizá es el mismo Fernando el que se lo toma hasta conseguir la promesa de su esposa de que algo ha de cambiar.

Ambos, Isabel y Fernando, estos dos jóvenes príncipes de veintitrés y veintidós años, saben perfectamente que su éxito futuro —un

---

[8] Alonso de Palencia, *Crónica de Enrique IV,* ob. cit., III, págs. 315 y sigs.

Gil de Siloé: Sepulcros de Juan II de Castilla e Isabel de Portugal, padres de Isabel la Católica, en la cartuja de Miraflores

Enrique IV *el Impotente*. Dibujo en el Palacio Real de Madrid

Sello de Enrique IV. Biblioteca Nacional, Madrid

Sepulcro de Enrique IV, obra de Giraldo de Merlo. Monasterio de Guadalupe

Margarita de Austria por Bernardo van Orley. Museo de Bellas Artes de Bruselas

Gil de Siloé: Sepulcro del infante don Alfonso en la cartuja de Miraflores

Madrigal de las Altas Torres: Puerta de Cantalapiedra

Madrigal de las Altas Torres: Convento de las Agustinas, donde nació Isabel la Católica

Los Reyes Católicos. Óleo anónimo en
el convento de las Agustinas de Madrigal
de las Altas Torres

Primera página de los Desposorios de los
Reyes Católicos. Archivo de Simancas

Los Reyes Católicos con Santa Elena y Santa Bárbara. Óleo del Maestro Castellano. Museo Lázaro Galdiano, Madrid

Castillo de Arévalo, donde transcurrió la infancia de la Reina

Castillo de la Mota en Medina del Campo

Plaza Mayor de Medina del Campo, donde murió Isabel la Católica

La reina Isabel: Sillería del coro de la catedral de Plasencia, por Rodrigo Alemán

Auto de fe: Óleo de Pedro Berruguete (Museo del Prado, Madrid). Obsérvese la indiferenci
del clérigo sentado en el centro del cuadro

futuro todavía tan incierto con tanta nobleza levantisca y con la perspectiva de una lucha abierta contra la princesa Juana y sus partidarios, entre los que estaba nada menos que el Rey de Portugal— pasaba por llegar a un acuerdo: Isabel no renunciaría, como hemos de ver, a sus prerrogativas de Reina propietaria, no admitiría jamás quedar relegada al papel de Reina-consorte, dejando la corona en las sienes de su marido, pero sí estaría dispuesta a unas determinadas funciones de cosoberanía que, al menos, salvaran la dignidad del marido, que tampoco quedaría como un mero Rey-consorte.

Pero eso tenía que llevar su tiempo. Sería un compromiso que tendrían que negociar sus más altos representantes. Y entre tanto, lo que urgía ya era el encuentro de los dos soberanos en Segovia y su público buen entendimiento.

En suma, el que apareciesen ante el pueblo como una pareja enamorada. Porque eso era lo que podía hacerles más populares.

Y acaso era lo que ellos mismos estaban deseando.

No hubo, pues, comedia alguna en la forma en que, en aquella jornada del 2 de enero de 1475, Isabel acogió amorosamente a Fernando.

Conocemos el ceremonial de su solemne entrada. Cuando llega a las puertas de la ciudad, en la tarde del 2 de enero de 1475, le está esperando lo más granado de la nobleza castellana, como los Enríquez, los Mendoza y los Alba. Fernando entra acompañado, a un lado y al otro, de los dos personajes más destacados de la Iglesia española: el arzobispo de Toledo, Carrillo, y el cardenal Mendoza, el Cardenal de España. Ambos se malquieren y ambos aspiran a ser los grandes privados del nuevo Rey; de ahí que se vigilen y que ninguno quiera estar ausente en aquella solemne cabalgata.

Fernando, entre un pueblo que se apiña a su paso, llega a la cercana iglesia de San Martín y descabalga; ha de jurar los privilegios de la ciudad. Reanudada la cabalgata, se dirige por las estrechas calles del centro urbano a la catedral, entonces asentada frente por frente al regio alcázar.

La catedral es el escenario natural para el nuevo juramento del Príncipe: el reconocimiento de las leyes y fueros de Castilla.

En todo este ceremonial, en toda esta cabalgata, la Reina todavía no aparece. Será después, y en el mismo alcázar, que era su natural asiento, donde Isabel acoge a su esposo. Cuando Fernando llega al alcázar, ya la noche ha caído y la escena se alumbra con antorchas. Allí, en el patio, Isabel le aguarda. En todos los detalles hay un deliberado signo de probar públicamente ante el pueblo que Castilla tiene una

Reina soberana, que acoge cortésmente, e incluso amorosamente, a su marido. Pues Fernando es, y será a partir de ese momento, un personaje de primera fila: es el marido de la Reina, el Rey-consorte, al que se le darán especiales consideraciones, e incluso otras más, que llegarán después y que Fernando se sabrá ganar con su talento y su firmeza.

Pero la Reina, la Reina propietaria de Castilla, la gran Reina es Isabel, y con ese golpe teatral lo proclama bien alto.

Ese es el primer momento, presidido por lo político. Más tarde vendrá lo festivo, en el gran banquete que los nuevos Reyes celebran con la Corte en el viejo alcázar segoviano.

Quedaría para el final, como tercer acto de esa comedia palaciega, la jornada íntima, con la pareja regia refugiada en su cámara nupcial. Allí, en el secreto de la alcoba, esos jóvenes Reyes que han jugado su doble papel político y cortesano se despojan de sus vestiduras regias y se transforman en una pareja joven que, entre risas y reproches, acaban siguiendo su impulso juvenil para hacer, como cualquier otra pareja, simplemente el amor.

Pues aquella noche tenía algo de especial, algo mágico que debió de ayudar a superar los recelos y las desconfianzas: hacía varios meses que Isabel y Fernando no estaban juntos y era la primera vez que lo hacían siendo Reyes.

Eran jóvenes y tenían una regia noche por delante. Y a buen seguro que no la desaprovecharían.

Ahora bien, quedaba en el aire que las cosas había que mejorarlas, que un acuerdo más ponderado tenía que ultimarse.

Y esas serían las negociaciones futuras llevadas a cabo por Carrillo y Mendoza, que darían lugar a los llamados acuerdos de Segovia.

Pero esos acuerdos no habrían tenido lugar si previamente la pareja real no se hubiera reconciliado, si Fernando no lo hubiera planteado y si Isabel no hubiera accedido. Había que dar una reparación al amor propio, tan maltratado, del joven Rey.

Isabel era lo bastante lista y lo bastante prudente para entenderlo así. Ella sabía, mejor que nadie, que del buen entendimiento con Fernando pendía su futuro. Eran demasiados escollos los que todavía había que sortear para afrontarlos sin la ayuda de su marido, empezando porque lo que se avecinaba era la gran tormenta de la pugna con la princesa Juana, que ya de por sí solo, por ser la legítima hija del Rey fallecido, era toda una potencia, que además contaba con el apoyo de buena parte de la alta nobleza castellana y con el de su tío Alfonso.

Y daba la casualidad de que Alfonso era Rey de Portugal.

Por lo tanto, lo que estaba en puertas era toda una guerra, la guerra civil. Y allí era donde hacía falta un hombre de armas, un capitán, un Rey-soldado. Fernando había demostrado de lo que en ese terreno era capaz, ayudando a su padre en la guerra contra los rebeldes catalanes y contra sus aliados, los franceses.

Pronto le tocaría demostrarlo en Castilla, e Isabel lo sabía.

Por lo tanto, el juego amoroso de aquella noche tan especial estuvo salpicado de reproches y de promesas; pero, a la postre, hubo un acuerdo y eso les salvó. Y no haría falta que Isabel, aparte de argumentar que la ley en Castilla no excluía a las mujeres del trono, y que era bueno mantener ese principio, que era el que favorecía a la única hija que por entonces ambos tenían: aquella criatura nacida en 1471, que aún no había cumplido los cuatro años. Eso era cierto, pero no hubiera sido suficiente para apartar a Fernando de su ansia de poder de la que tantas muestras daría a lo largo de su vida. Simplemente, se encontró con una voluntad tan firme, que comprendió que lo que se le ofrecía era lo único que iba a conseguir; aunado, eso sí, a la seguridad de que de hecho su mujer le iba a dar mucha mayor participación en el mando de lo que se pudiera poner por escrito.

Poner por escrito los puntos principales de su acuerdo, eso sería en todo caso lo inmediato.

Y eso sería lo que al fin lograrían los dos representantes de ambas partes: el cardenal Mendoza, por Isabel, y el arzobispo Carrillo, por Fernando.

Esos serían los acuerdos de Segovia ultimados el 15 de enero de 1475. Venían a recoger lo anotado en las capitulaciones de Cervera. Fernando vería reconocido su derecho a intervenir en la Justicia del Reino y salvadas las apariencias, de forma que en la documentación oficial su nombre aparecería primero, si bien las armas de Castilla se antepondrían a las de Aragón. Pero en lo demás, en cuanto a los nombramientos para los cargos, tanto de alcaides de fortalezas como los civiles, en la presentación en Roma de candidatos para las sedes vacantes y en la concesión de mercedes, todo quedaría bajo el poder de Isabel, como Reina propietaria; y del mismo modo, la obtención de las rentas del Reino.

Pero Fernando conseguiría algo importante para él, que también lo sería para todo el Reino de Castilla, y sería en relación con lo que ya hemos apuntado, la administración de la Justicia; el notable acuerdo por el cual, estando juntos, la administrarían conjuntamente, pero si estaban separados, cada cual lo haría con plena potestad.

Tal es, en sustancia, lo contenido en el documento que lleva por título *Acuerdo para la gobernación del Reino,* que se conserva en el Archivo de Simancas[9].

Ahora bien, lo marcado por la letra del acuerdo quedaría matizado por la voluntad de la Reina, expresándose como mujer y como esposa, a tenor de los tiempos, en la «fabla» que, si hemos de creer al cronista, tuvo con Fernando. Y es bien posible que en tales términos, o en otros muy parecidos, Isabel le razonara así:

> Señor, no fuera necesario mover esta materia, porque do hay la conformidad que por la gracia de Dios entre vos e mí es, ninguna diferencia puede haber...

Además, ¿no era acaso Fernando el marido, con todo lo que eso suponía en la España de aquel tiempo? Y así añadiría Isabel:

> ... todavía vos, como mi marido, sois rey de Castilla, e se ha de facer en ella lo que mandáredes...

Cierto, lo firmado tenía su razón de ser, porque de ese modo se entendía en Castilla que era el derecho de las mujeres a heredar plenamente la corona, en carencia de varón, por delante y con preferencia a los varones que alegaran derechos, por ramas colaterales; aparte de que eso era lo que mejor les venía a ellos como padres, de momento, de una única hija. Y también en ese caso era bueno que, de aquella forma, se salvaguardaran sus derechos, como se había hecho con la Reina; pues en caso contrario, cuando su hija heredase la corona, al casarse con príncipe extranjero, todo el poder quedaría en manos extrañas, con grave daño para el Reino.

Aquí el cronista Pulgar, al hacer razonar de ese modo a Isabel, se convierte en un profeta, como si estuviera adivinando lo que habría de ocurrir treinta años después, en tiempos de Juana la Loca y de Felipe el Hermoso, su marido extranjero. Y no olvidemos que Fernando del Pulgar falleció en 1493, cuando nada hacía prever que Castilla acabaría en manos del archiduque de Austria. Por eso, esa parte del supuesto discurso de la Reina tiene mayor valor:

---

[9] Archivo de Simancas, Patronato Real, leg. 12; cf. Tarsicio de Azcona, *Isabel la Católica,* ob. cit., pág. 249, nota 17.

> Debemos considerar —es Isabel la que de ese modo sigue razonando con Fernando— que, placiendo a la voluntad de Dios, la princesa nuestra fija ha de casar con príncipe extranjero, el qual apropiaría así [10] la gobernación destos Reynos, e querría apoderar en las fortalezas e patrimonio real otras gentes de su nación que no sean castellanos, do se podría seguir que el Reyno viviese en poder de generación extraña... [11]

Por lo tanto, Isabel defendería algo más que sus derechos y los de su hija primogénita: los de sus vasallos de Castilla.

Algo más que su mero afán de gobierno y de protagonismo era lo que estaba en juego.

Y ahí radica, una vez más, la grandeza histórica de Isabel.

En la Concordia de Segovia hay que valorar también los acuerdos personales: en este caso, la seguridad dada por Isabel a Fernando de que le concedería de buen amor todo el protagonismo que por su condición de marido marcaba la mentalidad de la época. Y así ocurriría a lo largo del reinado, como hemos de ver; si bien la situación de hecho desbordaba a la pura legalidad, como se hubo de comprobar a la muerte de la Reina, momento decisivo en el cual Fernando pierde su condición regia en toda su plenitud de funciones, para convertirse en un aspirante a Gobernador de Castilla, puesto que no lograría mientras viva Felipe el Hermoso.

Quedaría por resolver el origen de la popular frase: *Tanto monta, monta tanto, Isabel como Fernando.* No se trata de la ampliación del lema fernandino que aparece en monumentos de la época, como en San Juan de los Reyes de Toledo, donde solo podemos leer: *Tanto monta.* Un benemérito estudioso de mediados del siglo pasado, Pedro Aguado Bleye, resolvió hace mucho tiempo el sentido del emblema fernandino. Acuñado por el humanista Antonio de Nebrija, el célebre gramático, no tiene nada que ver con unas relaciones paritarias con Isabel, sino con la leyenda alejandrina del nudo gordiano: igual da desatar que cortar.

Aun así, entiendo que desdeñaríamos abusivamente el instinto popular. Pues que se acabara interpretando con ese pareado tan conocido *tanto monta, monta tanto, Isabel como Fernando,* viene a decirnos, a

---

[10] En la ed. de Carriazo, «a sí»; para mí «así», eso es, si se le daba la preeminencia como varón.

[11] Fernando del Pulgar, *Crónica de los Reyes Católicos*, ed. cit., I, págs. 72 y 73.

la postre, que el buen pueblo fió en la armonía de los Reyes, y la entendió como la clave de la maravillosa recuperación de la Monarquía hispana.

Y en eso, el pueblo de Castilla no se equivocaba.

La guerra civil

¡La guerra civil! El pavoroso panorama de la guerra civil, ese mal endémico que sacude, siglo tras siglo, al pueblo español.

Con guerra civil se inician los tiempos modernos y con guerra civil da su comienzo el reinado de Carlos V. Esa es la que arroja a España definitivamente en su decadencia, a mediados del siglo XVII, bajo el reinado de Felipe IV, y la que convierte a su solar en la tierra por la que van y vienen a su antojo los ejércitos de Europa nada más apuntar el siglo XVIII, con el resultado del despojo de Gibraltar. Y a lo largo del siglo XIX serán tres las que se suceden, hundiendo a España en la mayor de las miserias, mientras que en el siglo pasado la guerra civil genera la muerte de cientos de miles de españoles, el exilio de otros tantos y el odio por doquier.

Hoy, pues, sabemos muy bien lo que España debe a la guerra civil. Y la pregunta es: ¿Tuvo Isabel conciencia de lo que se avecinaba, con su proclamación en Segovia como Reina de Castilla, enfrentándose a la princesa Juana? ¿Estaba segura de sus derechos? ¿Consideraba un deber defenderlos? Y sobre todo: ¿lo consideraba factible?

No nos cabe la menor duda: Isabel creía firmemente en sus mejores derechos frente a la princesa Juana. La reconocida impotencia de su hermano Enrique IV, la escandalosa vida de su mujer, la reina Juana, y el mismo hecho de que el Rey la reconociera como su legítima sucesora, en la entrevista mantenida en Guisando, en 1468, saneaban en ese sentido su conciencia. Y si ella era la legítima heredera, tampoco le cabía la menor duda de que tenía que defender sus aspiraciones con todas sus fuerzas. No era solo cuestión de ansias de poder, aunque eso también entrara en juego; era que lo veía como un mandato de lo alto, segura de que iba a poner lo mejor de sí misma para que aquella Castilla caótica entrara en orden y las cosas fueran de otra manera. Una pista de esa mentalidad nos la da que en las capitulaciones matrimoniales de Cervera se marque a Fernando como una de las prioridades políticas del nuevo reinado: la de reanudar la Reconquista, haciendo la guerra al reino nazarí de Granada:

... que seamos obligados de fazer la guerra a los moros, enemigos de la santa fee cathólica, como han fecho e fizieron los
otros cathólicos reyes predecesores... [12]

Ese sentimiento de vinculación con una tarea secular y sagrada da
pronto a Isabel un signo mesiánico, y en ese sentido hay que tomar la
noticia que nos transmite el cronista Fernando del Pulgar; de cómo a
poco de iniciar su reinado, se le oía invocar a los cielos para que le
alumbrasen, si justa era su causa. Con todas las cautelas de un texto,
en el que manifiestamente también entra en juego la pluma del humanista, es obligado traer aquí la fervorosa plegaria de la Reina.

El cronista nos presenta el estado de ánimo de Isabel:

> La Reyna —escribe— estaba muy turbada de ver los es-
> cándalos e alteraciones del Reino. E como desde su niñez
> había seydo huérfana e criada en grandes necesidades, consi-
> derando los males que había visto de la división pasada, rece-
> lando inconvenientes mayores por lo que veía presente, con-
> virtióse a Dios en oración. Y los ojos y manos alzados al cielo,
> dixo ansí:
> —Tú, Señor, que conoces el secreto de los corazones, sa-
> bes de mí que no por vía injusta, no con cautela ni tiranía, mas
> creyendo verdaderamente que de derecho me pertenecen es-
> tos Reinos del Rey, mi padre, he procurado de los haber, por-
> que aquello que los Reyes, mis progenitores, ganaron con tan-
> to derramamiento de sangre no venga en generación ajena.

Es entonces cuando la oración que Pulgar atribuye a la Reina cobra mayor sinceridad:

> Y tú, Señor, en cuyas manos es el derecho de los reinos,
> por la disposición de tu Providencia, me has puesto en este es-
> tado real en que hoy estoy, suplico humildemente, Señor, que
> oigas agora la oración de tu sierva y muestres la verdad y ma-
> nifiestes tu voluntad con tus obras maravillosas...

La Reina apelaba, pues, al sentido providencialista; a que, siendo
su causa justa, tenía que tener a Dios de su lado. Y no nos extrañe que

---

[12] Jaime Vicens Vives, *Historia crítica de la vida y reinado de Fernando II de Aragón*,
Zaragoza, 1962, pág. 247; cf. Gustavo Villapalos, *Fernando V*, ob. cit., pág. 77.

de ese modo siguen proclamándolo los gobernantes de nuestros días. De forma que la oración de Isabel seguiría:

> Porque si yo no tengo justicia, no haya lugar de pecar por ignorancia, e si la tengo, me des seso y esfuerzo para que con el ayuda de tu brazo lo pueda proseguir e alcanzar...

Eso sí, poniéndose como meta una sagrada misión propia de los grandes reyes y tan grata para los pueblos, en particular aquellos como los de Castilla, que tan necesitados andaban de conseguirla: la paz.

Y así la Reina terminaba su oración:

> ... e dar paz en estos reinos, que tantos males e destruiciones fasta aquí por esta causa han padescido.

Y el cronista añade, para asegurarnos que era algo de la Reina muy sabido por todos, e incluso como si él mismo se la hubiera oído rezar:

> Esto oían dezir a la Reina muchas veces en aquellos tiempos en público, y esto dezía ella que era su principal rogativa a Dios en secreto [13].

Insisto: no podemos tomar al pie de la letra esa oración de la Reina, tal como nos la transmite Fernando del Pulgar, pero tampoco la podemos desechar. Y no la podemos desechar porque nos da idea de con qué mentalidad entraba Isabel en la guerra civil. No nos cabe duda de su profundo sentido religioso, del que tantas pruebas daría a lo largo de su reinado. Y en ese orden de cosas, esa oración encaja plenamente en aquellos primeros meses de 1475, cuando todo resultaba tan incierto. Y no olvidemos que es cuando Pulgar inserta la oración de la Reina, antes de que ocurriera la defección del arzobispo Carrillo y antes de que el Rey de Portugal, Alfonso V, invadiera Castilla para luchar a favor de su sobrina la princesa Juana.

Esa convicción de que su causa era justa y que tenía a Dios de su lado (una convicción cada vez más arraigada, conforme se sucedían los éxitos de las empresas que acometía, aun las más difíciles) le daría grandes alientos y le haría ser muy valiente.

---

[13] Fernando del Pulgar, *Crónica de los Reyes Católicos,* ob. cit., I, pág. 101.

Con un peligro: que su religiosidad acabase en fanatismo; que no de otro modo se puede entender su inflexible actuación, implantando con la ayuda del Rey, en todo el Reino, el Tribunal de la Inquisición.

¿Con qué partidarios contaba Isabel? Los que acuden a su proclamación en Segovia no eran muchos, aunque sí algunos de los magnates más poderosos y destacados de aquellos tiempos; tales el duque de Alba, el Almirante de Castilla, Alonso Enríquez, el condestable Pedro Fernández de Velasco, el conde de Paredes (tan encomiado por su hijo Jorge Manrique en las célebres *Coplas),* el conde de Benavente y, sobre todo, el nuevo Cardenal de España, Pedro González de Mendoza. Entre cuatro de ellos surgió la primera Liga nobiliaria isabelina, a que nos hemos referido, en Segovia, el 27 de diciembre de 1474, cuando todavía Fernando no había regresado de Aragón. La firmaron el cardenal Mendoza, el Condestable de Castilla, el almirante Enríquez y el conde de Benavente, que venían a representar lo más destacado de la alta nobleza de la meseta superior. Primero prometían ayudarse los unos a los otros

... de todo mal y daño...

Era claro que la guerra estaba ya en el ambiente que se respiraba. Pero también se proclamaban ya fieles a la Reina:

Otrosí —añadían—, prometemos y seguramos que por cuanto todos nosotros estamos conformes para haber de seguir e servir a la Reina, nuestra señora doña Isabel, como a reina y señora natural nuestra e de aquellos regnos, con el rey don Fernando, su legítimo marido, nuestro señor...

Para mayor seguridad de lo cual

... firmamos la presente escriptura de nuestros nombres y mandámosla sellar con los sellos de nuestras armas[14].

¿Quiénes eran estos personajes? De suyo se entiende cuán importantes eran, sobre todo en Castilla la Vieja, al tener gran parte de sus dominios por tierras de Benavente, Medina de Rioseco, Burgos y Salamanca. Pero en el Reino de Castilla no era sino una pequeña parte. De ahí los esfuerzos de Isabel por atraerse otros aliados.

---

[14] *Memorias de don Enrique IV. Colección diplomática,* ob. cit., II, págs. 706 y 707.

Y no solo miembros de la alta nobleza y del alto clero, sino también de las principales ciudades del Reino, como Burgos y Toledo, a las que Isabel mandaría cartas para asegurarlas en su obediencia, prometiéndolas respetar sus privilegios, o bien perdonando sus alteraciones pasadas, como en el caso de la ciudad del Tajo.

Por lo tanto, una actividad frenética, que se dirigía también a presionar al Rey portugués Alfonso V, para disuadirle a que se metiera en aventuras mayores, sin olvidar un acercamiento al arzobispo Carrillo, del que tanto se esperaba y tanto se temía, quien cada vez se mostraba más distanciado de la Corte, con el agravio de que el capelo cardenalicio conseguido por Isabel y Fernando en 1473 no fuera para él, sino para su rival Pedro González de Mendoza.

Eran problemas de difícil solución, que inquietaban a Isabel, pero con su carácter animoso quiso dar una impresión de normalidad, de que todo estaba bajo control. ¿Y de qué modo? Organizando una gran fiesta cortesana, a principios de aquella primavera de 1475.

Por entonces, ya se hallaban los Reyes en Valladolid, donde el conde de Benavente había dispuesto para su alojamiento las casas palaciegas de Juan Vivero. Era como reanudar las jornadas de sus desposorios, como una segunda luna de miel. Y hubo fiestas cortesanas, incluida una justa en honor de la Reina, en la que participó el propio Fernando.

Era a comienzos del mes de abril, cuando Isabel estaba a punto de cumplir los veinticuatro años. Era una Reina joven y animosa, que tenía que dar la estampa de los nuevos días que esperaban al Reino, dejando atrás tantas jornadas tristes y vergonzosas que mejor era olvidar.

Su aparición en público fue todo un espectáculo, yendo a la jineta sobre una hacanea blanca y rodeada de las damas más jóvenes de su Corte, para que el efecto fuera deslumbrante. De ese modo desfiló por las calles de Valladolid, desde su aposento hasta la Plaza Mayor, rompiendo por entre un mar de gente. El buen pueblo de Castilla quería ver a su joven Reina y disfrutar con su gozo.

Y de ese modo, también Isabel se fue haciendo más popular.

No contribuyó menos la sutil propaganda que empezó a desplegar, empezando por la acuñación de las nuevas monedas conmemorativas del comienzo de su reinado.

Era esa una facultad regia, e importaba, por lo tanto, no olvidarla, porque de ese modo se afianzaba en el trono. Pero además era la ocasión para llevar a cabo esa propaganda de la estampa de los nuevos Soberanos, que llegase a todos los mercados, que estuviese presente día tras día en calles y plazas y que entrase en todos los hogares.

Una nueva moneda, por lo tanto, cuidada hasta el mínimo detalle por Isabel: la imagen de los Reyes, en el anverso, y en el reverso, el águila de san Juan, con las armas de Castilla y Aragón. Y todo con sus correspondientes leyendas. Y en todo, presente la mano de la Reina, bien asesorada por los humanistas de la Corte, pero reflejando su personalidad de cuerpo entero. Y de tal modo, que venía a ser como la corroboración a lo numismático de los acuerdos de Segovia.

De ese modo, la Reina ordenaría la acuñación de la nueva moneda, en este caso la de los excelentes:

> De la una parte —ordenaría Isabel— dos bultos: el uno del Rey, mi señor, y el otro mío, asentados en dos sillas, los rostros en continente, que se mire el uno al otro...

Esto es, la estampa de una pareja joven y enamorada. Una estampa que inspirara armonía. Pero había más. Había que asegurar al pueblo que la Reina confiaba en el Rey, su marido, y que en sus manos dejaba ejercer la Justicia, cuyo símbolo era la espada.

Y así añade en sus instrucciones:

> ... y el bulto del dicho Rey mi señor tenga una espada desnuda en la mano, y al mío un cetro, con coronas en las cabezas...

Y sobre ellos un lema, el propio de las monarquías autoritarias, que señalase cómo eran Reyes por la gracia divina:

> ... y diga en las letras de enderredor de los dichos bultos: *Ferdinandus et Elisabeth, Dei Gratia Rex et Regina Castellae et Legionis...*

Por su parte, el reverso de la moneda, con la estampa del águila de san Juan y los escudos de armas de Castilla y León, bajo el ala derecha, y de Aragón y Sicilia, bajo la izquierda, y también con su lema, para pedir la protección del Evangelista:

> ... sub umbra, alarum tuarum protege nos...

No se olvidaba Isabel de la moneda pequeña, en la cual quería afirmar la inquebrantable unión pactada y sellada con su marido, como la mejor garantía de que aquella armonía en la cumbre también tenía que corresponderse con la paz general. Y de ese modo ordenaría Isabel que en la moneda de los cuartos de reales apareciese este otro lema tan significativo:

Quos Deus coniunxit
homo non separet.

Era previsible: las gestiones de Isabel para apartar a Alfonso V de sus pretensiones sobre Castilla, como protector de su sobrina la princesa Juana, no dieron resultado; tampoco las dieron las intentadas con el marqués de Villena, el mozo, pieza importante, pues tenía en su poder a la Princesa. El Marqués había puesto como condiciones a su paso a las filas isabelinas un precio muy alto: nada menos que el título de Maestre de la Orden de Santiago, que ya había detentado su padre.

Eran las desatadas ambiciones de aquellos poderosos nobles que querían arrancar lo más posible de la Corona, aprovechando las serias dificultades de los Reyes en los inicios de su reinado. Pero también había no poco del odio heredado de su padre, de forma que aunque los Reyes le prometieron apoyar su petición en Roma, el marqués de Villena acabó por pactar con Alfonso V de Portugal, convenciéndole para que entrase en Castilla bien armado y, puesto que era viudo, para que se casase con su sobrina la princesa Juana y se titularan ambos legítimos reyes de Castilla y León.

Perdida esa partida, quedaba el jugar la baza de recuperar al antiguo aliado, el arzobispo Carrillo. Isabel no podía olvidar cuánto le debía y cómo gracias a su apoyo había podido liberarse de la sujeción que había sufrido en 1468 con la tiranía del marqués de Villena, el viejo; de forma que decidió llevar a cabo una gestión personal, saliendo de su segura estancia en Castilla la Vieja para pasar los puertos y presentarse en Alcalá de Henares, en pleno corazón de los dominios del Arzobispo, donde el adusto prelado-guerrero se había enriscado.

Fue una de las experiencias más penosas sufridas por Isabel en aquel año. A sus amistosas gestiones para una entrevista, la respuesta de Carrillo fue la de un hombre agraviado que se alimentaba con su rencor: si la Reina entraba en Alcalá por una puerta, él saldría de la villa por otra. Y a poco soltaría la jactanciosa frase: él había sacado a Isabel del telar y él la volvería a la rueca.

Para entonces, entrado el mes de mayo, se sabía de la entrada de Alfonso V en Castilla, llegando con sus fuerzas a la ciudad de Plasencia, para apoyar la causa de la princesa Juana.

La guerra era inevitable. Y por lo tanto, Isabel tenía necesidad de allegar un ejército y de encontrar un capitán que lo dirigiese. El ejército lo pudo formar, mal que bien, no solo con las mesnadas de los nobles que le eran fieles, sino también con la peonada reclutada en dos regiones que le eran adictas: el País Vasco y, por supuesto, las Asturias de cuyo principado era titular desde 1468.

Y en cuanto al capitán, no podía ser otro que Fernando, al que vemos así configurarse como el primer Rey-soldado de los tiempos modernos, y a quien la Reina concedería plenos poderes, y en esta forma:

> ... para que donde quiera que fuese en los dichos reynos e señoríos, pueda por sí e en su cabo, aunque yo no sea ende, proveer, mandar, fazer e ordenar todo lo que fuera visto e lo que por bien toviese e lo que le pareciere cumplir al servicio suyo e mío...

Hasta aquí las consideraciones generales. Pero estamos a finales de abril y la guerra con Portugal y contra los partidarios de la princesa Juana es ya inevitable. Por lo tanto, el poder dado por Isabel a Fernando, su marido, tiene que precisar más:

> ... lo que le pareciere cumplir al servicio suyo e mío, *e al bien, guarda e defensión de los dichos reynos e señoríos nuestros...* [15]

Un mes más tarde, Fernando, como poseedor de tan amplios poderes, declara ya la guerra en los términos tradicionales de la época contra Alfonso V, el portugués, y contra sus seguidores, incluidos los castellanos partidarios de Juana:

> ... la guerra por mar e por tierra contra el rey de Portugal... y contra todos mis desleales...

¿Cuál era el mapa político de la Corona de Castilla en aquella primavera de 1474? Ya hemos consignado los más importantes no-

---

[15] En la obra cit. de Jaime Vicens Vives, *Fernando II de Aragón*, pág. 399; cf. Tarsicio de Azcona, ob. cit., pág. 251.

bles que se habían declarado por Isabel, en su mayoría señores de amplios dominios en la meseta norte: los Enríquez, de Medina de Rioseco; los Fernández de Velasco, de las tierras burgalesas; los Pimentel, de Benavente; en fin, los García de Toledo, señores de Alba de Tormes. También estaban los Manrique, de Paredes de Nava; el marqués de Santillana, y, entre las grandes figuras del clero, el cardenal Pedro González de Mendoza. Isabel contaba, además, con la fidelidad del principado de Asturias y del señorío de Vizcaya, tierras de donde conseguiría no pocos soldados para sus peonadas. Sus gestiones con algunas ciudades habían dado fruto en Toledo, pero no en Madrid, y ni siquiera en Burgos. Al sur del Tajo todo parecía incierto. A finales de mayo, Alfonso V de Portugal entraba con su ejército por Extremadura, para unirse con los nobles castellanos descontentos en Plasencia. Allí se proclamaría a la princesa Juana como la legítima Reina de Castilla. Y el portugués, atendiendo a los consejos del marqués de Villena, se desposaba con su sobrina, aunque no pudiera, por su corta edad —tenía trece años—, consumar el matrimonio. Con lo cual, Alfonso V no hacía sino seguir lo iniciado desde Portugal a poco de conocer la muerte de Enrique IV. Entonces se dirigió a la nobleza castellana para recordarles los derechos de su sobrina, fortalecidos por la última declaración en su lecho de muerte de Enrique IV:

> ... la declaró por su verdadera heredera e subcesora de sus regnos, como su legítima e natural hija... [16]

Una llamada a la que respondieron no pocos nobles, y entre los principales, el marqués de Villena, don Diego Pacheco (el mozo), el duque de Arévalo y señor de Béjar y Plasencia, don Álvaro de Estúñiga (o Zúñiga), el maestre de Calatrava, don Rodrigo Girón, y don Alonso Téllez Girón, conde de Urueña.

Contra los tales era preciso pelear con las armas y con la propaganda. Al punto, Isabel proclamó la rebelión de aquellos nobles, declarándolos fuera de la ley, ordenando la confiscación de sus bienes, por haber conspirado contra la corona y haber traído a Castilla al Rey de Portugal, reos por lo tanto del crimen de lesa majestad:

---

[16] *Memorias del rey Enrique IV. Documentos,* ob. cit., II, págs. 707 y 708.

... han cometido crimen lesa magestatis... [17]

Era forzoso allegar las mayores fuerzas posibles, en especial desde que las gestiones con Carrillo habían sido inútiles.

Todo se mostraba incierto. Y en aquel continuo ir y venir, pasando los puertos, entre Toledo y Ávila, la Reina se encontró mal. Y tanto, que a poco abortó. Aquello era la prueba de la amorosa concordia con su marido Fernando, la huella de aquellas alegres fiestas abrileñas tenidas en Valladolid, pero también de las duras pruebas a que había estado sometida. En particular, la defección de Carrillo y la invasión del Rey portugués fueron los hechos que más le acongojaron.

Pero era preciso hacerse fuerte. Era imprescindible reaccionar y no caer en el desánimo. Había que sortear aquellas primeras jornadas, tan adversas, y llamar a todos los leales.

Entre ellos estaban los naturales de su querido principado de Asturias.

Porque una cosa resultaba evidente: la primera gran batalla en aquella guerra civil iba a tener por escenario a Castilla la Vieja. Y en ese terreno, el apoyo de Asturias podía ser de gran ayuda, como lo sería el de Vizcaya. De hecho, sabemos que los Reyes reclutaron no pocos soldados en aquellas tierras. Y su intervención en la guerra fue reconocida por el propio Fernando; después de su victoria en Toro, escribiría a la ciudad de Oviedo, agradeciéndole el envío de caballeros y escuderos

... e otras gentes... [18]

Aquel primer año de su reinado fue muy duro para Isabel. A la pérdida del hijo tan anhelado se unían las malas nuevas que le llegaban de todas partes. En Extremadura, algunas de sus principales ciudades, como Trujillo, Mérida, Medellín y, por supuesto, Plasencia, se le declaraban rebeldes. Del sur de Murcia nada se sabía. Y en Castilla la Vieja los partidarios de Juana se habían hecho fuertes en Burgos, en Toro y en otros lugares pequeños como Castronuño y Cantalapiedra, pero de

---

[17] Cédula de Isabel, Toledo, 24 de mayo de 1575 (*Memorias de Enrique IV. Documentos,* ob. cit., II, págs. 708-710).

[18] Véase mi trabajo «Asturias en el siglo XVI», en *Historia de Asturias,* Vitoria, Ayalga Ediciones, 1977, VI, págs. 21 y 22.

fuerte emplazamiento, como era el caso del castillo de Castronuño, dominador del curso medio del río Duero, entre Toro y Tordesillas. La propia Zamora, que era como la llave del Reino, la fortaleza frente a la vecina Portugal, se declaraba por Juana.

Y entró el desánimo. Algunos consejeros propusieron negociar con el portugués. Se sabía que Alfonso V, descontento por no conseguir el apoyo que esperaba en el plano internacional de Luis XI de Francia, y notando que el pueblo llano de Castilla le era más adverso de lo que esperaba, se inclinaba por la negociación. Eso sí, sobre la base de que su renuncia a Castilla viniera compensada por la entrega de Galicia —¡la tierra que hablaba su lengua!— y de aquellas dos ciudades que ya estaban en su poder: Zamora y Toro.

Y en el campo isabelino hubo dudas. El propio Fernando flaqueó unos instantes.

Pero allí surgió la indómita Isabel. Ella era la Reina legítima de Castilla y no dejaría ni una almena a sus enemigos. Que las armas lo decidieran.

Uno de los problemas más acuciantes para Isabel y Fernando sería cómo afrontar los gastos que se les venían encima con la amenaza de la guerra. De hecho, en la primavera de 1475 no podían pagar ni siquiera a la guardia personal. Al llamamiento general hecho al Reino acudieron no pocos Grandes con su clientela y también las ciudades y villas mandando soldados pagados, tanto peones como jinetes. Si hemos de creer a Fernando del Pulgar, los Reyes pudieron juntar en Valladolid unas fuerzas bastante importantes: 20.000 jinetes y 50.000 peones de infantería [19]. Lo que hacía falta era hacer de aquellas fuerzas heterogéneas un auténtico ejército. Y además, de entrada, aunque los grandes señores pagaran sus mesnadas y las ciudades las fuerzas que habían reclutado, quedaba por abonar el sueldo de la guardia real [20], sin contar los otros gastos inevitables que acompañan a toda movilización general. De ahí que los Reyes pidieran ayuda a las Cortes, convocadas en Medina.

Pero era insuficiente. Aunque las Cortes se mostraran favorables al esfuerzo económico que se les pedía, resultaba imposible allegar pron-

---

[19] Fernando del Pulgar, *Crónica de los Reyes Católicos,* ob. cit., I, pág. 142.

[20] «E porque no tenían dinero —los Reyes— para pagar sueldo a la gente de armas que con ellos estaban, pensaron por muchas maneras dónde lo podían haber...» (Fernando del Pulgar, *Crónica...,* ob. cit., I, pág. 143).

to esos recursos con una Castilla tan revuelta. De ahí que surgiera en el Consejo de los Reyes la idea de acudir al tesoro de la Iglesia; no en su totalidad —eso hubiera sido considerado como un despojo abusivo—, sino la mitad de su plata, con la promesa solemne de su devolución cuando la Corona hubiera dominado la situación.

Tal sería la petición de la Reina. Y que fuera aceptada por la mayoría del clero castellano, alto y bajo, nos muestra algo importante: la pronta sintonía entre la Corona y la Iglesia, que sería una de las notas más significativas de la nueva monarquía. Salvo excepciones, esa Iglesia castellana apostaba por Isabel frente a Juana. Y no cabe duda de que el apoyo que Juana recibía de Portugal, así como la amenaza de una invasión por Vascongadas del ejército francés de Luis XI, hacían más impopular a Juana, al tiempo que hacían aparecer a Isabel como la representante genuina de la nación castellana.

Por otra parte, Isabel, que sabía cuánto se jugaba si fallaba en su promesa, no faltaría a su palabra, restituyendo poco a poco a lo largo de su reinado lo mucho que en aquellos primeros momentos había recibido[21].

La penuria económica, la enemiga de algunos Grandes de cuantía, como el marqués de Villena o como el duque de Arévalo, el cambio de actitud del arzobispo Carrillo, hasta entonces su máximo valedor, junto con la invasión portuguesa por tierras extremeñas y su ocupación de plazas tan importantes como Zamora y Toro, en el corazón de la Castilla meseteña, sin olvidar la amenaza francesa de asaltar el País Vasco, todo hubiera hecho flaquear a cualquiera, abandonando la lucha.

A cualquiera, menos a los nuevos Reyes. Tanto Fernando como Isabel darían pronto muestras de un carácter enérgico, dispuestos a luchar hasta el final. El uno daría ese primer signo por escrito; la otra, con una valiente reacción ante la mala nueva de que estaba a punto de perderse una de las más importantes ciudades, por su historia y por su emplazamiento.

Estamos hablando del Testamento hecho por Fernando en la primavera de 1475 y de la vigorosa reacción de Isabel por no perder a León.

---

[21] Es una de las investigaciones más notables realizadas por Tarsicio de Azcona, que dedica no pocas páginas a esa cuestión, sobre la base de estudios muy concretos, como el realizado sobre las iglesias de Zamora (Tarsicio de Azcona, *Isabel la Católica*, ob. cit., págs. 299-304).

El Testamento de Fernando es del mayor interés. Ya que aquel joven Rey pensara en testar de cara al verano en que la guerra era una realidad incuestionable, nos demuestra que sabía bien hasta qué punto peligraba su propia vida; estamos, pues, ante el Rey-soldado, pero también ante el creyente, una estampa que no debemos olvidar.

Dos cuestiones nos llaman la atención en ese Testamento: la primera, un aspecto muy personal de Fernando, que nos prueba el grado de intimidad a que había llegado con la Reina, lo que nos ayudará a comprender que ambos pudieran después superar algunos enfrentamientos provocados por los primeros reveses de la guerra. En cuanto a la segunda cuestión, apunta a la misma España.

La intimidad de Fernando al descubierto: ¡nada menos que pidiendo a Isabel que no desatendiera, caso que él faltase, a sus hijos naturales! Y no solamente de aquellas criaturas debía cuidar la Reina, sino también de sus madres, como la hermosa Aldonza Ros de Ilsorza, la madre del que sería tan importante figura del reinado, Alfonso de Aragón, el futuro arzobispo de Zaragoza. Y lo cierto es que Isabel atendió aquel ruego.

Es cierto que Fernando se referiría a Isabel en unos términos que se salen de las corrientes frases ceremoniosas propias de tales documentos. Al aludir a su hija, la Princesa, a cuánto la amaba, no puede menos de recordar también a su mujer:

> ... la amo muy afectuosamente y más que a su hija legítima unigénita, si más puede ser, especialmente *por ser hija de Reyna y madre tan excelente...*

Y es en relación con su hija, la Princesa, cuando Fernando declara su mayor ambición política: la futura unidad de España. ¡Cuestión en verdad importante, altísima cuestión de Estado, formulada por aquel joven Rey que acaba de cumplir los veintitrés años! Y sintiéndola tan profundamente, como la grave tarea histórica que tienen él y la reina Isabel entre las manos, que no duda en pedir a su padre, Juan II, para que vuelque toda su influencia

> ... su poderío real absoluto...

para que en la Corona de Aragón se derogasen las leyes que apartaban a las hembras de la sucesión directa al trono. Pues el proyecto era que aquella princesa Isabel, que entonces era una niña de seis años, lo heredase en su día todo, las dos coronas de Castilla y Aragón, resultando así en el futuro

> ... unidos —los reinos de Aragón— con estos de Castilla y de León...

De ese modo, y ese era el gran proyecto de Isabel, del que ahora se hace eco Fernando, llegaría un día

> ... que sea un Príncipe rey y señor y gobernador de todos ellos.

Era un plan grandioso. Era cambiar aquella España medieval, tan fraccionada y dividida, por otra moderna, capaz de integrarse en la Europa renacentista que estaba surgiendo. Y todo, por supuesto, para el bien y mejora de sus súbditos:

> Y porque este bien público es cierto y notorio... [22]

Si tenemos ya a un Fernando ganado tan de lleno por la joven reina Isabel, su esposa, mostrando grandeza de ánimo desde aquellos primeros momentos de su reinado, no menos los daría Isabel, de forma personal y directa, en un inesperado lance, muy peligroso, que afrontaría y resolvería con una decisión y una firmeza impresionantes, como signo de lo que luego sería una constante a lo largo de su reinado.

Nos lo refiere con todo detalle el cronista Fernando del Pulgar. Ocurrió que de pronto llegó a la Corte de Isabel, estando en Valladolid y ausente Fernando —entonces tratando de reducir Burgos a la obediencia regia—, la alarmante nueva de que el alcaide de las torres de León, Alfonso de Blanca, andaba en tratos secretos con el Rey de Portugal para entregarle la plaza.

Era una noticia verdaderamente grave. Con Burgos en rebeldía, con Toro en poder del portugués, la caída de León hubiera tenido unos efectos desastrosos en todo el Reino.

Era preciso reaccionar, e Isabel reaccionó. Ante la imposibilidad de contar con la ayuda de Fernando, ella tomó como suya la empresa.

---

[22] El Testamento de Fernando está comentado ampliamente por Jaime Vicens Vives en su notable estudio sobre el Rey. Cf. también la obra de Tarsicio de Azcona, *Isabel la Católica,* ob. cit., págs. 275-277.

Como la Reina fue desto certificada, luego a la hora cabalgó... E pospuestos todos los empachos que impiden los caminos a las mujeres, especialmente a las grandes reinas, anduvo catorce leguas sin descabalgar...

Resultado: al día siguiente la ciudad amaneció con la estupenda noticia para el pueblo: ¡la Reina estaba en León!

A quien no le pareció tan buena la nueva fue al alcaide Alfonso de Blanca, sobre todo cuando recibió la orden perentoria de presentarse ante la Reina. Fue una audiencia reveladora del carácter de Isabel, que pronto todo el mundo comentaría. Nada más ver ante sí al alcaide, le espetó:

Alcaide: A mi servicio cumple que me entreguéis esta *mi* plaza que tenéis.

Demudado, el alcaide trató de dar largas y pidió tiempo para sacar sus cosas. ¡Trataba de salir, de escapar sin duda! Pero la Reina no se dejó engañar:

A mí place —le atajó con tono cortante— que saquéis todo lo vuestro, pero no cumple a mi servicio que os partáis de aquí do yo estoy fasta tanto que yo sea apoderada de mi fortaleza...

¡Mi fortaleza! No cabía duda de quién era la Reina, de quién era Isabel.

Y así se resolvió la espinosa cuestión, quedando ya para siempre León en el servicio de Isabel. La Reina cumplía lo que había declarado ante quienes le proponían un pacto con Alfonso V de Portugal, para que abandonara Castilla, si bien recibiendo todo el reino de Galicia y las dos plazas fuertes de Toro y Zamora: que ella no entregaría ni una almena de aquellos reinos que había heredado de su padre, Juan II.

En el verano de 1475, Fernando e Isabel lograron juntar un razonable ejército, entre las mesnadas de los grandes señores que les eran adictos, y la peonada reclutada por las villas y ciudades de Castilla, amén de las que les habían llegado de Asturias y del País Vasco.

Tropas bastantes en número pero todavía mal integradas, distando, por lo tanto, de constituir un verdadero ejército, y eso se había de notar. Sin embargo, Fernando se aprestó con ellas a cercar la ciudad de Toro, en cuyas cercanías plantó su campamento.

Pero no tuvo fortuna. De pronto le llega la noticia de que Alfonso V se había hecho con Zamora, entrando con ejército bien pertrechado por aquella brecha del Duero.

Y cundió la alarma. Había el peligro de caer entre dos fuegos, de tener que combatir en campo abierto contra el Rey portugués y de encontrarse a las espaldas con las tropas enemigas que defendían Toro. Y ante ese riesgo, los nobles que acompañaban a Fernando le instaron a que buscase la salvación en la retirada.

Aquel golpe de caballeros concentrados ante la tienda del joven Rey puso en gran recelo a la peonada, sobre todo a los asturianos y vizcaínos. Corrió la voz de que aquella nobleza quería obligar al Rey a retirarse, y tanto les alteró que a punto estuvo de saltar un motín, con las peores consecuencias; solo la prudencia, el tino y el don de gentes que tenía Fernando (dotes que tanto realce le darían a lo largo de su reinado) pudieron salvar lo peor, como hubiera sido una sublevación de aquellas milicias populares, con la sangre que hubiera corrido y con la ruptura irreversible, a buen seguro, de aquel equilibrio entre las mesnadas señoriales y las peonadas concejiles que estaban intentando Isabel y Fernando.

Pero, en todo caso, lo que no se pudo mantener fue el cerco de Toro, ni mucho menos presentar combate al Rey portugués, tan fuerte en Zamora.

Y así, medio en desorden, abatidos y polvorientos, como ejército en retirada, llegaron aquellas tropas a Tordesillas.

Tordesillas, donde les esperaba la Reina. Pero Isabel aguardaba, ilusionada, unas tropas radiantes, trayéndole la noticia de la victoria, con la toma de Toro y la derrota del ejército portugués.

Lo que se presentó a su vista le ofendió de tal manera que entró en un arrebato de ciega cólera. Y con tanta furia que ordenó un severísimo escarmiento sobre los primeros caballos que a la villa llegaron.

El texto del cronista, en este caso del anónimo autor de la llamada *Crónica incompleta,* no puede ser más expresivo, si bien quepan dudas de si la Reina ordenó el castigo ejemplar de aquellos primeros jinetes que le portaban la señal de la derrota, para ella ignominiosa, o simplemente el de sus caballos.

El texto dice así:

> Como la Reyna supo su venida, ovo tan grand sentimiento que non se pudo sofrir de non cabalgar, y con ella ciertos de caballo...

Parece entenderse, de los caballeros que con ella estaban. Y es entonces cuando se produce el estallido de cólera de la Reina:

> ... y mandó alancear los caballos de aquellos delanteros que venían y trabajó por los hacer tomar [23], *deziendo palabras de varón muy esforçado más que de muger temerosa...*

Esto es, la orden de Isabel, según el testimonio de ese cronista, sería de detener a los primeros jinetes que ante ella aparecieron y de alancear sus monturas.

Con ese ánimo, Isabel trató ásperamente a Fernando en el consejo celebrado al día siguiente. Y tanto que el Rey no pudo reprimirse. ¡Cómo! Llegaban al menos sanos y salvos, ¿y así eran maltratados? ¿Acaso una batalla perdida era perder la guerra? Ocasión habría para mejorar la suerte de las armas:

> Dad, señora, a las ansias del corazón reposo, que el tiempo y los días os traerán tales victorias...

Pero también Fernando se fue calentando, como réplica a la andanada recibida, contestando a la encolerizada Reina como de un joven caballero maltratado podía esperarse:

> Mas siempre las mugeres —estas son las razones que el cronista pone en boca de Fernando—, aunque los hombres sean dispuestos, esforzados, hazedores y graçiosos, son de tan mal contentamiento...

La indignación de Fernando no para ahí. Él también sabía lanzar sus buenas andanadas, como la que acabaría arrojando contra Isabel:

> ... mugeres... de tan mal contentamiento, *especialmente vos, Señora, ¡que por nascer está quien contentar os pueda!* [24]

---

[23] Esto es, prender o apresar.

[24] El texto de la *Crónica incompleta,* comentado por Jaime Vicens Vives, para quien ve aquí la prueba de la dura represalia mandada hacer contra los primeros caballeros que habían llegado huidos de Tordesillas; para Tarsicio de Azcona, la furia de Isabel solo descargaría contra los caballos, no contra sus jinetes. Sin duda, la cita del cronista no permite precisarlo, si bien volvemos a recordar que en los documentos del tiempo la infantería se nombra con frecuencia por *peonada* o *peones,* mientras que la caballería solo por *caballos,* sobrentendiéndose, evidentemente, que con ello se aludía tanto a las bestias como a sus jinetes.

Pasaría aquel verano aciago y el otoño. Fernando aprovecharía el tiempo para poner en mejor orden su ejército, consciente de que la gran batalla contra los partidarios de la princesa Juana estaba por llegar.

Y eso ocurriría cuando todavía no había acabado el invierno del año 1476.

Sería la decisiva batalla de Toro.

Y así fue como, tras amagos y tanteos, ora sobre Burgos, ora sobre Zamora, Fernando se decidió al fin a dar la batalla decisiva.

Sería en los campos de Peleagonzalo, en las tierras ribereñas del Duero cercanas a Toro y al sur del gran río.

La fecha, el 1 de marzo de 1476, cuando todavía un invierno lluvioso fustigaba y fatigaba a los soldados de uno y otro bando.

El ejército con el que Alfonso V de Portugal había entrado en Castilla se cifraba entre los 15.000 y los 20.000 soldados, de ellos, 5.000 jinetes; a los que había que añadir las mesnadas con las que acudieron sus aliados, principalmente los cuatro magnates denunciados por Isabel —el marqués de Villena, el duque de Arévalo, el maestre de Alcántara y el conde de Urueña—, amén de las milicias que acaudillaba el arzobispo Carrillo. Para hacer frente a esa amenaza, los Reyes hicieron un llamamiento solemne a sus leales más próximos:

> El Rey e la Reyna —leemos en Pulgar— acordaron de llamar todos los caballeros y gentes de armas de pie de sus reynos, e de las Montañas e de Vizcaya e de Guipuzcoa e de las Asturias e Castilla la Vieja…

Consiguieron así, junto con las mesnadas de la alta nobleza castellana, nivelar la balanza, allegando unos 25.000 soldados; contando entre ellos los comandados por el Cardenal de España, Pedro González de Mendoza.

Y eso merece un comentario aparte. Que los dos prelados más importantes de la Iglesia dejasen sus hábitos religiosos para calzarse las botas de soldado suponía un olvido tan manifiesto de sus obligaciones evangélicas que no puede dejarse sin alguna reflexión; porque lo asombroso es que nadie se escandalizase y que los propios Reyes no lo lamentasen. De hecho, lo que lamentaban no era que Carrillo se armase de soldado, sino que lo hiciese para militar en el campo contrario. Lo cual nos dice, y no poco, sobre la mentalidad de la época. La gente estaba tan hecha a los continuos actos de violencia, que veían la guerra no como un mal, sino como la posible vía para superar el caos en que se vivía; como esperando que el vencedor fuera a poner algo de orden en aquella sociedad tan combatida por los poderosos. Y en ese orden de cosas, Isabel y Fernando llevaban ventaja, porque representaban la novedad: una Corona firme, por encima de las banderías nobiliarias; todo lo contrario de lo que proclamaban con sus hechos y con su pasado el marqués de Villena y el resto de los partidarios de la princesa Juana.

Esa Corona nueva iba a pasar su prueba de fuego en aquella batalla librada en la jornada del 3 de marzo de 1475.

Como hemos indicado, el ejército de los Reyes era un abigarrado conjunto de peones reclutados en la meseta, en Asturias y en el País Vasco (lo que venía a constituir el ejército real), junto a las mesnadas señoriales llevadas por los Grandes adictos a Isabel. Pulgar nos describe la formación de aquellas tropas, al estilo medieval, en el momento de prepararse para el combate, en los campos de Peleagonzalo, ese pequeño lugar en la ribera meridional del Duero, cercano a Toro, del que dista menos de dos leguas.

Antes de la gran batalla de Fernando por librar a Castilla de los portugueses, Isabel se esforzó por conseguir otras ventajas, negociando para que los indecisos y los dudosos, que no eran pocos, y al fin castellanos, dejasen la causa del portugués para volver a la suya. Tal fue lo que consiguió en Zamora, incluso estando allí Alfonso V con su sobrina y asistido del arzobispo Carrillo; pues los emisarios de Isabel lograron atraerse al alcaide que defendía el puente zamorano sobre el Duero, un capitán de nombre Francisco de Valdés. De forma que, ante la llegada de cien jinetes isabelinos, al punto mudó de partido al grito que ya empezaba a sonar cada vez más en las tierras meseteñas:

¡Castilla, Castilla, por el rey don Fernando e por la reina doña Isabel!

De allí vino a poco el quedar Zamora por Isabel, abandonando la ciudad Alfonso V, receloso de que los zamoranos se alzasen en su contra, afrentándole en las mismas calles y plazas de la ciudad. De modo que se salió de Zamora para refugiarse en Toro, dejando solo el castillo bien proveído para su defensa, pero no pudiendo impedir que Fernando entrase en la ciudad y se apoderase de ella.

Tampoco estuvo inactiva Isabel frente a Burgos, cuyo sitio tuvo que desamparar Fernando para acometer la acción de Zamora. Avisada de que la ciudad y su fortaleza se rendían, dejó Valladolid y franqueando con diligencia, en pleno invierno (pues era en los primeros días del mes de enero), las quince leguas que le separaban, arrostrando un duro temporal de viento y nieve, aquella joven Reina que aún no había cumplido los veinticinco años se presentó en Burgos. ¡Ahí era nada! ¡Burgos, la *caput castellae,* la cabeza mayor de Castilla! Aquella era una espina que había hecho sufrir a Isabel, que la vieja ciudad castellana se le hubiera mostrado rebelde.

E Isabel supo mostrarse generosa con los que se le rendían. A dos de los mayores cabecillas burgaleses, Íñigo López de Stúñiga y Lope de Rojas, les dio regias indemnizaciones, a cambio de los oficios que se les retiraban.

Sería una política a la que Isabel se mostraría fiel: clemente y hasta generosa con los que solicitaban volver a su gracia, y rigurosa con los que se mantenían rebeldes hasta la rendición.

Eran dos notables ventajas. Con Zamora y Burgos vueltos ya a su obediencia, Castilla la Vieja era cada vez más de la Reina.

Y al mes siguiente, en el de febrero, otra grata nueva: Madrid, hasta entonces bajo el dominio de los partidarios de la princesa Juana, se rendía a las fuerzas de la Reina, en este caso a las que mandaba el duque del Infantado. Y de igual modo, tanto Pedro de Ayala, el comendador que rindió sus puertas, como los principales nobles de la villa —los Vargas, los Zapata— que solicitaron el perdón regio, obtuvieron el mismo trato generoso de Isabel.

Que todos supieran que la Reina no guardaba rencores.

Una política de conciliación estaba en marcha.

Faltaba, eso sí, la victoria decisiva sobre enemigos y rebeldes para que esa política de concordia diera todos sus frutos. Algo a refrendar en el campo de batalla, para mostrar que aquella clemencia no era un signo de debilidad.

Y allí entraría en juego Fernando.

Sería la tarea a cargo de aquel joven Rey-soldado que todavía no tenía más que veintitrés años, pero que pronto se iba a distinguir como uno de los más señalados capitanes de su tiempo. Cierto que secundado por la reina Isabel, siempre a punto para mandarle los mayores auxilios y para mantener la retaguardia enfervorizada en su empresa, que era la de ambos.

Porque Isabel sería incapaz de esperar pasivamente en Valladolid el resultado de la gran batalla. Sabedora de lo que estaba en juego, decidió dejar la villa del Pisuerga, para acercarse al escenario de los acontecimientos, poniendo sus reales en Tordesillas.

Con qué ánimo lo haría nos lo expresa muy bien el cronista:

> ... se vino para Tordesillas, por estar más cerca de Toro e Zamora, *para proveer a las cosas necesarias a la guerra*...[25]

Entre tanto, Fernando aprestaba sus fuerzas en los altozanos de Peleagonzalo.

Era, ya lo hemos comentado, un ejército a la usanza medieval, no tanto por su armamento, como por su organización. Al lado de los ballesteros y saeteros estaban también los que portaban armas de fuego: las espingardas. La pólvora, por lo tanto, jugaría su papel, en especial por las piezas de artillería de la época, como lombardas y culebrinas; sin faltar, sobre todo en las horas nocturnas, la sorpresa de las minas. Pero la estructura seguía siendo a la vieja usanza, con las mesnadas agrupadas bajo su noble señor. Eran «las batallas», con gentes de armas (la caballería pesada) y jinetes armados de espadas. Pero también otras «batallas» compuestas por las milicias urbanas. Todos estos efectivos estaban desplegados en dos alas, protegiendo el centro donde tenía su propia batalla el Rey, con su estandarte real. Seis escuadrones integraban «la batalla» del ala derecha, en su mayoría con capitanes profesionales, pero no faltando tampoco los obispos-soldados, como el de Ávila; mientras en el ala izquierda estaban los Grandes de Castilla que más se habían distinguido por su lealtad a Isabel: el Cardenal de España, el almirante Enríquez y el duque de Alba.

Y en el centro, el Rey, aquel joven monarca que desde que era un chiquillo sabía lo que era la guerra. Le acompañaba lo mejor de su gente, amén de un hombre de su mismo linaje:

> En la batalla do iba su persona e su estandarte real —nos relata Pulgar—, iba don Enrique Enríquez, su tío, en guarda de la persona del Rey, con algunos caballeros, dos criados, y otros continos de la casa real...[26]

Como capitán joven, Fernando se mostraba, más que valiente, casi temerario:

> El Rey, como era mancebo, aunque de continuo andaban con él gentes en guardas de su persona, pero poníase en las es-

---

[25] Fernando del Pulgar, *Crónica de los Reyes Católicos,* ob. cit., I, pág. 178.
[26] Ibídem, pág. 208.

caramuzas e lugares peligrosos, e peleaba por su persona con gran ánimo...[27]

Con ese mismo ánimo entró en el combate contra Alfonso V de Portugal, en los campos de Peleagonzalo, cercanos a Toro.

Era un día lluvioso, de los primeros de marzo, cuando la meseta empieza a desprenderse del invierno. Hoy, esos campos están sosegados, tranquilos, casi dormidos, desiertos. El espectador acude para evocar la jornada. Ha dejado, a la otra orilla del Duero, a la ciudad de Toro, bulliciosa, con la gente metida en su quehacer cotidiano. En contraste, la campiña comarcana muestra paz y sosiego. Es también un día de los primeros de marzo. Brilla el sol y una ligera brisa baila entre las yerbas del campo.

Es la misma tierra que en tiempos fue sacudida por la tormenta de la batalla. La paz y el sosiego se tornan, de pronto, en furia, en ruido del entrechocar de las armas, en el fragor del combate: cuarenta o cincuenta mil hombres, entre peones y jinetes, luchando enardecidos. Los unos gritando: «¡Alfonso, Alfonso!». Y los otros, al fin vencedores, el grito que desde entonces resonaría por toda Castilla:

¡Fernando, Fernando!

Y así horas enteras, hasta que la victoria fue cayendo del lado castellano.

Porque esa era la cuestión. Más que una guerra civil, más que la lucha entre los partidarios de Isabel y los de Juana, lo que allí se ventilaba era la pugna entre Castilla y Portugal. Y resultó que los castellanos pusieron más ardor en la contienda, como quienes defendían su identidad; no olvidando, sin duda, que antaño habían sido los portugueses los que les habían vencido en los campos de Aljubarrota, fieros por afianzar su independencia.

Y mientras tanto, Isabel permanecía expectante en Tordesillas, a tan solo una jornada de distancia, esperando ansiosa el correo que le anunciara acaso lo peor, la derrota, e incluso la prisión o la muerte del Rey, su marido, o la liberadora victoria.

Que al fin fue la buena nueva que el correo le llevó:

---

[27] Fernando del Pulgar, *Crónica de los Reyes Católicos,* ob. cit., pág. 166.

—Haced cuenta —tal sería el mensaje de Fernando— que en esta jornada Nuestro Señor os ha dado toda Castilla[28].

De forma más precisa, y con lenguaje de soldado, daría cuenta Fernando de su gran victoria a todas las ciudades del Reino.

Y lo haría hablando en primera persona, como orgulloso de su gran victoria, ansioso de la fama con ella conseguida. Que no en vano estamos ya en la época del Renacimiento. Y así se referirá al adversario como «su» enemigo:

Bien creo habéis sabido cómo *mi adversario de Portugal…*

Y las decisiones tomadas en la jornada, «sus» decisiones:

… e luego como se conosció que ellos partían, *acordé de salir a pelear con ellos…*

O bien:

… *acordé* de dejar algunas partes de mis gentes…, *e ir yo en persona…*

O, en fin:

… delibré de dar la batalla…

De modo que suyo era el triunfo, el triunfo de aquel joven Rey-soldado:

… me volví con victoria…

El Rey portugués, temeroso de verse acorralado en Zamora, decide salir de la ciudad buscando el refugio de Toro:

Ayer viernes en la noche, que fue primero día deste mes de marzo, acordaron ese mismo día de cargar su fardage antes

---

[28] «La reina doña Isabel estaba en este medio tiempo en Tordesillas, e lo supo en poco espacio. Así volvió el rey don Fernando a Zamora con mucha honra vencedor, e fizo cuenta que en aquella noche Nuestro Señor le había dado a toda Castilla» (Andrés Bernáldez, *Memorias del reinado de los Reyes Católicos,* ob. cit., pág. 59).

> que amanesciese, e venido el día, se partieron del dicho arra-
> bal e fueron la vía de Toro...

El enemigo, pues, temeroso, salía de Zamora, se escapaba, huía buscando el refugio de Toro. Era el momento de perseguirle, de acosarle, de no darle respiro, de combatirle sin tregua hasta derrotarle.

Recordemos la decisión del Rey:

> ... e luego como se conosció que ellos partían, acordé yo salir
> a pelear con ellos...

Ya tenemos al joven capitán, al Rey-soldado, al veinteañero Fernando mostrándose como el forjador de su fortuna. No hay en él duda alguna. Todo es voluntad firme: que hablen las armas y que el portugués sea expulsado de Castilla.

Alfonso V se apresura a dejar Zamora, escondido con las primeras luces del día. Va tan acelerado que Fernando tiene que echarle encima su caballería ligera, para frenar su fuga. Al fin le pueden alcanzar cuando ya se avistaban las torres de Toro:

> ... nin le podimos alcanzar fasta una legua de Toro, en un
> campo que se llama Pelayo González...

El portugués ya no puede rehuir el combate, pero se atrinchera bien y se prepara a resistir el asalto de Fernando, poniendo en primera línea sus espingarderos y sus cerbateros; esto es, la infantería y la artillería ligera (las cerbatanas o culebrinas) que puedan conseguir una potencia de fuego capaz de contener a la caballería enemiga.

La posición ventajosa, el mayor número de soldados, la menor fatiga, todo parece estar a favor del portugués.

Y tanto, que no pocos de sus capitanes aconsejan a Fernando de no aventurarse al combate. Pero una cosa falta al portugués que sobra al joven Rey-soldado: el ánimo.

> ... pero yo —proclama Fernando orgulloso—, con acuerdo de
> los dichos Grandes, confiando en la justicia que yo e la serení-
> sima Reina, mi muy cara e muy amada mujer, tenemos a estos
> nuestros Reinos...

No faltaba, claro está, la confianza en el apoyo divino. Hasta el apóstol Santiago será recordado, y en ese momento no hablará el aragonés ni el nuevo Rey de Castilla, sino el que combate por España:

> ... con el ayuda del apóstol Santiago, patrón e cabdillo de las Españas, delibré de dar la batalla...

Narra después los lances del combate: el desbaratar la tropa enemiga, el tomar su pendón real, con muerte de su alférez, el capturar la mayoría de sus banderas; en fin, el poner en fuga al ejército de Alfonso V:

> ... fue fuyendo...

Y los que no pudieron escapar, los unos muertos en el campo de batalla, los otros «afogados» en el Duero, y no pocos hechos prisioneros, de forma que la victoria fue rotunda:

> ... e así me volví con victoria e mucha alegría a esta cibdad de Zamora, donde llegué a la una después de la media noche...[29]

Asaz tarde, tras jornada tan dura, tan larga, tan aventurada, tan peligrosa y tan fatigosa. Pero Fernando era un Rey mozo y la propia victoria le daba fuerzas para no sentir la fatiga corporal y sí la alegría del triunfo.

Porque él era consciente, como diría a la Reina, de que con aquella gran victoria había ganado Castilla para Isabel.

Ahora sí que Isabel y Fernando eran los Reyes de Castilla.

Es importante destacar ese sentimiento nacional, incluso por encima de Castilla, o con una Castilla representativa de las Españas: Fernando se acoge a la protección del apóstol Santiago, el de la leyenda, el que la imaginación popular veía acudiendo siempre en ayuda de los españoles en los momentos cruciales de su existencia.

De ese modo reaccionó Isabel, cuando transmite la noticia de la victoria, en cuanto la conoce, a las ciudades del Reino. No se trataba de una guerra civil, sino nacional. Estaba en juego la supervivencia de Castilla frente a un invasor extranjero, en este caso Portugal:

---

[29] Carta de Fernando a la ciudad de Baeza dando cuenta de su victoria lograda en Toro, Zamora, 2 de marzo de 1475 (*Memorias del rey don Enrique Cuarto. Colección documental,* ob. cit., II, págs. 712-714).

—Fagovos saber —comunicará la Reina a la ciudad de Murcia— que en esta hora me llegó una nueva cómo ayer, viernes primero deste mes, el adversario de Portugal...

La Reina, jubilosa, detalla los incidentes de la gran victoria de Fernando, y la sacraliza poniéndola bajo el signo divino:

... con la gracia de Dios, nuestro Señor, y de su bendita madre, el Rey, mi señor, venció...

Y advierte el castigo que habían tenido los portugueses, al entrar armados en Castilla:

... morieron muchos portugueses, y los otros que quedaron, se retroxeron fuyendo a Toro... [30]

Muerte cruel o fuga ignominiosa para los portugueses. Clara victoria para Fernando y, en consecuencia, para Isabel de Castilla.

Era la justa réplica a la derrota que los castellanos habían sufrido, un siglo antes, en los campos portugueses de Aljubarrota. Y tan en el recuerdo de Isabel estaba esa estampa vindicativa que al punto se planteará la magna construcción de un magnífico monasterio conmemorativo de aquella histórica jornada.

Estaba germinando el hermoso monasterio franciscano de San Juan de los Reyes, alzado en Toledo, cuyas obras se iniciarían al año siguiente de la victoria y que durarían hasta 1504; por lo tanto, lo que el reinado de Isabel.

Fernando, después de su victoria, se volvió a Zamora. Era importante rematar la batalla campal con la reducción del castillo zamorano, todavía en poder de los portugueses.

---

[30] Isabel a la ciudad de Murcia, 2 de marzo de 1476; carta publ. por Juan Torres Fontes, *Don Pedro Fajardo adelantado mayor del reino de Murcia,* Madrid, 1953, pág. 276. Curiosamente, los cronistas portugueses sostendrían que la victoria fue del príncipe Juan, el hijo de Alfonso V, que aguantó en campo abierto la posible embestida de las tropas de Fernando, quien prefirió no tentar en aquella ocasión la suerte; algo comentado ya, y no sin gracia, por el P. Mariana en su célebre *Historia de España,* un siglo largo después: «Los historiadores portugueses encarecen mucho este caso —refiere—, y afirman que la victoria quedó por el príncipe don Juan...». Y añade, con humor: «así vengan los enemigos del nombre cristiano...» (P. Mariana, *Historia de España,* ed. cit., II, pág. 439).

Isabel quiso unirse a su esposo. No podía faltar a aquella cita histórica. Así que, dejando Tordesillas, se presentó en Zamora el 5 de marzo. Dos semanas después el castillo se rendía a los Reyes.

Zamora, la emblemática ciudad del Duero, llave de Castilla, ya era plenamente de Isabel.

Era la hora de convocar Cortes para poner las bases de la pacificación del Reino.

LAS CORTES DE MADRIGAL

Es significativo que Isabel escogiera a Madrigal, la villa donde había nacido, para celebrar en ella las primeras Cortes importantes de su reinado. Así lo hizo en el mes de abril de 1476, el mes en el que habría de cumplir los veinticinco años.

Era ya la Reina de Castilla, reconocida como tal por su pueblo. No importaban, o quedaban atrás, las dudas sobre la legitimidad de su rival, la princesa Juana. Cada vez más se afianzaba en toda Castilla que Isabel era la Reina que necesitaban, la que había de volver a dar días de paz, e incluso de gloria, a la tan trabajada y sufrida nación castellana.

E Isabel también era consciente de ello, y que era el momento de proclamar ante sus súbditos cuáles eran sus propósitos; si se quiere, su elemental programa de gobierno. Ella era la elegida por Dios para gobernar Castilla; eso ya lo había señalado en las monedas recién acuñadas: ella, Isabel, y Fernando, su legítimo esposo por ella elegido, eran Reyes por la gracia divina (*reges Dei gratia*). Estamos ante una monarquía sacralizada, con tendencia al absolutismo; pero no para usar arbitrariamente del poder, sino consciente de que ese poder dado por Dios les obligaba de forma estricta a gobernar bien; lo que se cifraba en administrar recta justicia: *Justitia Regnorum fundamenta* (La Justicia es el fundamento de los Reinos).

O como Isabel proclamaría ante las Cortes castellanas convocadas por ella en Madrigal: Dios hacía a los Reyes sus lugartenientes en la tierra para que gobernaran bien, y de ello les tomaría cuentas el día del gran juicio:

> A quien más da Dios —se lee en las Actas de aquellas Cortes—, más le será demandado. Y como Él hizo sus vicarios a los reyes en la tierra e les dio gran poder en lo temporal, cierto es que mayor servicio habrá de aquestos e más le son obligados...

Y se añadía, para dejar bien sentado que sabían que aquel era un poder prestado, cargado de responsabilidades:

> ... y esta tal obligación quiere que le sea pagada en la administración de la justicia, *pues para esta les prestó el poder...*

Por lo tanto, un poder ejercido con el mayor sentido de la responsabilidad. Y puesto que la lucha contra los invasores portugueses iba por tan buen camino, era la hora de tomarse un respiro para organizar un sistema que garantizase el orden en aquella Castilla tan maltratada.

Era lo que aquellas Cortes querían oír. De ahí que sus procuradores propusieran a la Reina la organización de una liga ciudadana para imponer la paz y el orden, en especial en el campo, donde el bandidaje cometía mil violencias:

> ... robos e salteamientos e muertes e feridas e presiones de hombres...

Y eso diariamente, lo que precisamente había favorecido la invasión del Rey de Portugal ayudado de algunos nobles castellanos rebeldes.

Y aquí importa comprobar cómo aquellas Cortes consideraban a los tales nobles: no solo eran rebeldes, sino también desleales

> ... e enemigos de la patria...

Para combatir ese desorden y esa insufrible violencia, las Cortes de Madrigal propondrían un remedio radical: la creación de la hermandad entre los pueblos:

> ... cada cibdad e villa con su tierra entre sí, e las unas con las otras...

Y los Reyes así lo promulgaron para poner la paz en el campo, teniendo autoridad para castigar con pena de asaetamiento a los que cometiesen robos, violencias y muertes en los caminos y despoblados.

Nacía la Santa Hermandad en Castilla, con antecedentes medievales, pero con mejor asentamiento jurídico, para imponer, por encima de las arbitrariedades de los poderosos locales, una justicia que cada vez sería más popular.

Era otro triunfo de la Reina. El Ordenamiento de la nueva Hermandad se aprobaría el 19 de abril de 1476. Era también una señal inequívoca de que Castilla tenía ya sus Reyes, y que solo era cuestión de tiempo el que todos lo reconocieran así.

LAS SUMISIONES DE LOS NOBLES REBELDES

Una de las pruebas más evidentes de la fuerza que iba tomando la nueva Monarquía de Isabel y Fernando, tras la batalla de Toro y las Cortes de Madrigal, es la rápida llegada a la Corte regia de mensajeros de los principales nobles rebeldes para acogerse al perdón de la Reina; y así fueron incorporándose magnates como el duque de Arévalo, Álvaro de Stúñiga; el maestre de Calatrava, Rodrigo Girón, e incluso Diego López Pacheco, marqués de Villena, y el más arisco de todos, Alfonso Carrillo, arzobispo de Toledo y antiguo valedor de Isabel cuando todavía no era más que una Princesa de dudoso porvenir político.

En todos esos casos, Isabel procedió conforme lo había hecho con las ciudades, como Burgos y Madrid, que se le habían entregado por la vía de la negociación. Se perdonaba la antigua rebelión y se garantizaba la permanencia del patrimonio de aquella alta nobleza. No habría, pues, ni crueles venganzas ni humillantes expolios. Naturalmente, marcando ciertas limitaciones, como en el caso de Álvaro de Stúñiga; Isabel no podía permitir que siguiera titulándose duque de Arévalo, villa que pertenecía a su madre, la Reina viuda. Eso sí, se le mantenía el título —el más elevado dentro de la alta nobleza—, pero vinculado a otro de sus dominios. Y de ese modo, los Stúñiga o Zúñiga se convirtieron en duques de Béjar, en cuya histórica villa tanto gustarían de residir en el siglo siguiente, como lo mostrarían sus notables residencias palaciegas como la famosa denominada El Bosque.

La más difícil de esas sumisiones sería la del arzobispo Carrillo, que no podía olvidar que en un tiempo había aspirado a ser la primera figura del Consejo de los Reyes; pero mantendría su dignidad arzobispal, aunque desecharía la oferta de Isabel de tornar a la Corte.

En todo caso, a lo largo de la primavera y a finales del verano de 1476, estas cabezas tan destacadas de la nobleza «juanista» habían ya dejado de ser un problema para los Reyes.

LAS ALTERACIONES DE SEGOVIA

Pero cuán alterados estaban los ánimos y los peligros que todavía podían sobrevenir, tuvo ocasión de comprobarlo Isabel aquel mismo verano, con las alteraciones surgidas en Segovia.

La cuestión era grave porque, además de que Segovia era una de las ciudades leales a la Reina y de las más fuertes de toda Castilla, era lugar que poseía alcázar regio y, además —y esto sí que era sumamente delicado—, donde, en aquellos primeros tiempos tan revueltos, Isabel y Fernando habían dejado allí a su hija, la princesa niña Isabel, que entonces contaba con seis años. Obligada la Reina a un continuo ir y venir por la meseta, con asiento principalmente en Tordesillas, pero con un constante desplazamiento a los puntos más conflictivos, bien para ayudar al Rey, su marido, bien para resolver ella personalmente los problemas más acuciantes y más inmediatos, consideró que lo mejor para la seguridad de su hija, la Princesa, era dejarla al cuidado de Beatriz de Bobadilla, la esposa de Cabrera, a cuyo cargo estaba el alcázar segoviano y el tesoro regio —la herencia de Enrique IV— allí guardado; otra prueba de la confianza de la Reina en aquella amiga de su infancia.

Pero ocurrió que Cabrera abusó del poder que le había dado la Reina, provocando así la enemiga del patriciado urbano, en particular cuando sustituyó al alcaide del alcázar, cargo ocupado por Alfonso de Maldonado, por su suegro Pedro de Bobadilla.

Era un evidente abuso, para aumentar su influencia, su poder y su riqueza.

Y se produjo el chispazo. El agraviado, Alfonso de Maldonado, dio un golpe de mano en el mismo alcázar y a punto estuvo de apoderarse de su mayor tesoro: de la Princesa niña.

Era el 31 de julio de 1476. Isabel se alarmó. ¡En Segovia estaba su hija, la Princesa! Cualquier mal suceso podía ocurrir, como que cayera en manos de los amotinados, por no pensar en una desgracia mayor. Y eso cuando ella, la Reina, estaba sola, pues Fernando había acudido a Fuenterrabía, para liberarla del cerco francés.

Así que era preciso actuar, y sin pérdida de tiempo. Estamos ante uno de los momentos más difíciles de aquellos primeros años del reinado. La tensión vivida por la Reina queda bien reflejada en el texto del cronista Pulgar:

Esto sabido por la Reina —nos refiere—, que estaba en Tordesillas, luego a la hora[31] cabalgó... e vino a Segovia...

Probablemente, Isabel cortaría su camino, yendo por Olmedo y Santa María la Real de Nieva. En todo caso, no menos de cien kilómetros, o lo que es lo mismo, y en términos del tiempo, unas quince leguas, que la Reina franquearía sin darse tregua, en una cabalgata sin apenas reposo; tan solo el mínimo al que obligaba el tomar un bocado y el dar un respiro a los caballos.

Encontró a la ciudad tan alterada que sus consejeros —con ella iban el cardenal Mendoza y el conde de Benavente— le pidieron prudencia, no fuera que algún segoviano se atreviese a un desacato mayor.

En efecto, el riesgo era grande. Los amotinados le advirtieron que no se atreviese a entrar por la puerta de San Juan, y menos que lo hiciese en compañía del conde de Benavente y de doña Beatriz de Bobadilla.

Allí se vio quién era Isabel. ¡Cómo! ¿Podía tolerarse que sus súbditos le pusiesen condiciones? Así que, herida su dignidad real, supo dar esta altiva respuesta:

—Decid vosotros a esos caballeros e cibdadanos de Segovia que yo soy la reina de Castilla, y esta ciudad es mía..., e para entrar en lo mío no son menester leyes ni condiciones...

Y añadió, fiera:

Yo entraré por la puerta que quisiere y entrará conmigo el conde de Benavente e todos los otros que entendiere ser complidero a mi servicio...

Y nadie osó oponerse a su mandato, de forma que penetró en la ciudad, cabalgó por sus calles hasta plantarse ante el alcázar. Y allí tuvo que vérselas con una nueva prueba, pues el pueblo armado quería expulsar a los soldados puestos por Cabrera en las puertas y murallas. La Reina, ya en el alcázar, fue aconsejada que no permitiese entrar al pueblo, no cometiese alguna violencia que ya no tuviese remedio.

Y otra vez el instinto político de Isabel se puso de manifiesto, junto con su ánimo valiente. De forma que, desoyendo a sus consejeros,

---

[31] Esto es, inmediatamente.

mandó abrir las puertas, dejando entrar al pueblo al primer patio, donde ella les estaba esperando.

La presencia de la Reina, tan imprevista, maravilló a la gente, por lo inesperado. Y más cuando la oyeron decir:

> Decid agora vosotros, mis vasallos e servidores, lo que queréis, porque a lo que vosotros viene bien, aquello es mi servicio e me place que se faga... [32]

Un verdadero golpe teatral que ganó al pueblo segoviano. A partir de ese momento, Isabel se sintió amada por aquella gente, que irrumpió en gritos, vitoreando a su Reina. Puso a Gonzalo Chacón, hombre de toda su confianza, como alcaide del alcázar, quitando al odiado Pedro de Bobadilla, pero mantuvo a Cabrera en su cargo; eso sí, quitándole la custodia de la Princesa, su hija, a la que llevó consigo.

EL VIAJE AL SUR Y EL FINAL DE LA GUERRA

La vida de la Reina sería un continuo bregar, sobre todo en los primeros años de su reinado. Sin embargo, pese a tanto ir y venir, pese a tanto trasiego, todavía no se le ve salir de la meseta. Eso no lo haría hasta el verano de 1477. Hasta entonces, todo ese trajín viajero estaría centrado en las tierras de Castilla la Vieja: Madrigal, Arévalo, Valladolid, las dos Medinas, Tordesillas, Segovia... Esos son los nombres de la geografía isabelina en sus primeros veinticinco años.

A finales de 1476, el 11 de noviembre, algo va a ocurrir que cambia ese panorama: la muerte del conde de Paredes, Rodrigo Manrique.

Ahora bien, Rodrigo Manrique, además de ser el padre del famoso poeta, y de dar pie a uno de los poemas más populares de la España de todos los tiempos, era también Maestre de Santiago, la Orden militar más importante de España.

Sin duda, a los Reyes la noticia no les cogió desprevenidos. Tenían bien meditado que el poderío de las Órdenes militares era tal, tanto social como económicamente, que la Corona no podía quedar al margen de aquel proceso. Tanto es así que en cuanto conocen la noticia de la muerte del conde de Paredes envían inmediatamente un correo a

---

[32] Fernando del Pulgar, *Crónica...,* ob. cit., I, págs. 270 y 271.

Roma, y concretamente al cardenal Rodrigo Borja, del que tan buen recuerdo tenían por su actuación diplomática de hacía tres años, para que pidiese a Sixto IV que la administración de la Orden quedase en manos de la Corona.

Los acontecimientos se precipitaban. El castillo de Toro, el mayor puntal que Alfonso V de Portugal seguía manteniendo en el corazón de Castilla, se rendía el 19 de octubre; una capitulación que, por la importancia que tenía, la Reina había presenciado, desplazándose allí personalmente.

En efecto, hallándose todavía en Segovia, tras los sucesos del mes de agosto, supo que Toro se había rebelado contra los portugueses, y que la guarnición había abandonado la ciudad, refugiándose en la fortaleza, a cuyo frente estaba entonces, curiosamente, otra mujer: doña María Sarmiento, esposa de Juan de Ulloa, quien a su vez controlaba la Mota de Medina.

Ausente Fernando, no le hizo falta a Isabel la presencia de su marido para organizar el combate contra la fortaleza de Toro. Ordenó tal demostración de fuerza, en especial de artillería, que puso espanto en sus defensores:

> Mandó asimismo traer gruesas lombardas e otras muchas artillerías, e grandes ingenios para combatir la fortaleza...[33]

Resultado: María Sarmiento, temiendo la indignación de la Reina, prefirió acogerse a su clemencia, rindiendo la fortaleza, al tiempo que empujaba a Juan de Ulloa a hacer lo mismo con la Mota de Medina.

Quedaban todavía algunos residuos de plazas rebeldes (Cantalapiedra, Sieteiglesias, Cubillas, y sobre todo Castronuño), pero nada en comparación con lo que suponía Toro, una ciudad de tanta importancia en la cuenca del Duero que incluso tenía representantes en las Cortes de Castilla.

De vuelta Isabel a Valladolid es cuando le llega la nueva de la muerte del Maestre de Santiago. Y otra vez se pone en marcha, sin Fernando, ocupado en las cosas de la guerra, tanto por reducir las cuatro villas rebeldes como por atender a lo que ocurría en el País Vasco, con la defensa de Fuenterrabía frente a la acometida francesa.

---

[33] Fernando del Pulgar, *Crónica...*, ob. cit., I, pág. 285.

De ese modo, demostrando una vez más que nada ni nadie era capaz de impedir cumplir sus objetivos, en pleno invierno, como si el frío ni la nieve le hiciesen mella, en el mes de diciembre, Isabel abandonó Valladolid para franquear la sierra, camino de Uclés.

Era el 6 de diciembre. Isabel dejaba atrás las tierras de Castilla la Vieja donde había pasado toda su existencia, salvo el paréntesis de aquel semicautiverio sufrido en Ocaña en 1468, cuando todavía vivía su hermanastro Enrique IV. Tardaría cinco años en regresar a las tierras que le habían visto nacer. Entre tanto, entre esas jornadas de Uclés de diciembre de 1476, y su regreso a Medina del Campo, el 1 de febrero de 1482, en esos cinco largos años, ¡cuántas cosas pasarían!

De ellas, y aun con su importancia, casi sería de las menores la cuestión del maestrazgo de la Orden de Santiago. Vendría después la pacificación de Extremadura, el viaje triunfal a Sevilla —¡y el asomarse al mar, por primera vez en su vida!—, el nacimiento del Príncipe heredero —aquel don Juan, de tan triste andadura—, las paces con Francia —tras la derrota de los franceses ante Fuenterrabía— y con Portugal —tras la victoria sobre el último intento portugués en Albuera—, la conjunción al fin de las dos Coronas de Castilla y Aragón, al morir el octogenario monarca aragonés Juan II en los principios de 1479, con la reorganización del gobierno de Castilla, y el viaje largo y triunfal por tierras de Aragón, hasta asomarse de nuevo al mar, y en este caso al Mediterráneo, desde la hermosísima ciudad de Barcelona.

De todo ello, vamos a recordar ahora los primeros sucesos entre esos finales de 1476 y el otoño de 1479, esos tres años que ven a Isabel desplegar su diplomacia ante la Orden militar de Santiago, su firmeza frente a las ciudades rebeldes del corazón de Extremadura —en particular, Trujillo—, su entrada triunfal en Sevilla y, en fin, los últimos coletazos de la guerra portuguesa, con la definitiva paz de Alcáçobas.

En Uclés, cabeza de la Orden de Santiago, la presencia de Isabel impresionó a los comendadores de la Orden santiaguera, reunidos para elegir a su nuevo Maestre. La Reina no anduvo con medias tintas. Conforme a su enérgico proceder, les hizo saber que aquello no estaba dispuesta a consentirlo:

> … que suspendiesen aquella elección que querían fazer, porque no cumplía a servicio del Rey ni suyo, ni al bien de sus Reinos…

Y dejando entrever cuán seria era la cosa y a qué se exponían negándose a ello, aún les añadió:

... e que no convenía que otra cosa fiziesen... [34]

La fama de cuán peligroso era caer en el enojo de la Reina resolvió rápidamente la cuestión:

... porque era mucho temida de todos... [35]

Estaba en marcha la incorporación de las poderosas Órdenes militares a la Corona, que tan importantes consecuencias, tanto económicas como sociales, iba a tener a lo largo de la Edad Moderna. De forma que cuando Fernando fue sabedor de ello, acudió rápidamente donde estaba su mujer; pasando ambos después a Toledo.

Fue un momento triunfal. Poco a poco, las grandes ciudades de la Monarquía asistían al despliegue regio de aquellos jóvenes Soberanos, tan llenos de energía, de talento, de firmeza, que daban una impresión tan fuerte, que a todos sojuzgaba.

Era la segunda vez que Isabel estaba en Toledo, tras la que había hecho en la primavera de 1475, en su intento fallido de reconciliación con el arzobispo Carrillo. Ya entonces Toledo había acogido bien a su Reina, pero ahora venía a celebrar con ella el triunfo sobre las tropas de Alfonso V de Portugal logrado en la batalla de Toro [36].

Pero no todo eran buenas noticias, porque por entonces Sixto IV decidió conceder la Bula de dispensa familiar, que permitía la boda entre Alfonso V de Portugal y su sobrina la princesa Juana; lo cual era como dar alas al Rey portugués en sus intentos de renovar su aventura castellana.

Los Reyes dejaron Toledo a finales del mes de febrero, colocando a su frente como corregidor a uno de sus hombres de máxima confianza: Gómez Manrique. Y con una orden expresa: que impusiera el orden tajantemente, aniquilando todo tipo de bandos nobiliarios y, por supuesto, haciendo justicia de los malhechores que todavía seguían campando a sus anchas. Nada de banderías.

Que no se consintiese que nadie invocase el nombre de ningún caballero para tomarse la justicia por su mano. La única justicia en adelante sería la de los Reyes:

[34] Fernando del Pulgar, *Crónica...*, ob. cit., I, pág. 287.
[35] Ibídem, pág. 288.
[36] Eloy Benito Ruano, *Toledo en el siglo XV,* Madrid, CSIC, 1961, págs. 124 y sigs.

... que ninguno non sea osado, quando algún escándalo o quistión oviese en la dicha cibdad, de acudir a ningún caballero ni a otra persona, nin llamar su apellido, antes que todos e cada uno con sus armas, a vos, el dicho Corregidor, e a vuestros alcaldes e alguaciles, se junten con vos...

Porque los que otra cosa hiciesen, sobre ellos caería el peso de la justicia regia, con pérdida de sus bienes[37].

Y no solo pérdida de los bienes, sino también en ocasiones la propia vida; tal le ocurrió al antiguo alcaide del puente toledano de Alcántara, Juan de Córdoba.

Era la cara rigurosa del poder que cada vez con más frecuencia mostrarían los Reyes.

No había sido Isabel la que se había mostrado tan rigurosa, sino uno de sus consejeros más apreciados, Gómez Manrique; pero lo había hecho en su nombre. Pronto llegó a difundirse ese rumor por toda Castilla: la justicia de Isabel podía ser implacable.

Era como una consigna: que los rebeldes contumaces tuvieran por cierto que el hacha del verdugo pendía sobre sus cabezas. Y para imponer esa orden Isabel se valía y se sobraba sola. Todavía se vio juntos a los dos esposos en Madrid, pero ya en aquella primavera se separaron, cada uno cumpliendo sus funciones: Fernando volviendo a Castilla la Vieja, para reducir los focos rebeldes todavía activos en la zona media del Duero (Cantalapiedra, Cubilla, Sieteiglesias y Castronuño), sin olvidar el socorro en el norte a Fuenterrabía, mientras que Isabel se dirigía hacia el sur; primero, acudiendo a las tierras extremeñas, para después desplazarse a la opulenta Andalucía.

Extremadura, primero. Y ello tenía sentido. Antes que nada Isabel quería realizar un gesto de alta carga política: visitar en el monasterio de Guadalupe la sepultura de su hermanastro y celebrar allí sus exequias fúnebres. Porque no en vano Enrique IV había sido el último Rey de Castilla.

De ese modo, públicamente, Isabel vinculaba más estrechamente su Corona con la de sus antepasados. Era ella, la única y verdadera Reina de Castilla, la que ordenaba que se hicieran en su presencia las honras fúnebres por el monarca muerto.

---

[37] Orden de los Reyes a su corregidor en Toledo, Gómez Manrique, dada el 20 de febrero de 1477 (publ. por Eloy Benito Ruano, *Toledo en el siglo XV,* ob. cit., págs. 293 y 294).

Ahora bien, ni un mal maravedí para magnificar la sepultura de aquel desdichado Rey. Contrasta en ese sentido el descuido en el que quedó la tumba de Enrique IV, hasta el punto de desaparecer de la vista de los mortales y no volver a saberse de ella hasta que por una casualidad fue descubierta a mediados del siglo pasado, con la magnificencia con que Isabel hizo que se recordase la de su otro hermano, el hermano bienamado, aquel Alfonso cuyo espléndido enterramiento en la Cartuja de Miraflores encargó nada menos que a Gil de Siloé, que allí iba a realizar su obra maestra y una de las más significativas del gótico hispano-flamenco, llevado a cabo en los últimos años del siglo XV. La Reina ordenó que se colocase donde también reposaban los cuerpos de sus padres, Juan II e Isabel de Portugal.

Isabel no podía permanecer demasiado tiempo en Guadalupe; eso, incluso con las ceremonias religiosas en honor de Enrique IV, venía a ser como un descanso. Y en aquel Reino, y en aquella época, una Reina como Isabel no tenía tregua. Ante sí tenía la pacificación de las ciudades más importantes de Extremadura: Trujillo, Cáceres, Mérida.

Trujillo, con su poderoso castillo, una de las fortalezas más impresionantes de toda España, que en manos de los musulmanes había resistido todavía veinte años al desastre de Las Navas de Tolosa. Sus torres cuadradas, al gusto de la arquitectura militar musulmana, dominan una amplísima campiña que se extiende a sus pies.

Por lo tanto, una cosa era dominar la ciudad y otra su castillo. La Reina entró con facilidad en el recinto urbano, siendo bien acogida tanto por el patriciado urbano como por el pueblo; pero encima de la urbe se alzaba la imponente fortaleza, que todavía sigue impresionando al viajero, y esa fortaleza estaba en manos de su alcaide, Pedro de Baeza, sujeto al mandato del marqués de Villena. Y ante los requerimientos de los mensajeros de la Reina para que la entregase sin mayor demora, contestó que nada haría sin la orden expresa del marqués de Villena, su señor.

Negociadora, Isabel ordenó que compareciese el marqués de Villena, dado que ya había renunciado a su anterior rebeldía. El Marqués en su presencia se atrevió a replicarla que antes que tal hiciese tenía la Reina que repararle en los agravios que últimamente había sufrido en sus lugares y bienes, de manos de los funcionarios regios.

No lo hubiera dicho. Aquella Reina, que no había tolerado réplica alguna a los segovianos cuando quisieron ponerle condiciones a su entrada en la ciudad, donde tan en peligro estaba su hija, no iba a tolerar desplante alguno, y menos de aquel Marqués que tan abiertamente había apoyado la causa de la princesa Juana. Así que secamente le ordenó la entrega de la fortaleza sin más dilaciones:

> ... le dixo que, pospuesta toda dilación, cumplía a su servicio que entregase aquella fortaleza, antes que en otra cosa se hablase...

Entonces el marqués de Villena se arrugó:

> ... vista la determinada voluntad de la Reina, mandó a aquel su alcaide que entregase la fortaleza...[38]

No menos enérgica fue la actuación de Isabel en Cáceres, donde acudió para terminar con las guerras de sus bandos nobiliarios. Todavía hoy el viajero encuentra las huellas del paso de la Reina por la villa, con las torres mochas, las torres señoriales amputadas, rebajadas, como signo para todos de que la única torre enhiesta y firme era la de la Reina.

Entre tanto que esto llevaba a cabo Isabel por el corazón de Extremadura, le iban llegando noticias de cómo Fernando reducía, uno a uno, los enclaves que los partidarios de la princesa Juana mantenían en el corazón de Castilla la Vieja: Castronuño, Cantalapiedra, Sieteiglesias y Cubillas. Todas cercanas entre sí, en la tierra al sur del Duero sita entre Toro y Madrigal, salvo Cubillas, emplazada al norte y muy cercana a Castronuño.

La primera en caer fue Cantalapiedra, pese a contar con una no pequeña guarnición portuguesa, que se rendía el 28 de mayo de 1477. Cinco días después lo hacía Sieteiglesias, no soportando el poderoso emplazamiento artillero del ejército del Rey; estaba en marcha una nueva forma de combatir al enemigo, empleando la nueva arma, una técnica militar que daría pronto su gran juego en la guerra contra el reino nazarí de Granada.

Siguiendo su marcha hacia el norte, Fernando franqueó el Duero para combatir Cubillas, a la que tomó ya a finales de mes, el 25 de junio. Volvió entonces Fernando sus tropas sobre el reducto más fuerte que los rebeldes tenían en aquella zona: Castronuño. Defendía la plaza el más fiero de los nobles bandidos de la época, Pedro de Avendaño. Situada

---

[38] Fernando del Pulgar, *Crónica...*, ob. cit., I, págs. 306 y 307.

sobre un cerro al sur del Duero, en un recodo que hace el río entre Toro y Tordesillas, aguantó bien los primeros embates de Fernando, quien prefirió mantener su cerco a cargo de sus auxiliares, pues le importaba acudir al frente vasco, donde Fuenterrabía resistía los ataques del ejército mandado por Luis XI de Francia. Puso su cuartel general en Vitoria, donde le acudieron refuerzos no solo de la meseta, sino también de la costa, en especial de Asturias, con los que logró liberar a Fuenterrabía.

Es más, y esto fue importante: Fernando completó su imagen de liberador del País Vasco, invadido por los franceses, yendo a Guernica para jurar los fueros y privilegios de la tierra, como señor de Vizcaya[39]. Y de regreso a la meseta no quiso dejar ningún otro reducto rebelde, tomando el castillo de Monleón en Salamanca y logrando la capitulación de Castronuño, ya en el mes de octubre; al fin, aquel temible nido de bandoleros se entregaba a la Corona, si bien permitiendo a su alcaide, Pedro de Avendaño, retirarse a Portugal.

Castronuño dejaba de ser una pesadilla para las gentes de Castilla la Vieja, desde Valladolid hasta Tordesillas. Todavía el viajero que se acerca a ese recodo del Duero —como más de una vez lo hice yo con mis compañeros de la cátedra de Historia Moderna— queda impresionado por la fuerza del lugar. Sobre la orilla meridional del río, que allí hace una gran revuelta, y sobre un recio escarpado, se alzaba el castillo. Hoy el viajero no ve ni una sola piedra; la orden de Fernando había sido terminante: que no quedase piedra sobre piedra. Y a ello ayudó activamente el aldeanaje circundante, con el mayor entusiasmo. De forma que las únicas piedras que quedan de aquel otrora nido de bandoleros son las que se ven en la población de Castronuño, una rareza en una zona en la que las demás aldeas levantan sus humildes moradas con barro, mejor o peor labrado.

Una cosa ya estaba clara: en aquella campaña se estaba forjando uno de los grandes capitanes de aquel siglo, con todo lo que aquello suponía sobre la moral de las tropas, en una época tan dada a la figura heroica del Rey-soldado.

Un gran historiador de ese período nos lo dice de forma brillante:

> ... en estrecho contacto con las tropas [Fernando] demuestra que sabe soportar la fatiga, vencer el miedo, tenerse en el campo. Y esto, en el siglo XV, es de suma importancia. Siglo caba-

---

[39] Gustavo Villapalos Salas, *Fernando V de Castilla,* ob. cit., pág. 120.

lleresco, el valor personal atrae el respeto, hace subir el nivel de la confianza.

Y concluye, certeramente:

El Fernando de las guerras de Granada se forja ahora, noche y día, sobre la amplia llanura castellana [40].

Entre tanto, Isabel, tras dejar pacificada Extremadura, dirigía sus pasos a Sevilla.

¡Sevilla! La maravillosa Sevilla, una de las ciudades más hermosas de Europa, rodeada de jardines, a la vera del Guadalquivir, la gran conquista de Fernando III el Santo, donde Pedro I había magnificado el viejo alcázar almohade y donde el propio Juan II, el padre de la Reina, había dejado su huella.

Esa Andalucía fabulosa, que era como el jardín que adornaba y perfumaba por el sur la seca meseta castellana, se abría ahora a la mirada curiosa de la Reina. Cierto que era en el mes de julio, y que el calor tan grande, propio de la estación, parecía aconsejar una demora; pero a Isabel no la detenían esas dificultades. Estaba ansiando incorporar Andalucía a su pleno dominio.

Y había, claro está, otras razones, poderosas razones políticas, pues en Andalucía vivían muy a sus anchas, y sin duda más libremente de lo que hubiera querido la Reina, dos casas nobiliarias poderosísimas: la del duque de Medina-Sidonia y la del marqués de Cádiz. El Duque tenía en su poder algunas de las piezas más importantes de Sevilla, como nada menos que el mismo alcázar y el puente de Triana; esto es, el control del tráfico fluvial por el Guadalquivir, entonces tan importante por el acceso que tenían las naves de la época al mar libre.

Por lo tanto, se imponía poner orden en el sur andaluz y hacerse con ciudades tan opulentas. De forma que, arrostrando todas las dificultades, Isabel tomó el camino de Sevilla en pleno mes de julio.

Su entrada en la ciudad fue espectacular. Sevilla tenía tantos deseos de conocer a su nueva y joven Reina como Isabel de visitar la hermosa y célebre ciudad andaluza.

Y hubo fiestas cortesanas. Pero también hubo sentencias justicieras contra los innumerables robos y atropellos sufridos por los sevillanos en los años anteriores.

---

[40] Luis Suárez, *La España de los Reyes Católicos* (en *HEMP,* tomo XVII, 1.°, pág. 204).

Era la otra cara de la Reina: la Reina justiciera, la Reina rigurosa. Mientras Fernando cada vez se alzaba más como el Rey-soldado, Isabel asumía su papel de poner a todo el mundo en su sitio, y de reprimir con mano dura cualquier exceso.

Fue un cambio violento en aquella ciudad tan libre y de vida más bien desenfrenada. Y tanto que, alarmada la misma nobleza, pediría a la Reina que templase su mano; estaban espantados del cambio sufrido.

Habían pasado del júbilo por la entrada de la Reina, al pánico por sus justicias tan severas:

> Muy alta e excelente Reina e señora —es el obispo Solís quien habla en nombre de la atemorizada ciudad—: Estos caballeros y pueblo desta vuestra cibdat, vienen aquí ante vuestra real majestad, e vos notifican que quánto gozo ovieron los días pasados con vuestra venida a esta vuestra tierra, tanto terror e espanto ha puesto en ella el rigor grande que vuestros ministros muestran en la execución de vuestra justicia, el qual les ha convertido todo su placer en tristeza, toda su alegría en miedo e todo su gozo en angustia e trabajo... [41]

Pero ser justiciera y rigurosa iba con el carácter de Isabel. Era evidente que, ante el viejo dilema de los gobernantes, si tenían que escoger entre ser amados o ser temidos, ella prefería ser temida; acaso porque entendiese que era la única forma de acabar con la anterior época, la del reinado de su hermanastro Enrique IV, en que el caos se había apoderado de todo el Reino.

De forma que la noticia de cuán pronto había pacificado la ciudad, logrando que el duque de Medina-Sidonia le entregase el alcázar y los otros puntos fuertes de Sevilla que tenía en su poder, llegó pronto a Fernando. Y el Rey, deseoso también de verse en Sevilla, contenido el francés en el País Vasco y pacificada la meseta con la entrega del temible castillo de Castronuño, decidió acudir a Sevilla para incorporarse a las jornadas triunfales de su mujer. Fue otra entrada solemne y fueron días memorables para la real pareja. Era como si el dominio de Sevilla les convirtiese en verdaderos Reyes, dejando atrás todas las incertidumbres anteriores.

Andrés Bernáldez, el cronista que vivió de cerca aquellas jornadas, lo reflejaría bien en sus *Memorias:*

---

[41] Fernando del Pulgar, *Crónica...,* ob. cit., I, pág. 311.

> Estovieron en Sevilla —nos dice— holgándose e aviendo
> mucho plaçer el Rey y la Reina...

¡Holgándose y habiendo mucho placer! Sin querer, acaso, el cronista deja entrever el lado humano de los Reyes, aquellos jóvenes Reyes que estaban en la flor de sus años veinte, veintisiete Isabel y veintiséis Fernando. Así que, superados los afanes anteriores y dejadas las armas, bien podían ellos dedicarse a la otra guerra personal, «holgándose e habiendo mucho placer». Y tanto que pronto Isabel pudo dar la buena nueva: estaba embarazada[42].

Un embarazo muy deseado, confiando —conforme a la mentalidad de la época— que trajese al príncipe heredero. El cual llegó tan puntual a la cita que nacería el 30 de junio de 1478, probando así que había sido engendrado en aquellas jornadas eufóricas de Sevilla cuando apuntaba el otoño de 1477.

Sería el príncipe Juan. Su nombre no podía ser otro, conforme a la tradición de que el recién nacido recordase a alguno de sus abuelos. Y en este caso la coincidencia no podía ser más feliz, porque tal era el nombre tanto de su abuelo paterno como el del materno. Aquellos Juan II de Aragón y de Castilla no podrían tener otro nieto que el príncipe Juan.

Lo que estaba por ver sería si, con las dudosas perspectivas de vida de la época, aquel niño, heredero de las dos Coronas de Castilla y de Aragón y esperanza de España, se convertiría alguna vez en Juan III[43].

Después de aquella fructífera estancia en Sevilla, donde Isabel, con su energía habitual, supo hacerse con el fantástico alcázar, donde pronto dejaría su huella, y después de ligar a su Corte al poderoso duque de Medina-Sidonia, realizó uno de sus viajes más deseados: aquel de navegar por el Guadalquivir hasta su desembocadura, para asomarse por primera vez en su vida al mar. En Sanlúcar de Barrameda le acogería en su palacio el duque de Medina-Sidonia. Y no sería el único magnate andaluz que acabaría bajo el atractivo de aquella intrépida Reina. Pronto el marqués de Cádiz, otrora remiso a reconocer su man-

---

[42] Fernando del Pulgar, De cómo había llegado el Rey a Sevilla a juntarse con la Reina «e allí estuvo algunos días, en los quales la Reina se fizo preñada...» (*Crónica...*, ob. cit., pág. 324).

[43] Resulta asombroso, en verdad, que a lo largo de tantos siglos esa figura —un Juan III— jamás se lograra en la historia de los monarcas hispanos, incluido el malogrado último conde de Barcelona.

dato, se incorporaba a su séquito. Y también Cádiz, junto con Jerez de la Frontera, le abriría sus puertas.

Cierto que no todo eran buenas nuevas. Precisamente, en sus días de estancia en Sevilla llegó un mensajero del rey nazarí de Granada solicitando treguas. Los Reyes acordaron de concedérselas por tres años, siempre que el rey moro les pagara las parias, o tributos que en tales ocasiones solían hacer, encontrándose con la altiva respuesta de que las antiguas cecas de Granada donde se fabricaban monedas habían dejado paso a la fábrica de lanzas

... para defender que no se pagasen.

Era, a todas luces, una provocación, como una invitación a la guerra. Y nada hubiera satisfecho más a Isabel que contestar al hierro con el hierro. Pero pendiente aún el final de la guerra con Portugal, comprendió que eso era imposible:

El Rey e la Reyna —nos comenta el cronista—, como quiera que conocieron ser soberbiosa respuesta, pero acordaron de gelas otorgar por tres años...

Y añade:

... no estaban en tiempo de mover guerra contra moros [44].

No era una guerra olvidada. Tan solo era una guerra aplazada. Pero primero había que acabar por poner orden en la propia casa, lo que suponía llegar a una paz duradera, una vez por todas, con el vecino Reino de Portugal.

Por lo pronto, había rumores, cada vez más insistentes, de que Alfonso V, pese a su fracasado viaje a la Corte de París para conseguir un mayor apoyo de Luis XI de Francia, estaba planeando una nueva intervención en Castilla, renovando las ambiciones de todos los descontentos. De hecho, el mariscal Fernandarias de Saavedra, que había conquistado Utrera en la primera fase de la guerra, militando en el bando isabelino, consideró que caía ya bajo su señorío, y se negó a devolverla a la Corona, ordenando a su guarnición la resistencia frente a las tro-

---

[44] Fernando del Pulgar, *Crónica..., *ob. cit., pág. 325.

pas de la Reina, confiando en el pronto apoyo portugués. Tomada la villa al asalto, se procedió con el máximo rigor, dando muerte a los mercenarios reclutados por el mariscal y solo perdonando a los vasallos; duro castigo que intimidó a otras poblaciones rebeldes, que al punto se sometieron a Isabel.

La Reina no dejó Andalucía sin poner en orden las cosas en Córdoba. También allí dos linajes se disputaban el predominio en la ciudad: el de la casa de Cabra y los Fernández de Córdoba. Y la reconciliación tuvo sus frutos. Entre los beneficiados se encontró un joven que no tardaría en dar un gran juego. Su nombre, Gonzalo Fernández de Córdoba, antiguo prisionero, puesto en libertad por el conde de Cabra, y que desde entonces sería un incondicional admirador de la Reina.

Las renovadas ambiciones de Alfonso V tuvieron especial repercusión en la frontera gallega y en Extremadura. En Galicia, con las incursiones de Pedro de Avendaño, el otrora dueño de Castronuño, que entonces tenía bajo su control a Tuy, poniendo en alarma esa zona baja del Miño. Y en Extremadura, porque la condesa de Medellín quería mantener el dominio de Mérida.

Se trataba de un turbio asunto, que nos prueba que las ansias de los desalmados pueden llegar a situaciones atroces. La condesa de Medellín, en su afán de domeñar Mérida, encerró a su hijo tachándolo de loco, para desplazarle del poder, que por herencia le correspondía. Y para afianzarse, acudió a la alianza portuguesa.

LA PAZ DE ALCÁÇOBAS

Sin embargo, en Portugal se iba abriendo paso el partido deseoso de la paz, encabezado por el príncipe Juan; pero Alfonso V, quizá tratando de negociar en una posición más ventajosa, ordenó una nueva invasión. Ya hemos visto que eso trajo consigo nuevas correrías de Pedro de Avendaño desde la plaza fuerte de Tuy.

Mas la acción decisiva tenía que producirse en ese bajo vientre de la Corona de Castilla que es Extremadura. Los portugueses lo intentaron, aprovechando la ausencia del rey Fernando, que había tenido que acudir a la Corte de su anciano padre, Juan II de Aragón, cuyos días estaban contados. Aun así, el ejército portugués fue frenado por el de Castilla, mandado por el Maestre de Santiago. La batalla se libró a orillas del río Albuera el 24 de febrero de 1479, siendo desbaratado el contingente luso, mandado —atención a esto— por el obispo de

Évora. Sin ser un gran combate, sí lo bastante importante para dejar zanjada la guerra

> Quedó todo el campo para el maestre...

Así lo recoge la crónica de Pulgar. Y añade:

> Fueron tomadas allí todas las banderas que traían los portugueses... [45]

Entre los prisioneros estaba el propio obispo de Évora, a quien sin duda le hubiera valido más dedicarse a sus tareas pastorales que al uso de las armas.

No fueron muchas las bajas, por ninguno de los bandos, ni tampoco en las demás acciones con las que Isabel castigó a los nobles y prelados renuentes en su rebeldía, como el arzobispo Carrillo, que llegó a perder todos sus dominios.

Pocas las bajas, pero entre ellas, y en otro frente de la guerra (en Castillo de Garcimuñoz, Cuenca), la de aquel gran poeta cuyos versos todavía nos siguen conmoviendo: Jorge Manrique.

Para entonces, la diplomacia isabelina había logrado la paz con Francia, firmada el 10 de enero de 1479.

Una paz que el viejo monarca aragonés conoció en su lecho de muerte, pues falleció nueve días después.

Ya Fernando era Rey de Aragón, al tiempo que Isabel era la gran vencedora de Castilla.

Faltaba ultimar los requisitos de la paz. Y puesto que los hombres habían acudido tan atropelladamente a las armas, era justo que la negociaran las mujeres.

Esa sería la tarea de una portuguesa, Beatriz, duquesa de Braganza, y de la propia reina Isabel.

Fue una propuesta de la duquesa, tía materna de Isabel, y la Reina accedió, haciéndose acompañar de su confesor, fray Hernando de Talavera, acaso temerosa de dejarse llevar de su malquerencia hacia la princesa Juana; de hecho, fray Hernando hubo de sosegarla, haciéndola entrar en razón para que Isabel no llevase a mayores extremos las me-

---

[45] Fernando del Pulgar, *Crónica...*, ob. cit., I, pág. 375.

didas de seguridad sobre la Princesa. Y es justo señalar que la Reina siguió los consejos del venerable fraile[46].

Las reuniones tuvieron lugar en la villa fronteriza de Alcántara, en aquella primavera de 1479, para ultimarse definitivamente por los diplomáticos de ambos países en Alcáçobas, ya en septiembre de aquel año. En las conversaciones de Alcántara, ambas grandes damas, la tía y la sobrina, la duquesa de Braganza y la Reina de Castilla, se entendieron bien, sin necesidad de intérprete alguno. Para algo le había de servir a Isabel ser «la hija de la Portuguesa» y haberse criado con un ama asimismo portuguesa.

Una paz importante, casi podríamos decir, memorable. Una paz que se mantendría durante un siglo, hasta la invasión filipina de 1580. Una paz que permitiría el despliegue imperial de los dos pueblos, tanto del portugués hacia las Indias orientales, como del español hacia Canarias y América. Algunos de sus puntos fueron fácilmente abordados y sellados.

Así, tanto todo lo referente a los límites territoriales, como lo que marcaba los ámbitos de expansión marinera de ambas potencias. De ese modo, se restauraron las fronteras entre ambos países, volviéndolas a las que había antes del conflicto, que eran las firmadas en el antiguo tratado hispano-luso de Almeirín de 1432; y, por otro lado, Castilla se comprometía a respetar la ruta del mar Océano hacia Guinea, no franqueando el cabo Bojador, al tiempo que Portugal reconocía los derechos de Castilla sobre las islas Canarias, con un soporte continental en el continente africano al norte del cabo Bojador. Por supuesto, Alfonso V renunciaba a cualquier pretensión sobre Galicia u otras plazas de Castilla.

Tampoco hubo dificultades mayores para que Isabel concediera el perdón a los nobles que habían ayudado al Rey portugués luchando en el bando de la princesa Juana, devolviéndoles sus dominios tal como los poseían antes de la contienda. Incluso el capítulo exigido ya por la duquesa Beatriz de una compensación económica por los efectos de la guerra, pese a que habían afectado a Castilla, donde se habían librado los combates, vino a resolverse indirectamente por la fuerte dote estipulada a favor de la princesa Isabel, cuya boda se acordaba con el príncipe Alfonso de Portugal.

---

[46] Véase sobre esto lo que indica el mayor especialista sobre este período, Luis Suárez, en su libro *Isabel I, Reina,* ob. cit., págs. 176-186.

Sin duda, el mayor escollo estribaba en lo referente a la princesa Juana. Alfonso V había tomado como algo que tocaba a su honra (y eso, valga la redundancia, le honraba) el que se diera una salida honorable para su sobrina, que ya entonces era una joven mujer de diecisiete años.

Sorprendentemente, a la duquesa Beatriz se le ocurrió la mejor de las ideas: que se la prometiera en matrimonio con el hijo de los Reyes Católicos. Juana había de casar con Juan. De ese modo la hija de la Reina —que era el único título que Isabel le admitía— podía convertirse en su día en Reina de Castilla, lo cual hubiera sido visto como una reparación para los no pocos que la consideraban como hija de Enrique IV y, por lo tanto, como la legítima heredera de la Corona castellana.

Y la propuesta de la duquesa de Braganza fue acogida favorablemente por Isabel. ¿Por escrúpulos de conciencia? ¿Por intuición política de que era el mejor camino para cerrar las viejas heridas? Acaso. Pero sin duda, también, porque al punto comprendió las ventajas de la propuesta de su tía. Porque aquella desigual boda tenía un punto difícil: que la princesa Juana llevaba dieciséis años a su novio. Y eso, aunque pudiera, mal que bien, orillarse en otras circunstancias, obligaba entonces al menos a una cosa: a esperar, dado que el príncipe Juan era una criatura que acababa de cumplir su primer año de existencia. Además, el acuerdo matrimonial obligaba a que la princesa Juana viviese desde entonces en régimen de tercería, a cargo y custodia de la duquesa de Braganza, en la villa portuguesa de Moura. Si no aceptaba esa propuesta, en el papel tan honorable, había de profesar como monja en un convento portugués.

Como era de suponer, la Princesa prefirió las rejas del convento al cautiverio tan prolongado de la tercería, profesando en el monasterio de las clarisas de Coimbra en 1480.

Quizá pensaba que del convento le sería más fácil salir. Pero para impedírselo estaba su irreconciliable enemiga.

En efecto, Isabel arrancaría al papa Sixto IV, en 1484, una bula por la que se obligaba a Juana a seguir en el convento su vida de monja. Es más, cuando en una fecha tan avanzada como en el año 1495, cuando Isabel estaba ya en la cumbre de todo su poderío, cuando era la gloriosa Reina temida y respetada por todos, la que había logrado rematar la Reconquista, la que había apoyado con tanto éxito la aventura colombina, la que había convertido a España, junto con su marido Fernando, en la primera potencia de la Europa de su tiempo; pues bien, esa poderosísima Reina tiene noticia en ese año de 1495 que acaso la princesa Juana tratara de casarse, cuando ya no era, según la mentalidad de la época, ninguna moza. ¡Pero era un riesgo! Y quizá una amenaza. O, en todo caso, algo que vulneraba lo pactado, y por ello no estaba dispuesta a pasar Isabel.

De forma que coge la pluma y escribe a su embajador en Lisboa esta carta, en la que se trasluce cómo Isabel no olvidaba todo lo que, por causa de la princesa Juana, había pasado veinte años antes. En ella recuerda las promesas que en lo tocante a la princesa Juana le había hecho el anterior monarca luso Juan II:

> … nos prometió e juró no consentiría ni daría lugar en alguna manera que *la monja doña Juana casase con nadie* ni saliese de la religión de Santa Clara…

Si eso había jurado y prometido Juan II, cuanto más esperaba Isabel de Manuel el Afortunado, el que sería sucesivo marido de sus hijas Isabel y María. Y así, Isabel ordena a su embajador:

> Diréis al Rey [47] que esto hizo por nosotros el dicho rey don Juan, y si esto fizo aquel, ya vee quánta razón hay para que él haga mucho más, que no le tiene obligación ninguna, y el amor entre nosotros y él es mucho mayor [48].

Como puede apreciarse, la Reina ni olvidaba ni perdonaba. Pero una cosa era cierta, pese a sus rencores mantenidos: la paz con Portugal era un hecho.

Una dura etapa, la de la lucha por la Corona de Castilla, quedaba atrás.

Es más, dado que en aquel mismo año de 1479 su marido Fernando se había convertido en el Rey de Aragón, ambos podían pensar en que cualquier gran empresa les era posible.

Estaban sentadas las bases para la conquista del reino nazarí de Granada, una de las mayores hazañas de su reinado.

Con lo cual es tanto como decir que aquella águila de san Juan, bajo cuyas alas habían puesto su corona, estaba a punto de iniciar su vuelo.

---

[47] Don Manuel el Afortunado.

[48] La carta, en la Real Academia de la Historia, Fondo Salazar; cf. Tarsicio de Azcona, que la recoge en su admirable biografía de la Reina, *Isabel la Católica*, ob. cit., pág. 348.

Arrancaba la gesta del Imperio español, una de las grandes aventuras de los tiempos modernos.

Pero también sería en aquella vibrante jornada vivida en Sevilla cuando la Reina conseguiría del papa Sixto IV la bula que le permitía poner en marcha la nueva Inquisición, abriendo una página llena de horrores, de violencias increíbles y de hogueras con olor a carne quemada, que estremece con solo pensarlo.

Aunque, eso sí, en nombre de Jesús crucificado, como podremos ver.

Que ese sería el lado oscuro del perfil de la Reina.

PARTE SEGUNDA

LAS GRANDES EMPRESAS

4
EL FINAL DE LA RECONQUISTA: GRANADA

UNA GUERRA APLAZADA

Al final de la guerra de Sucesión parecía que el país entero reclamaba acometer una gran empresa, y esa no podía ser otra que la guerra contra el reino nazarí de Granada. Máxime cuando a principios de 1479 moría en Barcelona Juan II, a la edad de ochenta y un años; un caso de longevidad verdaderamente raro en aquellos tiempos, sobre todo teniendo en cuenta la ajetreada vida del Rey aragonés. Con su muerte se producía algo muy deseado por Isabel y Fernando: la conjunción, sin el traumatismo de una guerra invasora, de dos potencias que habían tenido un papel de primer orden en la Europa bajomedieval: Castilla y Aragón.

De pronto, esa nueva España se presentaba con tal poder, bajo las manos de dos Príncipes jóvenes, animosos y con afanes de grandeza, según los aires renacentistas de la época, que toda Europa intuyó que una nueva época iba a dar comienzo. Sin embargo, aún pasarían más de dos años antes que diera comienzo el asalto de los Reyes al reino nazarí granadino. De hecho, cuando se produce el óbito de Juan II, todavía no se ha firmado la paz con Portugal, de forma que incluso Fernando tiene que aplazar su obligado viaje a sus nuevos reinos de la Corona de Aragón.

Eso sí, una euforia invadía a todo el país, empezando por la propia Corte, y sin duda llegando al mismo seno de la familia real. Como hice notar en otro libro mío, la prueba terminante de esa euforia íntima de los Reyes llegaría nueve meses más tarde, con el nacimiento de su hija Juana, a principios de noviembre de aquel mismo año de 1479[1].

---

[1] Véase mi libro *Juana la Loca, la cautiva de Tordesillas*, Madrid, Espasa Fórum, 2002, 18.ª ed., págs. 49 y sigs.

Pero al principio, y dado que la guerra con Portugal todavía no había terminado, y es más, que se temía una nueva ofensiva portuguesa aquel mismo invierno, Fernando tuvo que aplazar su viaje a la Corona de Aragón. La batalla de Albuera, con su buen resultado, y el inicio de las negociaciones de paz le dieron un respiro, pese a que todavía quedasen algunos focos residuales de resistencia en tierras extremeñas, en torno a Mérida y Medellín. Y ello porque allí estaba Isabel para organizar todo lo necesario: las tropas, los capitanes, las operaciones a ultimar, para acabar reduciendo a los rebeldes, en particular a la condesa de Medellín. Y además, para llevar el peso de las negociaciones con Portugal, que acabarían desembocando en la anhelada paz de Alcáçobas, que ya hemos comentado, sin que su estado de gravidez le impidiera aquella frenética actividad; una paz de la que Fernando tendría noticias cuando todavía estaba en tierras aragonesas, para jurar los fueros y los privilegios de sus nuevos reinos, empezando por los de Aragón, ceremonia que tendría lugar en Calatayud, para seguir con sucesivas estancias en Barcelona y en Valencia.

A finales de 1479, Fernando se reunirá con Isabel en Toledo; allí les nace, como hemos indicado, aquella hija que acabaría heredándolo todo, aquella Juana que tendría una vida tan accidentada. Pero, por el momento, nadie podía esperar ese futuro, dado que su hermano Juan como su hermana Isabel ocupaban puestos preferentes en la línea sucesoria al trono, no ya de Castilla, sino de España entera.

LAS CORTES DE TOLEDO

El año siguiente de 1480 estaría también lleno de importantes acontecimientos. En primer lugar, los Reyes convocarían en Toledo a las Cortes de Castilla. Y eso daría un giro a la estructura interna de la Monarquía.

A lo largo de su reinado, Isabel solo convocaría dos Cortes verdaderamente importantes: la de 1476, a raíz de la gran victoria obtenida frente a los partidarios de la princesa Juana —la que sus enemigos denominaban despectivamente como Juana *la Beltraneja*— en las cercanías de Toro, y esta otra celebrada en Toledo, cuatro años después. En la primera, como hemos tenido ocasión de ver, se dieron las normas para la pacificación del Reino, con la instauración de la Santa Hermandad y con su severo y expeditivo sistema de perseguir los delitos en el ámbito rural, para combatir eficazmente los actos del bandidaje nobiliario. Era algo que urgía: asegurar el orden en los caminos, único modo de tonificar la vida nacional.

En 1480, en las Cortes de Toledo, el problema sería otro: el de poner al día el organismo encargado de ayudar a los Reyes, de forma eficaz, tanto en el gobierno del Reino de Castilla como en la política exterior: esto es, actualizar el Consejo Real, o Consejo de Castilla, dando prioridad a los consejeros formados en las Universidades —los letrados—, frente a los representantes tanto de la alta nobleza como del alto clero.

De ese modo, los Reyes Católicos hicieron muy suyo un órgano de gobierno tan importante, que en los reinados anteriores había caído en manos de la alta nobleza.

Ahora bien, de igual modo que en las Cortes de Madrigal de 1476 se había hecho hincapié en que los Reyes tenían obligaciones inexcusables con su pueblo, y que para eso habían recibido tanto poder en la tierra por la gracia divina, también ahora se volverá a recordar ante los procuradores representantes de las ciudades de Castilla que esa obligación seguía vigente. Y así se proclama expresamente:

> A los que tenemos sus veces [de Dios] en la tierra dio mandamiento singular a Nos, dirigido por boca del sabio, diciendo:
> *Amad la justicia los que juzgáis la tierra...*

El ascenso de aquella Monarquía en el orden internacional se echó de ver cuando Europa entera se vio conmocionada por la caída de Otranto en manos de los turcos. ¿Se estaba iniciando un proceso similar al que había acabado con la pérdida de Constantinopla? El corazón de la Cristiandad estaba en peligro. Ni Isabel ni Fernando podían permanecer al margen de aquella amenaza: de ahí que a finales de aquel año lo prioritario para ellos fuese el envío de una poderosa flota con tropas de socorro que ayudasen al Rey de Nápoles a recuperar la plaza perdida.

FERNANDO A ARAGÓN, ISABEL A SEVILLA

En cuanto a los Reyes, les vemos darse un ligero respiro, en aquel tremendo trajín en que vivían inmersos, tomándose un breve descanso en Arévalo. Sería una de tantas visitas de Isabel a su pobre madre enferma, que le permitiría recordar los años tranquilos de su infancia, tan lejanos ya y tan distintos del continuo bregar que le imponía el haberse convertido en la Reina de Castilla.

De allí, tras una estancia en Medina del Campo —otro de los lugares preferidos de Isabel, acaso porque su imponente fortaleza de la Mota le diera más confianza—, la Reina tendría que separarse de su marido. Esa era la fuerza de su alianza y al mismo tiempo su sacrificio; porque de ese modo, al dividirse para atender cada uno problemas graves y distintos, que surgían simultáneamente en apartadas regiones de sus amplios reinos, resultaban mucho más eficaces. Era como duplicar la acción de la Corona, con el prestigio que ambos habían ya cosechado.

Y de ese modo, Isabel vio cómo Fernando debía tomar la ruta de la Corona de Aragón, cuyos dominios resultaban más afectados por la ofensiva turca sobre Otranto, mientras Isabel se dirigía a Sevilla, muy alterada por la puesta en vigor de la nueva Inquisición contra los conversos acusados de judaizar. Y que era algo que por entonces preocupaba, y mucho, a los Reyes, se refleja en que estando aquellos días en Medina fuera cuando designaran a los nuevos inquisidores, los dos primeros que tendrían competencia sobre Sevilla: los dominicos fray Miguel de Morillo y fray Juan de San Martín.

Esos nombramientos los firmaron los Reyes en Medina del Campo el 27 de septiembre de 1480. A poco, Isabel acudía a la ciudad del Guadalquivir, mientras veía cómo Fernando tomaba el camino de Aragón.

Era una decisión que estaba en línea con la gravedad de lo que estaba ocurriendo en Sevilla.

No es de este momento detallar todo lo referente a la Inquisición impuesta por los Reyes Católicos en España; solo recordar el ambiente en el que Isabel procedió a esa tercera visita suya a Sevilla; a una ciudad aterrorizada, donde las llamas de las hogueras inquisitoriales comenzaban ya a producir verdadero espanto.

En la primavera de 1481, Isabel deja Sevilla. Detrás quedaban unas jornadas de extremo rigor inquisitorial desplegado en su presencia; algo que le dejará ya la nota de que, en las cosas de la justicia, y en particular en las de la religión, podía mostrarse implacable.

ARAGÓN A LA VISTA

A partir de ese momento esperaban a Isabel las tierras de la Corona de Aragón. También resultaba ya prioritario para ella acudir allí. Era la primera vez que visitaba sus nuevos reinos aragoneses, donde le esperaba ser reconocida como corregente, en un papel parecido al que su marido, Fernando, tenía en Castilla, aunque evidentemente con mucho menor protagonismo.

El 7 de abril de 1481 se reunía Isabel con Fernando, ya en tierras de Aragón, y concretamente en Calatayud. El 9 de junio haría su entrada triunfal en Zaragoza, donde se alojaría en el espléndido palacio de la Aljafería, que le vendría a recordar que también aquella gran ciudad había sido cabeza de un reino moro.

Empezaba para la Reina una etapa nueva, la de ir descubriendo aquellos reinos tan hispanos y, a la vez, tan distintos a los de la Castilla de su niñez. En el siglo XII ya era alabada por el geógrafo árabe El-Edrisí:

> Zaragoza —nos dice— es una de las principales ciudades de España. Es grande y muy poblada. Sus calles son anchas y sus edificios muy hermosos... Rodéanla jardines y vergeles...[2]

Y tres siglos después, el viajero alemán y contemporáneo de Isabel, Jerónimo Münzer, también la alaba, y con estos términos:

> La preclara ciudad de Zaragoza, capital del reino de Aragón —nos informa en su diario de viajes por España y Portugal—, es grande y de forma alargada. Hállase a orillas del Ebro, en una llanura deliciosa...[3]

En cuanto al palacio de la Aljafería, tanto impresionó a Isabel la hermosura de su traza y lo original de sus rasgos moros, que mandó edificar en su interior una sala que aún hoy lleva el nombre que recuerda el paso de la Reina, y que es una pieza verdaderamente admirable por su artesonado mudéjar, uno de los más bellos de España.

---

[2] Véase mi estudio *Relatos de viajes desde el Renacimiento hasta el Romanticismo*, Madrid, 1955, págs. 29 y 30.
[3] El *Diario* de Jerónimo Münzer, en García de Mercadal, *Viajes de extranjeros por España y Portugal*, Madrid, Aguilar, 1952, I, pág. 411.

En Zaragoza se procedería a la jura del príncipe don Juan como heredero del Reino y también, lo que sería muy significativo, al reconocimiento de Isabel como corregente, gobernadora y lugarteniente del rey Fernando en las Cortes aragonesas, a causa de la ausencia del Rey, que había anticipado su viaje a Barcelona.

Y también Barcelona esperaba a Isabel. Y también con una entrada triunfal. Aquellos jóvenes Reyes, entonces en lo más florido de su edad, iniciando los treinta años, formaban una espléndida pareja que entusiasma al pueblo. Ya eran famosos, por la energía indomable que habían desplegado para vencer en la guerra de Sucesión frente a los seguidores de la princesa Juana, y muy en particular en la reñida guerra contra Alfonso V de Portugal.

Para Isabel era, además, asomarse por primera vez al mar Mediterráneo, el mar del mundo antiguo, el mar de la gran cultura de la Antigüedad, el que unía España con Italia, la espléndida Italia del Renacimiento.

Y era también conocer otra gran ciudad, una de las más bellas de España entera:

> Bella y gran ciudad —nos dice el viajero checo del siglo XV, Tetzel—, situada a orillas del mar. Tiene gran comercio con todo el mundo y gran tráfico por mar... [4]

Münzer, que la contempla desde lo alto de una torre, exclama admirado:

> ¡Qué espectáculo!

Y no muchos años después, Guicciardini, el célebre historiador y humanista italiano, la compara nada menos que con Florencia [5].

Allí pasó gratamente aquel verano de 1481 la gran Reina. Y tan gratamente que, para que no faltara nada a esos días venturosos a la vera del Mediterráneo, también gozó de la amorosa entrega del Rey. Y eso lo sabemos por uno de los testimonios más fidedignos que pueden darse, acaso menos resaltados de lo que se debiera. Y me refiero al testimonio de la infanta María, que al nacer el día de San Pedro, el 29 de junio de 1482, nos retrotrae infaliblemente a nueve meses antes, coin-

---

[4] La cita de Tetzel, en mi estudio *Relatos de viajes...,* ob. cit., pág. 28.
[5] Ibídem, pág. 64.

cidiendo con otra gran festividad religiosa, la de San Miguel, en este caso, del 29 de septiembre de 1481, cuando los Reyes moraban todavía en Barcelona.

Es una de las pocas maneras fiables de rastrear en la vida íntima de Isabel, por otra parte mujer tan secreta, tan celosa de guardar sus sentimientos.

Y después de Barcelona y de aquellos meses venturosos, con la obligada jura del príncipe don Juan como heredero de aquellas tierras, vino el viaje a Valencia, donde encontramos a los Reyes en el otoño de 1481.

Valencia. Una ciudad alegre que se volcaría en fiestas para celebrar la estancia de Isabel.

Valencia era entonces la ciudad más próspera de la Corona de Aragón, pues había heredado el rico comercio de la Barcelona medieval, que las luchas internas habían hecho decaer en la ciudad condal. Un comercio que exportaba los frutos de su feracísima huerta, así como los productos de su artesanía, en particular de la cerámica de Manises, famosa ya entonces en todo el Mediterráneo occidental.

Eran piezas:

> … trabajadas y pintadas de un modo singular, porque hacen el efecto de estar decoradas con oro y plata…

Así las describe Münzer, quien resalta, además, la belleza de los jardines valencianos [6].

Después de la obligada jura de los privilegios del Reino y del consiguiente reconocimiento del príncipe Juan como heredero de la Corona, en diciembre dejaban los Reyes Valencia, de regreso a Castilla, no sin antes visitar Teruel, a principios de enero de 1482. Cuando llegan de nuevo a Medina del Campo se encuentran con la mala nueva: un audaz asalto moro y Zahara que se había perdido.

Daba comienzo la guerra de Granada.

EL COMIENZO DE LA GUERRA

Con la guerra de Granada estamos ante el final de la Reconquista; una tarea, por lo tanto, de gran envergadura, de gran calado, de esas

---

[6] *Relatos de viajes…*, ob. cit., págs. 66 y 67.

que marcan un hito, como el final brillante de un proceso secular, que parecía además que nunca iba a llegar.

En efecto, el parón reconquistador sufrido a partir de los grandes avances del siglo XIII, con Fernando III el Santo, el conquistador de Córdoba y Sevilla, de Alfonso X el Sabio, con la toma del reino de Murcia, y con Jaime I de Aragón —que por algo se le conoce como «el Conquistador»—, por la ganancia de los reinos de Valencia y de Mallorca, parecía insuperable. Es cierto que en algún que otro reinado se tomaron algunas plazas fronterizas, como Antequera, como Tarifa o como Gibraltar, esta incluso por el último Rey castellano, Enrique IV. Pero todo de forma ocasional, como si se tratara de ligeros retoques a una situación que se daba por buena: la Corona de Aragón había concluido el dominio de la España musulmana que caía bajo su influencia, y la Corona de Castilla, perdido ya ese estímulo de la competencia aragonesa, había dejado de considerar el reino nazarí de Granada como una amenaza. Era un reino vasallo, sometido a tributo, aunque no siempre lo pagara.

Evidentemente, las contiendas internas que habían sacudido a Castilla en la primera mitad del siglo XV tampoco habían ayudado a que la Reconquista se reanudase. Para domeñar el último reducto musulmán de Granada hacía falta un esfuerzo tal que solo una Monarquía poderosa y unida era capaz de afrontar.

Eso es lo que va a ocurrir bajo el reinado de los Reyes Católicos. Algo muy deseado por Isabel, y tanto que ya se formularía en las negociaciones de Cervera con Fernando, cuando todavía no era más que una Princesa de futuro incierto. Pero ella se veía como la futura Reina de Castilla, que con su matrimonio con aquel Fernando, el heredero de la Corona de Aragón, iba a conseguir la unidad de España. Y eso daría el ímpetu suficiente para acometer la gran hazaña de lanzarse al asalto del reino granadino.

Una guerra que tenía unas especiales características, porque era salir de los enojosos conflictos entre príncipes cristianos. Era una guerra contra el infiel, una guerra santa, que podía tener la ventaja de conseguir aunar a los diversos cuerpos sociales, de dar más prestigio a la Corona y de convertir a la nobleza, tan levantisca, en la primera colaboradora de la empresa; en parte, porque lo viese como una tarea propia de su formación caballeresca; en parte, porque viera en ello la posibilidad de acrecentamiento de su fortuna (la guerra como formidable botín), y en parte también porque participase de aquellos sentimientos, entre nacionales y religiosos, que venían de tan atrás, cuando se trataba de la lucha contra el enemigo musulmán. En ese sentido, la Historia también tenía su peso y tantos siglos de Reconquista acabarían gravitando sobre aquella generación, imponiendo sobre ella ese esfuerzo final.

Y era una guerra popular. ¿No es acaso lo que mueve al cronista Andrés Bernáldez a coger la pluma para recoger sus lances? Él mismo nos lo declara, tras ser apremiado por su abuela, en un pasaje digno de ser recordado:

> Hijo —le apremia la abuela—: ¿y tú por qué no escribes así las cosas de ahora como están esas? Pues no hayas pereça de escrebir las cosas buenas que en tus días acaescieren...

Esto es, todo el mundo esperaba que en el reinado de aquellos jóvenes Reyes iban a ocurrir cosas tan maravillosas como en otros tiempos gloriosos. Y el cronista se hace entonces la siguiente reflexión:

> Y desde aquel día propuse hacerlo así. Y después que más se me entendió, dixe muchas veces entre mí: «Si Dios me da salud y vivo, escrebiré hasta que vea el reino de Granada ser ganado de cristianos...»[7].

Un siglo después, el padre Mariana recogería aún la tradición del fervor con el que los pueblos salían al paso de las tropas de Fernando, como cuando acudieron a la empresa de Málaga:

> ... por do quiera que iban, hombres, niños, mujeres, les salían al encuentro de todas partes por aquellos campos y les echaban mil bendiciones: llamábanlos amparo de España...[8]

Y cierto, era ya una obra de España, si bien sobre todo a cargo de la Corona de Castilla, y dentro de ella, de la Andalucía occidental, en especial de Sevilla. Pero también tenía mucho de europea, en cuanto a como un desquite de Europa por lo sufrido en el extremo oriental desde la caída de Constantinopla. Porque la amenaza turca cada vez afectaba más a toda la Cristiandad, y los Reyes Católicos se mostraban sensibles a ello, como cuando la armada turca se había puesto so-

---

[7] Andrés Bernáldez, *Memorias...*, ob. cit., pág. 23.
[8] P. Mariana, *Historia de España,* ob. cit., II, pág. 496.

bre Otranto en 1480. La noticia les cogió a los Reyes Católicos cuando estaban en Toledo y ya vimos que les marcó una prioridad: acudir a la petición de auxilio que les hizo el duque de Calabria. ¡Otranto en poder del Turco! Y después de Otranto podía ser el mismo Nápoles. Y siempre, imponiéndose por el terror:

> ... fizieron aserrar por medio —ahora es el cronista Bernáldez quien lo refiere— al obispo de Otranto e fizieron matar mil e cuatrocientos hombres atados con sogas... [9]

Como ya hemos indicado, los Reyes no podían desoír la petición de auxilio que les llegaba desde Nápoles. En ese momento, la empresa de Granada tendrá que esperar. La orden es volcar todos los esfuerzos en la armada que ha de ir a defender Italia. Así lo hará en el mes de junio de 1481, a las órdenes de Enrique Enríquez. La consigna era que defender a Nápoles de la amenaza turca se imponía como una obligación inexcusable.

Afortunadamente, no solo Otranto pudo ser recuperada por el duque de Calabria, sino que la muerte del sultán Mahomet II (el que había conquistado Constantinopla treinta años antes) ponía un parón en las aventuras bélicas de los turcos.

A poco, e inesperadamente, un suceso iba a cambiar las cosas en España: cuando estaba para acabarse el año 1481, Muley Hacén toma la ofensiva y, rompiendo las treguas, se apodera de Zahara.

Era el comienzo de una guerra que había de durar diez años y que acabaría con la destrucción del reino nazarí de Granada.

PÉRDIDA DE ZAHARA Y TOMA DE ALHAMA

¡Zahara! La enriscada villa, adaptada a las curvas de nivel de una colina, estaba coronada en lo alto por una impresionante fortaleza que tenía fama de inexpugnable. Distante apenas veinte kilómetros de Ronda, podía ser tanto el punto de partida para una ofensiva cristiana contra el reino nazarí de Granada, como el objetivo de los estrategas musulmanes, en especial de los de Ronda, ansiosos de mejorar sus posiciones.

---

[9] Andrés Bernáldez, *Memorias...*, ob. cit., pág. 105.

Y fueron estos los que acometieron la empresa. Sin duda, el ataque turco a Otranto había dado alas a los musulmanes de todo el Mediterráneo, y a ello no fueron ajenos los habitantes de Ronda. Los cuales exploraron primero el terreno, obteniendo información de sus espías: los defensores de Zahara, acaso confiados en la fuerza de su posición, descuidaban torpemente la vigilancia de la villa, de forma que un ataque por sorpresa era viable.

Y eso fue lo que ocurrió un amanecer de finales de diciembre de 1481. Tomado el castillo al asalto y aniquilada su guarnición, la morisma se abatió sobre la villa, matando parte de sus habitantes y haciendo cautivos al resto, para llevarlos a Ronda atraillados, si hemos de creer a la crónica; esto es, atados en fila con correa, como los cazadores llevan a los perros.

Una noticia que consternó a todo el reino de Sevilla y que produjo una fuerte reacción en la Corte. Y no solo con vistas a recuperar la plaza perdida, sino declarando ya que el deseo de los Reyes era mucho más ambicioso; algo bien reflejado en la carta que envían a la ciudad de Sevilla, escrita a raíz de recibir la noticia del mal lance acaecido.

Es una carta escrita desde Medina del Campo el 12 de febrero de 1482. Los Reyes dan cuenta al cabildo municipal sevillano de haber recibido al jurado Antón Serrano, portador de aquella mala nueva, y después de condolerse por la muerte de tantos cristianos, les animan con la esperanza de recobrar pronto Zahara.

Y aún más:

> ... [para que] nos dé ocasión para poner en obra muy prestamente lo que teníamos en pensamiento de hazer.

Esto es, los Reyes señalan aquí con toda claridad cuál era su voluntad: acometer la empresa de Granada. Algo que las dificultades de los primeros años de su reinado les habían obligado a dilatar. Pero ya no esperarían más. Y así lo dicen con términos precisos:

> ... Visto esto, Nos entendemos luego en dar forma cómo la guerra se faga a los moros por todas partes y de tal manera que esperamos en Dios que muy presto non solo se recobrará esta villa que se perdió, mas se ganarán otras... [10]

---

[10] Los Reyes Católicos a la ciudad de Sevilla, Medina del Campo, 12 de febrero de 1482; carta registrada en el *Tumbo de Sevilla;* cf. Juan de la Mata Carriazo, *HEMP,* XVII, 1.º, pág. 433.

Por lo tanto, era ya el deseo manifiesto de la guerra contra el reino nazarí de Granada, una guerra santa, puesto que era contra el moro infiel, pero que no iba a empezar por la iniciativa de los Reyes, sino por parte de la agresión musulmana, con aquel ataque y toma de Zahara. Sin duda, en el ambiente belicista propiciado por el audaz asalto turco a Otranto. E incluso antes, pues cuando a poco de hacerse con el poder en Castilla Isabel, el rey de Granada Abū-l-Hasan ʿAlī, el que las crónicas cristianas denominan Muley Hacén, solicitó en 1478 las acostumbradas treguas entre ambos reinos, como se venía haciendo a lo largo de aquel siglo, los Reyes se mostraron dispuestos, siempre que Granada pagase también las usuales parias; obteniendo la altiva respuesta del rey moro: en Granada ya no se fabrican monedas, sino lanzas.

Un desplante ofensivo que los Reyes disimularon, puesto que en aquel año todavía la guerra de Sucesión no había terminado. Pero cuál era su pensamiento lo vemos por su reacción ante la pérdida de Zahara, y más aún, por la réplica de la nobleza andaluza, al tomar por su propia iniciativa la contraofensiva, con el ataque por sorpresa sobre la villa de Alhama. Y eso, cuando no habían pasado los dos meses de la afrenta sufrida en Zahara.

La cronología de aquellos hechos es bien precisa: el 28 de febrero de 1482, las huestes cristianas mandadas por el marqués de Cádiz toman por sorpresa la fuerte villa de Alhama, en una réplica casi exacta a lo que había ocurrido dos meses antes en Zahara: se apoderan primero del castillo y luego irrumpen en la villa, desbaratando la resistencia que sus vecinos trataron de oponer en sus calles y callejas, improvisando barricadas. Sin duda, la guarnición mora de Alhama, villa tan cercana a la misma capital granadina, situada, por lo tanto, en el corazón de aquel reino nazarí, se creía a salvo de cualquier intentona cristiana, y vivía confiada, sin la vigilancia que pedían aquellos tiempos en los que ya la guerra se había desatado.

Pero como era de prever, el sultán Muley Hacén no lo pudo sufrir, y al punto mandó un fuerte ejército para tratar de recuperar Alhama.

Tal ocurrió a lo largo del mes de marzo, en el que el marqués de Cádiz sufrió un duro cerco en su reciente conquista de Alhama. Y no lo hubiera soportado si no le hubiera llegado el oportuno socorro, dirigido contra toda previsión por el magnate que era su mayor rival en las pretensiones de ambos de dominar a Sevilla y su tierra.

Aquí la crónica refleja el gesto caballeresco del duque de Medina-Sidonia, que venía a marcar una estampa distinta entre los Grandes de la alta nobleza andaluza; sus anteriores rivalidades, tan funestas para el

Reino, iban a ser sustituidas por una fuerte camaradería en las lides de la guerra contra el común enemigo musulmán. En todo caso, si la rivalidad se mantenía, era en cuanto a la gallardía en los lances fronterizos, y en la emulación por ver quién ganaba más terreno en el ánimo de aquella joven Reina que a todos enfervorizaba, la reina Isabel de Castilla.

Y también aquel suceso de la toma de Alhama resultó una verdadera sorpresa para Isabel. Al tener noticia de ello, al punto mandan los Reyes una circular a todos sus reinos de Andalucía, conscientes de la importancia de mantener aquella preciada conquista, como un punto de partida para la posterior ofensiva sobre el reino nazarí granadino.

Es en esos términos en los que se envía la citada circular, escrita nada más tener noticia de la buena nueva, desde Medina del Campo, el 10 de marzo de 1482. Ahora los Reyes ya declaran abiertamente su proyecto y su anhelo: el hacerse con el reino de Granada. De ahí la conveniencia de mantener aquella villa

> … para la conquista del dicho regno de Granada, la qual Nos entendemos fazer e proseguir con todas nuestras fuerzas e poder…

Y tanto era así, que el rey Fernando se aprestaba ya para ir sobre la frontera mora con fuerzas suficientes. Y de ese modo añade en aquella circular del 10 de marzo de 1482:

> … Nos enviamos luego a esas fronteras la más gente de caballo que podimos haber, *e yo, el Rey, entiendo pasar prestamente en esas partes a dar orden al sostenimiento de la dicha villa, e cómo la guerra se faga e fuerçe contra los dichos moros…* [11]

Era un gran día para los Reyes, un gran día para Isabel. Como la réplica a la desventura que había caído sobre el sultán granadino, tan gráficamente recogido en un hermoso y célebre poema fronterizo.

---

[11] Carta de los Reyes recogida en el *Tumbo de Sevilla;* cf. Juan de la Mata Carriazo, *HEMP,* ob. cit., XVII, 1.º, págs. 453 y 454.

Repercusión de la toma de Alhama en el reino nazarí: el testimonio del Romancero

Pues ahora es el momento de traer aquí el testimonio del Romancero, con ese romance fronterizo sobre la pérdida de Alhama.

Un poema tan hermoso que sería pecado no recordar, porque también es un documento de la época, válido para evocar aquella etapa tan decisiva en nuestra historia patria.

Se trata del romance fronterizo titulado *¡Ay de mi Alhama!* Curiosamente, el anónimo autor cristiano se conduele de la pena del sultán granadino. No aparece en el romance la gran reina Isabel, jubilosa y triunfante, sino el afligido personaje moro, en cuya intimidad nos introduce el poeta:

> Paseábase el rey moro
> por la ciudad de Granada,
> desde la puerta de Elvira
> hasta la de Vivarrambla.
> Cartas le fueron venidas
> cómo Alhama era ganada.
>
> *¡Ay de mi Alhama!*
>
> Las cartas echó en el fuego,
> y al mensajero matara;
> echó mano a sus cabellos
> y las sus barbas mesaba.
> Apeóse de la mula
> y en un caballo cabalga.
> Por el Zacatín arriba
> subido había a la Alhambra.
> Mandó tocar sus trompetas,
> sus añafiles de plata,
> porque lo oyesen los moros
> que andaban por el arada.
>
> *¡Ay de mi Alhama!*
>
> Cuatro a cuatro, cinco a cinco,
> juntado se ha gran compaña.
> Allí habló un viejo alfaquí,
> la barba bellida y cana:
>
> —¿Para qué nos llamas, Rey,
> a qué fue nuestra llamada?

—Para que sepáis, amigos,
la gran pérdida de Alhama.

¡Ay de mi Alhama!

—Bien se te emplea, buen Rey,
buen Rey, bien se te empleara.
Mataste los bencerrajes,
que eran la flor de Granada.
Cogiste los tornadizos
de Córdoba la nombrada.
Por eso mereces, Rey,
una pena muy doblada:
que te pierdas tú y el reino
y que se acabe Granada.

¡Ay de mi Alhama!

Este romance estuvo muy en boga a lo largo del siglo XVI, como nos comenta uno de los mejores historiadores de aquel siglo, si no el mayor, el padre Mariana, quien nos refleja cuán popular era:

Sobre la toma de Alhama —nos dice— anda un romance
en lengua vulgar que en aquel tiempo fue muy loado...[12]

Lo que importa es destacar cómo la toma de Alhama por el marqués de Cádiz se consideró ya como el inicio imparable de la guerra que había de terminar con la conquista de todo el reino granadino. De ahí su largo título:

Romance de la conquista de Alhama, con la cual se comenzó la última guerra de Granada.

También es significativo que en el romance se aluda a los conflictos internos del reino nazarí. Porque, en principio, la fuerza de su territorio, con la ventaja de su amplio ventanal hacia el Mediterráneo, le permitían esperar cualquier socorro de sus correligionarios norteafricanos.

---

[12] La referencia, en Ramón Menéndez Pidal, *Flor nueva de romances viejos,* Madrid, Espasa Calpe, Col. Austral, 1950, págs. 230-232; cf. la obra de Mariana, *Historia de España,* ob. cit., II, págs. 472 y 473.

A este respecto, ya los historiadores del tiempo destacaban esa fuerza territorial, esa base geográfica, cuando se planteaban el tema de la guerra granadina, como lo hizo el padre Mariana:

> El reyno de Granada —nos dice— está puesto entre el de Murcia y el de Andalucía... Tiene en ruedo setecientas millas, que hacen casi doscientas leguas, y es más largo que ancho. Desde Ronda hasta Huéscar se cuentan sesenta leguas por el largo; por el ancho, desde Cambil hasta Almuñécar solas veinte y cinco... Goza de cielo muy alegre y de suelo muy apacible. Sus campos son muy fértiles... La tierra doblada [13] por la mayor parte... La ciudad de Granada, cabeza del reyno, una de las más nobles, abastadas y más grandes de toda España... Se contaban catorce ciudades y noventa y siete villas... [14]

En cuanto a las luchas intestinas a que alude el romance, que se habían desarrollado en el reino granadino, eran una realidad: esos bencerrajes, o abencerrajes, uno de los partidos señoriales más poderosos, combatidos por el Rey moro.

Pues ocurrió que Muley Hacén se había enamorado de una hermosísima cristiana, a la que sus tropas habían hecho cautiva en una de sus correrías por tierras andaluzas. Esa cristiana se llamaba Isabel de Solís, y era hija del comendador Sancho Jiménez de Solís. Por su parte, Isabel de Solís no se mostró indiferente al cerco amoroso de Muley Hacén, pues acabó convirtiéndose al islamismo, cambiando su nombre cristiano por el tan poético como Zoraya; esto es, Lucero del Alba.

Y allí surgieron los conflictos. Aquella Zoraya pasó a ser la nueva esposa de Muley Hacén, y en el harén del rey moro, la favorita. Ahora bien, Muley Hacén tenía otra esposa, Aixa la Horra (la Honesta), que además le había dado dos hijos: Abd-Allah el Zaquir (el que las crónicas cristianas denominan Boabdil el Chico) y Yusuf. Y Aixa, no conformándose con el olvido en el que había quedado, se enfrentó con el rey, abandonando la Alhambra y refugiándose en el Albaicín.

Pronto, lo que empezó siendo una discordia familiar, se convirtió en un grave problema político. Muley Hacén era demasiado déspota

---

[13] Doblada, esto es, fragosa, muy montañosa.

[14] P. Mariana, *Historia de España,* ob. cit., pág. 470. No he sido el único en pensar en el relato del padre Mariana para evocar el reino granadino, a la hora del inicio de la guerra. Cf. sobre esto la biografía de C. Silió, *Isabel la Católica,* ob. cit., pág. 233.

para que sus enemigos no aprovechasen la ocasión, máxime cuando se le reprochaba el haber perdido la cabeza por una cautiva cristiana. Y en aquel conflicto entraron al punto los dos grandes partidos granadinos, encarnizadamente enemigos: los zegríes, que siguieron al rey, y los abencerrajes, que se alzaron a favor de los hijos de Aixa la Horra. De ahí muertes y persecuciones, a las que alude el poema, sin olvidar que otro gran personaje del reino, Abu Abd-Allah, el Zagal, hermano de Muley Hacén, tomó también las armas para defender al rey.

Esas circunstancias iban a ser hábilmente aprovechadas por los Reyes Católicos, sobre todo a partir de un lance afortunado que, como hemos de ver, ocurriría en 1483: la captura de Boabdil el Chico en la batalla de Lucena.

Eso ocurriría en la primavera de 1483. Y fue un lance verdaderamente afortunado, porque, además de las perspectivas que abría, dejaba atrás el mal recuerdo de dos desastres cristianos, uno de ellos en el primer año de la guerra, en el de 1482, y en el que se vio afectado el propio Fernando el Católico.

Sería el vano intento de apoderarse de Loja.

DE CÓMO EL REY FERNANDO FUE SOBRE LOXA E NON FIZO LO QUE QUISIERA

Llama la atención la rapidez con la que reaccionan los Reyes frente al afortunado lance de la conquista de Alhama, si se compara con la calma con la que habían tomado la pérdida de Zahara. Sin duda, influiría la consideración de que para el desquite frente al revés tenían tiempo, como campaña a desarrollar en su momento, según lo aconsejaran las circunstancias. Quiero decir que no les obligaba a una réplica inmediata; en cambio, el pronto socorro de Alhama sí que era urgente y necesario, porque había que suponer que, estando tan cerca de la capital del reino nazarí, el emir Muley Hacén haría lo imposible por recuperar la plaza. Por lo tanto, se trataba de mantener aquella conquista, como signo de la próxima ofensiva cristiana y para evitar el desaliento que hubiera provocado en todo el Reino —y particularmente en el de Sevilla— su vuelta a manos del rey moro.

Sin duda, también, porque la noticia de la pérdida de Zahara les cogió tarde a los Reyes, ya de regreso de Valencia; porque antes de entrar en Castilla tuvieron que presentarse en Teruel, para pacificar los bandos enfrentados de la ciudad. Lo harán, al fin, y regresarán a Castilla pasando por la ruta de Burgo de Osma y Aranda de Duero, para ponerse en Medina del Campo el 1 de febrero de 1482.

Y en ese mes de febrero diríase que vuelven a tomarse un respiro. Se ve a Fernando entregarse al placer de la caza, y a la Reina vivir reposada su gravidez, disfrutando de sus dos hijos, Juan y Juana, que eran dos pequeñuelos de tres y dos años [15].

Había sido un largo viaje, entrando en la meseta en pleno invierno, lo que no era poco fatigoso, en especial para la Reina, que llevaba bien adelantado su preñado de cinco meses. Una estampa de Isabel que sabemos por un testigo de vista, el catalán Juan Bernardo Marimón, que seguía a la Corte como delegado de los Concellers de Barcelona. La Reina, nos dice, tenía un aspecto cansado:

> ... um poch aflequida ab lo cami e lo prenyat... [16]

Pero hemos de insistir en que si el desquite frente al tropiezo de Zahara podía esperar, no así el socorro a los audaces asaltantes de Alhama. Una frenética actividad se apodera de la Corte, para allegar recursos y para movilizar las fuerzas que han de acompañar al Rey. Como ya hemos indicado, la noticia llega a Medina del Campo a principios de marzo, y el 14 ya se ve salir a Fernando al frente de un verdadero ejército, si bien por las prisas, más por el número de los soldados que por su eficacia guerrera. A finales de mes llega Fernando a Córdoba, desde donde prepara el socorro a Alhama, que ya había recibido un primer auxilio de manos del duque de Medina-Sidonia.

De esa forma, el 29 de abril, Fernando entra con sus fuerzas en Alhama, fortaleciendo sus defensas, aumentando su guarnición y dejándola bien abastecida y bien pertrechada.

Lo cual era como un símbolo de que una nueva etapa se estaba gestando. A la acción de los nobles andaluces —el marqués de Cádiz, el duque de Medina-Sidonia— sucedía ahora la del propio Rey, bien secundado por la Reina.

Por Isabel, en efecto, que desde la retaguardia movilizaba todos sus reinos. Un gesto que recogerán los cronistas del tiempo:

---

[15] Pero no con Isabel, que seguía en Moura de acuerdo con el tratado de las Tercerías, de que no se veía libre hasta el 24 de mayo de 1483 (véase Luis Suárez, *Isabel I, Reina,* Barcelona, Arial, 2001, pág. 237).

[16] El texto, cit. por Tarsicio de Azcona, *Isabel la Católica,* ob. cit., pág. 636.

> Envió ansímesmo sus cartas de apercibimiento —nos refiere Pulgar— a todos los caballeros y escuderos que tenían tierras e acosamientos della, mandándoles que estoviesen prestos con sus armas y caballos para quando los enviase a llamar para la guerra... [17]

Y ella misma se pone en marcha, pese a lo avanzado de su preñado, pues quiere estar lo más cerca posible del teatro de operaciones. ¡Aquella guerra era su guerra! La guerra santa contra el último enclave moro en España. Una empresa que ella entendía que los cielos le tenían reservada para que la acometiese y la ganase.

Y de ese modo, con la lentitud a que le obligaba su estado, pero sin pausa, se vio a Isabel salir de Medina del Campo para dirigirse al sur, a sus reinos de Andalucía, a lo largo del mes de junio. Al fin, muy fatigada, pero harto contenta por lograr su propósito, entraba en Córdoba el 23 de junio, cuando ya los fuertes calores propios del verano se hacían sentir en las lentas jornadas del camino.

Era a tiempo. Seis días después, el 29 de junio, festividad de San Pedro, Isabel daba a luz una niña, a la que pondrían los Reyes el nombre de María.

Fue un parto complicado, que pudo costar la vida de la Reina, que en todo caso pagaría su precio. En efecto, el parto era doble, pero la segunda criatura nacería muerta.

Solo esos días obligaron a los Reyes a un corto aplazamiento en los planes guerreros que tenían para aquella campaña. Y de tal forma, que el 1 de julio Córdoba vio partir a Fernando, al mando de su ejército, decidido a conquistar Loja.

Había sido una decisión tomada después de un amplio consejo con los capitanes de su ejército. Algunos consideraban preferible atacar Málaga, por tener noticia de que estaba muy desguarnecida; mientras que a Loja la defendía uno de los más expertos y más valientes capitanes del reino nazarí: el moro Alatar, o Aliatar; un personaje de importancia, como suegro de Boabdil el Chico. Otros, en cambio, señalaban a Loja como objetivo prioritario, porque era asegurar la defensa de Alhama, por su cercanía a la preciada conquista del marqués de Cádiz.

---

[17] Fernando del Pulgar, *Crónica...*, pág. 366; cit. por Enrique San Miguel Pérez, *Isabel I*, ob. cit., pág. 165.

Ahora bien, Fernando no llevaba consigo las fuerzas suficientes ni debidamente preparadas. Era un abigarrado ejército, con algunos miles de peones enviados en su mayoría por las ciudades. Lo mejor, sin duda, era la caballería de los grandes señores andaluces, una caballería habituada a la guerra fronteriza de razias y de ataque rápido por sorpresa, pillaje y retirada pronta a las bases de partida con el botín conseguido.

Y lo que Fernando necesitaba era un verdadero ejército. Ni siquiera pudo establecer un cerco en toda regla sobre Loja, y mucho menos batir sus murallas con la pobre artillería que tenía. Así las cosas, la plaza aguantó sin merma mayor los ataques del ejército cristiano, recibiendo los socorros necesarios de Granada, e incluso poniendo en apuros con sus salidas a los sitiadores.

Ante tan pobres resultados, Fernando comprendió que lo mejor era la retirada. Aquella era una dura guerra que había que afrontar de otro modo, con más medios, con un ejército más adiestrado y, sobre todo, con más poderosa artillería. Y se replegó, no sin sortear serios peligros, ante una carga de los cercados, que a punto estuvo de costarle cara, si no fuera por el oportuno auxilio del marqués de Cádiz.

Un serio revés que el cronista Bernáldez resume muy bien en su texto:

De cómo el Rey fue sobre Loxa e non fizo lo que quisiera [18].

Un revés que Isabel, la Reina, sintió muy de veras, por todo lo que había puesto de su parte, y por las ganas que tenía de acometer seriamente y con éxito aquella guerra de Granada que tanto se le resistía. Había esperado, en vano, la vuelta de su Rey-soldado vencedor y hubo de verle regresar, como en aquel primer intento de la guerra civil, cuando lo que se peleaba era por Toro y contra los portugueses: abatido y derrotado.

Pero no se desalentó. Si había que conseguir más hombres, allegar más recursos, modernizar el ejército y reclutar mejores capitanes, se haría.

En suma, se había perdido la primera acción, pero no la guerra.

En cuanto a Fernando, aprendió bien la lección. También aquí el cronista resulta certero:

---

[18] Andrés Bernáldez, *Memorias...*, ob. cit., pág. 123.

> Fue escuela al Rey este cerco primero de Loxa en que tomó lición e deprendió ciencia, con que después fizo la guerra e, con ayuda de Dios, ganó la tierra...

Y añade, comprendiendo dónde había estado el fallo:

> E dende esta vez le creció contra los moros gran omecillo, e fizo facer, sobre la que tenía, muy gran artillería..., e guarneçióse mucho de todas las cosas necesarias para la guerra... [19]

Fernando no disimuló el revés sufrido. Antes bien, reconoció ante los suyos que había sido una campaña mal preparada, pero que su intención seguía siendo mantener la lucha, mas con mejores medios:

> Ya por otras habréis sapido cómo fuimos a Loxa, con intención de la cercar —escribía dos meses más tarde al caballero Guillermo de Peralta—; e que, vista la disposición de aquella ciutat e el lugar donde stá, vimos non poderse bien cercar con tan poca gente, maiormente que, por la que levamos, nos faltaron los mantenimientos. E assí alçamos el real, con intención de proveernos para la primavera que viene... [20]

EL BIENIO CRÍTICO: 1483-1484

Después del fallido intento sobre Loja, Fernando comprendió que la guerra de Granada debía tomar otros derroteros. En primer lugar, por supuesto, una mejor estructura militar; conseguir la transformación de aquel abigarrado conjunto de mesnadas señoriales y de milicias urbanas en un verdadero ejército. Para ello era preciso vertebrarlo y modernizarlo. Pero como además el terreno granadino era tan fragoso y las plazas fuertes del reino nazarí inexpugnables para la técnica militar medieval, eso obligaba al incremento y perfeccionamiento de la nueva arma: la artillería, y tan poderosa que fuera capaz de batir las murallas de aquellas fortalezas, contra las cuales poco o nada podían

[19] Andrés Bernáldez, *Memorias...*, pág. 125.
[20] Carta publ. por Antonio de la Torre y del Cerro, *Los Reyes Católicos y Granada*, Madrid, CSIC, 1946; cf. Juan de la Mata Carriazo, «Historia de la guerra de Granada» (en *HEMP*, XVII, 1.º, págs. 467 y 468).

los escopeteros, y no digamos los saeteros tradicionales. Hacía falta, además, todo el aparato suplementario: el adecuado sistema de transporte, carros y acémilas en número suficiente para tirar de aquellos trenes de artillería y para transportar la abundante munición que era preciso disparar. Con lo cual, además, había que vencer otra dificultad: que los caminos de aquel montañoso reino granadino había que adecuarlos, cuando no ensancharlos, así como eran necesarios nuevos puentes para franquear los ríos y arroyos que se encontraran al paso.

Esto es, era preciso organizar un servicio de gastadores, hasta entonces inexistente.

De igual modo, una guerra que se presentaba tan difícil y tan larga suponía que había que contar con numerosas bajas en cada campaña. Con lo cual, había que crear otro nuevo organismo: el hospital de campaña. Algo que Isabel tomaría muy a su cargo, y que por eso tomaría el nombre de Hospital de la Reina.

Tantos hombres puestos en pie de guerra, tantos miles de peones de la infantería regia, tantos miles de caballeros (aunque en menor número) con sus cabalgaduras, tantos cientos de artilleros, con sus auxiliares, todo ello implicaba un gasto enorme, que desbordaba las posibilidades económicas de la nueva Monarquía; ese sería uno de los problemas más serios que tuvieron que afrontar los Reyes. Para ello se sirvieron de muy diversos medios. Como la guerra era tan popular, lograron el apoyo de la Santa Hermandad, que en diversas ocasiones concedieron cantidades no pequeñas. A su vez, como era una guerra contra el Islam, y Roma estaba tan sensibilizada por la creciente amenaza del Imperio turco, también lograron los Reyes los beneficios de la predicación de la Bula de Cruzada, así como diversas aportaciones económicas del clero, en particular del castellano, que así ayudaba a la guerra no solo con sus oraciones. Y como nada era bastante, los monarcas aplicaron el sistema de los empréstitos, acudiendo a la alta nobleza y al alto clero.

Y no solo a ellos, sino también a los hombres de empresa de su reinado, curiosamente representados por la minoría religiosa que tenía en sus manos el mundo de los negocios: los judíos. De hecho, uno de los más importantes, Abraham Seneor, sería el máximo organizador del suministro de aquel ejército cristiano, cada vez más numeroso.

Y eso ocurría cuando la intolerancia religiosa, que crecía conforme avanzaba la guerra, llevaba a los Reyes a medidas de discriminación cada vez más violentas. Pues no se puede silenciar que a partir de la estancia de los Reyes en Sevilla, en 1478, germina la implantación de la

Inquisición, que sería una realidad dos años después, para actuar con verdadera saña contra los conversos de origen judío acusados de judaizar, llevando a centenares de ellos a la más dura de las condenas: a la de ser quemados vivos.

Era aquello a que se instaba en las alturas, presionando en Roma: que era un mal que había que combatir con el fuego. Y como los focos principales de los que judaizaban parecían estar en Andalucía, aunque la Inquisición acabase muy pronto por extenderse a toda la Monarquía, de hecho, en aquellos años ochenta, la presencia en particular de la Reina, ya en Sevilla, ya en Córdoba, tendrá no poco que ver con el incremento del rigor inquisitorial, no aplacado, por supuesto, con la tentativa de la comunidad judía de mitigar los rigores inquisitoriales mediante un fuerte donativo.

Sería lo que Isabel plasmaría en su frase:

Prefiero tener limpios mis reinos a coger ese dinero.

Tenemos, por lo tanto, el problema de la implantación del terrible sistema inquisitorial, con todo lo que ello supone, como algo muy ligado a la guerra de Granada, y de ello tendremos que tratar en su momento, y lo más a fondo posible.

Pero, además, en aquella década larga muchas otras cosas iban sucediendo, no ya solo en España, sino en la Europa occidental, que afectaban también a los Reyes Católicos y que les obligará imperiosamente a la atención asimismo de esos otros frentes. Estaba, por ejemplo, la necesidad de acabar con los bandos nobiliarios, y no solo en Castilla o en Andalucía, sino también, por supuesto, en Galicia. Había que atender a la nueva estructuración del principado de Asturias, al que tan ligada se encontraba Isabel, y que aportaba buena parte de la peonada integrada en el ejército que combatía en Granada. Estaban los intereses de la marina cántabra y del País Vasco, con sus relaciones con las potencias occidentales, como el caso de Inglaterra. De igual modo, cualquier cosa de cierta importancia que ocurriera en Francia repercutía en España, en particular por el litigio en torno a Navarra, o bien por los condados de Rosellón y Cerdaña; lo cual se veía de inmediato, cuando sobreviene la muerte de Luis XI, con la noticia de que en su lecho de muerte había manifestado sus escrúpulos por la posesión indebida de dichos territorios pirenaicos.

Y estaba la cuestión italiana, con las relaciones en ocasiones tirantes con la misma Roma —lo cual era de una gravedad suma—, y también con otras potencias, y muy en particular con Venecia; pues la amplia presencia de la Corona de Aragón en Italia, con la posesión de los reinos de Sicilia y de Cerdeña y con su estrecho parentesco con la casa reinante en Nápoles, obligaba a los Reyes a una continua vigilancia, a un estar alerta constantemente respecto a lo que allí sucedía; no digamos cuando el suceso del día era algo tan fuerte como el comentado asalto turco a Otranto, en 1480.

Eso explica el carácter de aquella Corte itinerante, como sería la de los Reyes Católicos, tan pronto en Sevilla como en Córdoba, en Madrid como en Toledo, en Medina como en Valladolid, en Vitoria como en Zaragoza, y hasta en Santo Domingo de la Calzada. Y no solo itinerante, sino además repartida, haciéndose cargo cada cual de uno de los frentes, aunque en general los acuerdos tomados fueran por ambos aceptados.

Eso sí, no siempre, o al menos, no sin sus serias discrepancias, aunque acabasen superándolas.

Eso sería lo que ocurriría precisamente en ese bienio de 1483 y 1484, en el que, de pronto, aquella muerte de Luis XI, ocurrida en 1483, plantea una fuerte duda. ¿Qué sería lo más oportuno: aplazar la guerra de Granada, o incluso dejarla ya, manteniendo al reino nazarí en la condición anterior de reino vasallo, sin ir más allá, para poder acometer la empresa de los condados pirenaicos, o bien seguir con lo ya comenzado en el sur andaluz?

En principio, vemos a Isabel residiendo en Córdoba todavía durante los meses de septiembre y octubre de 1482, tras el traspié sufrido por Fernando en Loja. En parte, por ser necesario organizar la defensa de Andalucía, en parte por atender a los problemas tan graves suscitados por la acción inquisitorial, que en el año anterior se había mostrado tan cruel.

No abandonaron los Reyes Córdoba sin dejar bien proveída la defensa de la frontera, con el maestre de Santiago Alonso de Cárdenas como Adelantado Mayor situado en Écija con buen golpe de gente, para que pudiera acudir a cualquier lugar amenazado [21]; confirmaban así el nombramiento hecho a principios del año, cuando su ausencia les obligaba a extremar tales medidas de defensa, que se incrementaban advirtiendo a la nobleza jiennense y de la Baja Andalucía que acu-

---

[21] Fernando del Pulgar, *Crónica de los Reyes Católicos;* cf. Enrique San Miguel, *Isabel I,* ob. cit., pág. 170.

diesen asimismo ante cualquier amenaza. Así dejaron a don Pedro Manrique, conde de Treviño, en la zona de Jaén, y escribieron cartas a todas las ciudades y villas de la frontera con Granada:

> ... que estoviesen aperçibidos e fiçiesen guerra a los moros y enviasen sus gentes a aquellos capitanes mayores que dexaban por fronteros... [22]

La Reina todavía permaneció en Córdoba a lo largo de los meses de septiembre y octubre; tiempo que aprovechó para proveer que se hicieran realidad las promesas pontificias de ayuda económica conforme al Concordato firmado con Sixto IV en aquel verano (su fecha, 2 de julio de 1482). Pues todo era poco para hacer frente a los gastos que se les venían encima.

¿Hubo algo más que obligó a la Reina a demorar su partida de Córdoba? Sin duda, como veremos en el capítulo sobre la Inquisición, la gravedad de lo que estaba ocurriendo en la ciudad, con motivo de la represión inquisitorial sobre los conversos acusados de judaizar.

¿Fue entonces cuando se oyó proclamar a Isabel que estimaba en muy poco el aumento de sus rentas y en mucho la limpieza religiosa de sus tierras? En todo caso, hubo motivos para no abandonar Andalucía hasta dejar resuelta aquella cuestión.

Pero a partir de entonces urgía a los Reyes su regreso a la meseta, pues importantes asuntos ocurridos en el norte de España, y también en la Europa occidental, les obligaban a prestarles la máxima atención. De ese modo, tras una estancia en Guadalupe, a cuya Virgen tenían tanta devoción, y no olvidando a buen seguro que no muy lejos de allí, en la villa portuguesa de Moura, estaba su hija primogénita, los Reyes decidieron pasar aquel invierno en Madrid.

La estancia en Madrid, y en su viejo alcázar, adonde llegaron los Reyes en diciembre de 1482, se prolongaría a lo largo de todo el invierno. En esos meses Isabel convocaría en Pinto a la Junta de Hermandades; la guerra de Granada precisaba más y más dinero. A su vez, Fernando acudía al norte, para pacificar Galicia, alterada por las rivalidades entre dos Grandes: el conde de Lemos y el de Benavente.

---

[22] Juan de la Mata Carriazo, «Historia de la guerra de Granada», en *HEMP,* XVII, 1.º, pág. 484.

Eso le obligó a ir a León y más tarde a la vieja ciudad de Astorga, no regresando a Madrid hasta mediados de abril.

Por entonces, todavía ausente Fernando, llegó a la Corte la mala nueva: en una desafortunada incursión por la Axarquía malagueña, buena parte de la nobleza andaluza había caído en una emboscada, pereciendo no pocos de aquellos caballeros.

Isabel no aguardó a la llegada del Rey para tomar medidas, y en primer lugar escribiendo a la ciudad de Sevilla: Mucho le había apenado aquel revés, que había que tomar como cosas propias de las guerras, en las que siempre había algún desastre que lamentar. Y puesto que Dios lo había querido, forzoso era consolarse con que había sido en su servicio.

Pero la Reina no se limitó a expresar su sentimiento. Tomó inmediatamente una resolución para demostrar que no olvidaba a quienes así le servían:

> Los oficios de los que allí murieron —ordenará en aquella carta— me plaze que los ayan su fijos de aquellos y parientes más cercanos, porque es mucha razón que los que allí perdieron sus padres e parientes, gocen de los oficios que aquellos tenían... [23]

Cierto que en algunos casos eso no se podría hacer, porque se había prohibido en las Cortes de Toledo, en presencia y con la aprobación tanto de Isabel como de Fernando; de forma que había que esperar a la llegada del Rey, entonces ausente, para con igual solemnidad revocar aquella orden:

> ... porque es necesaria la presencia de su señoría, para que ambos juntos lo fagamos con aquella abtoridad e deliberación con que se fizo la ley...

Por lo tanto, una vez más la Reina daría pruebas de su notable sentido de la justicia y del respeto que se debía a las leyes del Reino.

Pese a que el mal rumbo que había tomado la guerra parecía pedir la vuelta de los Reyes, por aquellos meses la empresa de Granada hubo de esperar. De hecho, a poco de regresar Fernando de su labor pacifi-

---

[23] Juan de la Mata Carriazo, «Historia de la guerra de Granada», ob. cit., pág. 493.

cadora en Galicia, salieron ambos, pero en dirección norte. Franqueando la sierra de Guadarrama camino de Segovia, pasaron por Aranda de Duero y Lerma, para reposar en Burgos; pero tan solo unos días. Su nuevo destino era Santo Domingo de la Calzada, donde Isabel permanecería desde principios de mayo hasta finales de agosto.

¿Qué obligaba a Isabel a esa estancia, relativamente larga, en la villa riojana? Las alarmantes noticias que le habían llegado de los tratos del nuevo Rey de Portugal, Juan II, con la casa reinante en Navarra. Se negociaba la boda de la princesa Juana con Francisco Febo, el heredero del Reino navarro.

Otra vez, por lo tanto, se cruzaba en su camino aquella desventurada Princesa. Y en contra de los acuerdos tomados en la paz de Alcáçobas. Algo que Isabel no estaba dispuesta a consentir.

Por fortuna para ella, la muerte del Príncipe navarro resolvió la cuestión. Ahora bien, ¿podían dejarse así las cosas? La muerte de Francisco Febo ponía en alza una Princesa navarra: Catalina. ¿Y acaso no tenía Isabel un hijo casadero? Cierto que el príncipe Juan no tenía más que cinco años, pero aun así la Reina tanteó aquella alianza matrimonial.

Lo cual indica una cosa: que Isabel siempre tendría como norte de su política la unidad de los reinos hispanos.

PRISIÓN DE BOABDIL

Estando en Santo Domingo de la Calzada, pendiente del problema navarro, le llegan a la Reina dos buenas nuevas. Por una parte, la decisión de Juan II de Portugal de anular el tratado de las Tercerías. Eso iba a obligar a un nuevo acuerdo entre las dos Casas reinantes —el acuerdo firmado en Avís—, lo que dejaba en suspenso aquel enclaustramiento en Moura de los príncipes Alfonso de Portugal e Isabel de Castilla. Y de ese modo, la otrora Princesa de Asturias, en aquellos momentos (debido al nacimiento del príncipe Juan) infanta Isabel, pudo regresar al hogar materno, del que había estado separada casi cuatro años. Tantos, que ni siquiera conocía a sus dos hermanas pequeñas, Juana y María, que todavía no habían nacido cuando la primogénita de los Reyes hubo de salir para la villa portuguesa de Moura.

Sin duda, todo un acontecimiento en el orden familiar y una alegría para la Reina, a quien las razones de Estado habían obligado al sacrificio de ver salir de la Corte, con tan poca edad, a su hija mayor.

El otro suceso tendría mayor repercusión política: la batalla de Lucena. Un éxito en aquella guerra granadina tanto más inesperado cuanto que cogía fuera de aquellas tierras a los Reyes.

Y un éxito grande, pues no solo se había vencido al ejército moro, sino que se había dado muerte a uno de sus principales capitanes, aquel Aliatar que había destacado en la defensa de Loja frente a Fernando el Católico, y además la gran noticia: entre los prisioneros estaba nada menos que Boabdil el Chico.

Algo increíble. ¿Cómo podía haber ocurrido? Allí se echó de ver cuánto estaba beneficiando a los Reyes Católicos la profunda división existente en la familia reinante de Granada. Pues en el enfrentamiento entre Muley Hacén y Boabdil el Chico, el Emir tuvo que abandonar la Alhambra, ante la inquina popular, y refugiarse en las tierras malagueñas, donde dominaba su hermano El Zagal.

Ahora bien, el desastre de la Axarquía, donde a punto estuvo de perder la vida el marqués de Cádiz, ocurrido en el mes de marzo, y que tan famoso había hecho a El Zagal, hizo cavilar a Boabdil el Chico: si quería mantener su prestigio y no verse desbordado por aquel golpe de fortuna de su tío, tenía que intentar algo grande y sonado contra los dominios de Isabel y Fernando; de ahí su improvisada ofensiva en aquella misma primavera sobre Lucena, con tan mal resultado para sus fines, que no solo había perdido la batalla y algunos de sus mejores capitanes, sino que también había perdido la libertad.

¡El rey Boabdil el Chico prisionero! La noticia no podía ser más importante. Podía estar allí la clave de la guerra de Granada, y como tal lo celebraron algunos cronistas cristianos. Era algo permitido por la gracia divina,

> … porque más fácil y brevemente toda la gente de los moros… fuese reducida…[24]

Dos habían sido los principales capitanes cristianos en aquella tan decisiva victoria: el conde de Cabra y el alcaide de los Donceles. Y el

---

[24] Lucio Marineo Sículo; cit. por Juan de la Mata Carriazo, «Historia de la guerra de Granada», ob. cit., pág. 501.

suceso pronto se entendió en la Corte que había que aprovecharlo, obligando al rey Fernando a salir para Córdoba.

Había que tomar una pronta decisión sobre el regio prisionero: o bien se le mantenía cautivo, o bien se le dejaba en libertad, bajo ciertas condiciones. Un dilema en el que entraba la dividida familia real granadina. Pues el Rey viejo, Muley Hacén, que por lo pronto había podido recuperar la Alhambra, relegando a Aixa la Horra a su refugio de Almería, instaba por el cautiverio de su hijo, ofreciendo grandes cosas a los Reyes Católicos: treguas, por supuesto, parias y además la liberación de no pocos cautivos.

Pero estaba la otra parte: Aixa, en su afán de liberar a su hijo, prometía que se convertiría en vasallo de los Reyes, que pagaría un cuantioso rescate y, por supuesto, también que accedería a la liberación de cautivos. Incluso se llegaba a más: a ofrecer que se acudiría con setecientas lanzas cuando fuere llamado por el rey Fernando, en las incursiones que hiciera contra Muley Hacén. Y Fernando lo vio claro. Sería el primer golpe teatral de su notable habilidad como diplomático, aquello que acabaría por darle el renombre del mejor hombre de Estado de su tiempo; el modelo del Príncipe renacentista, tal como lo acabaría viendo Maquiavelo. Lo mejor para la causa cristiana era mantener la división dentro del reino nazarí. Y era evidente que eso solo se conseguiría devolviendo la libertad a Boabdil, pues en caso contrario Muley Hacén no tardaría en hacerse con todo el reino granadino.

Pero no tomó la decisión sin antes consultar con Isabel, que seguía en el norte. Y la Reina, desde Vitoria, se inclinó por aquella misma alternativa: la liberación de Boabdil. Y allí recibió, con gran triunfo, a los dos capitanes vencedores, al conde de Cabra y al alcaide de los Donceles, a los que concedió notables mercedes.

Por su parte, Fernando aprovechó su paso a Andalucía para auxiliar Alhama, y todavía más: para correr toda la vega de Granada con su ejército, mostrando ya su poderío ante los atemorizados granadinos.

Bien lo refleja el cronista Andrés Bernáldez:

> E desta vez quedaron los moros de Granada muy atemoriçados del rey don Fernando, de ver tanta y tan noble caballería y gente como llevaba... [25]

---

[25] Andrés Bernáldez, *Memorias...*, ob. cit., pág. 135.

Y más atemorizados todavía porque, antes de que terminase el año, el marqués de Cádiz, con un audaz golpe de mano, recuperó la disputada plaza de Zahara.

Era el desquite por el penoso desastre que había sufrido, meses antes, en la Axarquía malagueña. Y los Reyes lo celebraron, honrando y no poco al esforzado caudillo andaluz, haciéndole Grande de España, con el título de duque de Cádiz y marqués de Zahara.

Si bien él, orgulloso de sus principios, lo llevaría a su modo:

> ... [que] en cuantas cartas firmaba, nunca dexó este nombre de marqués, e primero ponía marqués que no duque, en esta manera:
>
> El marqués duque de Cádiz[26].

De todo ello iba teniendo noticias Isabel por los constantes correos que le mandaba Fernando. Mientras tanto, y conforme al sistema que con tanta eficacia había ido desplegando, ella se dedicaba a resolver los problemas del norte de España. De ahí que, dejando Santo Domingo de la Calzada, trasladase su Corte a Vitoria, la hermosa ciudad alavesa; pero no para oprimir sobre el terreno al pueblo vasco, sino para demostrarle su agradecimiento y cómo compartía sus sentimientos respecto a sus costumbres y sus privilegios.

Su agradecimiento, porque también había podido contar con los vascos, al igual que durante la guerra de Sucesión, tanto con sus hombres como con su dinero. De forma que fue a la cita histórica de jurar los privilegios vascos ante el árbol de Guernica y acudió a Bilbao a principios de septiembre, no solo para reconocer sus fueros, sino también para imponer la fuerza de la ley contra el bandidaje, que asimismo hacía estragos en aquellas tierras:

> ... e mandó executar la justicia en algunos malfechores —leemos en Pulgar—, e puso gran temor a los moradores de la tierra...[27]

---

[26] Andrés Bernáldez, *Memorias...*, ob. cit., pág. 150.
[27] Fernando del Pulgar, *Crónica...*, ob. cit., pág. 395; cit. por Enrique San Miguel, *Isabel I,* ob. cit., pág. 173.

LA CRISIS DE TARAZONA

A finales de aquel verano, el 30 de agosto de 1483, moría en Francia Luis XI, planteando un raro caso en la historia; pues aquel ambicioso monarca, que con tanta fortuna se había desenvuelto en la gran política internacional, tanto en el norte, frente a Carlos el Temerario, señor de Borgoña, como en el sur, frente a Juan II de Aragón, en la frontera pirenaica, de pronto, sintiéndose en sus últimos momentos, expresó sus dudas en cuanto a la licitud de su apropiamiento de los condados de Rosellón y Cerdaña. Y aunque fuera impensable que nadie en Francia, grande o menudo, hiciese mucho caso de aquellos escrúpulos políticos del moribundo Rey, lo cierto era que abría una posibilidad para que Fernando se considerase moralmente en condiciones de reclamarlos, ya por medio de negociaciones, ya por vía de la fuerza.

En conclusión, de pronto el frente sur dejó de tener el trato preferente, y Fernando decidió que había que hacer algo en Aragón. Y algo con el apoyo de Castilla. ¿Acaso no lo había hecho él, Rey de Aragón, a favor de los castellanos desde hacía tantos años? De forma que recogió a Isabel en Vitoria y entró con ella en Aragón, convocando Cortes en Tarazona.

Fue un momento difícil, porque a Isabel le resultaba incomprensible abandonar la gran empresa granadina, que ya parecía mostrar buenos frutos, desde los tratos hechos con Boabdil, por aquella otra en los Pirineos catalanes. Por fortuna para ella, y si se quiere para toda España, los mismos procuradores de aquellas Cortes aragonesas no mostraron mayor interés por el proyecto fernandino.

Tal desinterés confirmó a Isabel en su idea: de ningún modo se podía aplazar, y mucho menos abandonar, la guerra de Granada.

Algo que recogería fielmente el cronista Pulgar:

> ...que, comenzada ya de dos años antes la guerra con los moros, para la qual con grandes trabajos eran fechos aparejos e se habían fecho inmensos gastos e costas..., parecía mal consejo perdello todo...[28]

Y para poner de manifiesto que su decisión estaba tomada, dejó Tarazona camino de aquella Andalucía que reclamaba su presencia.

---

[28] Fernando del Pulgar, *Crónica...*, ob. cit., pág. 400; cf. Enrique San Miguel, *Isabel I,* ob. cit., págs. 176 y 177.

Fue un momento crítico, unas jornadas tensas, en las que se pusieron de manifiesto las discrepancias entre Isabel y Fernando.

Pero no por mucho tiempo. A poco, Fernando dejaba también Tarazona y se reunía con Isabel en Córdoba.

Ya había pasado el invierno. Con la primavera, la guerra podía reanudarse. Y con tal empuje, con un ejército remozado en el que la fuerza de la artillería daría la nota más destacada, que pronto los éxitos se fueron logrando. Otra vez Fernando se convertía en el Rey-soldado, empezando a hacer buena su frase: «Tomaré uno a uno los granos de esta granada». Primero fue la villa fuerte de Álora, abriendo el camino de Loja, que caería a mediados de junio; después vendría el asalto de Setenil, al norte de Ronda, tomada ya en septiembre. Y en ambos casos, en pocas jornadas de lucha, haciendo prodigios con el uso de la nueva arma, de una artillería que en parte se había importado de Alemania y de Bretaña, en parte se había montado en la propia Andalucía, merced al concurso de maestros artilleros traídos de Bretaña.

Era el camino a seguir que, año tras año, acabaría dando la victoria final sobre Granada.

En ambos casos, tanto en Álora como en Setenil, el efecto de la artillería resultó decisivo. A los pocos días de los asedios, el fuego artillero derribaba los muros de aquellas fortalezas, inexpugnables frente a los saeteros, pero blancos inmejorables frente a la nueva arma.

Así ocurrió ante Álora:

> Fue el rey don Fernando sobre Álora —comenta el cronista— con gran hueste... e con mucha artillería e púsole cerco e tomóla dentro de ocho días por la fuerça de las lombardas, que a los primeros tiros derribaron gran parte de la villa e fortaleza...

Gran espanto entre los defensores. Sobreviene, súbito, la rendición de la plaza:

> ... e luego los moros se dieron a partido...[29]

Sería la táctica a seguir: Temible fuego artillero para provocar la pronta rendición de aquellos nidos de águilas, pero trato benigno con los defensores si se rendían.

---

[29] Andrés Bernáldez, *Memorias...*, ed. cit., pág. 152.

Esa sería una de las características que marcarían las nuevas campañas.

Otra de ellas, y muy destacada, sería la nota de Cruzada, a nivel europeo. De pronto, toda la Cristiandad entendió que en España se estaba librando una guerra muy importante contra el Islam. Aquella Cristiandad hecha a oír malas noticias, por los continuos avances del formidable Imperio turco, aquella Cristiandad resignada a vivir a la defensiva, de pronto comenzó a tener noticias de que en aquella lejana España algo estaba cambiando, y que aquellos nuevos Reyes —que aún no tenían el título de Católicos—, aquella Isabel y su marido Fernando, que con tantas dificultades se habían hecho con el poder en Castilla, ahora, reuniendo bajo su mandato las dos Coronas de Castilla y Aragón, se habían lanzado con todas sus fuerzas sobre el reino musulmán de Granada y parecía que la cosa iba en serio. Y además, lo que siempre era esperanzador, que habían comenzado con buen pie.

De forma que la guerra de Granada se convirtió en popular en toda la Europa occidental. No era solo que Roma, por decisión del nuevo papa Inocencio VIII, decidiera permitir la predicación de la Bula de Cruzada, para enfervorizar los ánimos y para contribuir al sostén económico de aquella guerra que se suponía tan larga y tan difícil; era que también el espíritu de Cruzada se corría por Europa y que esos cruzados europeos empezaban a afluir al ejército español, en particular franceses e ingleses.

Ingleses, sobre todo. Con ese espíritu de aventura, tan propio de su historia, se vio llegar a centenares de ingleses con el signo de la cruz en sus vestiduras, para integrarse en las filas del ejército de Fernando. Y entre ellos, un noble que pronto sería muy apreciado por la reina Isabel: Lord Scales[30].

También se observa el cambio dentro de la propia España. Y ello tanto en cuanto a sus regiones como a sus clases sociales. Relativamente pronto, y gracias en gran medida al efecto galvanizador de la Reina, toda España, todas sus partes y todas sus clases sociales van participando más y más, hasta llegar prácticamente a un cien por cien.

Las regiones, por ejemplo. De tratarse, como ya hemos indicado, de un problema andaluz, se va pasando a una cuestión de toda Castilla, para acabar integrándose hasta la misma Corona de Aragón. En

---

[30] Eloy Benito Ruano, «Un cruzado inglés en la guerra de Granada» (en *Anuario de Estudios Medievales,* 1979).

Castilla, donde la Reina tiene el cuidado de que se convoquen las Juntas de Hermandad, como las que se reúnen en Pinto en 1483, en Orgaz en 1484, en Torrelaguna en 1486, en Fuentesaúco en 1487 y en Adamaz en 1491. Y en todas ellas aprobándose la recluta de miles de peones, de cara a la próxima campaña. Y como todo era poco, se ve a Isabel apremiar a las ciudades, en particular a Sevilla, como una de las más ricas de su Reino y una de las más afectadas por el curso de la guerra, para que aportaran su propio esfuerzo. Y con un resultado tan espectacular, dando prueba inequívoca de la popularidad de la guerra y del prestigio de la Reina, que por ejemplo el 26 de mayo de 1486 manda Isabel al cabildo sevillano que aporte mil peones y cuatro días después esa orden está cumplida [31]. Así no es de extrañar que en la campaña de 1484 sobre Málaga esté representada la Hermandad en la vanguardia del ejército de Fernando nada menos que con 10.000 peones, acompañando al Maestre de Santiago, que llevaba 1.200 lanzas [32].

A la peonada andaluza y a la reclutada por la Hermandad de Castilla hay que unir las levas procedentes del norte, tanto de Asturias como de las Vascongadas.

Es muy conocida la participación del pueblo vasco en la guerra de Granada, obedeciendo a Isabel, como titular del señorío de Vizcaya. La Reina lo convocó, al igual que a las tierras de Guipúzcoa, conjuntamente con la llamada que hizo por toda Castilla, de cara a la difícil campaña de 1487 cuyo objetivo era Málaga. Se mandaron entonces cartas por la Corona,

> de llamamiento a las montañas de Vizcaya e de Guipúzcoa, e a Galicia, e a las Asturias de Oviedo e de Santillana, e a todas las Merindades de Castilla la Vieja... [33]

Yo pude seguir, en un viejo estudio mío, con cierto detenimiento, la aportación asturiana, que era posiblemente la región peor comunicada entonces con la meseta, y por ende, con mayores dificultades para acudir a la llamada de la Reina; pese a ello, pude calcular en 5.000 peones los mandados por Asturias entre 1485 y 1491. Conocemos el suel-

---

[31] Juan de la Mata Carriazo, «Historia de la guerra de Granada» (en *HEMP,* XVII, 1.°, pág. 652.

[32] Ibídem, pág. 682.

[33] Fernando del Pulgar, *Crónica...,* ob. cit., pág. 445; cf. Enrique San Miguel, *Isabel I,* ob. cit., pág. 194.

do de que gozaban: un real de plata por cada día de campaña. Y algunas de las recompensas de los que destacaban en la guerra, por humildes que fueran, como aquel Alvar Partierra, un vecino de la villa asturiana de Tineo, que por sus hazañas en el cerco de Baza sería recompensado con el cargo de escribano de su concejo, pudiendo así volver con gran honra a su villa natal[34].

Existía un ambiente de fervor popular que se iba incrementando año tras año, conforme las tomas de plazas se sucedían. Un fervor popular que quedó en la memoria colectiva de las gentes. Ya hemos visto cómo el padre Mariana, un siglo largo después, se referiría al espectáculo de los pueblos que salían al camino para echar flores a las tropas, como podría hacerse ahora a los soldados que van al frente o que liberan a los pueblos de una invasión enemiga; de hecho, por tal los tenían a aquellos peones y a aquellos caballeros, que liberaban a los lugares fronterizos de las incursiones moras y de las razias granadinas que producían daños: incendios, robos de ganado, muertes y cautivos.

Eso en el escenario andaluz, como el más afectado por la guerra. Pero en el resto de la Corona de Castilla, los Reyes se encargaban de mantener ese clima heroico a través de la Iglesia. Cada toma de villa fuerte, y no digamos de alguna ciudad importante, como Ronda o Málaga, se comunicaba a los cabildos municipales por cartas regias, ordenando que se hiciesen las correspondientes manifestaciones de júbilo y los actos religiosos. Y de ello poseemos abundantes testimonios, como la carta del Rey a Burgos, nada más tomar Loja en 1486, en la que ordena a la ciudad que haga procesiones[35].

¿Y cómo no lo iba a llevar a cabo si el año anterior, al tener noticias de la caída de Coín y de Cártama, la ciudad se había echado a la calle?

> El 8 de mayo [de 1485] la noticia llegaba a Burgos, donde era recibida con grandes alegrías, toque general de campanas, una manifestación por las calles, con trompetas, tambores y atabales y una solemnidad religiosa[36].

---

[34] Véase mi trabajo en *Historia de Asturias: Edad Moderna,* Vitoria, Ayalga Ediciones, 1977, pág. 23.

[35] Carta recogida en el notable estudio de Antonio de la Torre y del Cerro (don Antonio, para los que trabajamos bajo su dirección en el Consejo Superior de Investigaciones Científicas, allá por los años cincuenta), *Los Reyes Católicos y Granada,* Madrid, CSIC, 1946, pág. 77.

[36] Juan de la Mata Carriazo, «Historia de la guerra de Granada» (en *HEMP,* XVII, 1.º, págs. 582 y 583).

¿Se repite la historia? Porque parece que estamos leyendo la crónica de lo ocurrido en la Europa de los años cuarenta, durante la Segunda Guerra Mundial.

Se tenía por una empresa santa, por una Cruzada, y así se proclama con orgullo a Europa entera, a través de la caja de resonancia que era Roma. Y de esa forma, Fernando notificaba a su embajador ante el Papa, Fernando de Rojas, la toma de Ronda en 1485, para que llevara la buena nueva al papa Inocencio VIII. Y le añade, orgulloso de lo que se había logrado:

> ... que vea y sepa Su Santidad en lo que en España gastamos tiempo y dinero...[37]

Para las Órdenes militares, en especial para las castellanas de Santiago, Calatrava y Alcántara, era el resucitar los motivos por los que habían sido fundadas, era como reverdecer sus tradicionales defensas de la frontera frente al enemigo de la fe, ese Islam que durante tantos siglos se había enseñoreado del sur, disturbando la vida de los reinos cristianos con sus continuas algaradas; algo muy bien visto por uno de nuestros mejores especialistas de los tiempos de los Reyes Católicos[38]. Y lo mismo podía decirse de la alta nobleza, en particular de la andaluza, aunque hubiera algunas excepciones. Así, mientras el marqués de Cádiz, el duque de Medina-Sidonia y el conde de Cabra se entregaban de lleno a la guerra, el conde de Lemos creyó encontrar la ocasión para apoderarse de Ponferrada, mientras la nobleza murciana, que debiera haberse encontrado más ligada a la guerra, por su misma proximidad al frente, parecía indiferente, provocando la indignación de la Reina[39]. Y lo que resultaba más grave: no faltaban quienes, como los judíos de Murcia, aprovechaban la oportunidad para traficar con armas y provisiones con el reino nazarí.

Pero eso eran excepciones. Lo que cada vez se ponía más de manifiesto era el afán de servir a la Reina en aquella guerra, que era tan

---

[37] Antonio de la Torre y del Cerro, *Los Reyes Católicos y Granada,* ob. cit., pág. 63; todavía tengo esa nota en un descolorido cuadernillo, harto ruin, de mis notas de clase, cuando era profesor de Historia Moderna en la Universidad de Madrid, allá por los años cincuenta.

Naturalmente, en el gesto del Rey existe también otro motivo: justificar ante el Papa la urgencia para que concediera la Bula de Cruzada.

[38] Luis Suárez, *Isabel I, Reina,* ob. cit., págs. 248 y 251.

[39] Tarsicio de Azcona, *Isabel la Católica,* ob. cit., pág. 645.

suya, en la que se había volcado con todas sus energías y se seguía volcando día a día. Cuando se la vio llegar a Córdoba, entrado ya el verano de 1482 y a punto de dar a luz (el 23 entra en la ciudad y seis días después, el 29, paría a su hija María), el entusiasmo se desbordaba, igual que cuando acudió al mismo frente de guerra, como hemos de ver.

Y aunque en principio solo participe la nobleza de la Corona de Castilla, a partir de un determinado momento, especialmente en la dura campaña de 1487 para conquistar Málaga, también acude la nobleza de la Corona de Aragón. Fernando del Pulgar recoge algunos de sus nombres: don Juan Ruiz de Corella, conde de Cocentaina, quien apresta para aquella jornada una nao armada; don Juan Francés de Proxita, conde de Almenara, con otra nao armada; mosén Miguel de Busquetén, con dos galeras armadas[40]. No podía faltar a esa cita el linaje Sandoval, cuyo representante, don Diego de Sandoval, marqués de Denia, se iba a unir tan estrechamente a la Casa Real. En aquella ocasión, el Marqués acudió acompañado de una hueste de cuatrocientos hidalgos naturales de su marquesado de Denia[41].

Sería demasiado ingenuo creer que la alta nobleza solo se movía por afanes idealistas. También había encontrado la oportunidad de aumentar su patrimonio y de hacerse con una parte del botín que suponía la victoria sobre Granada. Pero asimismo sería minimizar su entusiasmo sincero si lo dejáramos tan solo en ese aspecto material. En ellos también anidaba el ansia de acometer grandes hazañas y de ser dignos representantes de sus linajes. ¿Quién no recuerda ahora al doncel de Sigüenza, aquel Martín Vázquez de Arce, de la Orden militar de Santiago, que murió en la campaña de 1486 y cuya sepultura encontró tal eco en Ortega y Gasset que le inspiró algunas de las páginas más hermosas de sus ensayos?

> Es un guerrero joven, lampiño, tendido a la larga sobre uno de sus costados. El busto se incorpora un poco, apoyando un codo en un haz de leña; en las manos tiene un libro abierto...

---

[40] Fernando del Pulgar, *Crónica...*, ob. cit., pág. 463; cf. Enrique San Miguel, *Isabel I,* ob. cit., pág. 196.
[41] Ibídem.

Ese detalle provoca la admiración de Ortega. Es la imagen de un joven guerrero, pero en vez de que resplandezca la espada, lo que coge entre sus manos es un libro. ¿Estamos, pues, ante un guerrero o ante un intelectual? El ilustre pensador precisa esos dos extremos:

> La historia nos garantiza su coraje varonil. La escultura ha conservado su sonrisa dialéctica...

Y eso arranca el asombro de Ortega, que nos lleva directamente a aquellos tiempos de poetas y guerreros:

> ¿Será posible? —se pregunta—. ¿Ha habido alguien que haya unido el coraje a la dialéctica?...[42]

Sí, contestaríamos nosotros, recordando a Jorge Manrique, a Garcilaso, al mismo Cervantes y a tantos otros.

Ese espíritu caballeresco que se desprende de la guerra de Granada tendría su cifra en uno de los pasajes menos conocidos; aquel momento en que un vecino de Sevilla, Rodrigo de Campo, pide al Rey que le haga caballero, conforme al más perfecto ritual que pudiéramos leer en los libros de caballerías, tan del gusto de aquellos tiempos.

Así nos lo transmiten los textos de la época:

> E luego el dicho señor Rey, viendo su buen deseo..., demandó una espada, la qual le dio desnuda e fuera de la vaina el dicho don Martín de Córdoba, e dio con ella encima del capacete que tenía puesto en la cabeza el dicho Rodrigo de Campo, e dixo:
> «Dios nuestro Señor e el apóstol Santiago te fagan buen caballero. E yo te armo caballero»[43].

Una guerra llena de lances caballerescos, por supuesto, pero sin olvidar que también reflejando la nueva técnica bélica que ya había impuesto el Imperio turco en la Europa oriental: una especie de guerra total, en la que se atacaba lo mismo a las formaciones militares y a sus defensas que a la población civil. La consigna era provocar el espanto,

---

[42] José Ortega y Gasset, *Notas,* Madrid, Austral, Espasa Calpe, 1955, pág. 21.
[43] Cit. por Juan de la Mata Carriazo, «Historia de la guerra de Granada», en *HEMP,* XVII, 1.°, págs. 672 y 673,

para hacer flaquear el ánimo del adversario, en lo que se contaba que podía influir una población civil despavorida, especialmente cuando por lo que se combatía era por el dominio de tal o cual plaza. De ahí que se empleara tan poderosa artillería (y aquí la semejanza de lo hecho por los turcos sobre Constantinopla resulta evidente), primero dedicada a destruir las murallas, tanto de la fortaleza como de las que defendían el recinto urbano; y una vez que se abrían suficientemente los boquetes, el nuevo objetivo era el propio recinto urbano. Es más, para provocar la mayor confusión y el máximo terror, se acudía entonces a una táctica milenaria, pero que la nueva técnica bélica hacía mucho más destructiva: la de lanzar bolas de fuego —las «pellas» en los documentos del tiempo—, para que el burgo a combatir fuera pasto de las llamas y para obligar a sus habitantes a presionar sobre los defensores para la rendición en los términos más favorables posibles. Esa guerra «a sangre y fuego», ese castigo pavoroso a través del fuego artillero está fielmente recogido por los cronistas, e incluso por algunos artistas, como lo haría Rodrigo Alemán en las escenas de la guerra de Granada que plasmó en la sillería del coro de la catedral de Toledo.

Veamos cómo lo describe el cronista Fernando del Pulgar:

> Fizieron los maestros de artillería —nos refiere, cuando relata el cerco y toma de Ronda— unas pellas grandes de filo de cáñamo e pez... e pólvora, de tal compostura, que poniéndolas fuego, echaban de sí por todas partes centellas e llamas espantosas e quemaban todo quanto alcanzaban...
>
> Otrosí —añade—, con un ingenio echaron una pella grande de fuego dentro de la cibdad, la qual venía por el aire echando de sí tan grandes llamas que ponía espanto en todos los que la veían.

Y termina:

> Esta pella cayó en la cibdad, e comenzó de arder la casa donde acertó... [44].

Por lo tanto, el pavor fue un medio utilizado también en aquella guerra, como siempre lo ha sido.

---

[44] Cit. por Juan de la Mata Carriazo, est. cit., págs. 591 y 592.

Y ahora veamos aquellas campañas realizadas sobre la zona occidental del reino nazarí granadino, desarrolladas entre 1484 y 1485, siguiéndolas tal como pudo hacerlo la reina Isabel.

Y lo primero es observar con qué decisión rechaza la posibilidad de que una campaña pirenaica le distraiga de su objetivo prioritario, que para ella siempre será la conquista de Granada. De ahí su salida en solitario del Reino de Aragón, para atravesar toda Castilla y entrar en Córdoba a principios de mayo de 1484, consiguiendo que el rey Fernando cediera para seguir la misma ruta y para tomar entre sus manos la dirección de la guerra, que daría lugar a la fácil conquista de las plazas de Álora y Setenil, que ya hemos comentado.

En todo caso, algo a añadir que no puede ser olvidado: la actuación personal de la Reina, con la creación del primer hospital militar que tanto confortaría a los combatientes, sabedores de que si caían heridos se encontrarían con la solícita atención regia.

Pero Álora y Setenil solo eran migajas de cara a las grandes contiendas que se avecinaban.

Y la primera en la primavera de 1485, teniendo como objetivo la fortísima ciudad de Ronda.

La Reina seguiría aquella campaña desde Córdoba.

Y la seguiría en plena armonía con Fernando, en aquellos días de mediados de marzo vividos por la pareja real con verdadera euforia. ¡Atrás quedaban las agrias jornadas de Tarazona en las que tanto habían discrepado! Ahora todo era decisión y ánimo concertado, armonía y entrega amorosa, cuando apuntaba en Córdoba la primavera.

No se trata de vanas suposiciones, sino de algo real. La prueba, la llegada puntual a la Corte, a los nueve meses, de la infanta Catalina, nacida el 16 de diciembre de 1485.

Y esa amorosa unión en la cumbre también afectó a toda la Corte, a todo el Reino, a la guerra por ambos deseada, y que a partir de entonces iba a tomar un rumbo decisivo.

EL ECO DE LA CAMPAÑA DE 1485

Isabel, en su afán de activar la guerra granadina, no cesó de organizar todos los preparativos, tanto bélicos como de intendencia. Y muy en particular, no olvidó su hospital de campaña, el que ya los soldados llamaban el Hospital de la Reina:

> Envió ansimesmo la Reina —nos refiere Pulgar— las tiendas grandes que se llamaban el Hospital de la Reina...

Pero no solo tiendas, sino todo el personal sanitario correspondiente, desde médicos hasta enfermeros, y por supuesto, los medicamentos de la época:

> Con el cual Hospital —nos precisa el cronista— enviaba [la Reina] físicos e cirujanos e ropa de camas e medicinas homes que servían a los feridos y a los enfermos.

Ello con su costo, también afrontado por la Reina, como ahora podría hacerlo el Estado, que entonces hacía sus veces la Hacienda real:

> ... e todo lo mandaba pagar —sigue Pulgar—, según lo acostumbraba en los otros reales... [45]

Desde Córdoba seguiría Isabel con la natural inquietud la suerte de aquella campaña de 1485. Sabía, por lo fuertemente que se había preparado, que Fernando iba a intentar algo sonado en la zona occidental del reino nazarí. ¿Acaso Málaga, el mejor puerto granadino, el que le ponía en contacto con sus congéneres del norte de África, de donde le llegaban no pocos auxilios, en particular los famosos gomeres, tan valientes en los combates? ¿O bien Ronda, la fortísima plaza que enseñoreaba la sierra de su nombre?

Porque a la Reina le había llegado la buena nueva de la toma, casi al paso, de plazas como Coín y Cártama: Coín caía el 27 de abril y el 28 lo hacía Cártama. ¡Y cuando se estaba en plena primavera! ¿No había que intentar algo más? ¡Que no quedara por medios, que ella mandaría a Fernando todo lo que necesitase!

> Cuando la Reina supo que las villas de Coín e Cártama eran tomadas —nos refiere Pulgar— envió a deçir al Rey que, si a él pareciese, debría proseguir su conquista contra otras partes, quales entendiese, en aquel Regno; pues había asaz tiempo del verano en que las gentes podrían estar en el campo.

---

[45] Juan de la Mata Carriazo, est. cit.: «en los otros reales», esto es, en los otros campamentos del Rey.

Y le añadía, consciente de que tamaño esfuerzo continuado también le atañía a ella:

> E que ella enviaba lo que fuese necesario para bastecer la hueste[46].

Al fin le llegó la estupenda nueva: tras amagar sobre Málaga, logrando que parte de la guarnición musulmana de Ronda acudiera y medio desguarneciera la ciudad serrana, Fernando se había plantado con todo su ejército sobre Ronda, la había cercado estrechamente, y tras quince días de asedio y de recios combates, había logrado rendirla.

Una gran victoria, que el propio Rey-soldado, con su lacónico estilo, daría a conocer. Tras de indicar las pequeñas plazas que en aquella primavera había sometido —entre otras, Cártama, Coín y Churriana—, añade:

> E después, partiendo de allí con los grandes e caballeros que a este reyno vinieron a me servir...

Eran las añejas mesnadas señoriales. Pero el Rey llevaba también su propio ejército, cada vez más formidable, del que hará el recuento, orgulloso de su poderío:

> ... e con todos mis capitanes e con toda la gente de caballo e de pie de mi hueste, e con toda la artillería...[47]

Con todas esas fuerzas, que el propio Rey calculaba en 25.000 peones, 11.000 lanzas y 1.100 carros de artillería[48], se lanza sobre Ronda. ¡Y en quince días la toma!

> E ha plazido a Nuestro Señor —nos dirá el mismo Rey—, de quien todo vencimiento e buena obra procede, que en quince días que he estado sobrella, la he fecho de tal manera apretar, faciéndole tirar tan apriesa de noche e de día con las lombardas e artellería e engenios..., que viéndose los moros

---

[46] Cit. por Juan de la Mata Carriazo, «Historia de la guerra de Granada», est. cit., pág. 584.
[47] Ibídem, pág. 593.
[48] Ibídem, pág. 578.

perdidos, por la mucha gente quel artellería les mató en el combate e fueron feridos e muertos, e perdida la esperanza de ningund socorro..., me han dado la cibdad e puestos sus personas a mi merced...[49]

Pronto sabría Isabel que la caída de Ronda había provocado la de todo el Algarve malagueño, incluida la tan notable ciudad costera de Marbella. Y con esas victorias, algo de alta repercusión social: la liberación de mil cautivos, entre ellos no pocos de los que habían sido cogidos prisioneros en la pérdida de Zahara.

El 25 de junio, Isabel podía recibir en Córdoba a un Fernando triunfal y eufórico. Y el rigor del verano obligaría a una tregua en el combate. Por otra parte, el Rey se vio fuera de juego en aquella época del año, a causa de unas fiebres, de las cuales no se vio libre hasta finales de julio[50]. Pero, restablecido y de cara al otoño, los Reyes se plantearon una nueva ofensiva:

Entendemos poner cerco sobre cierto lugar que cumple mucho...

Tal escribiría Fernando a su embajador en Nápoles. ¿Qué lugar era ese que tanto importaba tomar? Hoy lo sabemos. Es más, también sabemos que fue un objetivo planteado por Isabel: la villa de Cambil.

Había una razón poderosa para ello. Cambil era como una cabeza de puente del reino nazarí incrustada en el de Jaén, de cuya capital no distaba más de cuatro leguas. Una vecindad tan próxima y la fuerza de la villa, entre dos impresionantes peñas, la hacía muy peligrosa. Las correrías de sus guerreros traían de cabeza a los jiennenses, que si salían de la protección de sus murallas podían verse convertidos, de la noche a la mañana, de hombres libres en cautivos.

Eso lo sabía la Reina. Había oído los lamentos de Jaén e instó por la empresa. Incluso acompañó al Rey cuando salió para acometer la campaña, yendo con él hasta Baena.

---

[49] La carta del Rey está recogida en el *Tumbo de Sevilla,* núm. 839, y publicada por Juan de la Mata Carriazo, «Historia de la guerra de Granada», est. cit., págs. 593 y 594.

[50] «Después de vueltos de la guerra de los moros —escribía Fernando a su embajador en Nápoles el 22 de agosto—, nos hayamos estado algunos días doliente de calentura...; empero muy presto plugo a Nuestro Señor de nos volver nuestra salut, y así quedamos del todo convalecido y sano de la dicha dolencia...».

> La Reina —nos dice Pulgar— tuvo siempre cuidado grande de tomar aquellas fortalezas, considerando los grandes daños que dellas había reçebido e de cada día recebía la cibdad de Jaén...[51]

Y aunque el desastre sufrido por el conde de Cabra en Moclín, con muerte de más de mil cristianos, el 3 de septiembre, puso no poca turbación en el campamento real y no menos alarma en la Reina —que seguía en Baena—, al fin Fernando siguió con su proyecto, sabiendo cuánto importaba a Isabel. El 16 de septiembre ponía cerco a Cambil, iniciando al punto el formidable fuego artillero, consiguiendo en una semana la rendición de la plaza.

De ese modo, en aquel año de 1485 se lograban dos victoriosas campañas: la de la primavera, con la toma de Ronda y la conquista del Algarve malagueño, y la de principios del otoño, con la rendición de Cambil, que tanto martirizaba a Jaén.

Era hora del triunfal regreso de ambos Reyes a Castilla.

Y más cuando la Reina sentía próximo su parto. Así que, en un viaje lento, para no malograr su embarazo, dejaron Jaén el 6 de octubre.

Destino: Alcalá de Henares.

Allí nacería, el 16 de diciembre de 1485, la infanta Catalina.

La Reina había dado a luz a uno de los personajes más destacados del siglo XVI, la futura esposa de Enrique VIII de Inglaterra.

Había sido un año muy fatigoso, lleno de situaciones tensas, pero fructífero, con el primer gran éxito en la guerra de Granada, que empezaba a ser reconocida en el ámbito internacional como un acontecimiento de primera magnitud. Podríamos decir que las hazañas de la guerra eran ya comentario de las grandes Cortes europeas, desde la vaticana de Roma hasta las de París, Londres o Lisboa. Se hablaba, con admiración, del nuevo Rey-soldado, de aquel joven monarca de nombre Fernando, que a sus treinta y cuatro años cosechaba tales triunfos y destacaba como uno de los grandes capitanes de la Historia.

Pero se hablaba, tanto y más, de aquella intrépida Reina, presente en todos los conflictos, garantía de la justicia que aseguraba la paz interna del Reino, y que afrontaba desde la retaguardia el reto de suministrar al ejército de su marido tanto hombres como dinero, y por su-

---

[51] Juan de la Mata Carriazo, est. cit., pág. 613.

puesto el puntual abastecimiento de aquellos miles de soldados. Y ello sin que su condición femenina, con sus partos correspondientes, le apartara nada más que lo elemental, y poco más, de su tarea de regir Castilla. El pueblo había visto, lleno de admiración, cómo Isabel compaginaba sus tareas de gran mujer de Estado, en una de las épocas más vibrantes de la historia patria, con sus deberes conyugales y sus afanes maternos. Sus dos últimas hijas, María y Catalina, le habían nacido en plena contienda. Eran, si se me permite la expresión tan actual, hijas de la guerra. María —la futura esposa de Manuel el Afortunado, la que en su día daría a luz a Isabel, la futura gran Emperatriz de Europa— había nacido en Córdoba el 29 de junio de 1482, cuando los Reyes tanteaban la primera campaña regia sobre Loja y la defensa de Alhama. Entonces el asedio de Loja fue un fracaso; pero también en los reveses supieron los Reyes demostrar su grandeza de ánimo.

Y en cuanto a Catalina, había sido el fruto de la reconciliación amorosa de Isabel y Fernando, tras la crisis de Tarazona. Y su nacimiento, el 16 de diciembre de 1485, cuando ya se había logrado la gran victoria de la toma de Ronda y de toda la zona entre la sierra rondeña y el mar, con Marbella incluida, y cuando se había logrado salvar a Jaén, eliminando el peligroso enclave musulmán de Cambil, hacía que todo pareciese perfecto.

Ya podía el gran cardenal Mendoza festejar a la Corte en Alcalá de Henares, a mediados de diciembre de 1485, por el feliz nacimiento de la infanta Catalina.

Era algo más lo que se celebraba: el nacimiento de una nueva gran potencia europea, aquella España de los Reyes Católicos, que ya se la veía como la gran triunfadora de la contienda granadina.

Europa, la Europa de la Cristiandad, estaba en trance de borrar en el suroeste su frontera con el Islam.

Y eso era verdaderamente importante.

Y algo más a tener en cuenta: en aquella impresionante tarea, en la que se gobernaba con justicia a todo un pueblo —al de España, desde Castilla hasta Aragón—, en la que se atendían a los compromisos internacionales, como la defensa de Italia (para salvar la crisis de Otranto), y en la que se volcaban tantos esfuerzos, tantos hombres, tanto dinero, en la guerra del Islam; en aquella impresionante tarea, insisto, junto a Fernando, el notable Rey-soldado, se agrandaba cada vez más la figura de Isabel, como alma del espíritu animoso de la retaguardia, siempre pensando en sus soldados, en sus victorias y en sus triunfos, pero también en los que caían en la guerra y en los heridos y enfermos; de ahí su significativa creación del primer hospital de campaña, al que tan justamente aquellos guerreros llamaban el Hospital de la Reina.

De modo que bien podía decir el cronista que con su tarea desplegada en la retaguardia venía a igualarse con la que Fernando hacía en el campo de batalla con la espada.

Sería mosén Diego de Valera quien se lo escribiría a Fernando el Católico a raíz de la conquista de Ronda. Hace la gran loa del Rey por su hazañosa victoria, pero incorpora a la Reina, y añade:

> La qual [Reina] no menos pelea con sus muchas limosnas
> e devotas oraciones *e dando orden a las cosas de la guerra*, que
> vos, señor, con la lanza en la mano [52].

¿UN AÑO DE TRANSICIÓN?

El formidable esfuerzo desplegado por los Reyes y por todo el Reino en 1485 obligaba a un respiro, incluso bajo el punto de vista de la recuperación económica, dado el crecido gasto que devoraba la guerra.

Ahora bien, tanto Isabel como Fernando tenían muy claro que la guerra, aunque fuese en un tono menor, tenía que seguir adelante, para que de ese modo no pudiera recuperarse el reino nazarí de Granada.

Por otra parte, muchas otras cosas había que atender, tanto en Castilla como en Aragón. En Castilla estaba aún viva la rivalidad de algunos miembros de la alta nobleza y sus ambiciones desmesuradas, como la que seguía mostrando el conde de Lemos al apoderarse de Ponferrada y su castillo de los antiguos templarios. Estaba también pendiente la pacificación nada menos que de todo el reino de Galicia, donde menudeaban los nobles-bandidos, que asolaban gran parte del territorio con sus asaltos, robos y muertes. Todo ello facilitado por la lejanía de aquel reino, que así resultaba mucho más difícil de gobernar.

Se imponía, por lo tanto, hacer un hueco entre tantos avatares, para acudir personalmente a Galicia. Además, ¿acaso no estaba en Galicia la tumba del apóstol Santiago? ¿Y no era Santiago apóstol, conforme a

[52] Mosén Diego de Valera a Fernando el Católico, Puerto de Santa María, 2 de junio de 1483; cit. por Juan de la Mata Carriazo, «Historia de la guerra de Granada», est. cit., pág. 598.

una tradición de siglos y siglos, el gran protector de los cristianos españoles en su guerra contra el Islam? Había que realizar algo, por lo tanto, para que la nación entera viera que los Reyes ponían su obra reconquistadora bajo el patrocinio y bajo la bendición del Santo Apóstol.

Eso sería como sacralizar aún más la empresa granadina, como confirmar que aquella era una guerra santa y que, por ello, requería el esfuerzo de todos.

Era dejar por sentado que la guerra de Granada era una guerra nacional, haciéndola todavía más popular.

Pero no sería eso todo. Aún quedaría alguna cosa más a debatir.

En efecto, desde 1485 un oscuro navegante genovés, de nombre Cristóbal Colón, ha llegado a Castilla procedente de Portugal, para pedir ayuda en la Corte hispana.

Proyectaba nada menos que lanzarse al Mar Tenebroso, penetrando en las nunca surcadas aguas oceánicas siempre hacia occidente, jurando que así alcanzaría las fabulosas tierras de la legendaria China.

¿No era fantástico?

Pues también los Reyes atenderían tan peregrina cuestión.

Sería al acabar el año, en los comienzos del invierno siguiente, y durante su estancia en Salamanca.

Lo veremos.

El 13 de febrero de 1486 los Reyes salían de Alcalá de Henares. Había sido una estancia de descanso, si bien la Reina no dejó pasar por alto, ante el mismo cardenal Mendoza, como nuevo arzobispo de Toledo, que la autoridad de la Corona estaba por encima de cualquier jurisdicción señorial, por muy encumbrada que fuese, como lo era la del arzobispado toledano, rechazando las reclamaciones del Cardenal:

> La Reina —nos informa el cronista— repugnó mucho aquella alegación que por el Cardenal se fizo, diciendo que la jurisdicción superior de todos sus Reinos era suya...[53]

Los Reyes dejaron atrás Alcalá de Henares, no sin organizar la casa de sus cinco hijos y su estancia en Almagro. Les obligaba ir hacia el norte la rebelde actitud del conde de Lemos, que hacía oídos sordos a las reiteradas órdenes de la Reina para que cesase en sus ambiciones sobre Ponferrada.

---

[53] Fernando del Pulgar, *Crónica...*, ob. cit.; cf. Enrique San Miguel, *Isabel I,* ob. cit., pág. 187.

Así que se dirigieron a Castilla la Vieja, pasando por Segovia, cuyo alcázar siempre sería un punto de referencia y un alto obligado en aquellos fatigosos viajes para la Reina.

Y a poco, Arévalo.

¡Arévalo! ¿Cómo iba Isabel a cruzar la meseta sin visitar a su madre, que allí seguía recluida? Prueba de su interés sería que en Arévalo no estaría solo de paso, sino que prolongaría su estancia varios días. Y no dejaría de recordar su niñez, o aquellas visitas de otros años, como cuando viviendo todavía su hermano Alfonso, en diciembre de 1467, había ella organizado aquel acto teatral para celebrar su cumpleaños, incluso representando ella misma uno de los personajes de la obrilla que Gómez Manrique había compuesto para aquella fecha.

Y recordaría Isabel a su hermano Alfonso, con el que tan entrañablemente había estado unida, y acaso la cita poética de Jorge Manrique, que ya se leía en toda Castilla:

¡El príncipe Alfonso, el que se había atrevido a titularse Rey, y su súbita muerte!

> Pues su hermano, el innocente
> qu'en su vida sucessor
>   se llamó
> ¡qué corte tan excellente
> tuvo, e cuánto grand señor
>   le siguió!
> Mas como fuese mortal
> metióle la Muerte luego
>   en su fragua.
> ¡Oh juicio divinal!
> Cuando más ardía el fuego
>   echaste agua.

El oportuno gesto de fuerzas frente al conde de Lemos, mandando tropas, permitió a los Reyes cambiar de rumbo, dejando la ruta del norte por la extremeña. De cara a la primavera, se trataba de hacer acto de presencia en el frente granadino.

Y de paso por Guadalupe, otro alto en el santuario jerónimo. Y un alto bien aprovechado, pues allí sería donde Fernando el Católico daría su notable sentencia sobre la situación de los remensas de Cataluña que traería la paz en el campo catalán.

La llamada Sentencia de Guadalupe, firmada por el Rey el 21 de abril de 1486. Una semana después los Reyes entraban en Córdoba.

Desde allí prepararían la próxima campaña sobre el reino nazarí. Objetivo: Loja.

No era pequeño reto, pues en Loja había tenido su primer —y único— revés Fernando. Además se sabía que la plaza, por ser tan importante de cara a la misma Granada, estaba bien pertrechada de hombres y de armas, defendida por el mismo Boabdil el Chico.

El 20 de mayo Fernando se apresta para salir de Córdoba, dispuesto al cerco y toma de Loja. Y, una vez más, la Reina estará detrás de él, apoyándole con todo su esfuerzo, como se echa de ver por las cartas que envía entonces, como la mandada a Sevilla el 24 de mayo, en la que muestra su preocupación:

> Bien sabedes —le dice al cabildo sevillano— el cerco que el Rey, mi señor, tiene puesto sobre la ciudad de Loxa...

El asedio, pues, sobre Loja, aquella ciudad que cuatro años se le había resistido a Fernando. Prueba delicada, porque en los vaivenes de la guerra un nuevo tropiezo en aquella piedra sería tanto como una merma grave del prestigio del Rey-soldado, con todo lo que tal cosa supondría; entre otras, y no de las más pequeñas, el envalentonamiento de los granadinos, que podrían así considerarse muy a salvo en sus dominios.

Todo eso lo venía a tener en cuenta la Reina. De ahí que pida a toda Andalucía, y muy particularmente a la ciudad de Sevilla, que se pusiera en pie de guerra, por si fuera necesario un supremo esfuerzo:

> Por ende vos mando —termina la Reina— que luego aperçíbades e esté aperçebida toda la gente de caballo e de pie que en esa cibdad e su tierra hobiere...[54]

Por fortuna, la lucha por Loja resultó más fácil de lo previsto. Fernando logró establecer un cerco riguroso, impidiendo así cualquier socorro. Un duro combate le permitió dominar los arrabales en una jornada. A partir de ese momento empezó un fuerte fuego artillero,

---

[54] Isabel a la ciudad de Sevilla, Córdoba, 24 de mayo de 1486 (*Tumbo de Sevilla,* núm. 911; publ. por Juan de la Mata Carriazo, «Historia de la guerra de Granada», est. cit., pág. 641).

y de tal intensidad, que en un solo día acabó con la resistencia de los sitiados. Lo cual fue notable victoria, porque allí estaba, mandando la resistencia, el mismo Boabdil el Chico, que así tuvo otra vez que entregarse a la voluntad del Rey, negociando su libertad, con nuevo tratado de sumisión.

La posesión de Loja suponía, además, facilitar en gran manera el socorro a la villa de Alhama, tan combatida por los granadinos, por lo cercana que estaba a su capital.

Tan pronto desenlace permitió también a Fernando alguna otra acción militar con la que redondear aquella campaña de primavera. El rápido éxito conseguido en Loja le daba pie para ello. De forma que al punto se plantó con su ejército sobre la cercana villa de Íllora, apenas a cuatro leguas de Loja. Y el triunfo no fue menor ni el cerco duró más tiempo.

Aquí nada como oír al propio Rey y cómo da cuenta de su nueva victoria a la ciudad de Sevilla:

> Puesto el cerco —le dice—, mandé asentar mi artellería. La qual... fizo en todo el día tal estrago en la cerca e torres... [y] puso tal terror e miedo en ellos que esa misma noche me enviaron a suplicar me pluguiese tomallos a partido... [55]

Ante tales triunfos y ante superioridad tan manifiesta, el Rey creyó oportuno realizar un gesto espectacular: que Isabel visitase el frente, acudiendo a su encuentro, en la recién tomada plaza de Íllora.

Esa era novedad verdaderamente grande, algo que se salía de lo corriente. Venía a ser como un homenaje a la Reina, como reconocer que era el alma de aquella empresa.

Era también dar una nota caballeresca, llena de colorido, que los cronistas nos describen entusiasmados.

Y no fue de los menos admirados aquel cura de Palacios, Andrés Bernáldez. A través de su relato nos parece estar viendo a la Reina acudir, con todo el boato de su Corte, a la cita de su marido.

Iría, en efecto, con brillante cortejo palaciego, no olvidando en primer lugar a su hija primogénita, que ya para entonces tenía esos quince años en los que la juventud muestra, espléndida, toda su belleza.

---

[55] Fernando a la ciudad de Sevilla, desde su real sobre Íllora, 9 de junio de 1486; cit. por Juan de la Mata Carriazo, est. cit., pág. 662.

Se trata del capítulo LXXX de sus *Memorias de los Reyes Católicos* que el cronista titula:

De cómo vino la Reina al real, e cómo la recebieron.

Fue como una gran fiesta. Una fiesta cortesana, por supuesto, con el aliciente del tono de aventura que daba el asomarse al escenario de la guerra.

Al encuentro de la Reina, que iba acompañada de su hija y de un cortejo de diez damas de la Corte, acudió uno de los capitanes más destacados del ejército real: el marqués de Cádiz. Y lo hizo al frente de un buen golpe de caballería. Es más, como si la geografía quisiese colaborar en aquella triunfal acogida, el encuentro se realizó en un lugar de tan poético nombre como La Peña de los Enamorados.

A poco, apareció el duque del Infantado con su gente, alineada para rendir homenaje a su Reina:

E como la Reina llegó —nos cuenta el cronista— fizo reverencia al pendón de Sevilla...

Tras ello, el alarde de la tropa:

E como la recebieron, salió toda la gente adelante con mucha alegría, corriendo a todo correr, de que Su Alteza ovo muy gran plazer...

Por primera vez en mucho tiempo, una Reina de Castilla recibía el homenaje de su ejército, abatiendo las banderas a su paso, un momento que la prosa del cronista nos relata con más carga poética:

E luego vinieron todas las batallas e las banderas del real a la fazer recebimiento, *e todas las banderas se abaxaban cuando la Reina pasaba.*

El encuentro de los Reyes fue digno de ver. Era la presentación al mundo de la grandeza real. Con toda la ceremonia y todo el aparato cortesano para más impresionar.

Primero, tres reverencias. A continuación, la Reina se destoca, para recibir el abrazo del Rey:

La Reina se destocó e quedó en una cofia, el rostro descubierto; e llegó el Rey e abrazóla e besóla en el rostro.

Allí estaba, cabe la Reina, la hija primogénita, aquella Princesa de Asturias a la que el nacimiento del príncipe don Juan había retraído a la categoría de Infanta: la infanta Isabel.

También ella recibiría el saludo, entre afectuoso y solemne, del padre-rey:

E luego el Rey se fue a la Infanta, su hija, e abraçola e besóla en la boca e santiguóla[56].

Acomodada con su hija en el real, Isabel pudo asistir, en las jornadas siguientes, a las propias acciones bélicas, y la primera, a la toma de Moclín, con su cerco y con su terrible bombardeo artillero. Y con este caso tan pavoroso: que una bala de cañón vino a hacer blanco en el polvorín de los moros sitiados, provocando una formidable explosión y que toda la villa fuera presa de las llamas.

Ante lo cual, los moros de Moclín se rindieron. Y la Reina quiso entrar en su nueva villa, tan recién conquistada. Mientras, el Rey corrió la vega de Granada mostrando su poderío.

Pero como en toda guerra siempre se dan altibajos, también en aquella ocasión los hubo. De modo que soltando los moros las presas que tenían en el río Genil, hincharon de tal forma la acequia grande que lograron atrapar a no pocos de sus enemigos. Y allí murió, entre otros, el doncel de Sigüenza, al que antes hemos recordado.

Y entonces ocurrió lo extraordinario: Estando la Reina en Moclín le llegaron avisos de que los moros de la cercana villa de Montefrío se le querían rendir. Pero a ella, no al Rey. Tal es el testimonio que nos deja el cronista:

... cómo los moros de Montefrío se querían dar e habían demandado partido a la Reina, e ella ge lo había otorgado...[57]

¡De modo que también la Reina entra directamente en la conquista de Granada! Basta que llegue a la línea del frente bélico, para que los moros de Montefrío la quieran recibir y la reconozcan como Reina.

---

[56] Andrés Bernáldez, *Memorias...*, ob. cit., págs. 169 y 170.
[57] Ibídem, pág. 172.

No podía volver con más honra de aquella jornada.

Cuando regresa a Córdoba, la ciudad la recibe en triunfo, con una comitiva presidida por el príncipe don Juan.

Ya los hijos mayores acompañan a Isabel, incluso hasta en aquellas jornadas de guerra.

No cabe duda: Isabel quiere así completar su educación, hacer de ellos futuros soberanos. Uno, en la España que debía heredar; la otra, en el reino donde fuera a casar.

Lo que no podía prever la Reina era que ambos le iban a ser arrebatados, para su dolor, sin que lograran cuajar aquellos brillantes destinos para los que, con tanto celo, los enderezaba Isabel.

GALICIA EN EL HORIZONTE

Aquel año los Reyes darían por buena aquella campaña de primavera, que tantos éxitos les había deparado: Loja, Cambil, Íllora, Moclín, Montefrío... Todo un amplio corredor para penetrar a sus anchas en la vega de Granada y para tener bien socorrida la emblemática plaza de Alhama.

La granada de Granada cada vez se mostraba más madura. Y otros asuntos de la mayor importancia demandaban su presencia.

Estaba el conseguir, de una vez por todas, la sumisión de la nobleza todavía recalcitrante a reconocer la supremacía regia, como era el caso del conde de Lemos. Los Reyes lo convocaron en Benavente con otros nobles y allí le obligaron a someterse y a impetrar la gracia real; lo que no le evitaría el severo castigo a que se había hecho merecedor, tanto pecuniariamente como por el destierro a que fue condenado.

Y a continuación, el viaje a Galicia. Un viaje deseado y temido. Deseado, porque estando como estaban ya tan metidos de lleno en la guerra contra el reino moro de Granada, la visita al sepulcro del Apóstol en la ciudad de su nombre cada vez parecía más obligada. Impetrando el favor del Santo que una tradición secular ponía al lado de las tropas cristianas a lo largo de la Reconquista, era como sacralizar más y más aquella guerra granadina.

De ahí la estancia de Isabel y Fernando en Santiago de Compostela, entre finales de septiembre y principios de octubre.

Un Santiago de Compostela al que seguían afluyendo los peregrinos de toda Europa. En aquellos años ochenta del siglo XV ya había nacido Lutero, pero todavía no era más que un niño (n. 1483) y la Cristiandad se mantenía todavía unida, lo que hacía que el Camino de Santiago seguía abierto para todos los europeos.

Precisamente de ese Santiago tenemos noticia por aquellas fechas, gracias al relato que de su peregrinación nos hizo un noble polaco, de nombre Nicolás Popielovo, que viene a España en busca de la sepultura del Apóstol en 1484. Por desgracia, Popielovo carecía del sentido del arte y apenas nos dice nada de la ciudad, ni siquiera de su fantástica catedral, maravilla del arte románico en su expresión más pura. Solo le preocupa contarnos detalles sin importancia, como el tamaño del bastón que se atribuía al Apóstol, que tendría

... un palmo de largo... [58]

En cambio, sabemos que la Reina tenía una gran sensibilidad artística, lo que sumado a su profunda religiosidad hicieron de su visita a la tumba del Apóstol algo memorable. El poder admirar aquel grandioso templo, joya del románico español, y la maravilla del Pórtico de la Gloria, la embargó de emoción. Allí anidaba la conciencia del afán de reconquista del suelo patrio, frente a la morisma musulmana, e Isabel, tan predispuesta para ello, se impregnó hasta los tuétanos. Y no podía dejar que su paso por Santiago quedase en una mera referencia para el cronista de turno. De ahí que decidiera fundar un espléndido hospital para los peregrinos, hoy Hostal de los Reyes Católicos, cuyas obras se iniciaron en 1501, por lo tanto todavía viviendo la gran Reina, aunque no lograse verlas terminar.

Pero la visita a Galicia tenía también otro objetivo: administrar justicia. Poner en orden, de una vez por todas, aquella región tan importante, pero también tan alejada de la meseta, y por ello más difícil de gobernar. Se habían producido demasiados pillajes, demasiadas tropelías nobiliarias, demasiadas muertes violentas y continuos quebrantamientos de moradas.

Por lo tanto, era preciso poner remedio y que el rigor hiciese entender a todos que los Reyes no estaban dispuestos a tolerar más actos contra la ley.

La Reina, como portadora de la espada de la Justicia, iba a mostrar su rigor. No pocas fortalezas nobiliarias —nidos de malhechores—

---

[58] Nicolás Popielovo, «Relación de su viaje por España y Portugal», recogido por J. Liske, *Viajes de extranjeros por España y Portugal en los siglos XV, XVI y XVII*, Madrid, 1879, pág. 16.

fueron derribadas. Y el verdugo tuvo harto que hacer, ajusticiando a buen número de delincuentes.

De ese modo, tras un largo viaje que les llevó hasta La Coruña, pudieron los Reyes dejar Galicia pacificada, bajo el mandato de López de Haro como Gobernador General.

Una Galicia en paz a lo que no poco había ayudado el arzobispo de Santiago, Alonso de Fonseca, como sabemos por esta curiosa confidencia del mismo Fernando el Católico, pasados los años.

En efecto, pasarían los años, y tantos que ya había muerto la reina Isabel. Pues en 1507, y estando el rey Fernando en Nápoles, ordenaría a su embajador en Roma que pidiera al Papa un favor muy especial.

¡Y tanto! Se trataba nada menos que el Papa (que lo era entonces Julio II) concediese el arzobispado de Santiago a Alonso de Fonseca, cuando todavía vivía su padre (que en el documento aparece como pariente), ¡que era el arzobispo vigente! De forma que el padre, que también se llamaba Alonso de Fonseca, sintiéndose viejo, quería dejar en vida el arzobispado a su hijo natural; natural, pero sin duda bien amado.

Era recia cosa, sin duda; aquello que daría lugar al comentario de Cisneros («Ahora me entero de que el arzobispado de Santiago se hereda como primogenitura»). Recia cosa, que obligaría a Fernando a justificar su petición diciendo a su embajador lo mucho que el viejo Arzobispo le había ayudado siempre desde los primeros tiempos de su reinado, tanto en los negocios de Castilla, como en la pacificación de Galicia, en especial de su arzobispado.

Y le añade algo más sobre aquella tierra y los que la habitaban:

> … como he dicho, la gente de aquella tierra es feroce y no se gobierna ni se puede gobernar por los perlados de la manera que las otras gentes de aquellos Reinos… [59]

De regreso a la meseta, por Lugo y Triacastela [60], los Reyes pasaron por Zamora para iniciar el invierno, entre diciembre y enero, en Salamanca.

---

[59] Fernando el Católico a sus embajadores enviados a Roma, Nápoles, 14 de abril de 1507; publ. por el barón de Terrateig, *Política en Italia del Rey Católico,* Madrid, CSIC, 2 vols., 1963; II, págs. 29 y 30.

[60] Triacastela, paso obligado de los peregrinos que iban —o volvían— a Santiago. Una escalada impresionante para todos los que hemos franqueado peregrinos la serra Do Oribios, que cuelga sobre Samos.

Una parada importante, porque en Salamanca estaba el viejo Estudio, el más notable del Reino.

Se cuenta, aunque no sea seguro, que en aquella ocasión, y siguiendo a los Reyes, se presentó allí aquel navegante genovés del que se decía que estaba obsesionado porque los Reyes le ayudaran a una empresa fantástica: nada menos que a cruzar el mar Océano hacia occidente, el Mar Tenebroso, como se le llamaba por los hombres del Medievo, porque nadie había logrado sobrevivir al intento de surcar sus aguas. En todo caso, la Reina estaba más interesada por otras cosas.

No en vano Salamanca poseía el Estudio universitario más notable de España; así que la Reina decidió visitarlo, recorrer su claustro, entrar en sus aulas y hasta hablar con sus profesores.

Así se produjo el encuentro de la Reina con Nebrija, el gran humanista, el creador de la primera *Gramática castellana*.

Fue un encuentro memorable, que conocemos por el propio Nebrija, quien lo recordaría cinco años después, en el Prólogo a su citada obra *Gramática castellana*, impresa en Salamanca el 17 de agosto de 1492.

En aquella ocasión la Reina entró en el aula del célebre humanista y le preguntó sobre su disciplina. Y no solo qué explicaba, sino para qué servía.

De modo que la Reina, tan metida de lleno en las grandes empresas políticas, puede tener curiosidad, no exenta de cierto escepticismo, por el quehacer de un humanista y por el valor de su obra (la eterna pregunta del profano: ¿para qué sirve el estudio de las letras, el de la historia, el de la filosofía?). Es cuando se encuentra con la orgullosa respuesta de Nebrija: él hacía tanto con su trabajo de gramático por el Imperio, como pudieran hacerlo los capitanes con su espada.

Porque se trataba ya de eso, del Imperio español. Recordemos de nuevo las palabras de Nebrija, impresas en agosto de 1492, cuando Colón estaba inmerso en la gran aventura de descubrir un nuevo mundo, pero pronunciadas cinco años antes:

Que siempre la lengua fue compañera del imperio[61].

---

[61] Sobre el encuentro entre la Reina y Nebrija, véase más adelante, en el capítulo dedicado a Colón, pág. 328.

TOMA DE MÁLAGA

Todo estaba a punto, pues, para continuar con gran brío la guerra de Granada. Meses antes, durante su estancia en la villa zamorana de Montamarta, en cuyo monasterio jerónimo habían reposado los Reyes tras su fatigoso viaje de regreso de Galicia, se había preparado la financiación de la nueva campaña, con la predicación de la Bula de Cruzada concedida por el papa Inocencio VIII. En Fuentesaúco, la Hermandad había tenido su junta anual, aprobando una importante leva de miles de peones para la guerra. Incluso se habían dado, como anteriormente en Asturias, cartas de seguro para los acusados de asesinato, los «homicianos», con tal de que se enrolasen en las tropas del Rey.

Y así la Reina se decide de nuevo a seguir a Fernando en su ruta hacia el sur. En este caso se trata de acometer un empeño mayor, el más grande que pudiera pensarse, antes de la toma de la capital: la conquista de Málaga.

Dejan Castilla bajo el gobierno del Condestable y pasan a Castilla la Nueva. Con los Reyes van sus dos hijos mayores, Isabel y Juan. En Almagro recogen a las tres pequeñas Infantas: Juana, que tiene siete años; María, con cuatro, y Catalina, que todavía no tiene más que dos.

En marzo Isabel ya está aposentada en Córdoba. Al mes siguiente, Fernando planta su real ante Vélez-Málaga, cuya toma es obligada para la gran operación de cerco de Málaga.

La captura de Vélez-Málaga no deja de tener sus dificultades iniciales; en los primeros combates, las compañías de asturianos y vizcaínos aflojan e incluso se baten en retirada. Es precisa la intervención valiente del propio rey Fernando, espada en mano, para que se restablezca la situación. Al fin, el 27 de abril, Vélez-Málaga se rinde.

Era como tener a Málaga bajo el punto de mira. Era aislar a los malagueños del resto del reino nazarí. Solo les quedaba el mar, pero allí vigilaba la armada de la Reina.

Hubo un momento de verdadero riesgo. Porque El Zagal, que se había convertido en el jefe mayor del reino granadino, desplazando a su hermano, el Emir; El Zagal, que era el capitán más aguerrido de las tropas musulmanas, decidió acudir en socorro de los sitiados en Vélez-Málaga, lo que puso en gran alarma a la Reina.

Y de nuevo se vio que en los momentos de verdadero peligro allí estaba Isabel, presta para defender su causa, que en aquellos momentos pasaba por el pronto socorro a Fernando:

La Reina —nos informa Pulgar— que había quedado en Córdoba, quando supo que el rey moro, con tanta multitud de gente había ido contra el Rey, llamó luego las gentes de todas aquellas partes del Andalucía...

Isabel ordenaría nada menos que una movilización general. Todos tenían que coger las armas e ir en socorro del Rey. Todos los hombres entre los veinte y los sesenta años. ¡Y piénsese lo que suponía tener sesenta años en el siglo XV! Sin embargo, así lo impuso Isabel:

... y mandó por sus cartas que todos los omes de sesenta años abaxo e de veinte arriba, tomasen armas e fuesen luego [62] donde el Rey estaba... [63].

Desvanecido el peligro, tomada Vélez-Málaga, todos los esfuerzos se centraron en el cerco y conquista de Málaga.

Iba a ser un duro cerco, uno de los combates más fieros de toda la guerra, decididos los malagueños a resistir hasta el final, acaudillados por uno de los mejores soldados que tenía El Zagal, Hamet el Zegrí, quien contaba además con un buen golpe de africanos, los gomeres, gente muy preparada para la guerra. La fuerza de la ciudad, el estar tan bien guarnecida, así como la esperanza de que les llegasen socorros por el mar, hizo más difícil su conquista.

Allí se echó de ver que ya la guerra de Granada se había tomado como una causa nacional, como la gran empresa de toda España. Pues si las tropas eran mayoritariamente castellanas —incluidos asturianos, montañeses y vizcaínos—, en la vigilancia del mar patrullaban no pocas naves de la Corona de Aragón.

El cerco, largo y difícil, pasó por un momento de prueba cuando un moro fanático —un terrorista, en términos actuales— entró en el campamento real, dispuesto a matar a los Reyes. Burló la vigilancia de los guardas pero erró en la tienda, entrando en la de dos personajes de la Corte, uno de ellos Beatriz de Bobadilla, que resultó herida.

Al fin, tras una tenaz resistencia de cuatro meses, sin duda conscientes los defensores de que allí se jugaba buena parte de las posibilidades de subsistencia del reino granadino, la ciudad se rindió a los Reyes; pero ya era tarde para conseguirlo en honrosas condiciones. La esclavitud esperaba a los vencidos.

---

[62] Esto es, inmediatamente.
[63] Fernando del Pulgar, *Crónica...*; cit. por Juan de la Mata Carriazo, «La guerra de Granada», est. cit., pág. 688.

Como vemos, la Reina estuvo en el real, sin duda dando ánimo con su presencia, por la desesperada resistencia de los cercados. Estuvo acompañada de su hija mayor, la infanta Isabel, así como de su dama preferida, Beatriz de Bobadilla, y de algunos otros grandes personajes, entre ellos, el cardenal Mendoza.

Tras la victoria, celebrada ampliamente en toda Castilla, los Reyes regresaron a Córdoba, no sin antes permanecer la Reina unos días en Vélez-Málaga y en Málaga, sabedora de que de esa manera afianzaba las nuevas conquistas. Pues una de las consignas mejor seguidas era la de dejar bien claro que no había vuelta atrás, y que el terreno conquistado para la España cristiana ya no se volvería a perder.

Era tiempo de tomarse un descanso, y de preparar una nueva visita a la Corona de Aragón. La creciente participación de los aragoneses en la empresa granadina bien lo merecía.

Allí pasarían el otoño de 1487 y el invierno de 1488. Entrando en Zaragoza el 21 de noviembre, dejarían Valencia el 26 de abril, para regresar a la Corona de Castilla por tierras de Murcia.

EN LA RECTA FINAL: LAS CAMPAÑAS POR LA GRANADA ORIENTAL

Durante la estancia en la Corona de Aragón, entre finales del otoño de 1488 y principios de la primavera de 1489, los Reyes fueron acompañados del príncipe Juan, que ya había cumplido los diez años; recordemos que había nacido el 30 de junio de 1478. Se trataba de presentarse en público con el Príncipe heredero, aunque fuese casi un niño, con esa táctica propia de todas las monarquías hereditarias, sabedoras que pocas cosas hacen más popular a una dinastía que asegurar la sucesión. La presentación del príncipe Juan era, en ese sentido, una táctica sabia, que afianzaba la Corona, que daba estabilidad al gobierno de los Reyes Católicos. Hubo, pues, triunfal entrada en Zaragoza, primero, y después en Valencia, no acercándose los Reyes en aquella ocasión a Barcelona para no demorar la cita que tenían en el sur con la guerra de Granada.

De ese modo, una vez terminadas las Cortes celebradas en Orihuela, salieron del reino valenciano a mediados de abril de 1488.

Murcia les estaba aguardando.

En efecto, de cara a las campañas para apoderarse de la zona oriental del reino granadino, nada como situar el cuartel general en Murcia, desde donde la Reina podía asumir de nuevo su papel de organizadora de todos los servicios de intendencia que precisaba el ejército; al tiempo que, conforme a su carácter, entendiese en la más recta y severa administración de la Justicia en un reino tan poco visitado por los Reyes.

El 5 de junio de 1488 salía Fernando al frente del ejército, dispuesto a la nueva campaña. Siendo su objetivo la zona oriental del reino nazarí, y como primera plaza a tomar la de Vera, colocó su real en Lorca.

Fernando tenía ante sí la región más pobre del reino nazarí y la menos poblada, como nos hace observar Juan de la Mata Carriazo [64]. Quizá por ello toda la campaña parece llevarse a cabo con menos empeño, con menos esfuerzo. Estaba en juego también la tarea de los diplomáticos, con los acuerdos anteriores con Boabdil, como zona que había de quedar para su retiro, una vez acabada la contienda. Lo cierto es que en aquella campaña apenas se disparó una flecha ni se hizo sonar el cañón, que tanto temor ponía entre los moros.

En efecto, lo que sucedió entre la toma de Vera, el 10 de junio, y la ocupación de aquella banda oriental, fue una cabalgata, un paseo militar sin ningún combate, como Fernando diría al papa Inocencio VIII. La villa de Vera se le había entregado

… sin alguna resistencia, luego se me dio…

Y no solo Vera, sino también un vasto territorio, con cincuenta villas y fortalezas, algunas que parecían inexpugnables, desde Huéscar, en el interior, hasta Mojácar, en la misma costa.

Pero nada comparable a las campañas anteriores, a todo lo que había supuesto la guerra por la toma de Ronda, de Loja, y no digamos de Málaga. De modo que los Reyes se consideran obligados a justificarse por tan poco esfuerzo, sin que se aprovechara la campaña de otoño, en la que combatir por ciudades de verdadero fuste, como Baza, a la que Fernando solo había tanteado en una rápida y breve incursión. Y de ese modo, escribirían al Papa:

> Crea Vuestra Santidad que no menos es de estimar lo que en este anyo se ha fecho, en servicio de Nuestro Señor y acrecentamiento de la religión christiana que en qualquiera de los anyos pasados [65].

---

[64] Juan de la Mata Carriazo, «La guerra de Granada» (en *HEMP,* XVII, 1.º, pág. 735).

[65] Fernando e Isabel a Inocencio VIII, carta de 26 de julio de 1488 (publ. por Juan de la Mata Carriazo, est. cit., pág. 745).

Por lo tanto, los Reyes han decidido ya en el mes de julio que la campaña de 1488 estaba cumplida. La Reina, desde su emplazamiento en Murcia, había estado atenta a su desarrollo, contando entonces con un cronista de excepción: el marqués de Cádiz, a quien le anima para que haga de corresponsal de guerra de la época.

Y así le escribe una carta, en la que se nos aparece la Reina de cuerpo entero, como el alma que era de la guerra de Granada:

> Marqués primo —le dice—: Muy Gran gloria y placer he rescibido de vuestras buenas andanzas y leales servicios...

Y después de mostrarse agradecida y de prometerle su recompensa, le anima a que siga esa tarea de tenerla informada de las cosas de la guerra:

> Señalado placer —le añade— y servicio rescibiré largamente [porque] me escribáis las cosas que cada día pasaren... [66]

Pero como la ocupación de aquel vasto territorio ha sido tan rápida y existe el peligro de que el enemigo subsista en la sombra, y aun de que se mezclen las dos razas, borrándose las diferencias entre vencedores y vencidos, se dictan duras normas, como se hace en la capitulación de Huéscar, la villa más norteña de aquel territorio ocupado.

Efectivamente, entre las condiciones exigidas para marcar la norma en las relaciones de los dos pueblos se ordena la siguiente:

> Íten, es asentado que ningund cristiano duerma con mora, ni ningund moro duerma con cristiana...

Y eso bajo pena de la vida:

> ... so pena que el que lo fiziere muera por ello e pierda sus bienes... [67]

Unas penas durísimas, para imponer terror, en un terreno en el que poco había que hacer, en especial porque las moras tenían un particular atractivo físico al que pocos cristianos se resistían, y porque las justicias no tomarían al pie de la letra la bárbara orden recibida.

---

[66] En Juan de la Mata Carriazo, est. cit., pág. 740.
[67] Ibídem, pág. 744.

Dando por terminada la campaña de aquel año, realizada con tan poco esfuerzo, como si necesitaran tomarse un respiro antes de acometer empresas mayores, los Reyes regresaron a Castilla. A comienzos del otoño estaban ya en Valladolid, para afrontar otra tarea particularmente grata a la Reina: la de administrar justicia. Y en particular para conocer cómo llevaban su oficio los corregidores que gobernaban las principales ciudades y su tierra del Reino. ¿De qué manera? Mandando a letrados que fuesen por los lugares e hiciesen las oportunas inspecciones:

> ... e si alguno fallaban culpado —nos informa Pulgar—, llevando algún cohecho o habiendo fecho otro exceso en la justicia, luego era traído a la corte preso, e penado según la medida de su yerro... [68]

El año siguiente de 1489 iba a tomar otro sesgo. Fernando había comprendido que aquella campaña, en que debía afrontar la lucha contra las fuerzas de El Zagal, que sin duda era el mejor capitán del reino nazarí, investido ahora de la categoría de Emir por la renuncia de su hermano Muley Hacén, era todo un reto; máxime cuando un fracaso podía provocar un proceso involutivo y dejar en suspenso una guerra que estaba durando tanto. Los recursos cada vez eran menores y el dinero para financiar la guerra harto difícil de conseguir.

De todas formas, sabiendo los Reyes cuánto importaba la propaganda, y cómo la expectación en toda Europa iba creciendo, no quisieron dar ningún signo de debilidad ante la opinión pública; de forma que cuando Maximiliano de Austria, entonces Rey de Romanos, les anunció una embajada, con fines de conseguir una alianza matrimonial, decidieron echar el resto en el recibimiento de aquel embajador: España estaba en guerra, pero su poderío brillaba tanto en la Corte, como sus armas lo conseguían en el campo de batalla:

> ... que sus embajadores viesen la grandeza de la Corte y la majestad de su Casa Real... [69]

---

[68] Pulgar, *Crónica...,* ob. cit., pág. 478; cf. Enrique San Miguel, *Isabel I,* ob. cit., pág. 201, nota 29.

[69] Pulgar, *Crónica...,* ob. cit., pág. 479; cf. Enrique San Miguel, *Isabel I,* ob. cit., pág. 202.

En febrero los Reyes dejaron Valladolid. Era importante llegar con tiempo a Andalucía para afrontar la campaña contra los dominios de El Zagal. Aun así, la Reina quiso pasar por Arévalo; era, una vez más, la visita a la madre enferma, un deber nunca olvidado por la Reina.

Y de allí a Jaén, tras pasar por el santuario mariano de Guadalupe. Estamos ante otro de los marcadores del ánimo de Isabel, su sentimiento profundamente religioso, el querer poner su obra, su empresa y todos sus sueños en manos de la divina Providencia.

En mayo de aquel año de 1489 ya tenemos a los Reyes asentados en Jaén. Con buen criterio, de allí saldría Fernando, el Rey-soldado, para librar la gran batalla contra las fuerzas de El Zagal, mientras Isabel permanecía en aquella ciudad, atenta a mantener vivo todo el sistema de aprovisionamiento del ejército y de movilización de toda clase de recursos.

La salida del Rey, el 27 de mayo, fue todo un espectáculo: en un solemne acto religioso celebrado en la catedral, fueron bendecidas las banderas. De ese modo, se volvía a recordar el carácter de Cruzada que tenía aquella guerra.

Era un lucido ejército de 13.000 jinetes y 40.000 peones, aparte del impresionante tren de artillería, que tan eficaz se había mostrado, y de los cientos de zapadores cuyos servicios se habían mostrado tan imprescindibles. Su objetivo, la ciudad de Baza, la más fuerte del territorio dominado por El Zagal, a cuyo frente estaba uno de sus mejores capitanes y más fieles, como su cuñado que era: Yahya Alnayar. El 20 de junio, Fernando plantaba su real ante la ciudad mora.

Había pasado la primavera. De hecho, era la primera vez que se iniciaba la campaña tan de cara al verano, pues la misma de Málaga, que había seguido a la de Vélez-Málaga, se había hecho en mayo. ¿Quería eso decir algo? ¿Había sido por dificultades inesperadas? ¿No había conseguido aquella vez Fernando todos los apoyos que hasta entonces había logrado?

Lo cierto es que, antes de plantarse frente a Baza, Fernando tuvo que reducir una pequeña plaza, que venía a ser como el antemural de la ciudad mora: la villa de Zújar. Y cuando otras fortalezas mayores se habían rendido con la sola amenaza del fuego artillero del ejército cristiano, Zújar resistió con fiereza durante ocho días.

Lo suficiente para que El Zagal completase la defensa de Baza, mandando hombres, armas y suministros desde su asentamiento en Guadix.

Una dura batalla esperaba a Fernando.

Un largo combate que duraría casi seis meses, hasta el punto de que, habiendo comenzado a principios de verano, los sitiadores se vieron afectados por los primeros fríos de un invierno anticipado. Hubo necesidad de un esfuerzo mayor, por lo prolongado de la situación, en el aprovisionamiento del ejército. Incluso, lo que resultó más peliagudo, hubo que aumentar el envío de refuerzos, lo que provocó situaciones tirantes, a las que hubo de hacer frente la Reina con su energía indomable. En ese sentido, se puede asegurar que Isabel salvó una situación que para no pocos se estaba convirtiendo en insostenible.

Por primera vez entre el patriciado urbano que regenta la ciudad de Sevilla asoman los que quieren desentenderse del conflicto. A una orden del Rey para que los Veinticuatro [70] sevillanos se aprestasen para acudir con sus armas y cabalgaduras a la guerra, no todos contestan con el mismo entusiasmo. Y en tal manera que provocan la cólera de la Reina. ¿Cómo? ¿Acaso no era ese el oficio y la obligación de la nobleza, el sentido de su existencia, ayudar al Rey con las armas en la mano cuando fuera por él requerida? De forma que Isabel manda al punto una orden expresa:

> Porque su ida a la dicha guerra —ordena— cumple mucho, yo vos mando que otra vez tornéis a requerir a los dichos veynte e quatro e hidalgos que non ovieren ydo, que luego [71] se partan.

Y como ya nada parecía seguro, la Reina amenaza con duras represalias; por supuesto, la pérdida de aquellos cargos tan lucrativos, así como la condición de hidalguía [72].

Isabel acudió incluso a la alta nobleza castellana, a los llamados Grandes, por la enormidad de sus dominios señoriales y por sus títulos supremos de duques y marqueses. Porque todo parecía poco para mantener la lucha. Es más, en algunos puntos de la frontera, los moros habían tomado la iniciativa, y eran los que se atrevían a combatir a fortalezas cristianas, como en el caso de la villa de Cómpeta.

Ante tal noticia, Isabel da la alarma general:

---

[70] El título de *veinticuatro,* que alude al número de los regidores del cabildo municipal en las grandes ciudades andaluzas, como Sevilla, era tan importante que tenía rango nobiliario.

[71] Esto es, inmediatamente.

[72] Juan de la Mata Carriazo, «La guerra de Granada», est. cit., pág. 760.

Yo he sabido —escribe el 12 de agosto desde Jaén a la ciudad de Sevilla— que los moros tienen cercada la fortaleza de Competa, y el alcaide de la dicha fortaleza espera el socorro.

¿Qué se podía hacer? Pues movilizar a todos los posibles combatientes menores de sesenta años:

Por ende, yo vos mando —ordena la indomable Reina— que como esta veáis, fagáis que desa dicha cibdad vaya toda la gente de caballo e de pie que en ella oviere, de veinte años arriba e de sesenta abaxo...[73]

Era tanto como despoblar Sevilla y dejarla sin hombres. Y lo mismo con las otras grandes ciudades andaluzas.

Un esfuerzo tremendo, porque las noticias que llegaban del frente eran alarmantes. Cundía el desánimo entre los sitiadores, que se veían incapaces de doblegar a los valientes defensores de Baza.

Y entonces Isabel acudió al recurso extremo. A ponerse ella misma en marcha, presentándose ante la ciudad de Baza, para animar al ejército de Fernando, que se mostraba tan alicaído.

Y el efecto fue mágico. No solo por lo que supuso de levantar la moral en el ejército cristiano, sino también por la desesperanza que cundió entre los sitiados, que no podían creer que la Reina hubiera tomado aquella decisión, y se asomaban incrédulos a sus murallas para ver qué había de cierto en todo ello.

El cronista nos pinta un vivo cuadro de aquellos momentos:

Los moros fueron mucho maravillados —nos dice— de su venida en invierno, e se asomaron de todas las torres e alturas de la cibdad, ellos y ellas, a ver la gente del recibimiento e oír las músicas de tantas bastardas e clarines e trompetas... que parescían que el sonido llegaba al cielo...[74]

Y otra nota regia: la Reina había acudido con su hija bienamada, la Infanta primogénita Isabel, como para dar mayor sensación de firmeza: de allí no se movería el ejército hasta que la plaza no se entregase.

---

[73] Juan de la Mata Carriazo, «La guerra de Granada», est. cit., pág. 761.
[74] Andrés Bernáldez, *Memorias...*, ob. cit., pág. 209.

Así ocurrió, en efecto. A los pocos días, los sitiados entraron en negociaciones.

El 4 de diciembre, Baza se rendía.

Y lo que no fue menos importante: su caída provocó la de Almería y Guadix. El Zagal, el alma de la resistencia más enconada, optaba por emigrar a África, mientras su cuñado, Yahya Alnayar, se pasaba a las filas isabelinas. Convertido al cristianismo, con el nombre de Pedro de Granada, pasaba a ser alguacil mayor de Granada y comendador de la Orden de Santiago, mientras su hijo, que tomaba el nombre de Alfonso, pasaba a ser contino de la Corte.

A fin de cuentas, un gran triunfo, el premio a la perseverancia.

Otra vez Isabel se había mostrado como la más firme, la más segura, la más decidida a echar el resto, si la necesidad obligaba a ello, para no cejar en la conquista del reino nazarí de Granada.

Y como muestras del gozo general, del convencimiento de que aquel combate había sido decisivo para el final de la guerra, los Reyes mandaron cartas a todas las Cortes europeas dando cuenta de su triunfo, como puede comprobarse por los registros custodiados en el Archivo de la Corona de Aragón[75].

Ya los Reyes podían tomarse un respiro antes de centrarse en la misma toma de Granada, fruta que tan madura parecía estar.

Un respiro con grandes festejos. Pues se trataba de casar a la Infanta primogénita, a la infanta Isabel, toda una mujer con sus diecinueve años, con el príncipe Alfonso de Portugal.

Esa sería la causa de las grandes y solemnes fiestas celebradas en Sevilla en la primavera del año siguiente de 1490.

Pocas veces abril en Sevilla brilló como en aquella ocasión con la boda de los jóvenes Príncipes, celebrada entre el entusiasmo de un pueblo que salía a la calle para aclamar a la principesca pareja y a sus Reyes. Y quien haya vivido hoy día jornadas similares, puede darse una idea de ello.

A fin de cuentas, el pueblo llora cuando los Reyes lloran, pero también ríe y goza cuando los ven gozar y reír.

---

[75] Cf. Tarsicio de Azcona, *Isabel la Católica,* ob. cit., pág. 657.

AL FIN, GRANADA

Al fin, Granada. Ya desde la caída de Baza, y conforme a lo acordado en las capitulaciones firmadas con Boabdil, los Reyes pudieron creer que la guerra, prácticamente, había terminado. A ello había contribuido el comportamiento de Boabdil, que el 8 de noviembre de 1489, poco antes de la rendición de Baza, escribía a la Reina una carta en los términos más sumisos, en la que los elogios se encadenan. La Reina, para Boabdil, era la sultana, la excelsa, la magnífica; pero también la excelente, la liberal, la famosa. Y, además, la ilustre, la grande, la noble, la virtuosa, la benéfica y la honorable. Para terminar diciendo de ella que era

... la princesa de reyes y la más grande y noble de ellos...

Una carta en la que Boabdil proclamaba su vasallaje a los Reyes:

... prestos estamos a vuestro servicio.

La Reina era su único sostén, su refugio:

¡No tenemos, después de Dios, otros auxilios que vuestra casa y vuestra Real Alteza![76]

A ese tenor, los Reyes escribían a la ciudad de Sevilla a mediados de enero de 1490 que la guerra había dado fin. Faltaba solo un mero trámite: que, conforme a los acuerdos firmados, Boabdil entregase Granada.
Es una carta rebosante de satisfacción:

Sabed —escribían los Reyes al concejo de Sevilla— que después de muchas fatigas e trabajos e gastos, ha placido a la misericordia de Nuestro Señor dar fin a esta guerra del reyno de Granada...

Todavía, era cierto, estaba Boabdil en Granada; pero era cuestión de trámite su entrega. A lo más, veinte días:

---

[76] La carta, en el estudio de Juan de la Mata Carriazo, «La guerra de Granada», est. cit., págs. 775 y 776.

> E porque el rey habla Babdili, que al presente tiene la çib-
> dad de Granada, tiene asentado e concertado de entregar a
> Nos e a nuestras gentes la dicha çibdad de Granada...[77]

Veinte días tan solo, y todo habría terminado. Y felizmente, sin más luchas, sin más sangre derramada, sin más esfuerzos.

Pero no sería así. Qué movió a Boabdil a cambiar de opinión, no es fácil de precisar. Quizá buscó el apoyo de los Reyes para deshacerse de sus rivales en el trono, primero de su padre, el Emir; después de su tío, El Zagal. De hecho, su última ocupación de la Alhambra había sido con la ayuda de tropas cristianas, mandadas por el que después sería tan famoso en las guerras de Italia, Gonzalo Fernández de Córdoba, el Gran Capitán. Y quizá, al verse ya como el único jefe indiscutible, creyó que era la ocasión de unir a todo el Reino, recabar la ayuda de sus correligionarios del norte de África, permaneciendo como el nuevo Emir de la dinastía nazarí de Granada. El mundo musulmán estaba viviendo unos momentos de auge en todo el Mediterráneo. ¿Iba a consentir que Granada cayese en manos cristianas?

Estaba también el hecho de que a la capital granadina habían ido afluyendo muchos moros procedentes de las plazas perdidas; moros que buscaban un refugio para seguir viviendo bajo su religión y sus leyes, moros rebeldes a cualquier tipo de señorío cristiano. Y de esos había miles en Granada, que se había convertido en una ciudad superpoblada, donde el espíritu de resistencia frente a los Reyes Católicos seguía más firme que nunca. ¿Temió Boabdil provocar una rebelión y su propia ruina si iniciaba la rendición? ¿Optó entonces por cambiar su decisión?

Posiblemente. De hecho, en el mes de febrero de 1490 los Reyes tenían ya claro que la guerra había de continuar. Y si tenían alguna esperanza, la perdieron al ver cómo Boabdil iniciaba una ofensiva contra los antiguos territorios mandados por El Zagal, como la villa de Lanjarón, amén de buscar una salida al mar, atacando Salobreña, donde se las vio y se las deseó para defender la plaza el capitán madrileño Francisco Ramírez, que la tenía entonces como su alcaide.

No había más remedio que rendirse a la realidad: de nuevo la guerra se imponía, como único medio posible para terminar la Reconquista. Máxime cuando se tenían noticias alarmantes de conjuras de la

---

[77] Juan de la Mata Carriazo, «La guerra de Granada», est. cit., pág. 786.

población mora en plazas tan importantes como Guadix, Baza y Almería, para adueñarse otra vez de sus destinos.

Por lo tanto, otra vez la guerra. Pero de momento, en aquella campaña de 1490, una guerra hecha con desgana, como si ni los cuerpos ni las mentes estuvieran preparados para ella. De hecho, en aquella campaña de 1490, Fernando se limitó a las incursiones de castigo sobre la vega granadina.

Hubo, sí, algunas medidas precautorias. Se nombró un capitán general del ejército real, nombramiento que recayó en el descendiente de aquel marqués que tan enemigo había sido de los Reyes, en Diego López Pacheco, marqués de Villena. ¿Quería indicar con ello Fernando que dejaba la empresa en otras manos? Por entonces, los asuntos del Reino de Sicilia cada vez requerían más su atención.

Si así fue, si por unos instantes Fernando pensó en dejar su papel de Rey-soldado, pronto Isabel le hizo cambiar de opinión.

Granada seguía siendo la empresa prioritaria. Italia tendría que esperar. Había un peligro cierto de involución en el escenario granadino, de que todo lo hasta entonces conseguido se perdiese. Todavía estaba el dominio de aquel Reino demasiado en precario, con tantas conjuras, con tanta población mora a medias dominada, y con el fuego reactivado en la capital por el cambio de actitud del nuevo emir Boabdil.

En consecuencia, la única solución era reanudar la guerra y conquistar la misma Granada.

Y como la empresa seguía siendo tan difícil, los Reyes empezaron a tomar sus medidas en el otoño de 1490 para preparar bien la campaña siguiente. Ya el 15 de octubre, Fernando ordenaba una movilización general en Andalucía, con punto de concentración en Loja, adonde irían todos los hombres hábiles

... de sesenta años abaxo e de dies e ocho años arriba...[78]

Por lo tanto, se pedía un esfuerzo mayor, aumentando la leva de soldados con los que tenían dieciocho y diecinueve años.

El 31 de enero de 1491 reiteraría aún tal apercibimiento, declarando su firme decisión de acometer la última campaña sobre Granada con todas sus fuerzas. Y de nuevo se dirige a las ciudades andaluzas:

---

[78] Fernando a la ciudad de Sevilla, 15 de octubre de 1490 (*Tumbo de Sevilla*, núm. 1.229; cf. Juan de la Mata Carriazo, «La guerra de Granada», est. cit., pág. 802).

> Sepades que yo, el Rey, Dios mediante, tengo acordado de
> entrar en persona contra la cibdad de Granada...

Pero no para una campaña cualquiera. Iba a realizarla

> ... poderosamente...

Y anunciaba la fecha: el 20 de mayo [79].

Por supuesto, hubo algún retraso, pero no excesivo. El 11 de abril salía la Corte de Sevilla en dirección a Alcalá la Real, donde quedaría de momento la reina Isabel con sus hijos, el príncipe Juan y las infantas Juana, María y Catalina [80].

El 20 de abril, Fernando seguía con su ejército para plantarse ante Granada, poniendo su real a una legua de la ciudad el 23 de abril. Inmediatamente ordenó que parte del ejército, mandado por el marqués de Villena, como recién nombrado capitán general de la frontera, hiciese una operación de castigo sobre las zonas de donde podían llegarle refuerzos a Boabdil: las Alpujarras y el valle de Lecrín. Arrasar aquellas tierras sería la consigna. Mientras, Fernando formalizaba el asedio de Granada.

Se trata de otra táctica distinta a la de años anteriores. Ya no se abusaría del fuego artillero, que tantos destrozos y daños había provocado en las campañas anteriores, como en Ronda o en Málaga. Ahora la táctica sería la de reducir por hambre a los sitiados. La gran afluencia de moros rebeldes, procedentes de los lugares conquistados por Fernando, habían hecho de Granada una ciudad superpoblada y, por ello, más difícil de alimentar.

Sería el punto más débil de la capital del reino nazarí, y Fernando lo aprovecharía al máximo.

En cuanto a la reina Isabel, siempre fiel a su carácter, llegaría al campamento de Fernando a principios de junio, acompañada de sus hijos el príncipe Juan y la infanta Juana. Llevaba también buen cortejo de damas y caballeros.

Parecía como una fiesta anticipada: tan próxima se veía la caída de Granada:

---

[79] Fernando a la ciudad de Sevilla, 15 de octubre de 1490 (*Tumbo de Sevilla,* núm. 1.229; cf. Juan de la Mata Carriazo, «La guerra de Granada», est. cit., pág. 802).

[80] Recordemos que en noviembre del año anterior la infanta Isabel había salido ya para Portugal, a fin de consumar su matrimonio con el príncipe Alfonso.

> La Reina e su hija —nos refiere Andrés Bernáldez— cabal-
> gaban muchas veces por ver el real e la cibdad de Granada, e
> tenían muchos refrigerios e plazeres de muchas trompetas...,
> continuamente, que en el real no cesaban...

A los pocos días de su llegada al campamento, Isabel quiso acercarse más y más a Granada. ¡Tanto ansiaba conocer la famosa ciudad!

> Un día —nos refiere otra vez Bernáldez— la Reina dixo
> que quería ir a ver más de cerca de Granada, de donde la pu-
> diese bien mirar lo alto e lo baxo... [81]

Y así cabalgó, acompañada del Rey y de sus dos hijos que al presente tenía junto a ella.

Fue una cabalgata bien protegida, con una parte importante del
ejército para defender a la Reina. Y de ese modo llegaron hasta una
buena casa en las cercanías de Granada. Isabel había prohibido a sus
tropas que provocasen a los sitiados. Quería una jornada sin incidentes.

No fue posible, porque de Granada salieron no pocos de sus defensores, temiendo un ataque:

> ... muchos e muy armados.

De forma que se trabó un serio combate, al que la Reina asistió
desde la casa en que se había guarecido.

Fueron horas de temor, al fin convertidas en gozo, porque la victoria se inclinó a favor de los cristianos. De que se siguió que el capitán
de la batalla real, el marqués de Cádiz, se la dedicara a la Reina.

Era un gesto más de aquella guerra caballeresca.

Y así le dijo:

> —Señora, de Dios e de la buena Ventura de Vuestra Alte-
> za se cometió este desbarato [82].

Sin embargo, el asedio se prolongaba. Y los Reyes, para quitar
toda esperanza a los granadinos de que se les acabara el cerco, tomaron una medida definitiva: alzar toda una ciudad, al lado del campa-

---

[81] «Lo alto e lo baxo»; alusión, sin duda, a la fortaleza de la Alhambra y a la misma
ciudad.

[82] Andrés Bernáldez, *Memorias...,* ob. cit., pág. 228.

mento, para que todo el mundo tuviera muy claro su firme decisión de no levantar el asedio hasta que Granada se les rindiese.

Otro signo fue cómo superaron el desafortunado incendio que se produjo en el campamento. Si hemos de creer al cronista Andrés Bernáldez, una vela prendió en la tienda de la Reina, en plena noche, cuando todo el mundo dormía. Al no ser atajado a tiempo, el fuego tomó grandes proporciones.

Tremenda confusión, como la que produce siempre un fuego incontrolado, máxime en las horas nocturnas.

> E como la Reina lo sintió, salió fuyendo de la tienda e fuese a la tienda del Rey, que estaba ahí cerca de la suya, e acordó al Rey, que dormía, e cabalgaron luego ambos a caballo [83].

El fuego pudo al fin reducirse, pero el peligro fue cierto, ya que desde Granada hubieran podido aprovechar la ocasión para una salida desesperada. Una vez más, el marqués de Cádiz hizo frente a la amenaza, colocando sus hombres frente a la gran ciudad, de donde se podía temer el ataque.

Otro suceso, más triste, conmovió a los Reyes en aquel mismo mes de julio: la mala nueva llegada de Portugal de cómo el príncipe Alfonso, su yerno, había sufrido una caída mortal corriendo a caballo, cuando estaba en la villa de Santarém.

Gran dolor. En poco tiempo la infanta Isabel pasaba de un matrimonio feliz a la triste condición de viuda.

> E aun antes que el cerco se alzase —nos comenta el cronista—, vino la Infanta cubierta de luto a sus padres, a Illora...

Por unas jornadas, Isabel y Fernando abandonan el campamento para consolar a su hija:

> ... el Rey e la Reina la fueron a vesitar e haber con ella parte de su dolor e desventura de la muerte de su marido [84].

Sería la primera de aquellas muertes cebándose entre los jóvenes Príncipes, que tanto atormentarían a la Reina.

---

[83] Andrés Bernáldez, *Memorias...*, ob. cit., pág. 228.
[84] Ibídem, pág. 229.

Pasó el verano. Y aun el otoño. Granada se mantenía firme, aguantando el cerco. Pero tantos meses de asedio, con unos abastecimientos tan reducidos, por la vigilancia del ejército de la Reina, acabaron por hacer mella, tanto más cuanto que a lo largo de la guerra habían acudido a ella miles de moros que buscaban allí su refugio, huyendo de la invasión cristiana.

En esa población tan saturada, los problemas provocados por el cerco acabaron siendo insufribles.

Las crónicas lo dicen:

> ... no tenían que comer, sino pocos mantenimientos... [85]

Ante una situación tan desesperada, Boabdil se avino a negociar la rendición.

Por lo tanto, una entrega de la fantástica capital granadina. No una toma al asalto, tras una batalla encarnizada. No la sumisión, después de un terrible fuego artillero, lo que hubiera supuesto un precio muy alto en vidas de una y otra parte, y la ruina de la misma maravillosa ciudad, lo que hubiera sido una pérdida irreparable.

Y eso no lo querían los Reyes. No lo quería Fernando y menos lo quería Isabel.

Pues resulta evidente el cambio de táctica. Contra las fortalezas menores, y hasta contra ciudades y villas del fuste de Ronda, de Loja y de la misma Málaga, se emplea todo el efecto destructivo que se puede, merced a la poderosa artillería real. Y de una forma terrible, provocando verdadero pavor, porque de lo que se trata es de ir tomando esas plazas en el menor tiempo posible, en unas semanas, en unos días; incluso, en algunos casos, en unas horas.

Pero todo eso va a cambiar frente a Granada. Allí los Reyes se llenan de paciencia. Plantan su real a unas leguas escasas de la ciudad. Incluso edifican, al lado del campamento, una ciudad nueva, a la que pondrán el nombre simbólico de Santa Fe.

Con ello querían dejar bien sentado ante los granadinos su firme decisión de no alzar el cerco hasta que la ciudad se les entregase.

Y Boabdil, de cara al invierno, comprende que ya ha llegado al límite y que le es preciso entrar en negociaciones, para que las condiciones impuestas por los vencedores no sean muy duras.

---

[85] Andrés Bernáldez, *Memorias...*, ob. cit., pág. 230.

Y se fija la fecha de la entrada de los Reyes, para recibir las llaves de Granada y para hacerse con la hermosa ciudad.

Ahora bien, había un problema: que la facción radical granadina provocase un alzamiento, con el consiguiente derramamiento de sangre y con unas consecuencias que podían ser desastrosas. De forma que se llega al acuerdo de que, previamente, antes de que amaneciese, un destacamento de los Reyes entrase en Granada, llegase hasta la Alhambra y asegurase bien el dominio de la maravillosa fortaleza frente a cualquier sorpresa.

Fue una misión que los Reyes encomendaron al Maestre de Santiago, Gutierre de Cárdenas.

Por fortuna, poseemos el relato anónimo de uno de los que intervinieron en aquella peligrosa expedición.

Se trataba de entrar con el mayor sigilo en la ciudad, subir hasta la fortaleza de la Alhambra y tomar allí posesión firme de todas sus torres y murallas, tras el protocolario acto de audiencia con el mismo Boabdil.

Por lo tanto, para que la operación fuese eficaz hacía falta que la acometiese un grupo de guerreros en número suficiente para defender a continuación todo el perímetro amurallado de la Alhambra, si ocurría el caso de una sublevación popular contra la entrega pactada por el Emir.

Conocemos, en términos generales, los integrantes de la expedición comandada por el Comendador Mayor de León, Gutierre de Cárdenas: algunos capitanes al frente de gentes de la guarda, peones, espingarderos, ballesteros y lanceros. Saliendo pasada la medianoche del campamento, se infiltraron por caminos desviados para alcanzar la Alhambra cuando amanecía.

Boabdil les esperaba en la torre de Comares. Allí entregó las llaves al Comendador Mayor y abandonó la Alhambra.

Fueron unos momentos altamente emotivos. A todos los presentes no se les escapaba el hecho de que se estaba dando fin a una tarea que iba mucho más allá de la vida de los presentes, que estaba engarzándose, en su parte final, a la tremenda, durísima y secular hazaña de la Reconquista.

Al punto, el Comendador Mayor de León desplegó sus fuerzas por toda la muralla y liberó a los cautivos cristianos allí presos.

A continuación vino lo más emotivo, lo que daba mayor significado a la contienda: el acto religioso, oír la misa en aquel recinto hasta entonces centro de la cultura islámica.

Es donde el relato del testigo toma mayor fuerza.
Nos parece estar asistiendo al acto:

> Y se dixo luego misa —nos refiere— en una quadra muy
> rica de aquel aposentamiento...

¿Cómo no emocionarse? Alguien rompió en sollozos y la emoción
se transmitió a todos:

> ... con las mayores lágrimas y devoción que nunca se vio, así
> por el clérigo que la decía como por todos los que allí estába-
> mos...

Entre ellos se hallaban, y no de los menos conmovidos, los cautivos recién liberados:

> ... y por muchos captivos, hombres y mujeres, que ende se ha-
> llaron... [86]

Y añade el testigo en su relato:

> ... que era la cosa del mundo de más devoción...

Una vez asegurada la posesión de la Alhambra, el Comendador
Mayor de León mandó dar la señal convenida con los Reyes: disparar
tres cañonazos.

Así continuó la ocupación de Granada. Las tropas fueron desple-
gadas desde el real hasta la ciudad, para proteger a la regia comitiva
presidida por los Reyes y el príncipe Juan, y los grandes personajes
de su séquito: el cardenal Mendoza, el marqués de Cádiz, el Maestre de
Santiago y el conde de Tendilla.

Llegados a un cierto punto, a la vista de Granada, la comitiva se
detuvo, mientras el Rey-soldado, la espada que había logrado tan sonoro triunfo, el rey Fernando, se adelantó para recibir al Emir. Hubo
gestos cargados de simbolismo. Y entre ellos, la entrega de las llaves,
en este caso de la ciudad.

---

[86] El relato de este testigo de los hechos, en Juan de la Mata Carriazo, «Historia de
la guerra de Granada», ob. cit., págs. 873 y sigs.

No sin la frase ritual de Boabdil a Fernando:

> Toma, señor, las llaves de tu cibdad, que yo e los que estamos dentro, somos tuyos [87].

Y los Reyes entraron en la ciudad y subieron a la maravillosa Alhambra, que ya era suya.

Bien podría aquí recordarse el romance morisco que describe la prodigiosa Alhambra, tal como se había aparecido años antes a Juan II, el padre de la reina Isabel, en su intento de cerco de 1431.

El Rey pregunta al moro Abenámar:

> ¿Qué castillos son aquellos?
> ¡Altos son y relucían!

Y el moro Abenámar le contesta:

> —El Alhambra era, señor,
> y la otra la mezquita;
> los otros los Alixares,
> labrados a maravilla.
> El moro que los labraba
> cien doblas ganaba al día,
> y el día que no los labra
> otros tantos se perdía;
> desque los tuvo labrados
> el Rey le quitó la vida
> porque no labre otros tales
> al rey del Andalucía...

Juan II, enamorado de la maravillosa ciudad, la corteja amorosamente:

> Si tú quisieras, Granada,
> contigo me casaría;
> daréte en arras y dote
> a Córdoba y a Sevilla... [88]

---

[87] Andrés Bernáldez, *Memorias...*, ob. cit., pág. 231.
[88] Recogido en la obra de Ramón Menéndez Pidal, *Flor nueva de romances viejos*, ob. cit., págs. 226 y sigs.

Juan sería rechazado. Sesenta años más tarde, Isabel lo conseguiría. Y para confirmarlo, los reyes de armas gritarían a grandes voces:

¡Castilla, Castilla!

La guerra, la terrible guerra de Granada, había terminado. Y con ella la increíble hazaña de haber dado remate a la secular Reconquista. Era el 2 de enero de 1492.

La trascendencia de aquel acontecimiento estaba en el ánimo de todos. Y bien queda reflejado a través de la pluma del cronista:

> E así dieron —los Reyes Católicos— gloriosa fin a su santa e loable conquista, e vieron sus ojos lo que muchos reyes e príncipes desearon ver: un Reino de tantas cibdades e villas e de tanta multitud de lugares, situados en tan fortísimas e fragosas tierras, ganado en diez años ¿Qué fue esto, sino que Dios los quiso proveer dello e darlo en sus manos? [89]

Treinta años más tarde, Castiglione, en *El Cortesano,* haría la gran alabanza de Isabel, por debérsele

> la honra de la conquista del Reino de Granada.

Pero quien quizá reflejó mejor lo que supuso aquel suceso fue el propio rey Fernando, en la carta que escribió al papa Inocencio VIII, dos días después de la toma de Granada:

> Fágolo saber a Vuestra Santidad por el gran placer que dello habrá, habiendo Nuestro Señor dado a Vuestra Santidad tanta bienaventuranza que, después de muchos trabajos, gastos y muertes y derramamientos de sangre de nuestros súbditos y naturales, este Reino de Granada, que sobre 700 años estaba ocupado por los infieles, en vuestros días y con vuestra ayuda se haya alcanzado el fruto que los Pontífices pasados, vuestros antecesores, tanto desearon y ayudaron, a loor de Dios y ensalzamiento de nuestra Santa Sede Apostólica [90].

---

[89] Recogido en la obra de Ramón Menéndez Pidal, *Flor nueva de romances viejos,* ob. cit., pág. 233.

[90] Carta publicada por Antonio de la Torre y del Cerro, *Los Reyes Católicos y Granada,* ob. cit., pág. 132.

No cabe duda: estamos ante uno de los momentos estelares de la Historia de España. No solo se daba remate a la Reconquista. Es que se posibilitaba el despliegue del Imperio español. Y de tal manera, que en los años siguientes España demostraría bien a las claras que se había convertido en la primera potencia de la Cristiandad, con la fortuna además de dar cima, apoyando a Colón, a la increíble aventura de alcanzar las Indias occidentales, esto es, América.

Y pronto, los tercios viejos en Europa y los conquistadores en América impondrían su ley, demostrando la fuerza del nuevo Imperio.

¿Era Isabel consciente de todo ese panorama grandioso que se abría para España?

Una cosa era cierta: España, al ser toda cristiana, se había hecho más y más europea.

La toma de Granada había dado mayor seguridad a toda Castilla. Había desaparecido la frontera sur con el mundo musulmán; una hazaña que llenaría de prestigio a los reyes Fernando e Isabel.

Y de todo eso sí que eran conscientes, como lo expresaría Fernando, al dar cuenta de aquella fantástica conquista a las ciudades del Reino.

Era:

> ... honor y acrecentamiento de nuestros reynos y señoríos, y generalmente honra y reposo e descanso de todos nuestros súbditos e naturales, que con tanta fe e lealtad en esta santa conquista y para ella nos habéis servido.

Una carta que firma, orgulloso, en su nueva ciudad y en el mismo día de su conquista.

> En la cibdad de Granada, a dos días de henero de noventa y dos años.
> Yo, el Rey[91].

Pero hay otra prueba, otro testimonio, otro signo de lo que para Isabel, como para Fernando, había supuesto la conquista de Granada: su espléndido enterramiento en la Capilla de los Reyes de la catedral granadina.

---

[91] Carta dirigida a la ciudad de León, inserta en la gran obra de Tarsicio de Azcona, *Isabel la Católica,* ob. cit., pág. 662.

Porque en Granada había querido Isabel ser enterrada, como señala en su Testamento. Y si el caso fuese que su muerte ocurriera no estando allí, allí fuera al punto llevado su cadáver.

Solemnemente lo declara:

> Item, quiero e mando que si falleciere fuera de la cibdad de Granada, que luego sin detenimiento alguno, lleven mi cuerpo entero como estoviere, a la çibdad de Granada[92].

No cabe duda: hasta el último momento de su vida, Granada se alzaba para ella como conquista santa, la gran empresa, la justificación de su reinado.

Una última reflexión: La mayoría de las cartas en las que la Corona proclama la gran victoria, tanto al extranjero (como la mandada a Roma), como a las diversas ciudades del Reino (tal la enviada a León), están firmadas solo por el Rey. Sin embargo, sabemos que Isabel fue la gran inspiradora, la que jamás se dio por vencida, la que siempre se mantuvo fiel a la idea de que había que mantener la guerra de Granada hasta el final. Por eso la pregunta es inexcusable: ¿qué movió a Isabel a dejar todo el protagonismo a Fernando?

Una pregunta de difícil respuesta. Acaso porque, en definitiva, aquello había sido una guerra, y una guerra durísima, en la que el papel de Fernando, como Rey-soldado, había sido decisivo.

---

[92] *Testamento de Isabel la Católica,* ed. del Archivo de Simancas, Valladolid, 1944, pág. 11.

5

UN PARÉNTESIS INQUISITORIAL: LA EXPULSIÓN DE LOS JUDÍOS

Hemos llegado a un momento crucial, al año 1492. Y nos preguntamos: *Annus mirabilis aut terribilis?* Esa es la gran interrogante para una de las fechas más emblemáticas de la historia de la humanidad.

Su comienzo, en función de la biografía de Isabel y, por lo tanto, de la Historia de España, fue espléndido: Granada, la hermosa capital del reino nazarí, la que había edificado un paraíso en la tierra —así lo llamarán sus primeros visitantes venidos de media Europa—, la de la maravillosa Alhambra, se había entregado a los Reyes. Isabel podía ya pisar con paso quedo su Patio de los Leones, rodeado de esas finas columnas que parecen suspendidas en el aire, donde el juego del agua y del mármol es un continuo verso a verso; o bien asomarse al mirador de Lindaraja, cuyos arcos semejan preciosísimos tapices; o ya entrar en el Patio de los Arrayanes, en la Sala de las Dos Hermanas o en la de los Abencerrajes. Y sentarse majestuosamente en la Sala del Trono o de Comares, para presidir un acto cortesano y para cerrar tantos siglos de historia; dejando para el caer de la tarde la ascensión al Generalife, donde las flores y el agua crean un ambiente paradisíaco.

Así lo diría, poco después de la conquista, en 1494, un viajero alemán: Jerónimo Münzer, quien tras visitar detenidamente todas sus estancias, sus patios, sus torres, sus jardines, exclamaría impresionado:

> ... es todo tan magnífico, tan majestuoso, tan exquisitamente labrado... que el que lo contempla sueña que está en un paraíso...[1]

---

[1] J. Münzer, *Viaje...,* ob. cit., pág. 354.

Pero en ese mismo año tendría lugar la culminación de la terrible persecución inquisitorial, con la expulsión de los judíos. Eso sí, se salvaría al final nada menos que con la hazaña de Colón.

Por lo pronto, veamos el lado oscuro con la acción inquisitorial en marcha y con la expulsión de los judíos.

La Inquisición. La nueva Inquisición impuesta por los Reyes Católicos, más dura, más arbitraria, más cruel, bajo cuya inspiración se iba a tomar en 1492 una de las más graves decisiones: la expulsión del pueblo judío.

O bien, la Santa Inquisición, tal como la titulaba la propaganda oficial; la gran celadora de la pureza de la religión frente al peligro de las herejías.

¿Cruel? ¿Santa? Provoca en unos pavor, en otros incluso terror. Y eso desde sus primeros tiempos; en otros, sin duda fervor.

Estamos ante un debate abierto, ante un tema polémico, conflictivo. También ante sus consecuencias: una extrema intolerancia, fruto de la exaltación religiosa que se vive en España, y sobre todo en la Corona de Castilla, al ritmo de la guerra de Granada, que se acomete como una Cruzada.

Veamos los hechos, desde el arranque fundacional, con sus motivos. Veamos sus excesos, mientras arden las hogueras. Y la reacción de Roma. Veamos el forcejeo entre los Reyes y el Papa. Y la película de la actuación de los inquisidores en España en esa década de los años ochenta, incluido el estudio en particular de un proceso inquisitorial, como el realizado contra los judíos acusados de matar a un niño cristiano de La Guardia.

Llegaremos, finalmente, al decreto de expulsión de los judíos de 31 de marzo de 1492.

Los datos, primero. Solo unos pocos, los fundamentales, los que nos permitan comprender cuándo, cómo y por qué surgió la tan temible institución.

El 1 de noviembre de 1478, y a instancias de los Reyes, el papa Sixto IV les mandó la bula *Exigit sincerae devotionis* [2]. En ella se autorizaba a los Reyes a implantar en la Corona de Castilla una nueva Inquisición para defensa de la fe, ante la sospecha de que no pocos conversos judaizaban.

---

[2] La inquietante bula pontificia, raíz de la nueva Inquisición española, fue publicada por el P. Fita en el *Bol. de la Real Academia de la Historia,* en 1889, núm. 15, págs. 447-458.

Con arreglo a las nuevas facultades asumidas, los Reyes se tomaron su tiempo. Al fin, el 27 de septiembre de 1480, estando en Medina del Campo, nombraron a dos frailes dominicos (fray Miguel Morillo y fray Juan de San Martín) como inquisidores con arreglo a las nuevas normas, y con dos ayudantes: el clérigo López del Barco, capellán de la Reina, junto con su consejero Juan Ruiz de Medina; por lo tanto, dos miembros muy próximos al entorno religioso de la Reina.

Los poderes de los nuevos inquisidores no podían ser más amplios. Deberían

> ... inquirir e proceder contra los tales infieles e malos christianos e herejes, e contra cualesquier personas que falláredes estar maculadas de los dichos crímenes de infidelidad e herejía e apostasía en todos estos nuestros reynos e señoríos, e en cualesquier ciudades, villas e lugares[3].

A pesar de esa amplitud de poderes, en cuanto al marco de su jurisdicción, de momento se limitaron a proceder en Andalucía[4], y más concretamente en Sevilla, a mediados de noviembre de 1480.

Su presencia y sus primeras actuaciones provocaron verdadero pavor entre los conversos sevillanos. Quizá sea el cronista Andrés Bernáldez, que vivía entonces en la región como cura de Palacios, el que mejor refleje el pánico provocado.

Y lo primero que nos advierte el cronista es el terrible poder de los nuevos inquisidores: que podían castigar

> ... por vía de fuego...[5]

Los inquisidores, puestos a la obra, actuaron con rapidez, prendiendo enseguida a los hombres y mujeres más sospechosos. Y después de rápidos procesos, condenaron a no pocos a la pena última: la hoguera.

---

[3] Publicado por el P. Fita y recogido por Bernardino Llorca, *La Inquisición en España*, Barcelona, Ed. Labor, 1954, págs. 75 y 76.

[4] La occidental, claro, la que entonces llevaba ese nombre; recuérdese que todavía no había comenzado la guerra de Granada.

[5] Ya hicimos alusión a este texto; cf. las *Memorias...* de Andrés Bernáldez, ob. cit., pág. 98.

E comenzaron de sentenciar —nos relata Bernáldez— para quemar en fuego, e sacaron a quemar la primera vez a Tablada seis hombres e mujeres...

E insiste, para que no nos quepa duda alguna:

... que quemaron... [6]

Tal rigor, tan súbito, tan cruel, provocó la gran desbandada:

E desque esto vieron, fuyeron de Sevilla muchos hombres e mugeres... [7]

Un tremendo rigor reconocido hasta por los mayores defensores del nuevo tribunal religioso. El propio padre Bernardino Llorca nos dirá:

... los nuevos inquisidores comenzaron su tarea con un rigor inusitado... [8]

Un rigor, una severidad que no podía menos de dejar su huella en las crónicas del tiempo. Solo un ataque de peste obligó a los inquisidores a aplazar su oficio. En aquel mismo año de 1481 la gente moría a cientos en todo el reino de Sevilla, y a miles en la capital. Pero una vez vencida la pestilencia, los inquisidores regresaron a Sevilla con igual saña:

E fasta todo el año de ochenta y ocho, que fueron ocho años, quemaron más de setecientas personas e reconciliaron más de cinco mil e echaron en cárceles perpetuas muchos... [9]

Obsérvese que para el cronista no existe ninguna duda: eran los inquisidores los que mandaban a sus víctimas a la hoguera. Cierto que, tras su condena, procedía la justicia secular, pero simplemente para dar cumplimiento a lo sentenciado por los inquisidores.

---

[6] Andrés Bernáldez, *Memorias...,* ob. cit., pág. 99.
[7] Ibídem.
[8] Bernardino Llorca, *La Inquisición en España,* ob. cit., pág. 78.
[9] Andrés Bernáldez, *Memorias...,* ob. cit., pág. 101.

El pánico provocado por la cruel represión inquisitorial produjo la gran desbandada de los conversos amenazados, unos huyendo a Portugal, muchos refugiándose en territorios de señorío; prueba de que la Inquisición no era una medida impuesta por la clase nobiliaria dirigente, sino una decisión regia que contó con el apoyo popular[10].

Para evitar que de ese modo escaparan sus víctimas, los inquisidores lograron de los Reyes un edicto, hecho público en Sevilla el 2 de enero de 1481, dirigido a la nobleza andaluza y a las principales ciudades, para que prendieran a todos los que se hubieran refugiado en sus territorios:

> ... e sepades todas las personas, homes e mugeres, que a ellos se hayan e han ido a vivir o estar en ellos desde un mes a esta parte[11].

Pero hubo otra reacción, esta vez de los perseguidos: la de contestar a la violencia con la violencia: aquella conjura contra los inquisidores en la que intervino uno de los conversos más ricos de Sevilla, Diego Susan,

> padre de la Susana, la fermosa fembra y dama de Sevilla...

Se trató de una conjura fallida, descubierta porque Susana estaba en amores con un cristiano y algo se le escapó que extrañó a su amante, poniendo en alarma al sistema inquisitorial; o acaso, lo que parece más verosímil, porque el joven enamorado, que era del linaje de los Guzmán (pariente, por lo tanto, del duque de Medina-Sidonia), cuando acudía sigilosamente a casa de su amada, hubiera podido escuchar a los conjurados, ignorantes de su presencia[12].

---

[10] No lo cree así el hispanista H. Kamen: «... La Inquisición —nos dice— no era ni más ni menos que un arma clasista utilizada para imponer sobre todas las comunidades de la Península la ideología de una clase, la aristocracia eclesiástica y seglar». *(La Inquisición española,* Madrid, Alianza Editorial, 1974, pág. 20.)

[11] B. Llorca, *La Inquisición en España,* ob. cit., pág. 79.

[12] Esa es la tesis de Juan Antonio Llorente en su viejo estudio tan vilipendiado, pero que contiene valiosa información, *Memoria sobre cuál ha sido la opinión nacional acerca del Tribunal de la Inquisición* (Madrid, 1812; ed. Ed. Ciencia Nueva, 1967, pág. 46).

Un extremo rigor inquisitorial que un siglo más tarde todavía sería recordado por el padre Mariana: las dos mil personas quemadas, en sus primeros años, habían hecho de la Inquisición un tribunal tan poderoso,

> ... que ninguno hay de mayor espanto en todo el mundo para los malos... [13]

Un rigor, una crueldad, un horror provocado de pronto, unido además a un atropello en las formas procesales. Hasta tal punto y en tal grado que el propio papa Sixto IV, alarmado por lo que con su permiso se había desatado, no tardó en reaccionar. El 29 de enero de 1482 escribía a los Reyes protestando por lo hecho por los inquisidores tan bárbara y tan arbitrariamente:

> ... sin observar las prescripciones de derecho, encarcelaron injustamente a muchos, los sujetaron a duros tormentos, los declararon herejes sin suficiente fundamento y despojaron de sus bienes a los que habían sido condenados a la última pena...

Esto es, no era ya que fueran crueles con los herejes; es que aplicaban de modo arbitrario la misma pena a conversos sinceros cristianos, despojándoles de sus bienes y quemando sus cuerpos.

Y añade el Papa a los Reyes, afligido por tanto disparate:

> ... hasta tal punto que muchísimos de ellos, aterrorizados por tal rigor, lograron escaparse y andan dispersos por todas partes, y no pocos acudieron a la Santa Sede con el fin de escapar de tamaña opresión, *haciendo protestas de que eran verdaderos cristianos...* [14]

Después de examinar abundante documentación inquisitorial y de las fuentes del tiempo, para Llorca no cabe duda:

> En los dos primeros decenios de su actuación los inquisidores españoles procedieron con notable rigor [15].

---

[13] «Los malos», esto es, los herejes: P. Mariana, *Historia de España,* ob. cit., pág. 456.
[14] Carta publicada por Bernardino Llorca, *La Inquisición en España,* ob. cit., págs. 81 y 82. A esa conclusión llega también B. Netanyahu, en su importante estudio: *Los orígenes de la Inquisición en la España del siglo XV,* Barcelona, Ed. Crítica, 1999, pág. 842.
[15] B. Llorca, ob. cit., pág. 86.

Y concluye:

> Del estudio detenido de todo este material hemos sacado la impresión de que en realidad el rigor de la Inquisición durante aquel primer periodo era bastante notable.

Así sucedieron las cosas:

> Del número y frecuencia de las sentencias a la última pena —termina Llorca— no es posible sacar otra conclusión[16].

No es de extrañar que Sixto IV tratase de atajar tanta sañuda y cruel persecución, tomando cartas en el asunto. A él le salpicaba la sangre vertida, o mejor dicho, le asfixiaba el olor de carne quemada en las hogueras inquisitoriales que había ayudado a encender tan imprudentemente.

Así que se decidió a actuar con energía, revocando la bula que había dado lugar a la nueva y terrible Inquisición. Ese sería el contenido de su nueva bula del 29 de enero de 1482. En ella se cambiaba al menos el sistema inquisitorial, y para un mayor control, se la ponía en manos episcopales, arrebatándola del poder regio, privando a los primeros inquisidores, nombrados por los Reyes, de las licencias canónicas que les habían dado[17].

Era una severa corrección. Era proclamar ante la opinión pública que Roma lamentaba el horror desatado y que desautorizaba completamente a sus ejecutores.

La noticia les llega a los Reyes estando en Córdoba, en la primavera de 1482, cuando preparaban la campaña de aquel año, con la que Fernando iba a intentar su primer asalto, fallido, a Loja.

La reacción de Fernando fue una durísima carta a Sixto IV, enviada desde Córdoba el 13 de mayo: Los únicos inquisidores que toleraría en sus Reinos serían los que él había nombrado[18].

Y es cuando vemos intervenir a Isabel. Se trata de una carta escrita personalmente, por lo tanto, toda ella autógrafa, al propio Sixto IV. El original de la carta no lo conocemos; ni siquiera toda la pericia del

---

[16] Bernardino Llorca, *La Inquisición en España,* ob. cit., pág. 86.
[17] Tarsicio de Azcona, *Isabel la Católica,* ob. cit., pág. 517.
[18] Luis Suárez, *Isabel I, Reina,* ob. cit., pág. 305.

gran investigador y especialista en la época, como es Tarsicio de Azcona, ha podido dar con ella; pero sí tenemos noticia de su contenido por la respuesta del Papa.

De dos cosas se lamentaba Isabel: la primera, que en Roma se creyese que era capaz de proteger la nueva Inquisición movida por la codicia. Y en segundo lugar, porque se mantuviese aquel derecho de apelación a Roma. Quejosa, la Reina solicitó al Papa que nombrase en España a quien le representase, para que se hiciese cargo de dichas apelaciones, de forma que todo el proceso se mantuviese en España [19]; petición aceptada por Sixto IV, que nombró al arzobispo de Sevilla, Íñigo Manrique, para tal tarea, el 25 de mayo de 1483.

Ya para entonces los Reyes habían salvado su proyecto inquisitorial, con la negociación realizada en Roma en su nombre por el dominico Alfonso de San Cebrián.

Esas negociaciones se ultimarían con el Concordato de 3 de julio de 1482 [20].

La nueva Inquisición, tal como la querían los Reyes, se ponía de nuevo en marcha.

¿DE QUÉ HABLAMOS?

En nuestro propósito, lo que se trata es de trazar la biografía de la reina Isabel. Ello obliga a fijar nuestra atención en asuntos tan graves como el de la Inquisición, en los nuevos términos que los Reyes impusieron para Castilla, primero, y para toda España, después.

Por ello, aunque no hayamos de tratar en extenso la historia de aquel Tribunal, unas mínimas referencias, una información básica es precisa para situar a la Reina en el papel que jugó en todo aquello,

---

[19] Tarsicio de Azcona, *Isabel la Católica,* ob. cit., pág. 518. Sin embargo, la cuestión económica no dejó de tener su importancia, aunque no fuera la decisiva. Las confiscaciones de bienes judíos en toda España, bajo los Reyes Católicos ascendieron a unos diez millones de ducados, según Netanyahu (*Los orígenes de la Inquisición...,* ob. cit., pág. 926). Para dicho autor, dado que el problema del converso estaba en franca regresión a mediados del siglo XV, el verdadero motivo de implantar la nueva Inquisición habría que buscarlo en el odio popular y en el afán de los Reyes de ganar su favor arreciando en la persecución del odiado estamento. (Ibídem, págs. XVI de la Introducción y 952 y sigs.)

[20] Tarsicio de Azcona, *Isabel la Católica,* ob. cit., pág. 518.

aunque algo hayamos dicho al hilo cronológico de su vida, en especial en esos años entre 1478 y 1482 en que se funda y se va consolidando el sistema inquisitorial [21].

Habría que hablar, en primer lugar, de una lenta implantación, desde un ambiente enrarecido de odios religiosos, que venía de muy atrás, hasta el ordenancismo montado por fray Tomás de Torquemada durante su mandato como Inquisidor General, especialmente entre los años 1484 y 1488.

Lo que nos interesa recordar es lo que significaba el Tribunal de la Inquisición, y lo que le distinguía frente a la Inquisición medieval.

En primer lugar, por quién la controlaba. En segundo lugar, por su sistema procesal. En tercer lugar, por la severidad de su actuación.

La Inquisición española, tal como acaba fraguándose bajo los Reyes Católicos, era única en Europa. Nada parecido, con tanto poder y con tanta impunidad, encontramos en el resto de la Europa occidental. Bajo un sistema de rígida jerarquización, su figura capital, el Inquisidor General, se convierte en una autoridad que, habiendo sido designado por la Corona, acaba influyendo sobre ella.

Existirá muy pronto una doble corriente entre la Corona y el poder inquisitorial. La Inquisición se teñirá de una carga política —que se acentuará incluso a lo largo de la siguiente centuria, en particular bajo Felipe II—, y a su vez la Corona se verá influida por el fanatismo religioso propio del espíritu inquisitorial.

Su sistema procesal vulnera los principios básicos exigidos por la Justicia, bajo el pretexto de la defensa de la fe. Así, se mantiene un secretismo tal, que el acusado no sabrá de qué se le acusa ni quién le acusa; se trataba de proteger la figura del denunciante, para que pudiera hacerlo sin temor a las represalias del supuesto hereje. De ese modo se fomenta la delación, en especial reiterando constantemente que era obligación grave de todos los cristianos denunciar cualquier actitud sospechosa que observaran en su entorno, aunque fuesen los propios familiares. Y ello bajo severísimas penas. De forma que el vecino ante el vecino, los esposos entre sí, o los padres frente a los hijos, y viceversa, tenían que cuidar lo que hacían o decían.

---

[21] Una buena síntesis, en la obra de Miguel Ángel Ladero Quesada, *La España de los Reyes Católicos,* Madrid, Alianza Editorial, 1999, págs. 300-334. Por mi parte, lo traté con cierta amplitud y sobre amplia base documental hace ya no pocos años: «El problema judío en el siglo XVI», en *La sociedad española del Renacimiento,* Salamanca, Anaya, 1970, págs. 218-226.

Toda la sociedad entró en un ambiente enrarecido de sospechas, de delaciones y de prisiones, con un horizonte sombrío.

Tan sombrío, cuanto que los inquisidores podían aplicar el tormento —y estamos ante algo terrible— si consideraban que era la mejor forma de conseguir la confesión de culpabilidad del encausado.

Tan sombrío, cuanto que al final del proceso la sentencia podía ser de herejía, lo que conllevaba ser quemado vivo en la hoguera, tras el Auto de Fe consiguiente.

Cierto que la época era cruel y que la Justicia obraba bárbaramente en toda Europa. Pero lo penoso de la Inquisición es que lo hiciese en nombre de Cristo. Ese es el certero juicio de Turberville, que no debemos olvidar:

> Es una horrible incongruencia —nos admite— que semejante sistema haya sido aplicado por los ministros de Cristo y en su nombre[22].

La indefensión del acusado llegaba a tales extremos que lo primero que se le exigía era que se denunciase a sí mismo; esto es, que indicase —y si podía hacerlo, por escrito— los motivos por los que creía que había sido detenido. Él debía iniciar, de ese modo, su proceso, acusándose de sus pecados. Y en la medida en que no dejara nada en el tintero, sería tratado con más o menos indulgencia.

¿Sabían los Reyes Católicos lo que estaban poniendo en marcha, cuando solicitaron de Roma la nueva Inquisición, a instancias de los frailes que los acosaron en Sevilla, durante su primera estancia en la ciudad de la Giralda, en 1477? ¿Fueron ellos los que promovieron, *motu proprio,* aquel cambio? ¿O, por el contrario, se encontraron arrastrados por un ambiente inquisitorial que existía ya en la sociedad española?

A mi entender, ese ambiente inquisitorial existía ya y fue determinante al influir en el ánimo de los Reyes. Máxime cuando Fernando el Católico percibió lo que suponía para el poder regio el contar con tan poderoso Tribunal que extendía su jurisdicción sobre toda España. Pues parece evidente el mayor protagonismo de Fernando en el de-

---

[22] A. S. Turberville, *La Inquisición española,* México, Fondo de Cultura Económica, 1960, pág. 141.

sarrollo de la nueva Inquisición, pero no cabe suponer que Isabel no estuviera ampliamente implicada. Eso es inadmisible para quien tan de lleno estaba gobernando en Castilla, como acertadamente señala Netanyahu[23].

Eso nos lleva a un planteamiento básico: el de la enfervorización religiosa, que tanto auge tuvo bajo el reinado de Isabel, al calor de la guerra de Granada. Pues no es un azar que las primeras actuaciones de la nueva Inquisición fuesen sobre todo en el reino de Sevilla, sincrónicamente con el comienzo de la guerra contra el reino nazarí granadino.

EL AMBIENTE INQUISITORIAL PREVIO A LA NUEVA INQUISICIÓN

Habría que remontarse a las espantosas matanzas de judíos a finales de la Edad Media; en particular, al estallido antisemita de 1391; pero también a los tumultos populares antijudíos de Toledo, Sevilla y Córdoba ocurridos ya a mediados del siglo XV.

El odio popular contra los judíos, como una minoría religiosa que traía a los cristianos el recuerdo, año tras año, de lo que sus antepasados habían hecho pasar a Cristo, se mantenía desde los púlpitos de todas las iglesias, en particular en Semana Santa. Se censuraba su modo de vivir; se les envidiaba tanto por sus riquezas como por el protagonismo que no pocos de ellos conseguían en la Corte de los Reyes y en la de los magnates del Reino; se les detestaba hasta por su dieta alimenticia, en parte porque transgredía las normas que a este respecto daba la Iglesia. Así les acusaría Andrés Bernáldez, el cura de Palacios, cronista de los Reyes Católicos:

> No comían puerco sino en lugar forzoso; comían carne en las cuaresmas e vigilias e cuatro témporas, en secreto...[24]

---

[23] «Nació [la Inquisición] gracias a su arquitecto y constructor que fue, sin duda, el rey Fernando de Aragón...». Pero añade: «Por supuesto que le ayudó su animosa esposa la reina Isabel de Castilla...». Para concluir: «La trascendental decisión de establecerla debe ser imputada a ambos...». (B. Netanyahu, *Los orígenes de la Inquisición en la España del siglo XV*, ob. cit., pág. 911.)

[24] Andrés Bernáldez, *Memorias...*, ob. cit., pág. 97.

Y en un proceso contra una mujer llamada la Pampana, el fiscal la acusaría, entre otras cosas:

> Íten, que comió carne toda la cuaresma. Especialmente se guisó una gallina [25].

La tal Pampana (en realidad, de nombre María González), casada con Juan Pampán, fue acusada de judaizar, y con tales pruebas, condenada a ser quemada viva, con otras 33 personas igualmente mandadas a la hoguera por los inquisidores de Ciudad Real en 1484.

Sabemos que las diferencias con nuestro mundo eran muy grandes; pero, aun así, que por comerse una gallina en cuaresma fuera quemada viva la pobre Pampana, no deja de estremecer.

La expulsión de los judíos

El complejo entramado religioso de aquella sociedad, con los cristianos viejos (los que se llamaban *los lindos),* por una parte, los judíos, por la otra, y los conversos en medio, era demasiado explosivo. Los judíos detestaban a los conversos, como a los traidores a su raza y religión; tampoco eran mejor vistos por *los lindos,* que sospechaban de ellos: no eran sinceros cristianos y les acusaban de profesar su religión mosaica. Aparentemente, eran cristianos, pero en secreto seguían siendo judíos. Esto es, judaizaban.

Por lo tanto, eran herejes. Y ya hemos visto cómo cargaría contra ellos la Inquisición.

De forma que si parte de los judíos había creído salvarse de la persecución popular haciéndose cristianos, pronto comprobarían su error.

Por su parte, los Reyes, al actuar contra los herejes judaizantes implantando la nueva Inquisición, se encontraron con que el sistema establecido no acababa de resolver el problema. La tensión religiosa no solo seguía, con un sector converso sospechoso de judaizar, sino que se aumentaba peligrosamente con supuestas conjuras y actos terroristas del sector acorralado y combatido. Esos crímenes, algunos dudosos, fueron aireados ante la opinión pública por la Inquisición, procesando y condenando a la hoguera a los incriminados; el que más impacto

---

[25] Cit. por Llorca, *La Inquisición en España,* ob. cit., pág. 127.

social tuvo fue el proceso incoado en 1490 contra unos judíos de Tembleque, los Franco, acusados de haber secuestrado a un niño del pueblo manchego de La Guardia, y haberlo crucificado. Era como la prueba de su inextinguible odio a Jesús, y para los cristianos, que los judíos seguían siendo el pueblo deicida.

Fue un proceso que estudié con detalle, apoyándome en la documentación publicada por el padre Fita hace más de un siglo. Dada la repercusión social que había tenido en su tiempo, y dada la proximidad con el decreto de expulsión (los reos habían sido quemados vivos a mediados de noviembre de 1491), traté de averiguar qué había de cierto en todo ello, si en verdad había existido aquel odioso crimen y en qué medida había podido afectar a la decisión de los Reyes.

Una vez más me encontré con el particular sistema de los inquisidores a la hora de presionar a sus reos. Así aprovechan que uno de los inculpados, de nombre Yucé Franco, estando preso en la cárcel inquisitorial de Segovia, cae gravemente enfermo. Le visita el físico de turno, Antonio de Ávila, quien le encuentra más muerto que vivo. ¿Qué podía hacer por él? Y el mísero preso le pide que suplique a los inquisidores que mandaran llamar a un rabí

> ... para que me diga las cosas que se dicen a los judíos cuando se han de morir.

¡Qué oportunidad! Los inquisidores de Segovia deciden que un familiar de la Inquisición, fray Alonso Enríquez, se presentara en la celda de Yucé Franco, disfrazado con hábito de rabí, para sonsacar al reo lo más que pudiese. ¿Qué consiguió? Que Yucé Franco le confesase que creía estar preso por la muerte de un niño cristiano.

Sería otro de los inculpados, Juan de Ocaña, el que daría más datos sobre el crimen:

> Íten, fue preguntado este dicho testigo por su Reverencia que de dónde ovieron el dicho niño que crucificaron...

Y Juan de Ocaña da entonces los detalles más acusadores:

> Dixo que mosé Franco, judío, defunto, le traxo el dicho niño del Quintanar fasta Tembleque encima de un asno.

Pero ¿quién era ese niño? También lo diría:

> El qual niño era fijo de Alonso Martín del Quintanar, según deçía el dicho judío.

El niño, envuelto en ropa, fue llevado a una cueva, donde se juntaron los once asesinos, cuyos nombres enumera, para confesar a continuación el crimen:

> ... e se fueron luego todos [entre ellos, el reo que confiesa] a la dicha cueva, e crucificaron al dicho niño como dicho tiene[26].

Tal supuesto crimen lo habrían cometido el Jueves Santo de 1479, siendo cumplida la sentencia el 26 de noviembre de 1491. Ahora bien, no pocas dudas subsisten en este caso, porque ni se encontró el cadáver del niño, ni se supo de nadie que hubiera denunciado la desaparición de niño alguno de la villa de La Guardia. Por no saber, los inquisidores ni siquiera sabían su nombre; tan solo, a tenor de lo confesado por Juan de Ocaña, que era hijo de Alonso Martín del Quintanar. Pero como esa pista no había dado más de sí, no pocos investigadores actuales dudan hasta de su existencia, como Loeb («L'enfant de La Guardia n'a jamais existé»). O como el mismo Luis Suárez, sin duda el estudioso que más ha profundizado sobre esta época, quien acaba afirmando:

> ... la impresión que se recoge en la lectura del proceso es que ese misterioso Niño nunca existió[27].

Lo que sí es seguro es que el proceso produjo una fuerte conmoción social y que la ejecución de los condenados el 16 de noviembre de 1491, cinco de ellos siendo quemados vivos, prueba la crispación social que subsistía contra los judíos en vísperas del decreto regio sobre su expulsión.

---

[26] Fidel Fita, «La verdad sobre el martirio del Santo Niño de La Guardia», *Bol. R. Ac. Historia,* XI (1887), págs. 7 y sigs.

[27] Luis Suárez, *Isabel I, Reina,* ob. cit., pág. 315. Añádase que, según los inquisidores, aquellos terroristas judíos habían hecho un conjuro, sobre una hostia robada, para matar a los inquisidores; algo sin sentido, como indica Netanyahu, dado que los judíos, al no creer en el valor religioso de la hostia consagrada, malamente podían acudir a tal conjuro. (Véase su obra *Los orígenes de la Inquisición,* ob. cit., pág. 988.)

Una crispación social fomentada por el clero bajo, tanto por el regular como por el secular. Recuérdense las actuaciones de fray Alonso de Ojeda en Sevilla hacia 1477. O los términos en que se expresaba Andrés Bernáldez.

Para el cura de Palacios

... hedían como judíos...[28]

¿Se vieron influidos los Reyes por aquel proceso para tomar su decisión? Quizás, no; probablemente estaba ya asumida, esperando tan solo el momento oportuno para ponerla en marcha.

En todo caso, los actos violentos de los judíos, como los realizados en Zaragoza con el asesinato del inquisidor Pedro de Arbués, en 1485, debió de influir más en el ánimo regio, en particular en Fernando el Católico, que se encontró especialmente agraviado. Baste con señalar dos cuestiones: el proceso de santidad del inquisidor aragonés, por un lado, y la bárbara ejecución de uno de los principales encausados:

... lo arrastraron vivo..., y delante de la puerta mayor de La Seo le cortaron las dos manos, y de allí le llevaron arrastrando al mercado, y en la horca le cortaron la cabeza y le hicieron cuartos, y las manos las enclavaron en la puerta pequeña de la Diputación y los quartos por el camino[29].

Y uno se pregunta: ¿en qué medida estuvo el Rey detrás de ambos procesos? ¿Estaremos ante una prueba más del decidido apoyo de Fernando a la Inquisición?

De modo que, con tanta violencia desatada, ese momento oportuno, a que hemos hecho referencia, no podía ser otro que el de la caída de Granada. Mientras se mantuvo la guerra contra el reino nazarí granadino, todo tuvo que ser aplazado.

Pero una vez conseguida la victoria, los Reyes tendrían las manos libres para otras cuestiones.

Y la primera sería resolver de una vez por todas el problema judío.

[28] Andrés Bernáldez, *Memorias...*, ob. cit., pág. 97
[29] Cit. por Bernardino Llorca, *La Inquisición en España,* ob. cit., pág. 152.

El decreto de expulsión: motivos

Los Reyes firmaban en Granada, y no deja de ser significativo el lugar, por las razones antedichas, el decreto de expulsión de los judíos de sus Reinos. Aunque no en esos términos absolutos, sino dándoles una alternativa: la conversión. Con ello se hacían eco del sentir popular, dada la hostilidad del cristiano viejo hacia la población judía, bien manifestado en las Cortes de Castilla. Y no me refiero ahora a las de 1480, que los propios Reyes mencionarán en su decreto, sino a las primeras de su reinado, las celebradas en Madrigal en 1476, que pidieron que los judíos llevasen externamente infamantes signos sobre sus ropas. Las judías, por ejemplo, debían llevar una

> ... luneta azul en el hombro derecho en la ropa de encima, que sea tan ancha como quatro dedos... [30]

Había otros motivos, claro está, y no solo la tendencia populista de los Reyes. Con la unidad religiosa se paliaba en cierta medida la carencia de unidad política. Pero no cabe ignorar la causa aducida por los Reyes en el decreto: acabar con la herejía de los conversos que judaizaban.

Es lo primero que recuerdan, como materia tan grave que debía ser conocida por todos:

> Sepades, e saber debedes, que porque Nos fuimos informados que hay en nuestros Regnos e avía algunos malos cristianos que judaizaban...

Se trata de aquella información que tiene Isabel en Sevilla durante su primera estancia en Andalucía en 1477; de modo que los Reyes van a dar cuenta de todo lo que habían intentado desde aquellas fechas. Era remontarse quince años atrás.

Sobre la clave de la herejía no tenían duda ninguna: estaba en el contacto entre los conversos y los judíos:

> ... de lo qual era mucha culpa la comunicación de los judíos con los cristianos...

---

[30] *Cortes de Castilla y León,* IV, pág. 101.

Y habían tomado medidas. Así, las Cortes de Toledo de 1480 habían dado la orden de que los judíos viviesen apartados:

> ... dándoles juderías e logares apartados en que viviesen en su pecado...

Porque claro está que eran los grandes pecadores; acaso porque siempre veían en ellos los representantes del pueblo deicida.

Es una descalificación gravísima que muestra el talante con que los Reyes afrontan el problema. Insisto por ello sobre ese párrafo:

> ... dándoles juderías e logares apartados en que viviesen en su pecado, e que *en su apartamiento se remorderían*...

Pero no había sido suficiente, ni tampoco la inquisición que había mandado hacer y se seguía haciendo

> ... ha más de doce años...

Esto es, desde antes de las Cortes de Toledo, como era la verdad.

Una inquisición que había descubierto muchos casos de judaizantes:

> ... muchos culpantes, segund es notorio...

Por ello, buscaron otro remedio en la tierra más combatida por los judaizantes, como era Andalucía, un remedio extremo:

> ... el remedio verdadero...

¿Cuál era ese? La expulsión de todas las ciudades, villas y lugares de Andalucía

> ... donde parece que habían fecho mayor daño...

Tal castigo y tan fuerte, que de hecho se había realizado a lo largo del año de 1483, habían creído los Reyes que serviría para hacer cesar aquella corriente judaizante.

No había sido así. Ni las duras condenas, ni el establecimiento de las juderías, ni la expulsión de los judíos andaluces (en su mayoría refugiados en Extremadura) habían cortado de raíz el daño:

… non bastó para entero remedio…

Había que acabar con aquel grave mal:

> … cómo cese tan grande, oprobio e ofensa de la religión católica…

Para ello, tras consultar, se decidieron por la expulsión definitiva. Pero ¿con quiénes consultaron los Reyes? Ellos nos lo dicen. Llegamos al momento solemne del decreto:

> Por ende Nos, con consejo e pareçer de algunos perlados [31] e grandes e caballeros de nuestros Reynos, e de otras personas de çiençia e conçiençia de nuestro Consejo, aviendo avido sobre ello mucha deliberaçión…

Esto es fácil de creer, dada la gravedad del tema:

> … acordamos de mandar salir a todos los judíos de nuestros Reynos, que jamás tornen ni vuelvan a ellos…

¿Cuál sería la pena contra los transgresores de la norma regia? La última:

> So pena que si non lo ficieren e complieren así, e fueren fallados estar en los dichos nuestros Reynos e señoríos o venir a ellos, en cualquier manera, incurran en pena de muerte…

Pero no perderían solo la vida, sino además su fortuna, que en cambio se les permitía llevar o negociar a los que saliesen. Y así añade la sentencia:

> … incurran en pena de muerte e confiscación de todos sus bienes para la nuestra Cámara e fisco…

Durísima pena que pagarían de inmediato:

> … sin otro proceso, sentencia ni declaración.

---

[31] Esto es, prelados u obispos.

Una sentencia que caía sobre todo el pueblo judío:

> ... de qualquier edad que sean...

Y añade el decreto, para mayor precisión:

> ... salgan con sus fijos e fijas e criados e criadas e familiares judíos, así grandes como pequeños, de qualquier edad que sean...

Para cumplir la sentencia se les daba un plazo perentorio:

> ... fasta en fin del dicho mes de julio...

Y lo firman, como era obligado en documentos de tanta gravedad e importancia, ambos monarcas:

> Yo el Rey. Yo la Reyna[32].

Este fue el duro decreto de expulsión. Ahora bien, abría una alternativa implícita: que al afectar solo a los judíos se libraban de la pena los que dejasen de serlo.

Esto es, frente a la expulsión, la conversión. Y es posible que sobre todo la Reina confiase en que no pocos optaran por la conversión. De hecho, se realizaron notables esfuerzos de captación religiosa, como la llevada a cabo por el enviado regio Luis de Sepúlveda cerca de las juderías de Torrijos y Maqueda. Y a la conversión de algunas de sus más importantes figuras, como Abraham Seneor, se le dio particular relevancia. Fue apadrinado en el monasterio de Guadalupe por los propios Reyes, tomando el nombre de Fernando Núñez Coronel y siendo incorporado al más alto organismo de la Monarquía: al Consejo Real.

Pero serían los menos. La gran mayoría de los hispanos judíos (los sefardíes) optaron por seguir la senda de la expatriación, con todos

---

[32] El edicto de expulsión ha sido varias veces publicado. Así, por José Amador de los Ríos, *Historia social, política y religiosa de los judíos de España y Portugal* (ob. cit., págs. 1003-1005). También por el P. Fita, en *Bol. R. Ac. Historia,* XI (1887) (págs. 512-520), y por Luis Suárez, sin duda nuestro más destacado estudioso sobre este tema, en *Documentos... sobre expulsión de los judíos,* Madrid, 1964, págs. 391 y 395. Curiosamente, un decreto que no sería anulado hasta el 16 de diciembre de 1968, como nos recuerda Luis Suárez (*Isabel I, Reina,* ob. cit., pág. 320).

sus sufrimientos y peligros. Alentados por sus rabíes, se les vio por los caminos rezando, cantando sus canciones a veces, llorando las más, pero fieles a sus creencias, dando una impresionante lección de dignidad humana, que hace más patente la dolorosa pérdida que tuvo con aquella medida no ya la España de los Reyes Católicos, sino la España de todos los tiempos.

Una lección de dignidad humana que impresionó y conmovió incluso a aquellos duros detractores del pueblo judío en aquella hora. De modo que posiblemente el mejor homenaje que se les pueda hacer a aquellos judíos, tan heroicos en horas tan míseras de su existencia, sea el relato de un adversario suyo, como el cura de Palacios, Andrés Bernáldez, que tuvo ante sus ojos aquella dolorosa estampa, que le llegó a conmover a él, pese a su fanatismo antijudío, y que nos sigue conmoviendo a nosotros, después de tantos siglos:

> E pospuesta la gloria de todo esto [33], e confiando en la vana esperanza de su ceguedad...

Hasta aquí el cronista da fe de su postura. Pero sigue su relato, como alguien que lo había vivido:

> ... se metieron al trabajo del camino, e salieron de las tierras de su nascimiento, chicos e grandes e viejos e niños, a pie e cavalleros en asnos e en otras bestias e en carretas...

¡Dejar la patria, dejar la tierra que te ha visto nacer! ¡Y con un futuro incierto, sintiendo la desdicha en cada hora, en cada minuto!

> E iban por los caminos e campos con mucho trabajo e [sin] fortuna, unos cayendo, otros levantando; unos muriendo, otros nasciendo, otros enfermando...

Porque los plazos eran inapelables y ya no había vuelta atrás. Así que el cronista se acaba conmoviendo ante tan doloroso espectáculo:

> ... que no había cristiano que no se condoliese dellos...

Trataban de hacerles cambiar de idea, que dejaran la fe de sus mayores, aunque casi siempre en vano:

---

[33] Se refiere a las riquezas que muchos poseían en España.

... e siempre por donde iban los convidaban al bautismo, e algunos con la cuita se convertían e quedaban, empero muy pocos...

Sus rabíes les animaban:

... e los rabíes los iban esforzando e hazían cantar a las mujeres e mancebos, e tañer panderos e adufes, por alegrar la gente.

Tal fue su partida:

E así salieron de Castilla... [34]

Estamos ante una de las páginas más sombrías de la Historia de España. Pero así fueron los hechos y así hay que recordarlos.

Aún había que mencionar el desbarato de aquellas haciendas, ante el poco tiempo que les quedaba para vender aquello que no podían llevar; era la hora de los oportunistas, de los que están al acecho para lucrarse con la desgracia ajena; aunque justo es señalar que los Reyes procuraron paliar ese mal añadido, incluso persiguiendo y castigando a los logreros, en casos probados [35].

Queda por añadir algo respecto a la cuantía de la gente expulsada. Y también algunas consideraciones sobre el protagonismo de Isabel, la Reina, en todo aquel dramático desenlace.

En cuanto a los que partieron, si atendemos a las cifras del cronista, andarían por los cien mil judíos los que salieron de Castilla, en su mayoría hacia Portugal, donde tuvieron suerte diversa, pues tras la buena acogida que ordenó Juan II se sucedieron continuas persecuciones; las más duras bajo Manuel el Afortunado, presionado por su segunda esposa, la infanta Isabel; mientras los de la Corona de Aragón, en número indeterminado, pasaron la mar, bien hacia Italia, bien hacia África. Y con frecuencia viéndose expoliados y maltratados por doquier.

Los hubo quienes llegaron al Imperio turco. Es bien sabido que hasta la Primera Guerra Mundial los judíos de origen español (los sefardíes) mantuvieron su lengua y costumbres, logrando sólidos asenta-

---

[34] Andrés Bernáldez, *Memorias...*, ob. cit., pág. 258.
[35] Tarsicio de Azcona, *Isabel la Católica,* ob. cit., pág. 805.

mientos (famoso fue el de Salónica) que ya eran notorios un siglo más tarde, como comentaría el padre Mariana:

> Y muchos [pasando] a las provincias de Levante, do sus descendientes, hasta el día de hoy, conservan el lenguaje castellano y usan dél en el trato común...[36]

Y más asombroso es constatar que los que llegaron a Roma encontraron buena acogida; una vez más se podría decir que el sino de los españoles es ser más papistas que el Papa[37].

Mas dentro de tanta calamidad cabe citar algún rasgo humanitario, como el de la ciudad de Vitoria, que recibió en donación el cementerio judío

> que dicen Judizmendi

con la condición de que no se arase, dejándose para pasto. Y ello considerando

> ... las buenas obras e vecindad que de esta cibdad avían rescebido...[38]

EL PROTAGONISMO DE ISABEL

El decreto de expulsión está firmado por los Reyes y sin duda tras largas deliberaciones de ambos monarcas, Isabel y Fernando, con sus principales colaboradores, como el cardenal Mendoza y como fray Hernando de Talavera, confesor durante tantos años de la Reina.

---

[36] P. Mariana, *Historia de España,* ed. cit., II, pág. 521.

[37] Luis Suárez, *Isabel I, Reina,* ob. cit., pág. 325. Añadiremos algunas otras cifras, según los especialistas. Para Luis Suárez los judíos españoles no traspasarían el número de los cien mil; ese sería «su techo» (pág. 324). Tarsicio de Azcona no se atreve a precisar: «Menos de 200.000 y más de 80.000» *(Isabel la Católica,* ob. cit., pág. 804). Para Ladero Quesada estarían entre los 80.000 y los 150.000, aunque parece inclinarse más por la primera cifra (véase su obra *La España de los Reyes Católicos,* Madrid, Alianza Editorial, 1999, pág. 311).

[38] Su carta de cesión publ. por José Amador de los Ríos, *Historia social...,* ob. cit., pág. 1007.

Ahora bien, considerando algunos testimonios cabe pensar que la medida arrancó de Fernando. El judío Isaac ben Judah Abrabanel, quien quedaría como rabí mayor, después de haberse pasado al cristianismo Abraham Seneor, logró una entrevista con Isabel, para implorarle que anulara el decreto, considerándola su inspiradora principal. Y se halló con esta respuesta:

—¿Creéis que esto proviene de mí?

Y le añadió, lo que no deja de asombrar:

El Señor ha puesto este pensamiento en el corazón del Rey[39].

Es una consideración que, curiosamente, ya encontramos en el viejo texto del canónigo toledano Juan Antonio Llorente, siglo y medio antes de que el historiador actual Netanyahu hiciera el suyo sobre la figura de Abrabanel.

En efecto, Llorente apoya su tesis en varios hechos, como que el primer inquisidor nombrado por la Corona fuese fray Miguel Morillo, que era provincial de los dominicos del Reino de Aragón, lo que a Isabel no le dejó muy tranquila, imponiendo entonces que llevara por asesor un hombre de su confianza, don Juan Ruiz de Medina, clérigo y consejero del Consejo Real[40]. Y, entre otras consideraciones, que en su Testamento tuvieran muy distinto recuerdo Isabel y Fernando respecto al riguroso Tribunal inquisitorial[41].

Ahora bien, Isabel sí recuerda a la Inquisición en su Testamento, si bien muy escuetamente; en él exhorta a su hija Juana y a su yerno Felipe, como sus herederos en la Corona de Castilla, a que se mostrasen muy celosos en las cosas de la religión, aconsejándoles que no cesaran en «la conquista de África» y de combatir a los infieles; y añade:

... e que siempre favorezcan mucho las cosas de la sancta Inquisición contra la herética pravidad...[42]

---

[39] B. Netanyahu, *Don Isaac Abravanel,* Filadelfia, 1953, págs. 57 y sigs.; cf. Tarsicio de Azcona, *Isabel la Católica,* ob. cit., pág. 800.

[40] Sobre la incorporación de Juan Ruiz de Medina, véase el estudio cit. de Tarsicio de Azcona, *Isabel la Católica,* pág. 509, nota 80.

[41] Juan Antonio Llorente, *Memoria histórica...,* ed. cit., págs. 49-55.

[42] Isabel la Católica, *Testamento,* ed. cit., págs. 28 y sigs.

Por su parte, Fernando el Católico once años después se expresaría en el suyo en términos más apremiantes, exhortando en este caso a su nieto Carlos, el futuro Emperador:

> ... trabaxe en destruir y extirpar con todas sus fuerças la eregía de nuestros Reynos e señoríos, eligiendo e constituyendo para ello personas e ministros buenos y de buena vida y conçiencia que teman a Nuestro Señor Dios y hagan la inquisición justa e devidamente a serviçio suyo e exaltaçión de su sancta fee católica... [43]

Y una última cuestión: ¿Fue popular la Inquisición? ¿Lo fue al establecerse en los años ochenta del siglo XV? Y si lo fue, ¿mantuvo su popularidad en el siglo siguiente, en el que conservó su tremenda y rigurosa fuerza?

Pues bien, todo apunta a que sí lo fue, que fue muy popular, como deseo de la mayoría de la población cristiano-vieja, *los lindos,* como así mismos se llamaban. Quizá porque aquella sociedad considerara que de ese modo se aseguraba la paz interna.

Al menos, ese era el juicio de un italiano del siglo XVI, que por su cargo conoció la España de la época. Me refiero al embajador veneciano Donato, que al tratar el tema se expresaba en estos términos en su Memoria al Dux y al Consejo de Venecia, escrita en 1573:

> ... este Consejo y Tribunal de la Inquisición es de tan extrema y tremenda autoridad, como aquellos que ponen mano en la vida y en la hacienda...

Y añadía:

> Y con todo que su justicia sea severa y que proceda de modos extraordinarios, todavía la experiencia lo hace aprobar por bueno y necesario al católico y quieto vivir de la nación... [44]

---

[43] Fernando el Católico, *Testamento* (Archivo de Simancas, Patronato Real, leg. 29, fol. 19v). En el curso 1986-1987 di una optativa en la Universidad de Salamanca (Facultad de Geografía e Historia) para hacer una edición crítica del Testamento del Rey Católico, con la asistencia de mis alumnos. Aunque no logré concluir el trabajo, quiero agradecer aquí su colaboración.
[44] Donato, *Relación de España,* en García de Mercadal, *Viajes extranjeros...,* ob. cit., I, pág. 1194; cf. mi estudio *Relatos de viajes desde el Renacimiento...,* ob. cit., pág. 89.

Que contribuyó a todo ello la exaltación religiosa producida a lo largo de la guerra de Granada, parece evidente; lo mismo que la consideración que el espíritu inquisitorial fue el que precedió a la fundación del nuevo Tribunal.

Como lo es que su instauración produjo un reforzamiento del espíritu intolerante que, cayendo una y otra vez en el fanatismo, tanto daño hizo a la sociedad española de aquellos tiempos, dejando tan penosa herencia para los posteriores.

Así que otra vez nos preguntamos: *Annus mirabilis aut terribilis?*

6
PROTEGIENDO A COLÓN:
EL DESCUBRIMIENTO DE AMÉRICA

Después de muchos vaivenes, aquella España de 1492 vio cómo Isabel amparaba el proyecto de un oscuro navegante, cuyo nombre ha traspasado ya los siglos, pero de cuyo sano juicio muchos dudaban entonces: Cristóbal Colón[1].

¡Ahí era nada! Atreverse a afrontar el incierto viaje en busca de las costas del Lejano Oriente, siempre yendo hacia Occidente. Eso era dar por segura una teoría de algunos sabios de la Antigüedad de la que muchos dudaban. A saber: que la Tierra era redonda. Y además que la distancia no fuera tan grande para que aquellas minúsculas naos de la época, tan limitadas en su desplazamiento por el agua potable y los alimentos que podían llevar, lograsen alcanzar tan lejanas costas.

ULTRAMAR: UN SUEÑO MILENARIO

A tantas glorias, a tantas hazañas cumplidas por los Reyes Católicos —la construcción de un nuevo Estado, el establecimiento de la paz

---

[1] Ante la inmensa bibliografía colombina, destacaré alguno de los libros que más me han ayudado, como el de Juan Manzano Manzano, *Cristóbal Colón. Siete años decisivos de su vida (1485-1492)* (Madrid, Ed. Cultura Hispánica, 1964). Asimismo, Franco Cardini, *Europa 1492. Retrato de un continente hace quinientos años* (Madrid, ed. Círculo de Lectores, 1991). Pese a su antigüedad, aún sigue siendo válida la obra magna de Antonio Ballesteros Beretta, *Cristóbal Colón y el descubrimiento de América* (en su *Historia de América,* vols. IV y V, Barcelona, 1945).

pública, el remate de la Reconquista—, hay que añadir ahora una de las más altas en la historia de todos los tiempos: el haber apadrinado la empresa de Colón, que traería el gran regalo del descubrimiento de América. Las negociaciones entre el navegante y la Corona no fueron fáciles, desarrollándose durante largos años con bruscos vaivenes y con rupturas que más de una vez estuvieron a punto de dar con todo al traste. Es fácil imputar ahora ceguera a los políticos de la época, pero para comprender el escepticismo con que eran mirados los planes de Colón es preciso tener en cuenta la gran novedad que suponía el intentar franquear hacia occidente el Océano, entonces todavía llamado el Mar Tenebroso. Es cierto que los portugueses llevaban casi todo el siglo avanzando por la costa africana y que ya habían doblado el cabo de las Tormentas; es más, los mismos castellanos habían alcanzado las islas Canarias. Pero todo ello había sido, la más de las veces, navegación costera o muy próxima a la costa. Bordear la costa africana era una empresa que tenía viejos antecedentes, empezando por el conocido periplo mandado por Necao en el siglo VI (a. de C.). Pero avanzar por el mar hacia Occidente suponía algo no solo más novedoso, sino, sobre todo, mucho más arriesgado.

Sin embargo, también cabe hablar de precedentes para la gesta colombina. En primer lugar, no hay que olvidar las hazañas de los marinos escandinavos, que alcanzaron primero Groenlandia y después la misma Norteamérica en el siglo XI. Es cierto que esa navegación se interrumpe en la Baja Edad Media y que no existen pruebas de que las empresas de Erik el Rojo, de Leif Erikson y de Thorfinn Karlsefni fueran conocidas por los navegantes de la Europa meridional, pero algo pudo reflejarse en las leyendas de aventuras marítimas que circulaban por los puertos europeos del Atlántico, como trasunto de las viejas sagas escandinavas. Estaban, además, las referencias del mundo antiguo sobre la existencia de tierras a poniente de las Columnas de Hércules. Platón se había hecho eco de la Atlántida, la isla que había desaparecido tras un cataclismo y que había albergado a una admirable civilización hacía miles de años. Su alusión al Océano marca ya las dificultades que ofrecía y el misterio que ocultaba. El cataclismo había devorado a la Atlántida, con su rica cultura, que se había atrevido a combatir con Atenas hacía nueve mil años:

> He aquí por qué todavía hoy ese mar de allí —nos explica Platón en el *Timeo*— es difícil e inexplorable, debido a sus fondos luminosos y muy bajos que la isla, al hundirse, ha dejado.

En términos semejantes insiste Platón sobre el tema en el *Critias:*

> Hoy en día, sumergida ya [la Atlántida] por temblores de tierra, no queda de ella más que un fondo luminoso infranqueable, difícil obstáculo para los navegantes que hacen sus singladuras desde aquí hacia el gran mar.

Pero no menos notable es que Platón aludía también a otro continente, más allá de la Atlántida,

> en la costa opuesta de este mar que merecía realmente su nombre[2].

Estas referencias, que llevarán a los especialistas a interesantes controversias sobre la existencia real de la Atlántida, nos valen de momento para calibrar el interés que se ponía desde la edad clásica en lo que pudiera haber más allá de las Columnas de Hércules.

A este respecto, los versos de Séneca en su *Medea* son aún más explícitos, y semejaban un mandato hecho a la posteridad. Esos versos, en los que aparecen los personajes mitológicos Océano y su mujer, Tethys, y en los que se alude a Islandia (Thule), decían así:

> Venient annis saecula seris
> quibus Oceanus vincula rerum
> laxet, ut ingens pateat tellus
> Tethysque novos delegat orbes
> nec sit terris ultima Thule[3].

En efecto, había de llegar una época en que el gran mar desataría sus ligaduras, dejando al descubierto nuevos mundos. Sin embargo, antes de que la empresa estuviese madura, habían de pasar muchos siglos, no tanto por el retroceso cultural de la Alta Edad Media como porque se carecía de los mínimos recursos técnicos para afrontarla. En teoría, ya la Antigüedad había señalado su posibilidad, dada la esfericidad de la Tierra, tesis mantenida por la ciencia griega y difundida por Ptolomeo. Precisamente sobre esa base había formulado el mismo Sé-

---

[2] Esto es, el océano Atlántico.
[3] «Vendrán unos años, dentro de muchos siglos, en los que Océano soltará sus ligaduras, el ingente orbe se abrirá, Tethys regirá nuevos mundos y Thule ya no será la última tierra.»

neca la cuestión, bajo la presión de un mundo que se le antojaba pequeño ya:

> El espectador curioso desea salir de su estrecha sede —nos dice en *Naturalium quaestionum;* y añade—: En realidad, ¿qué distancia hay entre las playas extremas de España y la India? Poquísimos días de navegación, si sopla para la nave un viento propicio.

Pero, en la práctica, el gran mar de Platón se había convertido en la Edad Media en el Mar Tenebroso, el mar ignoto lleno de peligros.

Tenía que llegar una nueva etapa histórica, la del Renacimiento, en la que el hombre estuviera dispuesto a arriesgar su vida, pero que, al mismo tiempo, volviera al nivel de las formulaciones científicas de la Antigüedad y se viera servido por una técnica eficaz, tanto con el hallazgo de la nave adecuada —la carabela— como por el acompañamiento del mínimo instrumental científico [4]. Eso fue lo que deparó al mundo la cultura europea del siglo XV, de la que se sirvió Colón para forjar su empresa. Añádase la necesidad en que se hallaba entonces la Europa occidental de un mayor desarrollo económico, mediante el contacto directo con el Lejano Oriente, que la librara de las trabas puestas por las potencias musulmanas ribereñas del Mediterráneo.

A ese reto iba a contestar Portugal con su periplo africano, tras la búsqueda de un paso que le abriera la ruta del océano Índico; empresa en la que consume casi todo el siglo, en una serie de admirables esfuerzos concatenados. Más audaz, y no menos afortunado, Colón lo intentaría de un solo golpe. Ahora bien, le sirvió de mucho la experiencia portuguesa, pues en el ambiente oceánico de Portugal es donde se cuaja su proyecto, hasta llegar a la certeza de que lo que formulaban algunos teóricos era hacedero. No cabe duda de que en sus viajes marítimos, antes de llegar a Castilla, Colón se familiarizó con las corrientes y los vientos del Océano y se convirtió en un magnífico navegante. Aunque hay muchos puntos oscuros en la vida del Almirante, puede afirmarse que su propia experiencia marinera por las rutas de las islas portuguesas del Océano, así como la información recogida, le llevaron a la necesidad de preguntarse si era posible la gran travesía. De ahí la curiosidad con que consulta los textos de los geógrafos antiguos y modernos,

---

[4] Franco Cardini, «El color del Océano», en su libro, *Europa 1492...* (ob. cit., págs. 191-192).

su lectura de Ptolomeo y de la *Imago Mundi* de Pierre d'Ailly [5] y, finalmente, su afán por conocer las argumentaciones de uno de los más famosos cartógrafos de su tiempo, el florentino Toscanelli, sobre la esfericidad y el tamaño de la Tierra. Con la certeza de su esfericidad, el
problema quedaba radicado en la distancia que separase las costas occidentales europeas de las orientales asiáticas, tal como ya había planteado en la Antigüedad Séneca. Ahora bien, de sus lecturas sobre geógrafos antiguos y modernos Colón llegó a dos conclusiones: la primera,
el menor tamaño del globo terráqueo; la segunda, la mayor proporción
de las tierras sobre los mares (en lo que le habían influido los relatos de
Marco Polo sobre sus viajes a Cipango) [6]. Dos conclusiones erróneas,
que le ratificaron en la posibilidad de alcanzar Oriente por la vía de
Occidente. Dada la escasa autonomía de las naves de la época, tales
errores le hubieran llevado al fracaso, de no haberse encontrado a medio camino con un continente nuevo. Y esa fue su fortuna.

Habría que añadir, para comprender mejor la gesta colombina, algunas otras circunstancias, tales como el ambiente general europeo y
en particular el portugués, donde forja su proyecto; el estado de la técnica náutica en estos tiempos renacentistas; la necesidad de aquella
economía de abrir nuevas vías y encontrar nuevos soportes, y la existencia del Estado moderno, como respaldo de una empresa de tal calibre. Todo ello sin mengua de la grandeza humana del que supo cuajar,
con su fuerza de voluntad y su talento para las cosas de la mar, la mayor hazaña de los tiempos modernos.

TÉCNICA NÁUTICA DEL RENACIMIENTO

El ambiente favorable a los descubrimientos marítimos, existente
en gran parte de Europa, viene probado por la acogida que tenían las
teorías del florentino Toscanelli. Por otra parte, los medios culturales
seguían con el mayor interés los progresos de los nautas portugueses
en la ruta de África del Sur, en busca del paso hacia el océano Índico.
Tal es el ambiente que entonces florecía en Nuremberg, donde trabaja-

---

[5] Pedro d'Ailly, *Imago Mundi,* ed. crítica del original de la Biblioteca Colombina
de Sevilla con anotaciones de Colón, a cargo de Juan Pérez de Tudela (Madrid, Colección Tabula Americae, 1991).

[6] *El libro de Marco Polo anotado por Cristóbal Colón,* ed. crítica, con valiosa introducción de Juan Gil, Madrid, Alianza Editorial, 1988.

ban Martin Behaim y Jerónimo Münzer. Behaim fue llamado por los portugueses cuando, al franquear el ecuador, se encontraron con que perdían la orientación marcada por la Estrella Polar (Behaim les enseñaría también a medir la latitud por la altura del Sol, teniendo en cuenta las variaciones de las estaciones, mediante las tablas de declinación solar compuestas por el sabio alemán Regiomontano). Después, Behaim hizo otros varios viajes a Portugal, interesado por conocer mejor los avances portugueses, y él mismo proyectó un viaje a las Indias por Occidente, con el respaldo de Portugal, aunque con retraso de un año sobre Colón (lo intenta en el verano de 1493). El viaje de Münzer a España en 1496 obedece también al deseo de obtener la información más verídica posible sobre la gesta colombina. Todo esto nos señala que la empresa colombina estaba en el ambiente, y que Colón es la genial personalidad que logra el precipitado del descubrimiento que a finales del siglo XV se estaba fraguando. Él mejor que nadie respiró el ambiente marinero de Portugal y creyó en las teorías de su compatriota Toscanelli. Como experto marino, navegante una y otra vez por las aguas del Océano, entre las Azores y las costas occidentales de Europa y África, conocía muy bien las corrientes marítimas y los vientos dominantes, estos empujando hacia el sudoeste las naves, las otras facilitando el retorno por el norte. Pero, además, dominaba la técnica náutica de su tiempo, sabía de lo que era capaz la carabela, el nuevo navío puesto a punto por los portugueses tras de sus esfuerzos por avanzar más y más hacia África del Sur. La carabela, la nao de los descubridores del Renacimiento, era más marinera que los navíos medievales dedicados al cabotaje y daba al marino la seguridad de que podía aventurarse en la gran mar aprovechando mejor sus vientos y eludiendo con mayor facilidad sus tormentas.

Con lo cual tocamos el problema crucial de la técnica náutica del Renacimiento. La brújula y el astrolabio eran ya usuales, y con estos aparatos el navegante podía marcar su rumbo y conocer su paralelo (el astrolabio, como el sextante, le daba el ángulo de inclinación de los astros sobre el horizonte). Más imprecisa era la determinación del meridiano, aunque podía hacerse un cálculo aproximado a la estima por la velocidad y dirección de la nao —que es el sistema empírico empleado por Colón en su primer viaje, como se lee en su *Diario*—, o por la diferencia horaria con el punto de partida, dato que los marinos trataban de conocer mediante el reloj de arena, puesto en funcionamiento a la hora de zarpar (sistema defectuoso, porque los bandazos de la nave en el Océano hacían muy irregular su funcionamiento). Naturalmente, el reloj de sol permitía establecer la diferencia horaria y, así, tantear cuándo se había franqueado un huso horario. De todos modos, la imperfección del sistema obliga a otro método más seguro: el de la conjunción planetaria; es decir, la diferencia de tiempo que había entre la ocultación por la Luna de una estrella determinada, en dos sitios distintos, daba a su vez la diferencia entre dos meridianos. Para calcular todo esto estaban las tablas planetarias, como las famosas *Efemérides* construidas por el sabio alemán Regiomontano, muy utilizadas por los navegantes. No eran exactas, pero permitían suficientes valores aproximativos orientadores.

Semirresuelto el problema de la orientación, quedaban en pie los otros dos de toda navegación, por otra parte muy implicados entre sí: el avance y la autonomía. Las condiciones marineras de la carabela, con su conjunto de velas cuadradas y latinas que le permitían aprovechar al máximo los vientos, incluso los desfavorables, y con su timón sobre goznes metálicos, ofrecían mayor velocidad y, con ello, mayor autonomía. Los marineros que se adentraban en el Océano confiaban en ella, porque podían aprovecharse de los fuertes vientos y de sus corrientes. La carabela es la nave puesta a punto por Portugal en el siglo XV, y pronto extendida por los puertos de la Andalucía atlántica. No tenía parangón con ninguna otra de su tiempo, incluidas las fabricadas por la técnica náutica del Extremo Oriente. La velocidad media que con ellas consigue Colón en su primer viaje es algo menor de las 33 leguas diarias, es decir, unos 200 kilómetros. Aun así, su autonomía estaba supeditada a que pudiera almacenar víveres y agua en cantidad y condiciones suficientes para alimentar a la tripulación, puesto que la navegación hacia Occidente presuponía muchos días de mar sin hacer escalas y sin posibilidad de repostar; así, la primera armada de Colón llevaba bastimentos suficientes para un año; ahora bien, tanto tiempo sin víveres frescos no podía soportarse, por la falta de vitaminas y porque los víveres almacenados —casi todos en conserva— llegaban a corromperse. De ahí que a la incertidumbre del objetivo y a los riesgos del naufragio (pavorosos por las tormentas del Océano, que había que afrontar en aquellos cascarones que desplazaban solo unos cientos de toneladas) había que añadir la amenaza del hambre, de la sed y de la avitaminosis (esta última no por ignorada menos cierta). Existía aún otra traba: la psicológica, por las leyendas que se atribuían al Mar Tenebroso y a los seres fantásticos que lo poblaban; factor psicológico que en condiciones adversas hacía fácil presa en el ánimo de aquellas tripulaciones de rudos marinos, inmersos en una época que seguía dando amplio crédito a los valores mágicos.

Estas dificultades iniciales iban a ser vencidas por el impulso de la Europa del Renacimiento, cada vez más necesitada de ampliar sus horizontes. Una Europa deficitaria en oro, que cada vez veía más desnivelada su balanza de pagos con las mercancías que le venían de Extremo Oriente, y que no solo eran artículos de lujo, como perfumes y sedas, sino también productos de primera necesidad, como las especias, tan necesarias para la cocina de la época. El intermediario musulmán, a través del Mediterráneo, encarecía —y a veces entorpecía— demasiado este comercio. De ahí que Europa necesitase, cada vez con más urgencia, conectar directamente con los países productores de Asia: India, Insulindia, China. Especias y oro, junto con los esclavos que el mercado africano ofrece al paso, son los incentivos que mueven a los portugueses en su ruta hasta el Extremo Oriente. Sería injusto, por supuesto, silenciar sus afanes de cruzados y sus deseos espirituales, que también veremos campear en las empresas náuticas castellanas, empezando por la colombina. Portugal ya tenía a punto su sistema cuando Colón aparece en la escena, y es en esa escuela de afanes y de posibilidades donde se fragua el proyecto colombino; sin el precedente portugués no se puede concebir la hazaña del descubrimiento del Nuevo Mundo. A su vez, Colón, en cuanto madura su idea, precisa de una estructura política que le respalde. Esta sería la gran posibilidad y la gran gloria de la Monarquía hispana que acaudillaban Isabel y Fernando.

EL PUENTE CANARIO

Generalmente, cuando se plantea la magna cuestión de la proyección que los Reyes Católicos hacen por Ultramar, se tiende al enfoque casi exclusivo de las relaciones con Colón y sus inmediatos sucesores, es decir, a la empresa inigualable del descubrimiento del Nuevo Mundo y a los llamados viajes menores. Lo cual está motivado porque la grandeza de aquellos acontecimientos hace sombra a todos los demás, de forma inevitable.

Sin embargo, es preciso recordar que antes de pactar con Colón y de proteger sus planes de descubrimientos por el Océano, ya los Reyes Católicos habían iniciado esta ruta, polarizada en la conquista y repoblación de las islas Canarias, hecho que tendría gran significado, como configurador del mapa político hispano que perdurará hasta nuestros mismos días: la España de hoy sigue siendo ese conjunto de pueblos de Castilla, Aragón, Granada, Navarra e islas Canarias, todo lo logrado, en fin, bajo los Reyes Católicos.

Por otra parte, la incorporación de las islas Canarias a la Corona, que se hallaba muy avanzada ya en los tiempos del primer viaje colombino, será de particular ayuda al Almirante, por cuanto que allí haría su última escala antes de poner proa hacia lo inexplorado.

Respecto a la incorporación de las Canarias hay que distinguir dos períodos distintos: el primero, que es el señorial, se prolonga a lo largo del siglo XV hasta principios del reinado de los Reyes Católicos (1402-1477); el segundo, que es el decisivo, está realizado ya bajo el control de los Reyes[7].

El primer período es anterior, casi en su totalidad, a Isabel. La conquista de las Canarias la inicia Juan de Bethencourt durante el reinado de Enrique III. Tras sucesivas cesiones de sus derechos, reciben el señorío y derecho de conquista, a mediados del siglo XV, don Diego García de Herrera y su mujer, Inés de Peraza (1455). Trataron de conquistar Gran Canaria y Tenerife, pero no fueron capaces de dominar la resistencia de los reyezuelos guanches ni de zafarse de la competencia de los portugueses. En 1477 ceden sus derechos sobre las islas mayores a los Reyes, que les nombran condes de la Gomera, con dominio sobre Lanzarote, Fuerteventura, Hierro y Gomera.

En 1478 se inicia la conquista de Gran Canaria por los Reyes Católicos, con suerte indecisa, hasta el nombramiento del capitán Pedro de Vera como jefe del ejército real (1480); hasta 1484 dura dicha conquista, acelerada por la sumisión de los principales jefes guanches y su conversión al cristianismo.

Dominada Gran Canaria, servirá de base para ultimar la conquista del resto de las islas. La conquista de La Palma (1492-1493) fue realizada por Alonso Fernández de Lugo, la principal figura en las empresas de Canarias. En menos de un año conquista la isla. Es el año del descubrimiento de América. La conquista de Tenerife fue concedida también a Fernández de Lugo, por su notable actuación en La Palma. Le cuesta cuatro campañas (1494-1496), después de un serio revés inicial.

---

[7] Excelente resumen, en Tarsicio de Azcona, *Isabel la Católica...* (ob. cit., págs. 817 y sigs.), no solo teniendo en cuenta los estudios de los especialistas, como Antonio Rumeu de Armas, sino también la documentación de Simancas, en especial el informe de la Comisión que asesoró a Isabel sobre la licitud de la conquista de las islas. (Ibídem, pág. 819.)

La hispanización de las Canarias fue rápida, mediante la cristianización de los naturales, los matrimonios mixtos entre dominadores y vencidos y el reparto de tierras a los conquistadores, pero respetando a los señores guanches adictos a los Reyes Católicos. Antes de la muerte de Fernando el Católico las islas estaban tan hispanizadas que sus naturales se tenían ya por castellanos. En las Canarias, el pueblo castellano dio muestras de su amplitud para la expansión, incorporando más que colonizando. Las islas, hasta entonces en un régimen de vida casi de tipo prehistórico, se incorporaron plenamente a la corriente histórica de la Europa occidental y cristiana. De ese modo las islas Canarias pudieron servir de escalón en la ruta a las Indias occidentales. Fue, además, un experimento muy notable de conquista y colonización llevado a cabo por los castellanos, del que se beneficiaron notablemente, para proyectarlo en mayor escala en las Indias occidentales. Así, por ejemplo, las capitulaciones reales con Fernández de Lugo son un claro antecedente de las que más tarde se establecerán con los conquistadores de las Indias.

APARECE COLÓN

Presentar las circunstancias que hicieron posible la gesta colombina no quiere decir que deba minimizarse la aportación que dentro de la historia de los tiempos modernos supone la personalidad del gran Almirante. Si en algún momento resulta lícito y aun necesario resaltar al héroe, lo es en este caso.

La historiografía más responsable nos presenta a Cristóbal Colón como un marino genovés, nacido a mediados del siglo XV (probablemente en 1451; por lo tanto, un contemporáneo de la Reina, un hombre de su misma generación), de formación autodidacta y consumado maestro en las artes de la navegación, de la que tuvo amplia experiencia tanto en su primera etapa en el Mediterráneo como luego en el Atlántico. Constan sus lecturas y meditaciones sobre las obras de Ptolomeo (*Geografía*), Pierre d'Ailly (*Imago Mundi*), Marco Polo (*El Millón*), Eneas Silvio Picolomini (*Historia rerum virique gestarum*), así como algunas piezas de la cultura clásica, las *Vidas paralelas* de Plutarco y las tragedias de Séneca, por ejemplo. En su carácter destacan las notas de amor y conocimiento del mar, extrema religiosidad y tenacidad. Es un visionario que contempla ante sí la grandeza de abrir una nueva era, con el desvelamiento del Mar Tenebroso, y que no cejará hasta alcanzar su propósito. Hay una frase en los textos de su diario, que conocemos a través de fray Bartolomé de Las Casas, que es a este respecto muy reveladora; ante el desasosiego de la tripulación por lo mucho que se prolongaba el viaje, él comenta:

> ... el Almirante los esforzó lo mejor que pudo, dándoles buena esperanza de los provechos que podrían haber. Y añadía que por demás era quejarse, pues que él había venido a las Indias, y que así lo había de proseguir hasta hallarlas, con la ayuda de Nuestro Señor[8].

Tenía, pues, las condiciones precisas del descubridor, y en este terreno su talla es excepcional. No así en cuanto a sus cualidades de gobernante, donde fracasaría lamentablemente. Otra nota negativa sería su innegable codicia, que también le perjudicaría cuando le llegue la hora de gobernar.

Desde los catorce años se adentra en la vida marinera y hasta los veinticinco los pasa navegando por el Mediterráneo, tanto occidental como oriental, pues está comprobado que llegó hasta la isla de Chios. En 1476 se afinca en Portugal, donde transcurrirá una década decisiva para la gestación de su plan descubridor. Allí casa con una portuguesa —Felipa Moniz de Perestrello— y vive intensamente el ambiente aventurero de aquel Portugal lanzado a las empresas de Ultramar, según la trayectoria que le había marcado Enrique el Navegante y que seguía manteniendo a pesar de la muerte del gran Príncipe portugués (ocurrida en 1460). Desde allí completó su experiencia de marino con viajes tanto hacia el Norte, yendo hasta Inglaterra e Islandia (Islandia, la última Thule de la Antigüedad, que le hace recordar los versos de Séneca), como hacia las islas portuguesas del Océano e incluso hacia las rutas costeras africanas bañadas por el Atlántico, llegando posiblemente hasta el castillo de São Jorge da Mina. Por entonces la Corte portuguesa estaba en contacto con el sabio florentino Toscanelli. Trataba Alfonso V de conocer las razones que daba la ciencia de la época sobre el camino más corto para alcanzar las Indias orientales. La respuesta de Toscanelli, reflejada en seis cartas y un mapa, era favorable a la ruta de Occidente, en cuyo camino suponía que se encontrarían islas que

---

[8] Cristóbal Colón, *Textos y documentos completos*, Prólogo y notas de Consuelo Varela, con introducción de Juan Gil, Madrid, Alianza Universidad, 1984, pág. 28.

favoreciesen el viaje. Lo que estaba en marcha era un intento de circunnavegación del globo: alcanzar Oriente por la vía de Occidente. Es seguro que Colón tuvo noticias de esta correspondencia y que, ya acariciando este proyecto como factible, escribió directamente a Toscanelli; aquí el hombre de acción, el navegante, pide luz al hombre de ciencia, al pensador. Una vez afianzado en su idea, Colón trató de conseguir el apoyo de Portugal, hacia 1483. Había ya muerto Alfonso V, el monarca que había indagado de Toscanelli las posibilidades de otra ruta, posiblemente porque los años gastados en la aventura castellana le hacían considerar como muy lento el avance hacia el Sur. Pero para entonces había fracasado la expedición encomendada a Fernán Téllez para descubrir islas no cercanas a Guinea (esto es, no en la ruta habitual del Sur, sino mar adentro), y los marinos portugueses iban poniendo nuevos y esperanzadores jalones en la costa atlántica africana. El tratado de Alcáçobas, firmado con los Reyes Católicos, había concedido a Portugal el camino de Guinea. En 1482, los portugueses alzaban en la costa nigeriana el castillo de São Jorge da Mina, que tan importante papel había de ejercer en su economía, canalizando el oro del Sudán y los esclavos negros. Dos años más tarde, Diego Caõ atraviesa el ecuador y alcanza el Congo. En tales condiciones, tenía que sonar a quimérico el plan de Colón —y, de hecho, lo era en cuanto al inmediato contacto con el Extremo Oriente—. Por eso Colón se ve rechazado en Lisboa, no sin creer que se le había intentado despojar de su idea con una expedición (hoy puesta en duda por la crítica moderna).

Y, de ese modo, Cristóbal Colón se dirige hacia Castilla. Portugal le había dado la posibilidad de forjar su gran proyecto, pero no podía secundarle en él, porque bastante tenía con seguir fiel a un esfuerzo secular que estaba a punto de darle sus máximos frutos.

Y así Cristóbal Colón entró en la órbita de la monarquía que regían los Reyes Católicos. Había enviudado para entonces y tenía a su cargo un hijo de corta edad. Estaba sin dinero y posiblemente abrumado de deudas. Pero seguía aferrado a su proyecto, con una energía que a más de un estudioso ha hecho pensar en la realidad de que el azar de una navegación anterior lo hubiera llevado al Nuevo Mundo, o que hubiese conocido la relación de un marinero moribundo (la tesis del piloto desconocido).

Tampoco era muy favorable el momento para captar la atención de los Reyes Católicos, embarcados como se hallaban hacia 1485 en la difícil empresa de conquistar el reino de Granada, culminando así el proceso casi milenario que conocemos con el nombre de la Reconquista. Encontró Colón dificultades y oyó más de una negativa. Que al fin Isabel y Fernando accedieran a secundar su proyecto es una muestra más de la grandeza histórica de aquellos dos Reyes y de la hora cenital por la que estaba atravesando España. En la reducida antología de los momentos más excelsos de la Historia —la época de Pericles o la Revolución francesa, por ejemplo— entra con pleno derecho este momento de España en el que se inserta la gesta colombina.

Al salir de Portugal, probablemente hacia 1485, Colón va con su hijo Diego a Palos, pequeño puerto de la costa onubense. Tiene acogida en el monasterio franciscano de La Rábida, donde pronto da rienda suelta a todo lo que lleva en su corazón. No es un viajero vulgar. Está seguro de que tiene una misión que cumplir, y solo pide a las potencias de la Tierra que le secunden. Encuentra amplio auditorio: frailes, como los padres Antonio Marchena y Juan Pérez; nobles, como el duque de Medinaceli; burócratas, como Quintanilla y Santángel; prelados, consejeros, sabios y gente del pueblo. A casi todos contagia con su entusiasmo, con la visión de aquella gloriosa hazaña futura, con una certidumbre que maravillaba, como comenta el padre Las Casas, que tuvo sus papeles en sus manos:

> Tan cierto iba de descubrir lo que descubrió —nos dice— y en hallar lo que halló, como si dentro de la cámara, con su propia llave lo tuviera...[9]

Y, sin embargo, las negociaciones hubieron de prolongarse durante siete años, desde que entra en España en 1485 hasta la firma de las capitulaciones en 1492. Para comprender esa larga espera hay que tener en cuenta varias dificultades. La financiación de la empresa era lo suficientemente costosa como para obligar a Colón a buscar el apoyo de los poderosos, si bien esos 3.000 a 4.000 ducados que se precisaban no eran ningún obstáculo para cualquier magnate castellano, como los duques de Medina-Sidonia o de Medinaceli, con los cuales logró Colón entrar en contacto. Ahora bien, el Almirante no aspiraba tan solo a encabezar una expedición marítima, por grande que fuese su montaje o por extraordinarios que resultaran sus objetivos, sino que deseaba además obtener una serie de privilegios verdaderamente fantásticos, que lo elevaran de humilde plebeyo extranjero a la condición de la más alta

---

[9] Cit. por Manzano y Manzano, *Cristóbal Colón...*, ob. cit., pág. 93.

nobleza castellana. Ahí empezaba la primera dificultad. Para conseguir lo primero —una expedición marítima— le bastaba con convencer a cualquier acaudalado castellano, pero lo segundo solo se lo podía conceder la propia Corona. Eso era darle un aire oficial a la empresa. Y habría que suponer que los Reyes utilizaran —caso de dar oídos al navegante— los servicios de una Comisión que los asesorase sobre los planes de aquel extranjero. Por lo tanto, a Colón no le basta con contagiar con su entusiasmo a los frailes de La Rábida, cuyo paraje parecía ya que anunciaba la ruta de los nuevos y maravillosos mundos. Ni tampoco al duque de Medinaceli, el cual mismo nos declara:

Vi que era esta empresa para la Reina nuestra Señora [10]:

Era preciso ganar el ánimo de los soberanos, y ello en el momento más inoportuno, cuando tenían las manos puestas en la conquista de Granada y cuando todos sus esfuerzos y todas sus preocupaciones estaban centrados en culminar una tarea secular donde tantos de sus antecesores habían fracasado.

Lo notable, por lo tanto, es que los Reyes Católicos comiencen por dar oídos a Colón y que una Comisión sea designada para escuchar sus planes. Fue una Junta presidida por fray Hernando de Talavera, el influyente confesor de la Reina, formada por letrados, sabios y marineros, que, siguiendo a la Corte itinerante, se reúne en Salamanca y en Córdoba y que acaba dando un dictamen desfavorable. Hoy, a la vista de los resultados, es fácil el juicio al modo como lo hizo Hernando Colón, el hijo y primer biógrafo del Almirante: la suma ignorancia de sus componentes. Sin embargo, hay que tener en cuenta que Colón basaba la viabilidad de su proyecto en dos errores: reducción notable del tamaño de la Tierra y disminución de la superficie del Océano, alargando el extremo oriental del continente asiático. En sus cálculos, solo unas 750 leguas separaban a España de las costas de Cipango (Japón), lo que venía a ser unos 4.500 kilómetros, hallándose en el camino islas —como las de la tradición mencionada, o al modo de las ya encontradas por Portugal y España en el Océano (Azores, Madeira, Canarias)— que facilitarían el viaje. De todas formas, había que calcular un mes largo de navegación, pues era difícil asegurar una media de más de 150 kilómetros diarios y no siempre con el rumbo deseado; un mes largo sin ver tierra

[10] Manzano y Manzano, *Cristóbal Colón...*, ob. cit., pág. 172.

alguna, cosa hasta entonces nunca experimentada. Pero lo que debió de influir en la negativa de la Junta fue el considerar que la distancia entre España y Cipango era mucho mayor y, por lo tanto, imposible de franquearla con las naves y la técnica náutica de la época. El navegante, basándose en errores, acertaba donde la Junta se equivocaba. Y es que en medio se hallaba el Nuevo Mundo, es decir, lo inesperado. Por otra parte, el navegante no facilitaba las cosas con prolijidad de detalles; antes, más bien, su estilo era entre parco y receloso, quizá temeroso de que le ocurriera lo que tenía por seguro que le había acontecido en Portugal, esto es, que se intentara hacer la empresa a sus espaldas. Su gran problema en estas negociaciones es que tenía que convencer de la posibilidad de su empresa, pero, al mismo tiempo, tenía que presentarla tan difícil como para que nadie, sino él, fuera el osado que la acometiera. Ahora bien, convencer por un lado y disuadir por el otro y al mismo tiempo no es cosa fácil, y Cristóbal Colón no lo consiguió en ese primer envite. Además, los cálculos que podían hacerse sobre la autoridad de Ptolomeo —que era la máxima reconocida— eran que la distancia entre las Canarias y el extremo oriental de Asia rayaba en las 2.500 leguas, esto es, en los 15.000 kilómetros, para los que había que calcular unos tres meses de navegación, sin seguridad de encontrar tierra alguna; demasiado tiempo para que aquellos frágiles barcos se enfrentasen con el mar grande, con el Mar Tenebroso del que tantos riesgos se decían y que tan pavorosas tormentas desencadenaba. No es de extrañar la negativa de la Comisión, de una Junta formada por gente sabia y prudente, al igual que años antes lo había hecho la Junta de matemáticos portuguesa. Lo extraño hubiera sido lo contrario.

¿COLÓN EN SALAMANCA?

En efecto, hay indicios para creer que Colón estuvo en Salamanca entre los primeros días de noviembre de 1486 y los últimos de enero de 1487, siguiendo a los Reyes, y en particular a Isabel, a la que ya hemos visto visitar el Estudio salmantino en aquellas fechas.

En eso coinciden todos los americanistas. Y lo curioso del caso es que no se basan sobre pruebas documentales, sacadas de fuentes contemporáneas, pues ningún cronista de la época alude a esa estancia de Colón en Salamanca; ni Andrés Bernáldez, en sus *Memorias* del reinado de los Reyes Católicos, ni Hernando Colón, en su *Historia del Almirante*. Tampoco se ha encontrado ningún otro rastro documental de ese tiempo que permita asegurarlo. Es preciso llegar hasta bien entrado el siglo XVII para toparnos con la primera referencia escrita; en este caso, a cargo de un fraile dominico, de nombre fray Antonio de Remesal, quien en su *Historia de Chiapas y Guatemala,* impresa en Madrid y en 1619, afirma lo siguiente:

> Vino [Colón] a Salamanca a comunicar sus razones con los maestros de Astrología y Cosmografía que leían estas facultades en la Universidad. Comenzó a proponer sus discursos y fundamentos, y en solo los frailes de San Esteban halló atención y acogida...[11]

¿De dónde obtuvo Remesal esa información? Posiblemente por transmisión oral, durante su etapa de fraile del convento de San Esteban, donde profesa en 1592; esto es, en el año del primer centenario del Descubrimiento. Como nos indica José Luis Espinel Marcos[12], un siglo es un tiempo razonable para conservar viva una tradición oral; a la inversa, habría para asombrarse de que un acontecimiento de aquella envergadura no hubiera dejado ninguna huella entre los frailes dominicos de San Esteban; lo que sí hay que anotar, en cambio, es que el salón llamado *De profundis,* en donde se dice que Colón debatió con los dominicos sobre su fabuloso plan de navegación, es posterior a esos años y, por lo tanto, hay que apartarlo de los recuerdos colombinos[13].

Por lo tanto, y en cuanto a la presencia de Colón en Salamanca en el invierno de 1486-1487, solo pruebas de transmisión oral. Ahora bien, ese tipo de pruebas suele suscitar serias dudas entre los historiadores. Entonces, y si no existen rasgos documentales fiables, ¿en qué se basa la seguridad de los americanistas sobre ese hecho? Básicamente, en que por aquellas fechas el genial navegante seguía a la Corte, interesado como estaba en verse apoyado por los Reyes Católicos en su plan de navegación por el mar Océano hacia Poniente, para encontrar una nueva ruta que le permitiese alcanzar las fabulosas tierras de Catay y Cipango, en el Asia oriental. De ese seguimiento a la Corte sí existen

---

[11] Manzano y Manzano, *Cristóbal Colón...,* ob. cit., pág. 78.
[12] José Luis Espinel Marcos, «Colón en Salamanca» (revista *Salamanca,* octubre-diciembre 1984).
[13] Alfonso Rodríguez G. de Ceballos, *El convento de San Esteban,* Salamanca, 1987.

abundantes referencias documentales. Y en ese orden de cosas, dado que los Reyes permanecen en Salamanca desde principios de noviembre de 1486 hasta finales de enero de 1487 —estancia perfectamente documentada, casi día a día, a través del Registro del Archivo de Simancas—, se puede bien concluir que Colón no se había de apartar de la Corte durante tanto tiempo; máxime cuando ya los Reyes habían ordenado que se formase una Comisión que valorase las posibilidades del proyecto colombino, la cual era de esperar que se viese fortalecida con la participación de algunos de los sabios del Estudio salmantino, como el famoso astrónomo Abraham Zacut, o como el profesor Diego de Torres, que por entonces regentaba la cátedra de Astrología, y que años después asesoraría también a los Reyes, con motivo del tratado de Tordesillas con Portugal de 1494.

Entre noviembre de 1486 y enero de 1487 tenemos sin duda a Colón en Salamanca. El inquieto viajero que indaga sin descanso sobre los conocimientos cosmográficos de la época, durante su estancia en Portugal, y que recaba la información que puede depararle el sabio florentino Toscanelli, no podía dejar la oportunidad que le brindaba el Estudio salmantino, donde conoció, a buen seguro, al astrónomo Abraham Zacut. Posiblemente comenzó a reunirse entonces la Comisión nombrada por los Reyes para estudiar su proyecto de alcanzar las lejanas costas del Asia oriental, navegando hacia Occidente. Y surge la pregunta clave: ¿Cuál fue su dictamen? Según el relato de la historiografía romántica, el viejo Estudio, formado por ignorantes, rechazó el proyecto, haciendo burla de Colón; en lo cual se deslizaba ya una inexactitud, pues no fue la Universidad como tal la que deliberó sobre el plan del navegante genovés, estando a lo más representada en la Comisión por uno o dos de sus profesores. Por otra parte, sabemos que dos errores, de no pequeño calibre, se deslizaban en el proyecto colombino: el tamaño de la Tierra y la extensión de los mares. Según los cálculos de Colón, la circunferencia ecuatorial mediría 30.000 kilómetros, en vez de 40.000, y en ese espacio las tierras ocupaban seis partes por una de los mares; con lo cual acercaba notoriamente las costas occidentales de Europa a las orientales de Asia, lo que hacía factible su navegación. El problema estribaba, no hay que olvidarlo, en la escasa autonomía de las naves de la época, para las cuales todo lo que fuera navegar más de cuarenta días sin repostar era arriesgarse a una muerte segura; de forma que lo que salvó a Colón fue encontrarse con lo inesperado: el Nuevo Mundo. No hay, por lo tanto, que asombrarse si la Comisión mostraba sus dudas. Pero ¿lo hicieron?

Si creemos a Hernando Colón, el hijo del Almirante, su dictamen fue en extremo desfavorable, aunque hay para pensar si con ello no quiso realzar las dificultades que hubo de vencer su padre [14]. Para el cronista Andrés Bernáldez, que conoció a Colón, por el contrario, la Comisión

> falló que decía verdad, de manera que el Rey y la Reina se aficionaron a él [15].

Y un dato parece confirmar las palabras del cronista: que a poco de abandonar los Reyes la ciudad de Salamanca aparezca ya Colón recibiendo alguna pequeña ayuda económica de la Corte, lo que parece probar que su proyecto no había sido del todo desechado. Ahora bien, el testimonio de otro salmantino, que es uno de los pocos que sabemos con certidumbre que formaba parte de la Comisión, el doctor Talavera, viene a ratificar las palabras de Hernando Colón; en la probanza mandada hacer por Diego Colón en 1515, en los pleitos que el hijo del Almirante mantenía entonces con la Corte, dice Talavera:

> ... lo que sabe este testigo [es que] el prior del Prado..., con otros sabios, letrados e marineros platicaron con el dicho Almirante su ida a las dichas islas, e que todos ellos concordaron que era imposible ser verdad lo que el dicho Almirante decía... [16]

Rotunda negativa, pues, de la Comisión, que a continuación matiza Talavera añadiendo:

> ... e que contra el parecer de los más dellos porfió el dicho Almirante de ir al dicho viaje...

ISABEL Y COLÓN

¿Qué ocurrió, pues, para que Colón triunfase? ¿Qué sucedió para que al fin su proyecto fuera aprobado? Evidentemente, que alguien

[14] Hernando Colón, *Historia del Almirante,* ed. Luis Arranz, Madrid, Historia 16, 1984, págs. 57-89.
[15] Andrés Bernáldez, *Memorias...,* ob. cit., pág. 270.
[16] Manzano y Manzano, *Cristóbal Colón...,* ob. cit., pág. 105.

por encima de la Junta pudiera hacerlo; alguien que se moviera más en el plano de los ideales que en los cálculos de los aferrados a lo posible. ¿Fernando, Isabel? De entrada, podríamos pensar en Isabel, siempre entregada a las empresas que parecían inasequibles. ¿No había sido el alma de la guerra de Granada? La aventura de Colón también parecía una quimera; pero apuntaba a una novedad: la vía por la cual se podía propagar la fe, y a eso sí que Isabel era muy sensible.

¿Cómo empezó Isabel a interesarse por el plan colombino? Habituados a presentar aquellos acontecimientos siguiendo el hilo del genovés, nos olvidamos de la perspectiva que ahora importa: la de la Reina.

Isabel tuvo noticia de que había un marino que tenía un plan extraño de navegación por el Mar Tenebroso a finales de 1485 o primeros días de 1486. Y lo tuvo por su confesor, al que tanto respetaba, fray Hernando de Talavera. Sabemos que a fray Hernando le había escrito el guardián del convento franciscano de La Rábida, fray Antonio de Marchena, que fue uno de los primeros en entusiasmarse con el plan colombino, a poco de la llegada casual del genovés a La Rábida.

Esa era una nueva más de las cosas fantásticas que se contaban entonces sobre las navegaciones en el mar Océano. En todas las Cortes de Europa, y por supuesto en la de España, se hablaba de las prodigiosas navegaciones que los nautas portugueses realizaban, bordeando las costas atlánticas de África, en busca de un paso marítimo hacia la India, de donde procedían las codiciadas especias y país del que se contaban maravillas, como de toda la lejana Asia, desde que Marco Polo había encendido la imaginación de los europeos con el relato de su viaje a China en un libro lleno de aventuras en el que se narraban cosas prodigiosas y que además llevaba este sugestivo título: *Libro de las maravillas del mundo*.

En 1485, cuando Colón entra tan desvalido en España, pero portador de su fantástico proyecto para navegar por el Mar Tenebroso, ya los portugueses, con Diego Caõ a la cabeza, estaban navegando por las costas africanas meridionales y habían descubierto el río Congo. Y de eso se hablaba no solo en la Corte de Lisboa, sino también en el entorno de la reina Isabel.

La Reina no estaba ajena a esa inquietud descubridora. Aunque por entonces su atención se centrase preferentemente en la conquista de Granada, todavía dejaba un resquicio para no estar al margen de las hazañas de los navegantes. Y así, y por su mandato, un capitán español, Pedro de Vera, acometía por entonces la conquista de la isla de Gran Canaria, entre 1480 y 1484.

Era una aventura fascinante, tanto más que los relatos medievales estaban llenos de noticias fantásticas sobre los peligros que acechaban a los navegantes que osaban adentrarse por el Océano, aquel desconocido mar que llamaban, temerosos, «el mar tenebroso». Parecía que seguían oyéndose las palabras que el geógrafo musulmán El Edrisí, al tratar de España, había dedicado a aquel mar, y que ya hemos comentado:

> Nadie sabe lo que hay en ese mar, ni puede averiguarse, por las dificultades que oponen a la navegación las profundas tinieblas, la altura de las olas, la frecuencia de las tempestades, los innumerables monstruos y la violencia de los vientos... [17]

¡Los monstruos del Océano! Veremos que también Colón hablará de ellos. Así que los peregrinos que llegaban a España a mediados del siglo XV, como el checo Schaschek, para visitar la tumba de Santiago, no dejaban de acudir al cabo Finisterre, para contemplar la inmensidad de aquel mar tan misterioso.

Schaschek nos cuenta su conmoción al contemplar aquella mar alborotada, en contraste con las tranquilas del mar de los antiguos, del mar Mediterráneo.

Lo hace con estas sencillas palabras:

> ... más allá no hay nada más que las aguas del mar, cuyo término nadie más que Dios conoce...

Con parecidos términos se expresa otro checo por aquellas fechas:

> Desde Santiago fuimos a Finisterre... palabra que significa el fin de la tierra. No se ve más allá sino cielo y agua y dicen que la mar es tan borrascosa que nadie ha podido navegar en ella...

Y añade, amedrentado:

> Dijéronnos que algunos, deseosos de averiguarlo, habían desaparecido con sus naves y que ninguno había vuelto nunca [18].

Ese era el ambiente de misterio y de aventura que rodeaba a las navegaciones en el mar Océano. Un ambiente que llegaba a la Corte de

---

[17] Véase mi estudio *Relatos de viajes...*, ob. cit., pág. 15.
[18] Ibídem, págs. 16 y 17.

Isabel, tanto más cuanto que estaba ya tan interesada en la conquista de las islas Canarias. Por lo tanto, se puede comprender el empeño que puso en recibir al navegante genovés, para oír su plan de navegación hacia Occidente, cuando su confesor, fray Hernando de Talavera, le habló de él, a principios de 1486.

Eran unos días de tregua en la gran brega política de la Reina, pues hacía bien poco que había parido a su última hija, la infanta Catalina (n. el 16 de diciembre de 1485). Isabel se hallaba entonces en Alcalá la Real, residiendo en el palacio arzobispal, y allí recibió al navegante genovés, escuchando curiosa su apasionada defensa de aquella insólita aventura que preparaba por el mar Océano, navegando siempre hacia Occidente, cosa que nadie había intentado hasta entonces.

Una audiencia que ocho años después recordaría Isabel, al comentar el éxito final de la empresa colombina:

> Parécenos que todo lo que al principio nos dejistes que se podría alcanzar, por la mayor parte todo ha salido cierto, como si lo hobiérades visto antes de nos lo dijésedes... [19]

Fue una entrevista que se comentó pronto en la Corte y fuera de ella, porque allí comenzó la Reina a interesarse más y más, como nos lo indica el cronista Andrés Bernáldez:

> Así que Cristóbal Colón se vino a la corte del rey don Fernando e de la reina doña Isabel, e les fizo relación de su imaginación [20], al cual tampoco no daban mucho crédito...

El cronista nos describe vivamente la escena: la incredulidad primera de los Reyes y el entusiasmo contagioso del marino genovés:

> ... e él les platicó muy de cierto lo que les decía, e les mostró el mapa mundi...

Y comenta, certero, Bernáldez:

> ... de manera que les puso ese deseo de saber de aquellas tierras... [21]

---

[19] Carta cit. por Manzano y Manzano, *Cristóbal Colón. Siete años decisivos de su vida,* ob. cit., pág. 92.
[20] Esto es, de su proyecto.
[21] Andrés Bernáldez, *Memorias...,* ob. cit., pág. 270.

De ahí que la Reina mandase que una Junta entendiese en ello, para tener la información debida, lo que daría lugar a las deliberaciones de Salamanca y Córdoba.

A este respecto, hay un indicio del interés de la Reina por las navegaciones de Ultramar, con la posibilidad de dominar nuevos pueblos de otras culturas; un indicio del mayor valor, que pienso que ha pasado inadvertido.

En efecto, estando en Salamanca, entre noviembre de 1486 y enero de 1487, Isabel quiso visitar su Estudio. Y no de una forma protocolaria, sino entrando en sus aulas y preguntando a sus maestros.

Bien se puede creer que lo hiciera, entre otros, al maestro Torres, que entonces explicaba la cátedra de Astrología. Pero lo que sabemos de cierto es que lo hizo en la del gramático Nebrija, porque él mismo nos lo cuenta en el prólogo a su *Gramática castellana*.

Es un texto bien conocido y mil veces reproducido y ya comentado en este libro, pero que ahora debemos recordar porque en él hay un pasaje que resulta muy extraño, y que solo a la luz de ese interés de la Reina por las nuevas navegaciones toma todo su sentido.

El texto de Nebrija a que me refiero dice así:

> ... cuando en Salamanca di la muestra de aquesta obra a Vuestra Real Majestad y me preguntó que para qué podía aprovechar...

Es un momento importante en la vida del humanista. ¡Tiene ante sí a la gran Reina y esta le pregunta por su obra! ¡Qué ocasión!

Pero una ocasión que le birlaría el político de turno. Un político que en ese momento sería fray Hernando de Talavera, lo que da más realce a lo que Isabel acaba escuchando.

Pues Nebrija, apesadumbrado, añade:

> ... el muy reverendo padre obispo de Ávila [22] me arrebató la respuesta, y respondiendo por mí, dixo: que después que Vuestra Alteza metiese debaxo de su yugo muchos pueblos bárbaros y naciones de peregrinas lenguas... [23]

---

[22] Lo era entonces fray Hernando de Talavera.
[23] Prólogo de Nebrija a su *Gramática castellana*, dedicado a la reina Isabel; cf. mi libro *La sociedad española en el Siglo de Oro,* Madrid, 1984, pág. 416.

Esto ocurría a principios de 1487. ¿Cabe prueba mayor del interés de Isabel por las empresas de Ultramar? Máxime cuando quien se hace eco de ello es nada menos que su confesor.

Con esos antecedentes, bien podemos comprender que, al fin, Isabel tuviera tan decisiva intervención en las capitulaciones de Santa Fe, como hemos de ver.

Porque ya hemos señalado que la Junta comisionada para debatir sobre el plan colombino dio su dictamen negativo tanto en Salamanca como en Córdoba, pero sin embargo la Reina no acabó de desechar la idea de acoger el plan de Colón; la prueba es que manda que se le ayude con pequeñas cantidades durante esos años: el 3 de julio de 1487, año y medio después de la entrevista, se conceden a Cristóbal Colón 3.000 maravedíes, y el 15 de octubre, otros 4.000

… para ayuda de costa…[24]

Es cierto que la guerra de Granada, aún en fase tan difícil, obliga a dilatar la resolución regia, lo que lleva a Colón a tantearlo en la Corte portuguesa en 1488. Pero a poco vuelve, consiguiendo el apoyo en este caso de un gran magnate castellano, el duque de Medinaceli, quien está a punto de concederle el dinero necesario para aparejar tres o cuatro carabelas. Mas le detiene el pensar que empresa tan grande, y no por el gasto que suponía, sino por la meta que se pretendía, era digna de la misma Reina, y así se lo escribe, como años más tarde se lo diría al cardenal Mendoza:

… como vi que era esta empresa para la Reina, nuestra señora, escrebílo a Su Alteza…

Obsérvese que tanto el fraile franciscano de La Rábida como el profesor de Salamanca y, en este caso, el magnate castellano, se refieren a Isabel, polarizando en ella sus esperanzas. Y a ese tenor está la actitud de Isabel, que siempre se mostrará interesada, como lo hizo ante la sugerencia del duque de Medinaceli:

… y respondióme —sigue el Duque en su confidencia a Mendoza— que gelo enviase…[25]

---

[24] Manzano y Manzano, *Cristóbal Colón...*, ob. cit., págs. 108 y 111.
[25] Ibídem, pág. 172.

Así lo hizo Medinaceli, encontrando entonces Colón el apoyo de uno de los ministros de la Corona de Castilla más vinculados a Isabel: el contador mayor Alonso de Quintanilla. Tan interesada se muestra ya la Reina, que da orden a las ciudades y villas por donde había de pasar Colón que le acogiesen y tratasen bien:

> ... le aposentedes y dedes buenas posadas... [26]

Corría por entonces el año 1489. Parecía que tras la caída de Baza la guerra de Granada estaba terminada.

No fue así, como es notorio y ya hemos comentado. Con lo cual, nueva dilación en la respuesta regia a Colón, quien, desesperanzado, piensa en dejar España.

Era un ir y venir que podría parecer sin sentido y carente de interés si no fuera por lo que había detrás de todo ello: nada menos que el descubrimiento del Nuevo Mundo, acaso la mayor hazaña de todos los tiempos.

De forma que de nuevo vemos a Colón en La Rábida, dispuesto a salir de España.

Gran desconsuelo entre los frailes del convento, en particular de fray Juan Pérez y de fray Antonio de Marchena, que intentan otra gestión, y también con la Reina, a la que Marchena escribe una encendida carta para convencerla de que tomara bajo su protección al marino genovés. Es más, fray Juan Pérez va a Santa Fe para entrevistarse con Isabel. Y la Reina se deja convencer. Y tan en serio toma ya el asunto que llama a Colón, mandándole 20.000 maravedíes, para que pudiera presentarse ante ella bien acondicionado y no como un desarrapado.

Estamos ya en diciembre de 1491, cuando es cuestión de días que Granada se rinda a los Reyes Católicos.

La gran dificultad está vencida. Los Reyes pueden prestar su atención de lleno a otras cuestiones, y una de ellas será ultimar de una vez el apoyo a la empresa del genovés.

Una nueva Junta, por orden de Isabel, se reúne en Santa Fe. Todo parece allanado, cuando los Reyes se encuentran con lo inesperado: Colón no solo quiere su apoyo para aprestar unas carabelas, sino que pretende los mayores honores que pensar se puedan: nada menos que los títulos de Almirante del Mar Océano, lo que le equiparaba con

---

[26] Manzano y Manzano, *Cristóbal Colón...*, ob. cit., pág. 186.

la más alta nobleza castellana —un Enríquez, tío de Fernando el Católico, era Almirante de Castilla—, y de Virrey y Gobernador General de las tierras que se descubriesen.

Peticiones desorbitadas que al principio sus interlocutores, en nombre de los Reyes, suponen que no serán en serio. Pero se equivocaban. Colón no cede nada.

Y eso provoca —atención a ello— la cólera del Rey. ¡Cómo! ¿Aquel aventurero se atrevía a ponerse —o a pretender que le pusieran— a la altura de su tío, el Almirante de Castilla? ¿Cómo podía tolerarse tamaño disparate?

La cólera de Fernando supuso una ruptura de las negociaciones, que parecía definitiva [27]. De modo que Colón hubo de abandonar el real de Santa Fe.

¡Y aun así todavía hubo un acuerdo! Otro de los ministros de la Corte, en este caso el aragonés Luis de Santángel, escribano de ración de Fernando el Católico, se atrevió a replantear la magna cuestión con la Reina. Una gestión que quedaría grabada en la memoria familiar de los Colón. El hijo del Almirante, Hernando Colón, la recordaría, como algo que sin duda lo sabía por su propio padre.

Es un momento clave. Un relato digno de entrar en las grandes páginas de la Historia:

> ... Luis de Santángel..., anheloso de algún remedio, se presentó a la Reina... y le dijo que él se maravillaba mucho de ver que siendo siempre Su Alteza de ánimo presto para todo negocio grave e importante, le faltase ahora para emprender otro en el cual poco se aventuraba...

El costo no era mucho, ¿pero cuál podía ser el fruto? Ese sería el punto más sensible, que más afectaría a la Reina, para volcarse de nuevo a favor de su candidato. De modo que Santángel añadiría:

> ... y del que tanto servicio a Dios y exaltación de su Iglesia podía resultar...

---

[27] «Aquí el sentido de la regia dignidad, de las tradiciones institucionales castellanas y el propio decoro familiar de los Enríquez —comenta Gustavo Villapalos— convirtieron al Rey en un sólido y, a decir verdad, muy fundamentado opositor a los planes colombinos...» (véase su obra *Fernando V,* ob. cit., págs. 197 y 198).

Y ello, ¿no comportaría también grandeza para su reinado? ¿Y qué ocurriría si el genovés acudía a otro rey? ¿No se lamentaría entonces de haber dejado pasar la ocasión, en materia tan importante?

Y no solo ella, sino todo su linaje, lo habrían de lamentar:

> ... que ella misma se apenaría y sus sucesores sentirían justo dolor...

Santángel añadiría algo más para acabar de decidir a la Reina: el juicio de la Historia:

> ... que él... creía que más bien serían juzgados los Reyes como príncipes magnánimos y generosos por haber intentado saber las grandezas y secretos del Universo... [28]

Y el razonamiento de Santángel hizo mella. La Reina mandó un correo a escape para que encontrara a Colón y le hiciera volver al real de Santa Fe.

Evidentemente, no sin tantear antes al Rey para que, olvidada su cólera e indignación contra el marino genovés, diera su asentimiento.

Y para Fernando sí valía el argumento de que ninguna de las mercedes que pedía Colón tenían importancia, puesto que la empresa la tenía por imposible.

No es una conclusión nuestra, aunque la dicte el mismo sentido común. Fernando jamás creyó en que la navegación del genovés llegara a buen puerto. Y eso lo sabemos por él mismo, por una carta suya escrita años más tarde, en la que expresaría su escepticismo en aquella hora.

Se trata de una carta muy reveladora, que encontré yo hace muchos años cuando estaba trabajando, allá hacia 1948, como becario del Instituto Fernández de Oviedo, en los fondos documentales de la Colección Muñoz de la Real Academia de la Historia. Es del mismo Fernando y está escrita veinte años después de los sucesos de Santa Fe. Está fechada en Burgos, a 23 de febrero de 1512, y va dirigida a los

---

[28] El texto de Hernando Colón, cit. por Manzano y Manzano, *Cristóbal Colón...*, ob. cit., pág. 272; cf. Hernando Colón, *Historia del Almirante,* ob. cit., pág. 93.

oficiales que se hallaban ya en las Indias, y en este caso en la isla Española, hoy Santo Domingo.

El Rey comenta, indignado, las pretensiones que tenía Juan Ponce de León para ir a descubrir, copiando las exigidas por Colón:

> ... toma por modelo —señala el Rey— la capitulación hecha con el primer Almirante...

¡Pero la diferencia era muy grande! Y así comenta, indignado:

> ... sin pensar la facilidad de ahora y la suma dificultad de entonces...

Y es cuando se le escapa su secreto sentimiento:

> ... quando ninguna esperanza había de que aquello pudiese ser... [29]

Por lo tanto, como estaba bien seguro de que todo iba a quedar en nada, el Rey acabó accediendo al deseo de Isabel; nada tenían que molestarle las desorbitadas exigencias de aquel loco visionario, porque solo tendrían validez si lograba hacer bueno su proyecto, y eso era una quimera:

> ... quando ninguna esperanza había de que aquello pudiese ser...

Pero la Reina sí tenía esperanzas. Testigo de todo ello, el propio Colón, de quien son estas palabras concluyentes, escritas años después al ama del príncipe don Juan:

> En todos hubo incredulidad y solo a la Reina mi Señora dio dello [nuestro Señor] el espíritu de inteligencia y esfuerzo grande, y le hizo de todo heredera, como a cara y muy amada hija.

---

[29] Real Academia de la Historia, Colección Muñoz, vol. XC, fol. 98; esa carta la publiqué hace casi medio siglo, en mi estudio, *Relatos de viajes desde el Renacimiento hasta el Romanticismo,* ob. cit., pág. 42.

Y añade esta información, que viene a dejar sentado el tema de una vez por todas:

> La posesión de todo esto fui yo a tomar en su real nombre[30].

Y prosigue Colón:

> La ignorancia en que habían estado todos quisieron enmendalla traspasando el poco saber a fablar en inconvenientes y gastos.

Frente a esa menguada actitud calculadora, ¿cuál era la de Isabel? Colón nos lo dirá, con la mejor alabanza que en esta trascendental ocasión podía hacer:

> Su Alteza —Isabel— lo aprobaba al contrario y *lo sostuvo fasta que pudo*[31].

Ahora bien, Fernando acabó accediendo y la decisión de la Reina no produjo ninguna disensión matrimonial. Por ello, porque al final Isabel consiguió la conformidad de Fernando, lo recordaría en su Testamento: las Indias habían de quedar incorporadas a la Corona de Castilla; pero Fernando debía recibir una notable compensación económica, nada menos que

> ... la mitad de lo que rentasen las Islas e Tierra Firme del mar Océano...

Así lo ordenaba Isabel en su Testamento, para que su hija Juana lo cumpliera[32].

---

[30] En efecto, si Fernando hubiera sido el gran promotor, en su nombre habría ido Colón. Y no fue así, como es notorio.

[31] Texto cit. por Manzano y Manzano, *Cristóbal Colón...*, ob. cit., pág. 260. Cierto que en su Testamento Colón cita a los dos Reyes: «... cuando yo les serví en las Indias...». Pero hay que tener en cuenta que lo hizo en mayo de 1506, cuando ya Isabel había muerto y cuando quien parecía mandar en Castilla era Fernando, pues aún no se había producido el desplante montado a poco por Felipe el Hermoso (*Testamento* de Colón, publ. por Consuelo Varela, *Cristóbal Colón. Textos y documentos completos*, Madrid, Alianza Editorial, 1984, pág. 361).

[32] Isabel la Católica, *Testamento*, ed. cit., pág. 31. Precisamente esa sería la única referencia que Fernando haría en su propio Testamento a las Indias, lo que no deja de

Y volviendo al acuerdo tomado con Colón, al fin las capitulaciones se firmaban con el futuro Almirante del Mar Océano, aceptando la Corona todas sus exigencias: el título de Almirante del Mar Océano, con carácter hereditario, y los cargos de Virrey y Gobernador General de todas las tierras que descubriese, con derecho a presentar una terna a los Reyes de todos los oficiales que se nombrasen para su administración y gobierno.

Además, recibía la décima parte de las riquezas que se obtuvieron (tales como oro, plata, perlas preciosas y especias) y la posibilidad de contribuir con una octava parte en los navíos o armadas que en aquella ruta se enviasen, consiguiendo en contrapartida una octava parte de los beneficios que se lograsen. Finalmente, y como muestra mayor del interés con que tomaban sus cosas, su hijo Diego fue nombrado paje del príncipe don Juan. Esas capitulaciones fueron firmadas el 17 de abril y confirmadas trece días después por los Reyes en Granada.

Y no pasa de mera anécdota el hecho de que las capitulaciones de Santa Fe vayan suscritas por Juan de Coloma, que era el secretario del Rey. Por supuesto, en nombre de los dos monarcas. Lo que Colón pide es a los dos Reyes:

> Las cosas suplicadas e que Vuestras Altezas dan e otorgan...

Y siempre, al final de cada petición, la misma respuesta plural:

> Plaze a Sus Altezas, Johan de Coloma[33].

EMPIEZA EL GRAN VIAJE

Levantado su crédito, no le fue difícil a Colón encontrar dinero para contribuir con el octavo que le permitían las capitulaciones al apresto de los tres navíos que había de llevar en su primer viaje; consiguió la suma principal de Santángel y el resto del mercader genovés Pineto. Quedaban por montar todos los preparativos para aprovechar

---

ser significativo del poco entronque que había tenido con el apoyo a Colón. Véase su *Testamento:* «... y de la parte que nos cabe y pertenesce de las rentas de las Indias...» (doc. cit., Archivo de Simancas, P.R., 29-52, fol. 5r).

[33] La mejor edición del documento está publicada por Antonio Rumeu de Armas, *Nueva luz sobre las capitulaciones de Santa Fe de 1492* (Madrid, CSIC, 1985).

la mejor época, en aquel mismo año de 1492, cosa que Colón realizaría en Palos de Moguer, el pequeño puerto onubense tan bien conocido por el navegante.

Las naves escogidas fueron la nao *Santa María,* de 190 toneladas, y las carabelas la *Pinta* y la *Niña,* más marineras, aunque la primera —quizá por su mayor porte— fue la capitana, y en ella embarcó Colón. Como figuras principales acompañaban al Almirante los hermanos Martín Alonso Pinzón y Vicente Yáñez Pinzón, Juan Niño y Juan de la Cosa, que iba como piloto de la *Santa María.* La mayoría de la tripulación era andaluza, de Palos, con un núcleo vasco, compañeros de Juan de la Cosa. Colón tuvo dificultades en el reclutamiento de marinos, salvadas por el prestigio que en la zona tenía Martín Alonso Pinzón; y, aun así, hubo que dar amnistía a cuatro delincuentes, lo que da idea de que para muchos era aquella una empresa desesperada. Los navíos fueron avituallados con provisiones para más de un año —Colón calculaba que emplearía nueve meses en su viaje de descubrimiento y en su retorno, y calculó bien, pues aún le sobró mes y medio—. Con la tripulación —unos cien marineros aproximadamente— iban algunos oficiales reales y algún artesano. Es de señalar la presencia también de un intérprete, Luis Torres, conocedor del árabe y del hebreo:

> ... una prueba más —como dice Morales Padrón— de que Colón pensaba ir a la India gangética [34].

El historiador no puede menos que detenerse en aquel primer viaje. Pocas veces la seca prosa de un diario de a bordo —en este caso el del Almirante— puede ser más emocionante.

El 3 de agosto, al amanecer, franquea Colón la barra de Saltes y se adentra en el Océano.

Comienza la gran aventura. En seis días se pone en las islas Canarias, donde permanecerá casi un mes, yendo y viniendo entre Las Palmas de Gran Canaria y San Sebastián de la Gomera. No solo tiene que repostar agua, leña y bastimentos, los más que pueda almacenar en sus pequeñas naos; es que también tiene que ponerlas a punto: reparar el

---

[34] «Siete años estuvo defendiendo su error, su secreto, "como si dentro de un arca" lo llevara, y el doble de años, catorce, peregrinando por el mar, empeñado en demostrar su error» (Francisco Morales Padrón, *América Hispana,* en *Historia de España Gredos,* t. 14, Madrid, 1986, pág. 96).

Juana la Loca por Juan de Flandes. Kunsthistorisches Museum, Viena

Catalina de Aragón, por Miguel Sitow
Kunsthistorisches Museum, Viena

Capitulaciones matrimoniales de Catalina de Aragón con el príncipe de Gales. Archivo de Simancas

Murallas de Ávila

Alcázar de Segovia

Palacio de Vivero, hoy Chancillería Real de Valladolid, donde se desposaron en 1469
Isabel y Fernando

La campiña de Guisando, que presenció la histórica entrevista de Isabel la Católica
con su hermanastro Enrique IV

La campiña de Toro con el río Duero, donde se libró la batalla que decidió la suerte de Isabel en Castilla

El río Duero a su paso por Castronuño, donde tenía su fortaleza el señor-bandolero
Pedro de Avendaño

El cardenal Cisneros. Talla
de Felipe Bigarny

Gonzalo Fernández de Córdoba, *el Gran
Capitán*. Biblioteca Colombina, Sevilla

Virgen de la mosca, pintor flamenco anónimo de finales del siglo XV. Colegiata de Toro (Zamora).
Deliciosa imagen de la Reina, en su juventud, con el libro de la sabiduría en sus manos, y a sus pies
la espada de la justicia

Granada en el siglo XV.
Pintura en la Sala de Bata-
llas del monasterio de El
Escorial

Vista de la Alhambra
de Granada

timón de la *Niña* y cambiar las velas latinas por las cuadradas, que le permitan navegar a todo trapo cuando el viento sea favorable.

Es fácil evocar esos momentos decisivos, previos a la jornada que no tenía vuelta atrás. Es fácil hacerlo deambulando por la parte vieja de Las Palmas y, sobre todo, cuando el barco que te ha llevado a San Sebastián de la Gomera sale del puerto, salvando su bocana.

San Sebastián de la Gomera es un pequeño puerto entre grandes acantilados, situado en la costa oriental de la isla; de forma que cuando sopla viento de Levante los veleros se encuentran como atrapados. Recuerdo perfectamente esa sensación de encadenamiento cuando estuve allí en 1966. Y pensaba: ¡cuánto más lo sentiría el Almirante, en aquellas horas decisivas!

Al fin, todo en orden, Colón parte de la Gomera el 6 de septiembre de 1492. Hernando, su hijo, recoge ese momento con palabras sencillas, pero que reflejan la importancia del paso que se estaba dando:

> ... que se puede contar como principio de la empresa y del viaje por el Océano...[35]

Se iniciaba el gran salto, para hacer la travesía que todos tenían por imposible. Hasta entonces, los viajes más largos sin ver tierra no pasaban de los ocho o diez días. Ahora lo desconocido espera a la expedición colombina. El Almirante sabe la importancia que tiene la moral de la tripulación y, previendo dificultades, comienza a rebajar las cifras reales de la velocidad de las naos, que él apuntaba a la estima, ayudado por relojes de arena:

> ... acordó contar menos —extracta Las Casas en su *Diario*— porque si el viaje fuese luengo no se espantase ni desmayase la gente[36].

El 8 de septiembre encuentra un buen viento del nordeste (el alisio) y tomó ya la ruta de Poniente, pero la mucha mar no le permitió andar sino nueve leguas. Empieza entonces su cuenta, temiendo que cumplir su objetivo le hiciera sobrepasar las 750 leguas. Las corrientes y los vientos favorables le permitieron alcanzar hasta las 60 leguas en

---

[35] Hernando Colón, *Historia del Almirante,* ob. cit., pág. 98.
[36] Cristóbal Colón, *Textos...,* ob. cit., pág. 20.

una sola jornada, como la del lunes 10 de septiembre. Doce días más con tal viento, y habría llegado a su meta. Pero el Almirante tuvo también días de excesiva calma, en que la mar estaba

… llana como un río…[37]

días en que la tripulación se atreve a bañarse en el mismo Océano y en que se tiran cuerdas y mensajes de la nao capitana a la carabela que capitaneaba Martín Alonso Pinzón. Su velocidad aproximada se refleja en el *Diario* del Almirante, que la tomó recogida a la estima, y que reproducimos en el siguiente cuadro:

DISTANCIAS RECORRIDAS POR LA «SANTA MARÍA»

Día	Leguas	km	Día	Leguas	km
8 septiembre	9	54	26	31	186
9	49	294	27	24	144
10	60	360	28	14	84
11	40	240	29	24	144
12	33	198	30	14	84
13	33	198	1 octubre	25	150
14	20	120	2	39	234
15	30	180	3	47	282
16	39	234	4	63	378
17	50	300	5	57	342
18	55	330	6	40	240
19	25	150	7	28[39]	168
20	8	48	8	12	72
21	13	78	9	31	186
22	30	180	10	29	354
23	22	132	11	50	300
24	15	90			
25	21[38]	126	**Totales**	**1.110**	**6.660**

Los varios cambios de rumbo del oeste al sur o al sudoeste alargan, pues, la distancia entre las Canarias y las Bahamas en 1.110 leguas o 6.660 km (cifra alta en la que hay que tener en cuenta, también, los errores de Colón en su apreciación a la estima), con una velocidad me-

---

[37] Cristóbal Colón, *Textos…*, ob. cit., pág. 23.
[38] «27 leguas… y algunas más».
[39] Con cambio de rumbo de oeste a sudoeste.

dia de 33 leguas o 198 kilómetros diarios, en los treinta y cuatro días que el Almirante consigna su andadura, desde el 8 de septiembre, en que empieza a dejar atrás las Canarias, hasta el 11 de octubre, en que Rodrigo de Triana da la voz anunciando tierra a la vista. No había sido exactamente la ruta deseada por Colón, obligado quizá a seguir el paralelo 28 para no entrar en la zona que el tratado de Alcáçobas reservaba a Portugal, como asegura Manzano. En el segundo viaje el Almirante, liberado ya de esa traba por la bula de Alejandro VI *Inter caetera* de 4 de mayo de 1493 (que daba para España las tierras descubiertas 100 leguas al oeste de las Azores), toma una ruta más meridional y directa, tocando tras solo veinte días de viaje en La Deseada, a 750 leguas de Hierro (14 octubre-3 noviembre 1493), con una velocidad media algo más alta (37,5 leguas diarias = 225 km).

El 12 de octubre tomaba posesión Colón de aquella primera isla del Nuevo Continente en nombre de los reyes Fernando e Isabel, y le ponía por nombre San Salvador. Era una del archipiélago de las Bahamas, aún no muy bien precisada, a la que los indígenas llamaban Guanahaní. Desde allí descubrió otras islas, que fue llamando Santa María de la Concepción, Fernandina e Isabela. Pasa después a las Grandes Antillas, siempre con la esperanza de encontrar Cipango y dar con Tierra Firme: Cuba, a la que llamó Juana (en honor del Príncipe heredero), y Santo Domingo, a la que llamó Española. En todas ellas mantuvo contacto con los indígenas, con los que negoció atrayéndolos con baratijas:

> Les di a algunos de ellos —consigna en su *Diario*— unos bonetes colorados y unas cuentas de vidrio que se ponían al pescuezo, y otras cosas muchas de poco valor, con que hobieron mucho placer y quedaron tanto nuestros que era maravilla[40].

No le coge de sorpresa, pues, a Colón el hecho de encontrarse con poblaciones primitivas, en lugar de las altas civilizaciones del Asia oriental, y este es otro de los enigmas que nos plantea su actitud, pues se sufre mal que, por una parte, no se canse de referirse a Cipango y Catay, y, por otra, los acontecimientos le cojan tan preparado, como si de hecho ya supiera a qué atenerse. Un contratiempo le obliga a regresar a España, quizá antes de lo que pensara, y fue la pérdida de la nao

---

[40] Cristóbal Colón, *Textos...,* ob. cit., pág. 30.

Santa María, por encallamiento en los bajos de La Española. Ocurrió tal percance en ausencia de Martín Alonso Pinzón, que se había separado del Almirante para explorar por su cuenta aquellos parajes, quizá obsesionado por el ansia de conseguir oro con mejor fortuna que el propio Colón; muestra de indisciplina que contrasta con el firme apoyo que le había dado durante la travesía, cuando le ayudó a sofocar el conato de motín que se había producido en la *Santa María.* Así, encontrándose con una sola nave —la carabela *Niña,* que llevaba Vicente Yáñez Pinzón—, ordena el regreso, después de alzar un fuerte en la isla con los restos de la *Santa María,* al que denominó fuerte de Navidad, por ser la fecha en que había encallado la nave; en él dejó 39 marineros, con armas (entre ellas, los cañones de la nao) y provisiones, y en buenas relaciones con los indios de la comarca. Medida que entrañaba sus riesgos —como habría de comprobarse—, pues Colón no podía garantizar a aquellos desdichados un pronto rescate, pero de todo punto necesaria, ante la imposibilidad de que la *Niña* soportara una sobrecarga tan excesiva de tripulantes.

Un mes exacto le costó a Colón el viaje de regreso (16 enero-15 febrero), hasta encontrar las Azores, buscando una ruta norteña que le librase de los alisios y le ayudase con corrientes favorables. Tuvo que soportar fuertes tormentas que estuvieron a punto de hacerlos naufragar, pero la ruta era la acertada, en aquella difícil cuestión del tornaviaje, por lo que hay que pensar otra vez en la experiencia marinera de Colón. El Almirante sabía perfectamente, desde su etapa de Portugal, cuál era la ruta adecuada para lanzarse hacia Occidente, por los alisios en la zona de las Canarias, y cómo, en cambio, yendo a la vuelta hacia el Norte, la corriente que hoy llamamos del Golfo le permitiría el tornaviaje. En esta etapa se le reúne la otra carabela que mandaba Martín Alonso Pinzón, pero a partir de las Azores vuelven a separarse: mientras Colón desembarcaba en Lisboa, a principios de marzo, Martín Alonso Pinzón lo hizo en el puerto de Bayona, a la entrada de la ría de Vigo, ya enfermo de muerte, por lo que pronto sucumbiría en Palos.

Por su parte, Cristóbal Colón tuvo dificultades con los portugueses en las Azores, pero no cuando desembarcó en Lisboa, donde Juan II le hizo un buen recibimiento.

De nada hubiera valido su descubrimiento de América si él y sus marinos hubiesen perecido naufragando en el viaje de retorno. Pero lo habían conseguido, y España entera y toda Europa tendrían pronto noticia de ello.

La gran gesta colombina se había cumplido. América era ya una realidad para hacer más vivos los sueños de la Europa renacentista y cristiana.

Ahora podríamos repetir la pregunta inicial:

Annus mirabilis aut terribilis?

Y responder gozosos:

Mirabilis, sine ulla dubitatione![41]

---

[41] Ese es también el título del sugestivo ensayo del hispanista francés Bernard Vincent: *1492 «L'année admirable»* (París, 1991; ed. española: Editorial Crítica, 1992). Vincent plantea desde el principio toda la polémica desatada en torno a 1492: ¿Descubrimiento, encuentro, invasión? Sin duda, aquí entra en juego el punto de vista de la parte afectada, ya sea la de los descendientes de los navegantes europeos, ya de los indígenas; pero tampoco debiéramos olvidar a los herederos del entronque de ambas culturas.

En todo caso, para Colón, como para Isabel y para la España de su tiempo, y aun para toda la Europa del Renacimiento, se trataba a todas luces de un descubrimiento prodigioso, tras una hazaña increíble.

En suma, un formidable avance en el proceso histórico.

PARTE TERCERA

TRIUNFOS Y LÁGRIMAS

7

LOS TRIUNFOS: EL DESPEGUE DEL IMPERIO

EL ECO DEL DESCUBRIMIENTO

El descubrimiento del Nuevo Mundo fue una hazaña tan grande que llenó de asombro, sobre todo en relación con los escasos medios con que se contaba. ¿Quién podía creer que aquellas pequeñas naves fueran capaces de navegar por un mar tan inmenso y con tan fieras tempestades? Un siglo más tarde, el padre Mariana lo recordaría como:

> ... cosa maravillosa, y que de tantos siglos estaba reservada para esta edad...

Y comenta, orgulloso de su nación:

> La empresa más memorable de mayor honra y provecho que jamás sucedió en España... [1]

La hazaña era tan incierta, que a todos tenía suspensos, y a la que más, a la reina Isabel. El mismo fray Hernando de Talavera, descolgado de la Corte, desde su nuevo cargo de arzobispo de Granada, escribe a la Reina con una expresión que viene a reflejar el sentimiento de incertidumbre y las dudas, las esperanzas y los temores incluso de los que habían apoyado al Almirante.

El antiguo confesor de la Reina y protector de Colón deja escapar esta honda preocupación:

---

[1] P. Mariana, *Historia de España,* ob. cit., pág. 523.

¡Oh, que si lo de las Indias sale cierto! De que ni una palabra me ha escripto Vuestra Alteza, ni yo, si bien me acuerdo, otra sino esta[2].

Pocos eran, por mejor decir ninguno, los que esperaban que volviera aquel puñado de valientes que, guiados por Colón, habían salido de Palos el 3 de agosto de 1492.

Todos lo tenían por muerto, a él e a todos los que yvan con él...

Ese era el sentir de Alonso Pardo, uno de los que les habían visto partir del puerto de Palos. Y todavía resumía, caviloso:

... e que no avía de venir ninguno...

Otro de los testigos del inicio de la fantástica aventura, Gonzalo Alonso, resumía así el sentir general de los que quedaban en tierra:

... muchos hazían cuenta que él e todos los que con él [iban] a descubrir, no avían de tornar en Castilla[3].

Porque había otro problema, y no pequeño: el tornaviaje, el viaje de regreso. Si los vientos y las corrientes empujaban aquellas naves hacia Occidente, y supuesto que lograran su propósito, ¿cómo podrían regresar? Y si no regresaban, ¿en qué pararía el descubrimiento de nuevas tierras, caso de que las hubiera?

Era la otra cara de la moneda, la otra pregunta que muchos se hacían, en el seno de la Corte, y acaso la propia Reina. Porque pocos eran los que sabían que navegando más al norte los vientos y las corrientes favorecían ese tornaviaje.

Aun así, estaba el riesgo grande de los accidentes y de las tormentas. Uno de esos accidentes había dejado a la *Santa María* varada en tierra, en La Española. Las otras dos naves hubieron de sufrir unas terribles tormentas, que a punto estuvieron de hacer naufragar a las livianas carabelas.

[2] Manzano y Manzano, *Cristóbal Colón...*, ob. cit., pág. 277.
[3] Ibídem, pág. 401.

Aquí, el diario de a bordo del Almirante refleja bien los graves apuros por los que él y los suyos pasaron en el tornaviaje, cuando llevaban casi un mes navegando en busca de las costas de España:

> Esta noche [4] creció el viento y las olas eran espantables, contraria una de otra, que cruzaban y embaraçaban el navío, que no podía pasar adelante ni salir de entremedias dellas y quedaban en él...

Tan perdidos se vieron que hicieron promesa de echar a suertes quién había de ir como romero a la Virgen de Guadalupe:

> ... ninguno pensaba escapar, teniéndose todos por perdidos, según la terrible tormenta que padecían... [5]

De ahí que el temor de Colón no era solo que le iba en ello la vida, sino además que nada se supiera de la hazaña realizada:

> Parecíale que el deseo grande que tenía de llevar estas nuevas tan grandes y mostrar que había salido verdadero en lo que había dicho y proferídose a descubrir, le ponía grandísimo miedo de no lo conseguir... [6]

Por su parte, los Reyes habían dejado Granada en el mes de junio de 1492, regresando a Castilla la Vieja, por Córdoba y Toledo, para estar unos días en Segovia y Valladolid, siendo acogidos en todas partes en triunfo, como los que habían logrado la mayor hazaña que se podía esperar, y aun para muchos imposible de conseguir: que al fin la Reconquista se hubiera concluido, ganando el último reducto musulmán, el del reino nazarí de Granada:

> ... e vieron sus ojos lo que muchos Reyes e Príncipes desearon ver... [7]

También fueron afortunados en conocer al fin el buen suceso del descubrimiento del Nuevo Mundo, cuando se hallaban en Barcelona,

---

[4] La del 14 de febrero de 1493.

[5] Cristóbal Colón, *Diario del primer viaje,* recogido por fray Bartolomé de Las Casas, en la obra de Consuelo Varela, *Cristóbal Colón: Textos y documentos completos,* ob. cit., págs. 125 y 126.

[6] Ibídem, pág. 127.

[7] Andrés Bernáldez, *Memorias...,* ob. cit., pág. 233.

en 1493. Las noticias del viaje descubridor les llegaron por diversas vías, pues mientras Colón había desembarcado en Lisboa, Martín Alonso Pinzón lo había hecho en su carabela *Pinta* en Vigo.

Ahora bien, la más anhelada por Isabel era la carta del propio Colón. Una carta que, perdida de forma inexplicable, hoy podemos conocer gracias al rocambolesco hallazgo de hace solo unos años.

Cuán atentos estarían Isabel y Fernando a la lectura de la carta, bien se comprende.

Colón empezaba por destacar su proeza, poniéndola por encima de las más grandes victorias logradas por los Reyes, aludiendo sin duda a su conquista de Granada:

> Aquel eterno Dios —les dice— que ha dado tantas victorias a Vuestras Altezas, agora les dio la más alta que hasta hoy ha dado a príncipes...

Y añade, orgulloso:

> Yo vengo de las Indias con el armada que Vuestras Altezas me dieron...

Había sido un viaje de treinta y tres días hasta descubrir nuevas tierras y nuevos pueblos:

> Hallé gente sin número y muy muchas yslas...

Las tierras descubiertas eran como un paraíso:

> ... los aires temperantísimos, los árboles y frutas y yerbas son en extrema hermosura...

Sus habitantes, gente inocente que vivía desnuda:

> ... la mejor gente, sin mal ni engaño, que haya debaxo del cielo. Todos, ansí mugeres como hombres, andan desnudos como sus madres los parió...

Tan inocentes que creían que Colón y sus marineros venían del cielo. En cuanto les veían llegar, daban voces diciendo:

> Venid, venid a ver la gente del cielo...

O, al menos, así lo creía el Almirante.
¿Y las riquezas? Colón estaba bien seguro:

> ... espero que Su Magestad[8] dé a Vuestras Altezas tanto oro como habrán menester...

Y no solo oro, sino también especias, que tanto necesitaba la cocina europea.

Riquezas, pues. De forma que Colón prometía a los Reyes financiarles en siete años un grueso ejército de 5.000 jinetes y 50.000 peones y doblárselos en otros cinco años, para la conquista de la Tierra Santa:

> ... sobre el cual propósito se tomó esta empresa...

Baladronada que le hace respirar por la herida que aún tenía sangrando:

> ... y no hablo incierto y no se debe dormir en ello, como se ha fecho en la execución desta empresa...

Y añade, entre rencoroso y magnánimo:

> ... de que Dios perdone a quien ha sido causa dello.

Por todo lo cual, grandes fiestas debían celebrarse.
Naturalmente, no se olvida de pedir por su honra y por su familia:

> ... que yo dexé muger e hijos y vine de mi tierra a les servir...

Mercedes, por supuesto. Y entre ellas, que consiguieran un capelo cardenalicio para su hijo, como lo habían logrado los Médicis para el suyo

> ... sin que haya servido ni tenga propósito de tanta honra de la Christiandad...

Les pide también mercedes para un oficial de la Corte, el que más le había ayudado, de nombre Villacorta, para que le hicieran Contador Mayor de las Indias:

---

[8] «Su Magestad», esto es, Dios («la divina Majestad»).

... el qual, a todo tiempo que era menester, requería y trabajaba, porque yo ya estaba aborrido del todo...

Termina con nuevas alabanzas sobre las tierras descubiertas, y firma:

Fecha en la mar de España, a quatro días de marzo de mill y quatrocientos y noventa y tres años. En la mar[9].

Esto es, escribía su carta dando cuenta del descubrimiento del Nuevo Mundo desde su propia nao, de cara a la costa, antes de desembarcar.

¿Cómo tomaron los Reyes aquella nueva tan increíble? Les convertía, de pronto, en los más célebres e importantes Príncipes de la Cristiandad. Después de su triunfo sobre el último reducto musulmán, aquella era como una recompensa de los cielos. Una idea que quedaría grabada ya en la memoria colectiva del pueblo. Y tan sería así, que un siglo después, en las Cortes de Castilla de 1592, discutiéndose si había de seguirse o de abandonarse la guerra que se estaba haciendo contra los herejes de media Europa, uno de los procuradores en aquellas Cortes, don Ginés de Rocamora, exclamaría exaltado que no importaban infortunios ni reveses, que había que seguir defendiendo la causa de Dios, como en su tiempo habían hecho los Reyes Católicos, porque Dios abriría su mano regalando a España otras nuevas Indias y nuevos tesoros.

Es un texto precioso, revelador de cuán honda había quedado la memoria de la Reina en el pueblo español:

Si esto es defender la causa de Dios, como lo es, no hay por qué dejarlo por imposibilidad, que Él dará sustancias con que descubrirá nuevas Indias y cerros de Potosí y minas de Guadalcanal, *como descubrió a los Reyes Católicos,* de gloriosa memoria...[10]

[9] Cristóbal Colón a los Reyes Católicos, 4 de marzo de 1493. Publicada por Antonio Rumeu de Armas, *Manuscrito del Libro Copiador de Cristóbal Colón,* Madrid, 1989, págs. 435-443.

[10] Hace casi cuarenta años que comentaba yo este notable discurso del procurador de la ciudad de Murcia en las últimas Cortes convocadas por Felipe II (véase mi estudio *Política mundial de Carlos V y Felipe II,* Madrid, CSIC, 1965, pág. 262). Un discurso en el que el procurador murciano acaba haciendo una afirmación de fe sobre la Europa cristiana: «... que siendo esto así, volverán a florecer en cristiandad las naciones *de esta nuestra Europa...*».

Y en Barcelona recibieron los Reyes «con gran honra» al Almirante, admirándose con los seis indios que llevaba consigo:

> ... e le dieron título de Almirante del mar Océano de las Indias e le mandaron dar todo lo que él demandó para el [nuevo] viaje, e le mandaron llamar don Cristóbal Colón, por honra de la dignidad del almirante[11].

¿Se dio cuenta Isabel del trascendental logro alcanzado con su apoyo al marino genovés? No solo ella, como gran Reina, sino su pueblo de Castilla, uniendo aquella navegación afortunada a las llevadas a cabo en las islas Canarias. Eso sí que lo deja bien sentado en su Testamento: todo era obra de la tarea descubridora de Castilla en el mar Océano, y de ese modo sus destinos habían de quedar unidos:

> Otrosí —declara la Reina—: Por quanto las Yslas e Tierra Firme del mar Oçéano e Yslas de Canaria fueron descubiertas e conquistadas a costa destos mis reynos e con los naturales dellos, e por esto es razón que el trato e provecho dellos se aya e trate e negoçie destos mis Reynos de Castilla e León, e en ellos e a ellos venga todo lo que de allá se traxiere...[12]

Obsérvese que en momento tan solemne Isabel no habla en plural. No utiliza el «nosotros» para vincular a su marido. Es ella, la Reina de Castilla, la que marca la nota personal, refiriéndose a lo que era suyo, como Reina propietaria de la Corona de Castilla:

> ... estos mis Reynos...

Fue una euforia general que correría a lo largo del país y que llenaría de admiración a Europa entera, y de ello también participaría Isabel. Un ejemplo: el duque de Medinaceli, recordando los tiempos en que había protegido al marino genovés, cuando se le tenía por un fantasioso e inoportuno negociador de absurdas navegaciones, pediría a la Reina que se le permitiera participar en el futuro en las nuevas empresas oceánicas que se aprestasen. Y lo haría a través de un gran valedor, como el contador mayor Alonso de Quintanilla, escribiéndole en estos términos:

---

[11] Andrés Bernáldez, *Memorias...*, ob. cit., pág. 278.
[12] Isabel, *Testamento*, ed. cit., pág. 26.

Suplico a vuestra señoría me quiera ayudar en ello, e ge lo suplique de mi parte a la Reina, pues por mi cabsa y por yo detenerle en mi casa dos años y haberle enderezado a su servicio, se ha hallado tan grande cosa como esta... [13]

«Tan grande cosa como esta.» Nada menos que el descubrimiento del Nuevo Mundo. Una noticia que corrió pronto por toda Europa, aunque no pocos la tuvieran todavía como fabulaciones de la fantástica España, pero que aun así, y por si había algo de cierto, atraía la atención de los más sabios, como aquel humanista alemán, Jerónimo Münzer, que al punto se decide a visitar España, y que cuando se encuentra ante los Reyes y es recibido por ellos, muestra a las claras su admiración. En su arenga, cuenta su paso por Sevilla y con lo que allí se había encontrado:

... el espectáculo asombroso de los hombres traídos de las Indias, descubiertas bajo vuestros auspicios..., e insigne prodigio en el que muchos no creen todavía... [14]

EL ATENTADO CONTRA EL REY FERNANDO

Fue en Barcelona donde ocurrió un suceso que estuvo a punto de trastocarlo todo: el atentado sufrido por el rey Fernando, que tanto alarmó a la reina Isabel. Pues un viernes del mes de diciembre de 1492, cuando salía de la Audiencia barcelonesa, donde había estado impartiendo justicia, un perturbado atentó contra su vida, asestándole una gran cuchillada.

Fue un momento de enorme confusión. Al principio el Rey sospechó que se trataba de una conjura contra él y contra su reinado. Por fortuna, se había tratado de un hecho aislado, y aunque la ciudad se alteró, todo pudo pacificarse.

Pero la angustia de la Reina fue tremenda:

Aquí podéis sentir —nos relata el cronista— qué turbación tendría la Reina, el Príncipe, las damas e señoras continuas de la Corte.

---

[13] Cit. por Manzano y Manzano, *Cristóbal Colón...*, ob. cit., págs. 209 y 210.
[14] Jerónimo Münzer, *Relación de su viaje por España y Portugal,* ed. cit., pág. 405.

Isabel enloqueció. Descompuesta, recorrió todo el palacio en busca de su marido, entre grandes voces. ¡Que alguien le aclarase! ¿Estaba vivo o muerto? Y cuando al fin lo encontró malherido, se mantuvo a su lado, como solícita enfermera, ayudándole incluso a comer en su convalecencia.

¡Oh, esa estampa de la gran y poderosa Reina, al lado del regio enfermo doliente! Años más tarde calcaría la escena su hija Juana, con un Felipe moribundo entre sus brazos.

Isabel tendría más suerte. Pero al principio la alarma no podía ser mayor. ¡Era la segunda vez que se intentaba atentar contra el Rey! A Isabel se le vino a la memoria lo ocurrido en el campamento de Santa Fe. Y toda la Corte recordó también de pronto las antiguas contiendas de Fernando con la ciudad, cuando vivía su padre, Juan II, y temieron que se tratase de una vasta conjura. ¿Tendrían que refugiarse en las galeras, a salvo de la furia popular?

> Pensaban —añade el cronista— que la traición era fecha de la cibdad e pensada, e que toda la cibdad era contra ellos, e apercebieron luego las galeras para se meter dentro... [15]

Es más, en principio tan grande fue el temor a una conjura de la ciudad contra la familia regia, que los castellanos de la Corte montaron un atrincheramiento en los alrededores de la mansión regia:

> Don Manrique de Lara —nos cuenta Fernández de Oviedo—, con muchos caballeros castellanos e cortesanos e criados de la casa real, comenzáronse a se hazer fuertes e barrearse, e pusieron a las bocas de las calles del palacio donde convenía, guardas de personas nobles e calificadas, bien acompañadas...

Haciéndose así fuertes, no dejando pasar a nadie, esperaron a que las galeras se acercasen al puerto. Pero la que no fue capaz de esperar, sin tener noticias ciertas de lo ocurrido al Rey, fue la princesa Isabel, que salió en su búsqueda, cabalgando en una mula que encontró a mano:

> ... e fuese al palacio nuevo donde el Rey, su padre estaba, sin más atender.

[15] Andrés Bernáldez, *Memorias...*, ob. cit., pág. 267.

La situación fue aclarándose: el Rey estaba herido, pero a salvo. Era la hora de ir a su lado. Y fue cuando la Reina, que había vivido con tan fuerte tensión aquellos instantes, tuvo un desmayo y hasta se le vio llorar, cuando ya se disponía a ir con Fernando:

> ... e como llegó a querer baxar la escalera, se amortesció e sentó en tierra, e fue socorrida con agua e se enxugó el rostro con la manga de la camisa e despidió algunas lágrimas...

Lo que comentaría, asombrado, el cronista:

> ... las quales hasta entonces no se habían visto en ella en este trançe[16].

Mas el Rey se curó de la herida, y pronto se averiguó que el atentado había sido un acto aislado, de un perturbado, al que la justicia condenó a muerte, con la crueldad con que la época castigaba tamaños delitos. El Rey pidió que se le perdonara, pero el clamor de la opinión pública, en especial en la Corte, era que se le castigase implacablemente. Incluso hubo quien pedía que no fuera asistido por un confesor para que, conforme con la mentalidad de la época, el culpable pagase eternamente en los infiernos por su criminal intento.

Allí intervino Isabel:

> ... dezían todos —son palabras de la propia Reina— que perdiese el ánima y el cuerpo todo junto..., hasta que yo mandé que se fuesen a él unos frayles y le truxesen a que se confesase...[17]

Por lo demás, la Justicia actuó con bárbara crueldad, si hemos de creer al cronista Andrés Bernáldez:

> Fue puesto en un carro —nos informa el cronista—, e traído por toda la cibdad. E primeramente le cortaron la mano con que dio al Rey...

¿Suficiente castigo, antes de quitarle la vida? ¡No!

---

[16] Gonzalo Fernández de Oviedo, *Batallas y quinquagenas,* ed. cit., pág. 547.

[17] Isabel a fray Hernando de Talavera; cit. por Vidal González Sánchez, *Isabel la Católica y su fama de santidad...,* ob. cit., pág. 101.

> ... e luego —añade el cronista— con tenazas de fierro ardiendo le sacaron una teta, e luego un ojo, e después le cortaron la otra mano...

¡Basta de atrocidades!, diríamos ahora. Pero las atrocidades siguieron:

> ... e luego le sacaron el otro ojo, e luego la otra teta, e luego las narices, e todo el cuerpo e vientre le abodescaron los herreros con tenazas ardiendo, e fuéronle cortados los pies...

¡Espantosa carnicería! ¿Restaba algo más por hacer? Pues sí:

> E después que todos los miembros le fueron cortados, sacáronle el corazón por las espaldas... [18]

Sin duda, terrible castigo, como escarmiento para que nadie osase de nuevo atentar contra la vida sagrada del Rey.

EL TRATADO DE BARCELONA Y LA INCORPORACIÓN DE LOS CONDADOS DE ROSELLÓN Y CERDAÑA: SUNTUOSIDAD DE LA REINA

En 1493, superado el penoso lance del atentado sufrido por Fernando, los Reyes tomaron posesión de los condados pirenaicos de Rosellón y Cerdaña devueltos por Carlos VIII, conforme al tratado de Barcelona. Hubo grandes festejos, tanto en Barcelona como en Perpiñán, desde los saraos cortesanos hasta las corridas de toros. Tan sonadas fueron las fiestas, que se habló harto, corriendo la noticia por media España hasta llegar en Granada a los oídos de fray Hernnado de Talavera. Aquel santo varón no podía creerlo: gastos suntuosos en vestidos, ¡qué dolor! ¿La Reina acudiendo a una corrida de toros? Y lo que más le alarmaba: hasta se la había visto bailando como si fuera una jovenzuela.

Nadie se hubiera atrevido a recriminar de ese modo a la Reina, pero sí su antiguo confesor. Y no poco del talante de Isabel, de aquella mujer madura que ya contaba con cuarenta y tres años, se trasluce en su respuesta.

---

[18] Andrés Bernáldez, *Memorias...*, ob. cit., págs. 267 y 268.

En primer lugar, no tira a la basura la carta del fraile, enojada por sus ásperas palabras. Porque la andanada había sido fuerte:

¡Oh cabeza tan majada y no castigada ni escarmentada...[19]

Y sin embargo, la Reina la recibe con buen aire, acaso porque esté harta de tanto halago cortesano. Nadie le aconsejaba como fray Hernando y sus censuras eran como de persona santa:

... no puedo reçebir en cosa más contentamiento y reçíbole tan grande en lo que... reprendéis y es tan sanctamente dicho que no querría parecer que me disculpo...

Pero claro que lo puede hacer. En primer lugar, en cuanto al desatinado gasto en los vestidos. Nada de nada. Ni ella ni sus damas. Ni siquiera para ir más lucida ante los franceses. Tan solo había estrenado un traje de seda con tres marcos de oro.

... el más llano que pude...

Sin embargo, en la recepción dada en Barcelona a los embajadores, Isabel produjo un efecto deslumbrante en la fiesta palaciega, según sabemos por otros testigos:

... la serveníssima Senyora Reyna isqué tan sumptuosament habillada que se extimaba lo que portaba valler cents mill ducats...[20]

---

[19] Véase Vidal González Sánchez, *Isabel la Católica y su fama de santidad, ¿mito o realidad?*, ob. cit., pág. 66. Que la Reina consintiera tan severa amonestación de su antiguo confesor hace pensar que podría tener fundamento lo que nos refiere el padre Sigüenza sobre la primera vez que Isabel se confesó con fray Hernando, y que se conservaría como cosa curiosa, por tradición oral, en el seno de la Orden jerónima. Según esa tradición, la Reina plantearía en aquella ocasión que ambos se arrodillaran: ella, aunque Reina, como penitente, y fray Hernando, aunque confesor, como súbdito ante su Reina. Un planteamiento que fray Hernando rechazaría de pleno, si hemos de creer al padre Sigüenza, porque en aquel trance él representaba a la Divinidad, mientras que Isabel debía despojarse de su manto regio, para convertirse en una penitente más, sin ningún privilegio. Actitud de fray Hernando admirada por Isabel, que se ratificaría en la idea de que era el confesor que estaba deseando. (P. Sigüenza, *Historia de la Orden de San Jerónimo*, Madrid, 1605, fol. 382; cf. Vidal González Sánchez, *Isabel la Católica...*, ob. cit., pág. 99.)

[20] Pere Cavert a los procuradores de Tortosa, Barcelona, 27 de enero de 1493; cit. por Tarsicio de Azcona, *Isabel la Católica*, ob. cit., pág. 364, nota 48.

Entonces, ¿ya había vuelto Isabel «a mudarse de camisa»? Aunque, cuando tantos asuntos graves hay que tocar en la vida de Isabel, parece esa cuestión casi una trivialidad, quizás sea el momento de referirnos ahora a él [21]. Coincido con Azcona en que no hay que dar crédito a la que podría considerarse como una de tantas leyendas forjadas en torno a Isabel; por lo demás, sería signo de limpieza, ya que hacía tal cosa como un sacrificio. En todo caso, lo que está ampliamente documentado es el gusto de Isabel por las ricas telas, para ella y para los suyos (el Rey, el Príncipe, las Infantas), que le llegaban de media Europa. En frase de Azcona, a quien una vez más hay que citar por su vasta e impresionante erudición, su cámara aumentó de tal modo que más bien parecía un gran almacén [22].

Y en cuanto a las danzas, ¡para eso estaba ella!

> ... ni pasó por pensamiento ni puede ser cosa más olvidada de mí...

Así que podía concluir, tranquila su conciencia:

> Esta fue mi fiesta de las fiestas.

Cierto que había acudido, aunque de mala gana, a una corrida de toros, espectáculo que, si estuviera en sus manos, a buen seguro que lo prohibiría, pero no lo estaba; tal le asegura a su confesor.

Notable cosa. Vamos a asistir a un debate sobre la fiesta nacional, en el que se echa de ver que ya entonces España era censurada por Europa, y que también había españoles que se mostraban muy contrarios. El alegato de fray Hernando de Talavera mandado a la Reina, y que nos recoge con tanto acierto Vidal González Sánchez, no puede ser más interesante, y para no pocos sorprendente: parecía como si se estuviera haciendo propaganda en Francia de tan bárbara costumbre:

> ... de cómo, sin provecho ninguno de alma ni de cuerpo, de honra ni de hacienda, se ponen allí los hombres a peligro... muestra de nuestra crudeza...

---

[21] Lo malo, como diría Unamuno con el tema de la calavera salmantina, no es que la gente se pregunte por ello, sino que solo les parezca interesarse por ese asunto de tono menor, dándole la categoría que no tiene.

[22] Tarsicio de Azcona, *Isabel la Católica,* ob. cit., págs. 362-365.

Censura contra las corridas que la Reina, como hemos visto, compartía, hasta el punto que había conseguido que los toros llevaran los cuernos cubiertos, para evitar su mortal embestida[23].

No se crea, por ello, que Isabel no fuera aficionada a otras diversiones. En realidad lo era, y mucho, a la caza, de lo que hay no pocas pruebas, como las órdenes de que se respetara la que había en los montes de Madrigal[24]. De ahí, sin duda, su amor a los perros, de que haría partícipe, y en tan gran medida, al Príncipe, su hijo[25].

LA POLÍTICA ATLÁNTICA: EL TRATADO DE TORDESILLAS

El atentado frustrado contra el Rey había ocurrido a finales del año simbólico de 1492. También aquí parecía que los dioses, como dirían los antiguos, o la divina Providencia, como exclamaban los contemporáneos, favorecía a los Reyes. El siguiente año de 1493 sería también trepidante. ¡Había que recoger la cosecha sembrada en el 92! Por una parte, estaba la política mediterránea, que tanto atraía a Fernando. El tratado de Barcelona, con Carlos VIII de Francia, le había devuelto, ya lo hemos señalado, aquellos condados pirenaicos tan disputados en vida de su padre, Juan II, y del francés Luis XI. Un gesto de aparente generosidad del Rey galo que escondía su ambicioso proyecto de meterse hasta los codos en la aventura italiana. La muerte de Lorenzo el Magnífico (1491), alma de la Liga italiana de Lodi, que velaba por la independencia de Italia frente a las invasiones extranjeras, saltaba por los aires. ¡Qué gran ocasión para las ambiciones del joven monarca galo!

Mas para ello necesitaba guardarse las espaldas, renunciando a pelear con el Rey Católico por aquellos perdidos condados pirenaicos. ¿Qué valían el Rosellón y la Cerdaña, comparados con el Reino de Nápoles? De forma que Carlos VIII firmó el tratado de Barcelona, en el que ambos monarcas se comprometían a nueva alianza y a no dar ayuda a los enemigos.

---

[23] Vidal González Sánchez, *Isabel la Católica...*, ob. cit., págs. 66-67; se trata de uno de los aspectos más reveladores de las costumbres del tiempo, así como de las relaciones entre la Reina y su antiguo confesor, recogidas en este notable estudio.

[24] Ibídem, pág. 39, nota 21, con la referencia documental del Archivo de Simancas sobre esa orden regia.

[25] Tarsicio de Azcona, *Isabel la Católica,* ob. cit., pág. 375.

Para Carlos VIII eso era suficiente para lanzarse a su cabalgata por Italia. Pero Fernando, más astuto, había hecho incorporar esta nota:

salvo al Papa.

¡Y claro estaba que Nápoles entraba en esa cláusula, como feudo del Papa! Además, ¿no reinaba allí su pariente y tocayo Fernando I? Sin contar con que un Nápoles bajo el poderoso monarca galo ponía en peligro la presencia de España en Sicilia.

¡Sicilia! El primer Reino que Fernando había recibido de su padre, Juan II, en 1469.

Así que Fernando se preparó para la guerra, tanto por la vía de la diplomacia, asegurándose poderosos aliados en Italia, como de las armas.

Iba a contar para ello con un hombre que pronto se haría famoso entre los famosos, y que él solo valía por todo un ejército: Gonzalo Fernández de Córdoba, el que las historias conocen con el sonoro título de Gran Capitán.

Todo ello incubándose en el mismo año en el que Isabel tenía que afrontar una ambiciosa política atlántica, como consecuencia del descubrimiento de las Indias. Todavía no había seguridad en lo que se encontraba más allá de los mares, navegando hacia Occidente, y si se estaba o no en los aledaños de los ricos reinos asiáticos del Lejano Oriente. Pero al menos una cosa era cierta: había islas que gobernar y nuevos vasallos que cristianizar.

Allí volvería Isabel a dar notas de su grandeza de ánimo. Porque la situación era nueva. Aunque para ella ya tenía un precedente, con la conquista de las Canarias. Sería dueña de nuevas tierras con nuevos vasallos. Pero esos vasallos serían libres y cristianos. En consecuencia, los primeros que Colón había llevado a la Corte dejarían de ser esclavos.

Ahora bien, esa tarea evangelizadora implicaba un gran esfuerzo. Había que mandar, cuanto antes mejor, otra expedición a las Indias occidentales, pero esta vez bien nutrida y bien preparada. Nada de despachar a tres naves, con apenas un centenar de marineros.

En consecuencia, se aprestó una gruesa armada de diecisiete naves con 1.500 hombres entre marinos y soldados, sin faltar los labradores y los artesanos. Y, por supuesto, los clérigos; en este caso los frailes franciscanos, a los que Isabel encargaría la misión de evangelizar las nuevas tierras, dirigidos por fray Bernardo Boil; no un castellano, atención a esto, sino un catalán vinculado al monasterio de Montserrat, famoso por su piedad. Y aquí se echa de ver la gran diferencia con los objetivos de la segunda expedición frente a la primera, donde no iba ningún clérigo, secular o regular. Y también cartógrafos que dieran buena cuenta de lo que se descubría, como el famoso Juan de la Cosa, un veterano de la primera navegación colombina.

La Reina tenía muy claro que ese esfuerzo descubridor tenía que ir acompañado del adecuado despliegue diplomático. Y eso en dos frentes: en el de Roma, pues había que conseguir del Papa —que entonces lo era un español, Alejandro VI, antiguo conocido de los Reyes, al que ya hemos visto como legado pontificio en Castilla en 1472— que legitimase la expansión española por el Nuevo Mundo, y también en el de Lisboa, para evitar recelos del país hermano que tantos años llevaba en las navegaciones por el mar Océano, en su intento de encontrar un paso marítimo hacia las Indias orientales; paso que, por cierto, había franqueado Bartolomé Díaz en 1488, poco antes, por lo tanto, de la gran hazaña colombina.

Las gestiones en Roma fueron fructuosas. Pronto Isabel pudo contar con las adecuadas bulas pontificias que amparaban sus navegaciones hacia Occidente. Serían las cinco bulas expedidas entre los meses de abril y septiembre de 1493, con las que Isabel trataba de conseguir la legitimación de la expansión oceánica por Ultramar, poniendo las bases de sus negociaciones posteriores con Portugal y los fundamentos religiosos de la acción descubridora. Así, la primera (*Inter Caetera I*) marcaba la concesión pontificia; la segunda (*Inter Caetera II*) fijaba la línea de las navegaciones castellanas, a 100 leguas a Poniente de las islas Azores, delimitando su campo de acción frente a las navegaciones portuguesas; la tercera (*Eximie devotionis*) equiparaba la obra castellana a la portuguesa; la cuarta (*Piis fidelium*) precisaba la tarea evangelizadora, y la quinta (*Ducum siquidem*) venía a completar lo ordenado en la *Inter Caetera II* sobre el campo de influencia respectivo de España y Portugal.

En resumen, Isabel quiso y logró de la Roma de Alejandro VI el derecho al dominio sobre lo que se descubriese en el mar de las Indias, una justificación religiosa a su tarea descubridora y un equiparamiento con Portugal, que era la potencia pionera en los descubrimientos, lo que permitiría a sus diplomáticos la posterior tarea de llegar a un acuerdo pacífico con la nación lusa.

Un tratado que había que negociar sin pérdida de tiempo, para evitar cualquier conflicto que pusiese en peligro todo lo conseguido.

Estamos ante una de las tareas diplomáticas más importantes del reinado, y acaso de toda la Edad Moderna. Consciente de ello, Isabel no dejará nada al azar. Era necesaria la tarea de los diplomáticos, pero también de los hombres de ciencia, de los «sabedores» en materia náutica y cartográfica, pues a fin de cuentas se trataba nada menos que de partir el gran pastel: el mundo de Ultramar entre castellanos y portugueses. Estos llevaron a su legación a los mayores cartógrafos que tenían, expertos ya en aquella tarea, tras tantos años —casi un siglo— de registrar las navegaciones de sus marinos por las costas atlánticas africanas, en busca del paso a la India; lo que precisamente habían logrado poco antes con Bartolomé Díaz, en 1488. Y así llevaron a Tordesillas, entre otros, al geógrafo Duarte Pacheco Pereira, el autor de la obra *Smaragdo de Situ Orbis,* que le había colocado entre los grandes geógrafos de su tiempo. A su vez, Isabel acudió a lo mejor que tenía en ese orden en Castilla; de ese modo, un profesor de la Universidad de Salamanca, Fernando de Torres, recibió la orden de incorporarse como experto en cartografía a las tareas de los diplomáticos reunidos en Tordesillas.

No se contentó con ello Isabel. Ella misma estuvo pendiente de todo lo que se negociaba, presentándose con Fernando en Tordesillas.

Pese a ello, pese a esa influencia personal de la Reina, que parecía dejar en desventaja a los negociadores portugueses, con su rey Juan II siguiéndoles a lo lejos, desde su Corte en Lisboa, los resultados no pudieron ser más favorables a Portugal. Pues el punto básico que se discutía, la ubicación de la línea de separación entre ambas navegaciones, acabaría pasando de las 100 leguas al oeste de las Azores, marcada por Alejandro VI, a nada menos que 370 leguas de las islas de Cabo Verde.

Merece la pena recoger el texto mismo del tratado, en este punto concreto:

> Que se haga y asigne por el dicho mar Océano una raya o línea derecha de polo a polo, del polo Ártico al polo Antártico, que es de norte a sur, la cual raya o línea e señal se haya de allar y dé derecha, como dicho es, a trescientas setenta leguas de las islas de Cabo Verde, para la parte de poniente... [26]

Evidentemente, eso planteaba un problema: ¿Cómo llegar los nautas castellanos a su zona de influencia sin invadir la asignada a Portu-

---

[26] El texto del tratado, en el excelente estudio de Antonio Rumeu de Armas, *El Tratado de Tordesillas,* Madrid, Ed. Mapfre, 1992, págs. 275-280.

gal? Problema que el tratado resolvería concediendo la correspondiente servidumbre de paso:

> ... es forzado que hayan de pasar por los mares de esta parte de la raya... [27]

En todo caso, generosidad evidente por parte de la negociación castellana. ¿Influyó en ello el hecho del ansia de Isabel por poner los cimientos de una paz duradera con Portugal y de conseguir una alianza firme con la nación vecina? ¿Acaso tuvo que ver algo lo subconsciente, aquel hecho primario de que ella era hija de una portuguesa y que se había criado en su niñez con un ama de leche portuguesa? Lo que no cabe duda es de que Isabel, tras zanjar la dura guerra civil, estaba ansiosa por conseguir esa firme amistad con la Corte de Lisboa. Y buena prueba de ello sería el primer matrimonio de su hija primogénita, la princesa Isabel, con el príncipe Alfonso de Portugal en 1490. Y aunque la Princesa enviudara muy pronto, al subir al trono en 1495 Manuel el Afortunado, la pediría en matrimonio, que al fin se ultimaría en 1497.

Algo que veremos con más detalle en su momento. Ahora lo que importa destacar es que, con su espíritu abierto, Isabel comprendió que era preferible cerrar aquel tratado que tan favorable era a los portugueses, porque así se ponían las bases de una expansión pacífica, al margen de una guerra con la otra nación descubridora.

Habría, sí, roces frecuentes y una rivalidad constante; pero la paz no se rompería a lo largo de más de un siglo.

Por ello, puede ponerse al tratado de Tordesillas como la base diplomática del gran despegue del Imperio español en Ultramar.

Ahora bien, ello comportaba una gran responsabilidad moral frente a los nuevos vasallos de la Monarquía hispana: la situación jurídica de los indios de Ultramar. Colón veía en ellos una fuente de riqueza, lo que suponía su condición de esclavos en venta. ¿Cómo lo consideraba Isabel?

Estamos ante una de las claves de la personalidad de la gran Reina: la libertad del indio americano.

Algo tan trascendental que obliga a su debida confrontación.

Partimos de un hecho seguro: la Reina quería y apoyaba las navegaciones de Ultramar porque veía que de ese modo se podía extender

---

[27] Antonio Rumeu de Armas, *El Tratado de Tordesillas,* ob. cit., pág. 277.

la fe de Cristo por nuevas tierras. Por lo tanto, tenemos como una evidencia ese afán suyo evangelizador. Incluso algo que está detrás de su amparo a Colón en su primer viaje, aunque nada se trasluzca en las capitulaciones de Santa Fe. Y ello por una razón: porque esas capitulaciones responden simplemente a las condiciones planteadas por el mismo genovés, esto es, a las peticiones que hace a la Corona, como premio si tenía éxito en su aventura. Pero en cambio sí encontramos ese espíritu evangelizador en la Reina, y es una de las incitaciones que le hacen los que, como Santángel, le piden que apoye a Colón en su empresa.

Recordemos las palabras que Santángel dirigió a Isabel, para moverla a que llamara de nuevo a Colón, aceptando sus condiciones, ya que su ánimo —el de la Reina— era tan elevado y digno para amparar tan grandes empresas de las que

> ... tanto servicio a Dios y exaltación de su Iglesia podía resultar...

¿Y cuál podía ser esa exaltación de la Iglesia sino el avance de la fe cristiana, la evangelización de nuevos pueblos? Ahora bien, ¿se podía compaginar tal evangelización con la esclavitud? En las instrucciones dadas a Colón en mayo de 1493, cuando se le autoriza para realizar su segundo viaje a las Indias occidentales, ya se le marca esa obligación: la evangelización de los indios y su buen trato, como a súbditos libres de la Corona [28].

En ese panorama, donde brilla la grandeza de Isabel, aparece, sin embargo, una sombra: que, a instancias de Colón, Isabel consiente de momento en que un contingente de indios fueran vendidos como esclavos.

Y era que Colón, en su segundo viaje, al no encontrar aquellas riquezas que esperaba en las tierras que descubría, planteó la ganancia que podía conseguirse vendiendo los indios como esclavos:

> ... de los cuales, si la información que yo tengo es cierta —así se expresaba Colón—, se podrán vender cuatro mil, y que a poco valer valdrán veinte cuentos [29].

---

[28] Luis Suárez, *Isabel I, Reina,* ob. cit., pág. 402.
[29] Cit. por Antonio Rumeu de Armas, *El Tratado de Tordesillas,* ob. cit., pág. 133.

Una sugerencia aceptada en principio por la Corona, que ordenaba así al obispo Fonseca que se tratase de venderlos en Andalucía:

... que se podrán vender mejor en esa Andalucía... [30]

Pero no tardaría la Reina en considerar que aquello no se podía hacer [31]. De modo que en junio de 1500 daría orden de que se les diera la libertad [32].

La libertad para el indio, para el nuevo súbdito de las tierras del Nuevo Mundo.

Era dar un aire nuevo al Imperio que se alzaba tan espectacularmente. Y esa doctrina de libertad para el indio tendría su gran eco en el Estudio salmantino, medio siglo después, en el pensamiento del célebre maestro fray Francisco de Vitoria.

LAS GRANDES ALIANZAS MATRIMONIALES HACIA 1495

En 1495 los Reyes Católicos se han convertido en los monarcas de más renombre de toda Europa. Además, si nos fijamos en la franja de la Europa occidental, incluido el Sacro Imperio, en los más veteranos.

En efecto, hacía dos años que había muerto Federico III, el viejo Emperador, que lo había hecho a los setenta y ocho años (edad muy longeva para la época), mientras que en Francia había desaparecido de la escena en 1483 Luis XI, que en su tiempo había sido la gran figura de la política internacional, como vencedor de Carlos el Temerario de Borgoña y como árbitro entre los reyes hispanos Enrique IV de Castilla y Juan II de Aragón.

Todos los reyes de esa Europa occidental eran más jóvenes que Isabel y Fernando. Así, Maximiliano I, el nuevo Emperador, había nacido en 1459, y Enrique VII de Inglaterra, en 1457. En cuanto a los nuevos reyes de Francia y de Portugal, pertenecían ya a otra generación, mucho más joven: Carlos VIII tenía por entonces, en ese año de 1495, veinticinco años, casi los mismos que el nuevo Rey portugués, Manuel I el Afortunado, que había nacido en 1469.

---

[30] Antonio Rumeu de Armas, *El Tratado de Tordesillas,* ob. cit., pág. 134.
[31] Tarsicio de Azcona, *Isabel la Católica,* ob. cit., pág. 860.
[32] Antonio Rumeu de Armas, *El Tratado de Tordesillas,* ob. cit., pág. 136.

Además, a esa aureola de llevar tantos años en el trono, añadían los Reyes Católicos el inmenso prestigio de tantas hazañas que resultaban increíbles: la unión de las dos Coronas de Castilla y Aragón, restableciendo ya, básicamente, el cuerpo político de la antigua Hispania; el haber vencido en la difícil guerra civil, contra los partidarios de la princesa Juana, pese a la ayuda que la Princesa había recibido del rey Alfonso V de Portugal. Y junto con ello, las dos gestas deslumbrantes: el final de la Reconquista, con el triunfo sobre el reino nazarí de Granada, y el descubrimiento de la ruta de Ultramar hacia un mundo nuevo y fantástico; aquello que se resumía evocando un año portentoso: 1492.

Es en ese escenario europeo, y con la autoridad que les daba su veteranía y la cosecha de tantos logros, donde los Reyes Católicos van a desplegar una hábil política de alianzas internacionales, dobladas con enlaces matrimoniales. Y también en ese juego contaban con buenas bazas, puesto que tenían cinco hijos: el Príncipe de Asturias, Juan, y las cuatro Infantas (Isabel, Juana, María y Catalina).

Con esa trama de alianzas matrimoniales, los Reyes Católicos tratarán de afianzar dos frentes, de conseguir dos objetivos. Por una parte —y esto será ya una constante de la diplomacia española, que mantendrán sus herederos a lo largo del siguiente siglo—, la amistad de Portugal. En ese sentido, cabe tener en cuenta que Isabel siempre tenía una especial inclinación hacia la patria de su madre, en cuya lengua ella prácticamente se había criado; pero además porque tanto la Reina como Fernando tenían muy claro que esa firme alianza, el poder considerar la frontera portuguesa como una frontera amiga, libre de preocupaciones bélicas, era tanto como tener aseguradas las espaldas, tanto para las navegaciones en Ultramar como para los forcejeos en el Mediterráneo, que era la otra zona de expansión natural, en este caso de la Corona de Aragón.

Las otras alianzas matrimoniales irían dirigidas a fortalecer la posición de la Monarquía en Europa. Y como la Francia de Carlos VIII iba a mostrar enseguida tan fuertes ambiciones por hacerse con el Reino de Nápoles, los Reyes tratarían de establecer un cerco diplomático en torno al belicoso Rey galo, emparentando con las casas reinantes en los Países Bajos e Inglaterra.

Y todo ello antes de que acabase el siglo.

En cuanto a Portugal, la operación ya se había iniciado en 1490, con la boda de la infanta Isabel, la primogénita de los Reyes, con el príncipe Alfonso, como ya hemos visto en su momento; una operación truncada por la desgracia, ya que a los pocos meses un desafortunado accidente dejaba sin vida al Príncipe luso, haciendo que la Infanta volviera a Castilla. Pero siempre se intentaría restablecer aquella alianza matrimonial, máxime cuando era notorio que el nuevo Rey portugués, Manuel I, que había subido al trono en aquel mismo año de 1495 y que tenía la edad apropiada (pues había cumplido los veintisiete años, siendo dos años mayor que la Infanta española), estaba muy deseoso de hacerla su esposa.

Ahora bien, en 1495 el mayor interés de los Reyes, tanto de Isabel como de Fernando, era cerrar una estrecha alianza con la Casa de Borgoña, poniendo así un cerco diplomático a Francia por su frontera norte. Y no solo enlazando con Borgoña, sino también con el Imperio, dado que el emperador Maximiliano I había tenido dos hijos de María de Borgoña, un varón y una hembra (como se decía en el lenguaje de la época), Felipe y Margarita. A su vez, los Reyes Católicos contaban en su baraja con aquellas dos cartas, que eran como dos triunfos: el Príncipe de Asturias, Juan, y la infanta Juana.

Y todos eran cuatro adolescentes, que rondaban entre los dieciséis y los dieciocho años. ¿No era una feliz coincidencia? Así que la diplomacia española empezó a trabajar para que se efectuase el doble enlace, casando al príncipe Juan con Margarita, y a la infanta Juana con el archiduque de Austria y señor de los Países Bajos, Felipe el Hermoso.

En cuanto a la boda del príncipe Juan, para Isabel era como completar así la formación de su hijo, al que ya se le había puesto casa propia en la villa soriana de Almazán, con su pequeña Corte y con sus consejeros —castellanos todos, un dato a tener en cuenta—, para que se fuera formando en el delicado oficio de gobernante de un pueblo.

En los dos años siguientes de 1496 y 1497 se realizarían los tres matrimonios con los que los Reyes Católicos trataban de afianzar su poderío en Europa: el primero, el de la infanta Juana con Felipe el Hermoso; el segundo, el del príncipe Juan con Margarita de Flandes; y el tercero, el de la hija primogénita Isabel con el rey Manuel I el Afortunado.

LA BODA DE JUANA CON FELIPE EL HERMOSO

De la doble boda concertada con la Casa de Borgoña, la primera sería la de la infanta Juana con Felipe el Hermoso. Y la razón era clara: la misma gruesa armada que había de llevar a Juana a su nuevo e inquietante destino sería la que traería, a su regreso, a la prometida del príncipe Juan, Margarita de Flandes.

Estamos en el mes de agosto de 1496. Juana es una joven, casi una muchacha, de dieciséis años. Por lo tanto, con las distancias tan grandes en la época, una adolescente que iba a un destino incierto, marcado por la razón de Estado, a un país lejano; un país separado de la patria por una nación hostil, y al que había que llegar a través del mar. Pues, en efecto, hay que recordar que entonces los Reyes Católicos estaban en guerra con la Francia de Carlos VIII.

Una escuadra que llevaba una novia principesca, pero fuertemente armada para evitar cualquier sorpresa, puesto que tenía que navegar días enteros por delante de las costas francesas. Y tanto Isabel como Fernando querían proteger a su hija, aparte de que era la ocasión de mostrar a Europa entera cuánto era su poderío. De manera que todo será impresionante: el número de las naves, la guarda de la Infanta, su cortejo palaciego y, por supuesto, su ajuar, cuidadosamente preparado y escogido por la Reina.

La cual no dudó en ir a despedir a su hija hasta la villa de Laredo, donde había de embarcar.

Es uno de los momentos de más zozobra por los que pasa la Reina. Es cierto que ya antes, en 1490, había visto alejarse de su lado a la hija primogénita. Pero iba a la Corte de Lisboa, y Portugal era otra cosa en el horizonte isabelino. Ahora, en ese otro año de 1496, veía marchar a Juana, una muchacha llena de sensibilidad, de arrogante aspecto (tal como nos la muestra el retrato que hizo de ella Juan de Flandes, y que se conserva en el Kunsthistorisches Museum de Viena), pero más vulnerable, por su carácter introvertido. Y además, su viaje era a un país lejano, de extrañas costumbres, de hosco clima, del que poco se sabía.

Isabel ha procurado rodear a su hija de un buen cortejo palaciego. Entre los hombres va Diego Ramírez de Villaescusa, un clérigo de reconocida solvencia moral, un teólogo formado en la Universidad de Salamanca. Él será el confesor de la Infanta. Y entre sus damas, también está una Beatriz de Bobadilla, esto es, la hija de la gran amiga y confidente de la Reina.

Pero Isabel no está tranquila. ¿Cómo será el futuro marido de Juana, aquel que llaman Felipe el Hermoso? ¿Será tolerante y comprensivo? Y, sobre todo, ¿será bueno y afectuoso? Isabel quiere ganarse su simpatía, y le escribe una carta, que dicta a su secretario; una carta que corrige personalmente y a la que añade una expresiva posdata, toda de su mano, para que haga más impacto sobre su yerno. Y lo hace con términos sencillos, como podría hacerlo cualquier madre, pensando en su hija. ¡Hay que atraerse al esquivo extranjero que se ha convertido en su yerno!

Le desea muchos bienes:

> Plega a Nuestro Señor que sea ello por muchos años y buenos a su servicio, y mucho bien de allá y de acá.

A continuación trata de llegar al corazón del Archiduque con un toque cordial: ¡Que vea en ella no una suegra, sino una madre!

> Y a vos, querido señor hijo, que de mí y de todo lo que yo tengo os aprovechéis, con mayor confianza que de vuestra verdadera madre[33].

¿Por qué Isabel hace alusión tan directa a la madre del Archiduque? ¿Acaso porque María de Borgoña había muerto hacía muchos años, dejando en orfandad a los dos archiduques, a Felipe y a Margarita? ¿Espera que esa oferta de afecto materno ablandará al que se va a convertir en el marido, y por lo tanto, en el amo y señor de su hija?

Probablemente, aunque no hubiera seguridad alguna en los resultados. Y de hecho, como si temiera en qué aventura metía a su hija, Isabel va a despedirla a Laredo, no con su marido Fernando —que había tenido que acudir a sus reinos de Aragón—, pero sí con todos sus hijos, el príncipe Juan y las infantas Isabel, María y Catalina[34]. Incluso la última noche que la escuadra está anclada en el puerto, la quiere pasar con ella en el barco que la ha de llevar tan lejos.

Era la noche del 20 de agosto de 1496. Al día siguiente, la flota desplegaba sus velas. La infanta Juana se alejaba de España para iniciar una inquietante aventura que acabaría cambiando no solo su destino, sino también el del país que le había visto nacer.

Era la misma armada que, a su regreso a España, traería a la archiduquesa Margarita, la futura esposa del príncipe don Juan:

> Así que trocaron —comenta el cronista—, que casó el dicho príncipe don Juan con doña Margarita, e el dicho archiduque don Felipe con doña Juana[35].

---

[33] En Tarsicio de Azcona, *Isabel la Católica,* ob. cit., pág. 717.
[34] Gonzalo Fernández de Oviedo, *Batallas y quinquagenas,* ed. cit., págs. 243 y 244.
[35] Andrés Bernáldez, *Memorias...,* ob. cit., pág. 377.

LA BODA DEL PRÍNCIPE Y SU TEMPRANA MUERTE

Isabel regresó inmediatamente a la meseta, en cuanto vio partir la armada que se llevaba a su hija a los Países Bajos. Tenía ante sí otras dos bodas que preparar unos meses más tarde, en el siguiente año de 1497.

Dos bodas, porque a la de su hijo Juan con la archiduquesa Margarita de Flandes había que añadir, otra vez, la de su hija primogénita Isabel, a la que pretendía con insistencia el nuevo rey portugués Manuel I *O Venturoso*.

En cuanto a la boda de su hijo, además de completar la alianza con la Casa de Borgoña y con el emperador Maximiliano I de Austria, venía a culminar también la formación del heredero de las Coronas hispanas; aquella formación que la Reina había preparado con tanto esfuerzo, poniéndole Corte propia en la villa soriana de Almazán, para que incluso se iniciara en los deberes de un gobernante, impartiendo justicia a nivel local, bien arropado por un selecto número de consejeros, todos castellanos. Sabemos que la Reina le había puesto como preceptor a fray Diego de Deza, antiguo profesor del Estudio salmantino.

Isabel tenía especial cariño por su hijo. Le llamaba «mi ángel» y ella misma procuraba inculcarle aquellas cualidades que consideraba que eran propias de un verdadero Príncipe. Así, la de ser generoso con los que bien le servían.

Asistamos a esta lección de la Reina, tal como nos la transmite el cronista Fernández de Oviedo:

> Díjole: Hijo, mi ángel: los príncipes no han de ser ropavejeros ni tener las arcas de su cámara llenas de ropas de los vestidos de sus personas.

A tal advertencia, tal orden:

> De aquí adelante —añadió la Reina— tal día como hoy, cada año, quiero que delante de mí repartáis todo eso por vuestros criados los que os sirven, de aquellos a quien quisiéredes hacer merced[36].

---

[36] Cit. por José Camón Aznar, *Sobre la muerte del príncipe don Juan,* Madrid, 1963, pág. 59.

Esa lección de generosidad quiso darle Isabel a su hijo cuando era solo un muchacho de ocho años. Y es muestra de cuán en la mano llevaba la Reina la educación de su hijo.

Y pasaron los años. Y vino el de la boda, tras la llegada de la princesa Margarita a España, al puerto de Santander, el 6 de marzo de 1497. De allí pasó con su cortejo a Burgos, en cuya catedral se desposaron los Príncipes.

Día de señalada fiesta. Día de general regocijo, en la Corte y en el pueblo.

Oigamos otra vez al cronista.

Después de la boda vino el gran banquete nupcial. Parecía como si la Reina quisiera desplegar para tal ocasión todo el boato del mundo:

> E aquella noche —nos relata el cronista— cenaron en una mesa juntos el Rey e la Reina e sus hijos, en un estrado alto. E más baxo, a los dos lados de la mesa, tanto quanto era luenga la sala, puestas mesas continuadas, donde cenaron aquellos grandes señores e señoras, e caballeros e damas, con mucho placer…

Después de la cena vino la danza, iniciándola el propio rey Fernando, sacando a bailar a la princesa Margarita, su nuera:

> E acabada la cena —prosigue el cronista— e levantadas las mesas, danzó el Rey con la Princesa, e el Príncipe con la infanta María, su hermana, e el duque de Alba con la infanta doña Catalina…

La infanta Catalina tenía entonces doce años, de forma que sin duda sería su primer baile.

Una fiesta que se prolongó hasta bien entrada la noche. Por decirlo con las palabras del cronista:

> … e duró la fiesta hasta que fue hora de dar parte a la noche…

¡Había buenas razones para ello!

> Porque como este día era muy deseado en España, así era el Príncipe muy amado[37].

---

[37] Gonzalo Fernández de Oviedo, *Batallas y quinquagenas,* ed. Juan Bautista Avalle-Arce, Salamanca, 1989, pág. 33.

De modo que era una fiesta

... donde toda la flor de España concurría... [38]

Y sin embargo, había ocurrido un suceso, a la salida de la boda, que pudo acabar en tragedia, y para no pocos de los presentes, como signo de que alguna gran desgracia se avecinaba. Y fue que la hacanea en la que cabalgaba el Príncipe se espantó, hizo unos extraños y dio con el principesco jinete en una acequia, con el consiguientes susto y peligro. Momento poco airoso para el novio galán, y más ante toda la Corte:

... delante de los ojos del Rey e de la Princesa... [39]

Pero todo quedó en susto, acabando en risas lo que pudo ser llanto. Y los novios consumaron su matrimonio y aun a toda furia, como en Flandes la otra pareja hermana:

... e ovieron plaçer el Príncipe e la Princesa, gozando de su matrimonio... [40]

Veremos que pronto los triunfos y los gozos de la Corte fueron tornándose en continuos lloros y lamentos.

Ahora bien, aquellas alianzas matrimoniales, con tanto esfuerzo logradas, estaban en relación con la alta política internacional, que entonces era tanto como decir que estaba en juego la supremacía en la Europa occidental. Y ello entre Francia y España, forcejeando ambas por el dominio del Reino de Nápoles.

LA AVENTURA ITALIANA: NÁPOLES

Aunque en la política desarrollada por Fernando el Católico en Italia no intervenga de lleno Isabel, sino en un plano secundario, es importante tenerla en cuenta, al menos en sus rasgos principales. Y ello porque los triunfos cosechados en Italia se lograron en buena medida gracias a la colaboración de la Corona de Castilla, empezando por el envío de la persona clave que acabó decantando la victoria, en el enfren-

---

[38] Gonzalo Fernández de Oviedo, *Batallas y quinquagenas,* ob. cit., pág. 32.
[39] Ibídem.
[40] Andrés Bernáldez, *Memorias...,* ob. cit., pág. 377.

tamiento con Francia en tierras napolitanas, a favor de la Monarquía católica. Y nos estamos refiriendo a uno de los personajes más famosos de la Historia de España, a Gonzalo Fernández de Córdoba, al que los contemporáneos distinguieron ya con el título de Gran Capitán.

Unos triunfos que eran conocidos y celebrados en la Corte y que empezaron en torno a ese año de 1495 en el que también los Reyes desplegaron la política de alianzas matrimoniales que ya hemos comentado.

Tras el tratado de Barcelona de 1493, Carlos VIII creyó llegado el momento de invadir Italia. Su objetivo: el Reino de Nápoles. La crisis política provocada en Italia por la muerte de Lorenzo el Magnífico en 1492 había supuesto el fin de la Liga de Lodi trabada por las pequeñas potencias italianas. En Italia se producía un vacío de poder y Carlos VIII se aprestó a aprovechar la ocasión, creyéndose con las espaldas guardadas, merced a la alianza con España. ¿No había cedido para ello los condados pirenaicos del Rosellón y Cerdaña a favor de Fernando el Católico?

Y en eso se engañaba, porque Fernando no podía dejar en tan peligrosa vecindad a su Reino de Sicilia, ni tampoco podía olvidar que sus antepasados habían reinado en Nápoles.

Ni tampoco le cogía desprevenido. De hecho, en el tratado de Barcelona ya había hecho insertar una cláusula en la que se salvaguardaba su libertad de acción si el Papa era atacado. ¿Y acaso no era Nápoles un reino feudatario de la Santa Sede?

De forma que sus diplomáticos y sus soldados se pusieron en acción. Entre los diplomáticos cabría recordar a aquel Lorenzo Suárez de Figueroa, embajador en Venecia, que en su lápida, que se puede contemplar en la catedral de Badajoz, mandó inscribir:

> Este, en la juventud, hizo según la edad y en las armas usó lo que convenía. Fue hecho después del Consejo de Sus Altezas y enviado embaxador diversas veces. Así conformó el exercicio con los años y dexa para después esta memoria. Lo que dél más sucediere, dígalo su sucesor[41].

Orgulloso recuento de la ejecutoria de uno de aquellos diplomáticos que tan cumplidamente sirvieron a Fernando el Católico, como lo fue también Fonseca cuando recriminó a Carlos VIII por su violenta entrada en Roma al frente de tan poderoso ejército como el que lleva-

---

[41] Véase mi estudio *La sociedad española del Renacimiento*, ob. cit., pág. 32.

ba, lo cual dejaba en libertad a Fernando el Católico conforme a lo pactado en Barcelona:

> Pues que así lo queréis —se atrevió a decirle—, el Rey, mi señor, queda libre de todo compromiso[42].

Eso ocurría a finales de enero de 1495. Un mes después, Carlos VIII entraba en Nápoles. La reacción de Fernando fue inmediata. El 31 de marzo conseguía formar la Santa Liga con las principales potencias de Italia, en contra del invasor francés, en la que incluso entraba el emperador Maximiliano de Austria; en este caso, uno de los frutos de aquellas alianzas matrimoniales a que antes hemos aludido.

Pero no se limitaría Fernando a esa actividad diplomática. En aquel mismo año de 1495 mandaría un ejército a Sicilia, bajo las órdenes de Gonzalo Fernández de Córdoba.

Iban a dar comienzo las guerras hispano-francesas por el dominio de Nápoles, que no acabarían hasta 1504, el mismo año de la muerte de la gran Reina. Y con ellas, un cúmulo de éxitos brillantes de la nueva Monarquía hispana, que aquella Europa del Renacimiento, que tanto valoraba la fama conseguida en el campo de batalla, admiraría entre incrédula y asombrada.

Y sin duda que de todo ello se comentó largamente en la Corte de Isabel.

La Reina podía concluir, satisfecha, que así como Fernando le había ayudado tan decisivamente en la guerra civil y en la guerra contra el reino nazarí de Granada, ahora, en justa correspondencia, era ella —o por mejor decir, Castilla— la que le devolvía aquella valiosa ayuda, con la aportación de soldados y de dinero a la empresa de Nápoles.

Y entre ellos la gran espada de la época: Gonzalo Fernández de Córdoba, el Gran Capitán. El cual acabaría expulsando a los franceses del sur de Italia, y entrando triunfalmente en la misma Roma, donde el Papa, Alejandro VI, le concedería nada menos que la Rosa de Oro, distinción en principio reservada para príncipes y reyes.

> Todo esto —nos dice el cronista— pasó en el año de 1497, al comienzo...[43]

---

[42] Recogido por Jerónimo Zurita, *Anales de la Corona de Aragón,* Zaragoza, 1610, t. V, fols. 54v y sigs.

[43] Andrés Bernáldez, *Memorias...,* ob. cit., pág. 372.

Era el mismo año en el que, con la muerte del príncipe don Juan, comenzarían los interminables llantos de la reina Isabel.

LA REINA Y EL SOLDADO

Quizá sea el momento de precisar algo más sobre las relaciones entre Isabel y el Gran Capitán.

Con Gonzalo Fernández de Córdoba estamos ante otro representante de aquella extraordinaria generación de mediados del siglo XV, que tanto juego dieron en la Historia. Baste recordar a cuatro de ellos: Isabel y Colón, nacidos en 1451; Fernando el Católico, en 1452, y un año después, en Montilla, Gonzalo Fernández de Córdoba.

El futuro Gran Capitán era un segundón de la casa cordobesa de Aguilar, y acaso por eso estimulado muy pronto para realizar grandes gestas, que le elevaran al más alto nivel social. Si hemos de creer a Modesto Lafuente, ya siendo un muchacho entraría en el juego político, mandado por su hermano don Alonso para servir al infante Alfonso cuando ya se había proclamado Rey frente a su hermanastro Enrique IV [44]; pero parece más probable que el primer encuentro con la Reina se produjera años más tarde, cuando Isabel visitó Córdoba en 1478 [45]. Para entonces, el futuro gran soldado era un gallardo joven de veinticinco años.

A partir de ese momento, su puesto en la Corte se afianzaría más y más. Tenía Gonzalo las condiciones precisas para ello. Triunfaba tanto en los torneos, con las armas en la mano, como en los saraos cortesanos, por su especial don de gentes.

Encendida la guerra de Granada, pronto destacaría al servicio de la Reina. Isabel le recompensaría dándole el mando de la recién conquistada plaza de Íllora, en 1486. Era como el espaldarazo a su edad viril. Isabel le encomendaría personalmente su custodia. Le manda llamar y se la entrega:

Por mi servicio, tomadla [46].

---

[44] Modesto Lafuente, *Historia de España,* Barcelona, Montaner y Simón, 1889, vol. VII, pág. 113.

[45] Luis Suárez, *Isabel I, Reina,* ob. cit., pág. 168.

[46] Juan de la Mata Carriazo, «Historia de la guerra de Granada», ob. cit., *HEMP,* XVII, 1.º, pág. 668.

Sería el comienzo de una brillante carrera, tanto militar como cortesana. Y no poco le ayudaría, en este último terreno, su mujer, doña María Manrique, que cuando tiene noticia de que el fuego había destruido la tienda de la Reina, con todo lo que para su servicio tenía dentro, al punto le mandó de lo suyo, desde Íllora, donde tenía ya su morada. Y con tanta premura y tanta esplendidez, que Isabel pudo decirle a Fernández de Córdoba, no sin donaire:

> Gonzalo Fernández: Sabed que alcanzó el fuego de mi cámara en vuestra casa, que vuestra mujer más y mejor me envió que se me quemó[47].

A partir de ese momento, la protección de la Reina será una constante, bien correspondida por la lealtad con que le sirve aquel gran soldado. De forma que cuando la Reina quiere ver de cerca Granada, en el verano de 1491, entre los que la acompañan y la protegen estará Gonzalo Fernández; y en la batalla que se libra con aquel motivo —la de Zubia—, el Gran Capitán luchará por su Reina, y con tal denuedo que a punto está de costarle la vida.

Terminada la Reconquista y reanudada la vida pacífica en la Corte, las muestras de afecto de la Reina hacia su caballero preferido serían constantes. ¿Fue entonces cuando surgió el rumor de que había algo más, y que la Reina se había enamorado de aquel capitán, que entonces rondaba los cuarenta años?[48]. Más fácil resulta creer que fuera el soldado el que acabase enamorado de la Reina, con ese amor platónico que tanto exaltaban los libros de caballerías, cuya lectura hacía furor en la Corte. Lo que sí es cierto es que Isabel, con su reconocido sentido selectivo de los mejores colaboradores que habían de servirla, cuando se encienden las guerras de Italia le señala a Fernando el Católico que en don Gonzalo tenía el soldado que precisaba. Y aunque Fernando el Católico lo mirara con recelo, siguió el consejo de la Reina.

Allí daría comienzo el predominio de España en Europa, que duraría más de un siglo. Allí culminaría la carrera de gran soldado de Gonzalo Fernández de Córdoba, al vencer a los ejércitos franceses en un duro forcejeo por Nápoles.

---

[47] Juan de la Mata Carriazo, «Historia de la guerra de Granada», ob. cit., pág. 820.
[48] La alusión a ese rumor escandaloso cortesano, en Modesto Lafuente, *Historia de España,* ob. cit., VII, pág. 114.

Ahora bien, aquellas guerras tuvieron dos etapas totalmente distintas. En la primera, que dura hasta 1498, y que ya hemos reseñado, el Gran Capitán no solo libera a Nápoles de la presencia francesa, devolviendo su trono a Fernando II de Aragón, y después de su muerte en 1496, a su tío Federico III, sino que también acude al auxilio del papa Alejandro VI, restituyendo a Roma el puerto de Ostia que habían ocupado los franceses; por lo cual fue acogido en la ciudad santa por el Papa con los mayores honores, que le otorgó incluso la preciada distinción de la Rosa de Oro, como ya hemos indicado.

Se comprende que a su regreso a España, en 1498, el Gran Capitán fuera recibido como un auténtico héroe, en especial por los Reyes.

Es un momento digno de recordarse. Estamos en el año 1498. Los Reyes están viviendo una etapa bien dura, pues en aquel mismo año se les ha muerto en Zaragoza su hija primogénita, la princesa Isabel (princesa y reina, pues ya lo era de Portugal, como esposa de Manuel el Afortunado), el 23 de agosto, al dar a luz a su hijo Miguel. Sin embargo, dejando sus penas, reciben al victorioso soldado que llega de Italia.

> Apeado en el Aljapheria, el Rey salió de su aposento —nos cuenta Fernández de Oviedo— e baxó hasta la mitad de la escalera principal, donde el Gran Capitán le besó la mano, e el Rey le abraçó e tomó de la mano e subieron a una sala donde la Reina Católica atendía…

Atención a ese momento. Han pasado no pocos años. Isabel ya no es la arrogante Reina de los tiempos de la guerra de Granada. La muerte de sus dos hijos mayores han sido dos golpes demasiado duros para no dejar su huella. Pero es la Reina la que acude a recibir a su antiguo protegido:

> E como entraron el Rey y el Capitán —sigue refiriéndonos Fernández de Oviedo—, la Reyna se levantó en pie e salió fuera del estrado cuatro o çinco pasos a le resçebir…

Esa era una demostración de la alta estima en que se tenía al soldado y una estima que se quería hacer pública, y que Fernández de Córdoba aceptaría conmovido:

... e el Gran Capitán, rodilla en tierra, le besó la mano, e la Reyna le abraçó e mostró su placer con su venida...

Por lo tanto, un recibimiento extraordinario para un hombre extraordinario, hecho por los Reyes:

... con más demostraçiones de alegría e cortesía e honor que hasta entonces se avía hecho por ellos a ningún señor de sus vasallos...

Ya no estamos ante la Reina severa y distante, la temible representante de la más rigurosa justicia. La Reina sabe mostrar también otros sentimientos más llenos de afecto:

... la Reina, *con dulçes palabras* le dio la enhorabuena de su venida...

Y le añadió estas palabras, con semblante alegre, dándole licencia para que se retirara a descansar en su posada:

Razón es —son palabras de la Reina— que quien tanbien sabe trabajar e tanto ha trabajado, que descanse e repose[49].

Ahora bien, a partir de aquellas fechas las guerras de Italia iban a tomar otro tono muy distinto. Ya no se trataría de la ayuda a un Rey doblegado por un soberbio invasor, sino la lucha abierta por hacerse con aquel Reino, primero pactando con Francia su partición (tratado de Granada de 1500), y después aspirando a su pleno dominio. Y eso ya no sería una guerra santa, ni siquiera lícita. ¿Respondía a lo que Isabel consideraba como uso legítimo de las armas?[50].

En el verano de 1500, reanudado el forcejeo por Nápoles, el Gran Capitán volvería a los lugares donde tantos triunfos había cosechado. Sería cuando desplegaría lo mejor de su arte de la guerra, para conseguir sus más brillantes victorias: Ceriñola y Garigliano, ambas en el mismo año de 1503.

---

[49] Gonzalo Fernández de Oviedo, *Batallas y quinquagenas,* ob. cit., pág. 182.
[50] Tarsicio de Azcona, *Isabel la Católica,* ob. cit., pág. 890.

Para entonces, Isabel declinaba ostensiblemente. En aquel mismo año, con Fernando ausente en la frontera catalana, la Reina daba signos de verdadero desconcierto. Quería ayudar al Rey, y no acertaba[51].

La guerra con Francia, la guerra por el dominio de Nápoles, donde combatía el soldado que tanto apreciaba, ya era para ella algo cada vez más distante.

Estaba entrando en otro orden de cosas, porque sus días ya estaban contados, y ella lo sabía.

---

[51] «Parece que Isabel estaba perdida como en un espejo bosque...» (Tarsicio de Azcona, *Isabel la Católica,* ob. cit., pág. 889).

8
LAS LÁGRIMAS:
LA MUERTE ENTRA EN PALACIO

Después de despedir a su hija Juana en Laredo, para tan incierto viaje, Isabel regresa a la meseta e instala de momento su Corte en Burgos. Era como si quisiera estar más cerca del mar, de aquel mar del Norte que con frecuencia se mostraba tan hostil con los hombres.

Ansiosa se veía a la Reina por tener noticias de su hija, de aquel viaje, de si los vientos le habían sido favorables y si las tormentas habían respetado a la escuadra. Consultaba de continuo a las gentes que a su lado había sabedoras de las cosas de la mar:

> Para esto —nos dice el cronista— tenía consigo personas
> de la mar, que le decían los vientos que corrían... [1]

Y estando en esa espera, tan inquietante, le llega a Isabel una triste noticia: la muerte de su madre, Isabel de Portugal.

Aquella pobre loca, que durante más de cuarenta años había permanecido recluida en Arévalo, ya había dejado de asomarse entre las almenas de su castillo para gemir por la trágica pérdida de aquel gran personaje de su Corte, don Álvaro de Luna.

Una noticia que, no por esperada, dada la edad de la pobre loca, agravada por su larga reclusión —como si anticipara la que había de sufrir su nieta Juana en Tordesillas—, dejaba de ser menos triste. Isabel perdía con su madre al último miembro de la familia en que se había criado.

---

[1] Alonso de Santa Cruz, *Crónica de los Reyes Católicos,* ed. Juan de la Mata Carriazo, Sevilla, 1951, II, pág. 156.

Afortunadamente para ella, cuando todavía estaba llorando a su madre, le llegó la buena nueva de que su hija Juana, tras verse obligada a refugiarse durante tres días en el puerto inglés de Portland, había logrado alcanzar las costas de los Países Bajos.

El peligroso viaje marítimo había tenido buen fin.

A partir de ese momento, a esperar el regreso de la flota, que había de traer a la archiduquesa Margarita de Flandes, la prometida de su hijo Juan.

Serían unas bodas suntuosas, celebradas en la catedral de Burgos, como ya hemos tenido ocasión de referir, en la que no podían faltar los festejos palaciegos y las fiestas populares. A fin de cuentas, eran las bodas del Príncipe heredero, del Príncipe de las Españas, el primero para el que parecía destinada la misión de unir España entera, renovando los tiempos de la Monarquía visigoda.

Pero las fiestas cortesanas estuvieron entremezcladas con los recelos y el malestar que en la Corte castellana producían el desenvuelto comportamiento del cortejo flamenco que había acompañado a la princesa Margarita. En plena fiesta, los atrevidos galanes flamencos se tomaban licencias con sus parejas, incluso en presencia de los Príncipes, que dejaban boquiabiertos a los caballeros castellanos. ¡En la Corte de Isabel la Católica —título que, por cierto, ya había recibido del papa Alejandro VI por aquellas fechas— aquella desordenada conducta era intolerable! Y más cuando, como siempre ocurre en tales casos, a un personaje de la Corte, por atolondramiento o por efectos del vino, le pareció tan bien lo que estaba viendo que no dudó en ser uno más en tomarse licencias por su mano con la dama de turno.

Y allí surgió el conflicto.

> Como el conde de Melgar era mancebo…, regocijado danzaba con las damas e también hacía como los otros caballeros flamencos e sentábase en el regazo o falda de alguna dama…

Con esas licencias, llegó un momento en que hasta tocó, inadvertida o atrevidamente, las faldas de la misma Princesa.

Algo que otro personaje de la Corte, Juan Gaytán, ya no pudo soportar.

No se trataría de un mero lance cortesano como tantos otros. En aquella ocasión chocarían dos modos de entender la vida y que nos da idea del profundo respeto que la reina Isabel había impuesto en la Corte castellana a todos los que a ella eran llamados.

Oigamos el reproche que Gaytán hizo al Conde. Es un fiel reflejo del distinto modo de ser de flamencos y castellanos en aquella Europa de finales del siglo XV:

> Señor Conde, bien se debe creer que el intento de vuestra señoría no es dar pesadumbre, ni hacer cosa que se pueda decir descomedimiento delante de la Princesa, nuestra señora.

Gaytán comprende que los flamencos, incluida la misma Princesa, no estaban al tanto de las austeras costumbres de la Corte castellana; pero que fueran a imitarles los propios españoles, ya no era de recibo. Y así añade, indignado:

> Pero aunque Su Alteza no sepa cómo ha de ser acatada e servida en España, pues los que somos españoles lo sabemos y nascimos para sus vasallos, bien está que hagamos lo que en Castilla solemos hacer e se acostumbra con nuestros Reyes e Señores...

En suma, que no se podían tolerar las libertades que se había tomado, en presencia de la princesa Margarita[2].

Salvado ese incidente, la recién pareja de casados dejó Burgos para recorrer media Castilla, siendo durante su estancia en Salamanca donde se quebró la salud del Príncipe.

La Reina fue advertida del mal estado en que se encontraba el Príncipe, una situación que parecía agravarse por momentos, así que unas treguas en su particular guerra conyugal era lo más aconsejable; pero Isabel no lo creyó oportuno, por respetar la libertad de los recién desposados. Los jóvenes Príncipes, ¿no estaban unidos por los lazos del santo matrimonio? ¡Que nadie se metiese en lo que Dios había unido!

Eso era tanto como considerar que los Príncipes estaban bajo la protección divina, y que nada malo podía ocurrir porque se gozasen —el término es del tiempo—, aunque fuera tan apasionadamente.

Actitud censurada en la Corte. El mismo humanista Pedro Mártir de Anglería, testigo cercano, que tanto valoraba a la Reina, tuvo un comentario bien significativo:

---

[2] Ese curioso conflicto cortesano, que estuvo a punto de llegar a mayores porque provocó de inmediato la ciega cólera del conde de Melgar así increpado, lo recoge Fernández de Oviedo en sus *Batallas y quinquagenas* (véase ed. cit., pág. 244).

La ensalcé por constante [a Isabel], sentiría tener que calificarla de terca y excesivamente confiada[3].

Sin embargo, es posible que hubieran actuado otras causas en la muerte del Príncipe, pues sabemos que sufrió un ataque de viruela estando en Medina del Campo, y que su traslado a Salamanca fue ordenado esperando los Reyes que pudiera reponerse bajo los cuidados de su ayo, fray Diego de Deza, a la sazón obispo de la ciudad del Tormes. No olvidemos que los Reyes habían confiado ya desde 1485 en Deza para dirigir la educación del Príncipe[4].

Una ciudad, la de Salamanca, de la que por otra parte era señor el Príncipe de Asturias, y de cuyo señorío no se olvidaba, hasta el punto de conceder sobre ella mercedes a sus allegados, como la que hizo a García de Albarrátegui, otorgándole el solar donde se había de alzar la casa de la mancebía[5].

Y la salud del Príncipe mostró una cierta mejoría. Tanto, que pudo ver representada una égloga alegórica que en su honor había compuesto Juan del Encina, titulada precisamente *El triunfo del Amor*.

Y otro dato: los Reyes, más tranquilos, dejaron a su hijo en Salamanca para cumplir con otra de las bodas comprometidas; en este caso, la de la hija primogénita Isabel, la joven viuda del príncipe Alfonso de Portugal, que había de desposarse con el nuevo Rey portugués Manuel *O Venturoso*.

Eso ocurría a mediados de septiembre de 1497.

A poco, el Príncipe empeoró, de lo que el obispo Deza se creyó obligado a dar cuenta a los Reyes, con un correo urgente que les fuera

---

[3] Pedro Mártir de Anglería al cardenal Santa Cruz: véase mi estudio *Juana la Loca,* ob. cit., pág. 91). De la muerte del Príncipe por los excesos de una tormentosa vida amorosa quedó ya la leyenda en la Corte, hasta el punto que medio siglo después Carlos V se cree obligado a reglamentar rígidamente la vida conyugal de su hijo Felipe II en su primer matrimonio —el celebrado con la princesa María Manuela de Portugal—, haciéndole alusión en sus Instrucciones a Felipe a lo que le había acontecido al príncipe don Juan: «... muchas veces pone tanta flaqueza —el exceso de vida conyugal— que estorba a hacer hijos y quita la vida, como lo hizo al príncipe don Juan, por donde vine a heredar estos Reinos» (véase mi estudio *Felipe II y su tiempo,* Madrid, Espasa Fórum, 2002, 18.ª ed., pág. 679).

[4] Ángel Alcalá y Jacobo Sanz, *Vida y muerte del príncipe don Juan. Historia y Literatura,* Valladolid, 1999, pág. 70.

[5] Esta curiosa donación, que tanto revela sobre la mentalidad de la época, está perfectamente documentada. Véase el estudio de M. Villar y Macías, *Historia de Salamanca,* Salamanca, ed. 1974, V, págs. 102 y sigs.

a buscar en la raya de Portugal, en la villa de Alcántara, donde habían ido para entregar a su hija Isabel, camino de su nuevo destino: el Príncipe andaba «con el apetito perdido» y le entraban tales congojas que el Obispo temía lo peor, pidiendo a los Reyes que al menos volviera uno al lado del doliente[6].

Y así lo hizo Fernando, quien regresó al lado de su hijo, ocultando a la Reina la gravedad del caso. No quiso alarmar a Isabel, que había quedado muy quebrantada del viaje a Extremadura, hasta el punto de verse obligada a guardar cama; sin olvidar que permaneciendo en Valencia de Alcántara podía hacer frente a sus deberes de Estado, en la entrega de la princesa Isabel a los comisionados por la Corte de Lisboa.

Pero Fernando nada pudo hacer por reanimar a su hijo, al que encuentra en sus últimos momentos. Solo confortarle ayudándole a bien morir, con impresionante entereza, si hemos de creer a los cronistas.

Al principio, claro es, le da ánimos, procura levantar aquel espíritu tan decaído.

Otra vez Pedro Mártir, el humanista, nos describe la escena:

> El Rey lo anima a que tenga valor y no decaiga...

El espíritu esforzado era la mejor medicina:

> En muchas ocasiones la esperanza ha acarreado la salud a personas gravemente enfermas...

Pero ya no hay remedio. El Príncipe lo sabe, y es el primero en consolar al padre. Hay que sufrir con entereza lo que Dios ordenare. A su vez, el Rey le conforta como puede. Es un momento dramático. Pronto la mala nueva corre por la Corte, de la que todos hablan compungidos y que recogen las crónicas de la época. ¡Se estaba muriendo el Príncipe de las Españas!

> Fijo, mucho amado —es Fernando el que le habla—: Habed paciencia, pues os llama Dios...

Y le añade, compungido:

---

[6] La carta de Deza, custodiada en la Real Academia de la Historia y comentada por José Camón Aznar en su discurso de ingreso en la Academia el 24 de marzo de 1963 (Madrid, 1963, págs. 72 y 73).

Tened corazón para recibir la muerte[7].

La entereza del Príncipe en sus últimos momentos conmueve a los que le asisten, entre ellos al humanista de la Corte Pedro Mártir de Anglería, quien nos da fe de todo ello, por hallarse presente, y que no puede ocultar su dolor:

Me es imposible referir esto sin dominar las lágrimas... A los trece días nos fue arrebatado.

Y añade, haciéndose eco del dolor general que conmovió a la Corte, a Salamanca, al país entero:

Aquel infausto día 6 de octubre llenó de profundo luto a España...[8]

Un siglo más tarde, el padre Mariana se lamentaría en términos similares:

... que fue grande dolor y lástima no solo para sus padres sino para todo el Reyno[9].

Lo difícil fue dar la noticia a la reina Isabel, su madre. Fernando se lo oculta en sus primeras cartas. Quiere aplazarlo para cuando se vean y mutuamente se consuelen.

Era el dolor de ver morir a su hijo en plena juventud, un dolor insufrible, que se resiste a aceptar, algo contra lo que se rebela, algo que iba contra la propia naturaleza de las cosas. Tanto es así que provoca este lamento en Pedro Mártir de Anglería, que había vivido aquel amargo trance día a día, con el encuentro final de los Reyes:

¡Oh, qué escena tan desgarradora![10]

Aquello no había sido una muerte cualquiera. No solo había muerto el hijo de los Reyes; había muerto también el primer Príncipe

---

[7] Es la versión, sin duda a lo pastoral, del cronista Andrés Bernáldez, cura de Palacios (*Memorias...,* ob. cit., pág. 379).
[8] Cit. por J. Camón Aznar, *Sobre la muerte del príncipe don Juan,* ob. cit., pág. 75.
[9] P. Mariana, *Historia de España,* ed. cit., pág. 561.
[10] Cit. por J. Camón Aznar, ob. cit., pág. 75.

llamado a reinar sobre toda España. El pueblo cifraba en el Príncipe un destino mejor, más seguro, más firme, libre de extrañas intervenciones que alteraran el sosiego público.

Había muerto la esperanza de España. Un tema digno del Romancero. Como aquel en que aparece ante el lecho del moribundo una dama enlutada:

> Apartaros caballeros,
> que allí va la desgraciada.
> Los que la conocían
> se apartan de mala gana;
> los que no la conocían,
> ni de buena ni de mala.
> —Comieras tú, hijo del Rey,
> una pera en dulce asada.
> —Sí, por cierto, la comiera
> por ser de tu mano dada.
> Ajuntan boca con boca
> y ajuntan cara con cara.
> Llora el uno, llora el otro,
> la cama se vertió en agua;
> él murió a la medianoche
> y ella al resquebrar el alba[11].

Muchos otros poemas, elegías, epitafios y romances se compusieron entonces a la muerte del Príncipe, dejando testimonio del desconsuelo que provocó aquella pérdida en toda España. Autores tan conocidos como Juan del Encina, o los humanistas Pedro Mártir de Anglería y Lucio Marineo Sículo, fueron algunos de ellos. Y en esa producción poética nos encontramos con versos verdaderamente inspirados, como el de Juan del Encina en su *Tragedia trobada,* que viene a resumir el dolor de todo aquel pueblo:

> ... la gran flor de España llevó Dios en flor... [12]

Por su parte, el comendador Román también se hace eco de aquella gran pena que atenazaba a España entera, y hace hablar a la misma España para profetizar los males que se avecinaban:

[11] J. Carmón Aznar, ob. cit., pág. 88.
[12] Ángel Alcalá y Jacobo Sanz, *Vida y muerte del príncipe don Juan,* Valladolid, 1999, pág. 265.

... gran dolor se nos amaga... [13]

Impresiona, asimismo, la carta que Íñigo López de Mendoza escribe a la Reina en la que trata de consolarla haciéndole ver que siempre los cielos repartieron alegrías y tristezas, por lo que tras tantos triunfos tenía que llegar un gran dolor; sin olvidar la consabida sentencia: que mejor era pagar en vida los pecados cometidos, que no tras la muerte:

> Acuérdese Vuestra Alteza —se atreve a decirle— de las ofensas que ha fecho a Dios..., y aya alegría de pagarlas en la tierra e no en la otra vida... [14]

Un gran dolor, pues, un sentimiento que perdura a través de los tiempos. En especial cuando se contempla la estatua yacente del Príncipe en la iglesia del convento de Santo Tomás de Ávila.

Es al comienzo de la tarde. Penetramos en el templo justo cuando un rayo de sol da sobre la tumba del Príncipe. Todo tiene un aire sobrenatural, cargado de esas sensaciones que provoca la gran Historia.

Y nosotros pensamos también, ante la tumba del malhadado Príncipe, que allí algo se truncó del destino nacional.

La muerte de don Juan tuvo rápidas repercusiones en las Cortes cercanas. Felipe el Hermoso creyó, contra todo derecho, que era el momento para reclamar, como herencia, la sucesión al trono en nombre de su esposa Juana, cuando tan notorio era que la princesa Isabel, la primogénita, la que ya había sido en su niñez proclamada Princesa de Asturias, los tenía mejores.

Precisamente, como el mejor medio para salir al paso de tan injustificadas pretensiones, los Reyes Católicos decidieron activar la jura de Isabel y de su marido Manuel *O Venturoso* de Portugal. Eran los legítimos herederos de las Coronas de España. Así lo reconocieron las Cortes de Castilla reunidas en Toledo en 1498, a los pocos meses, por lo tanto, de la muerte del príncipe don Juan. Y de allí se traslada la familia real a Zaragoza, para llevar a cabo una tarea similar con las Cortes de Aragón.

Y entonces sobrevino otra gran desgracia.

---

[13] Ángel Alcalá y Jacobo Sanz, *Vida y muerte del príncipe don Juan,* ob. cit., pág. 287.
[14] Ibídem, pág. 438. Quiero agradecer aquí la ayuda de mi querida amiga Ana Díaz Medina, a la que debo estas referencias sobre la muerte del Príncipe.

La princesa Isabel, ya Reina de Portugal, no pudo soportar viajes tan seguidos, por hallarse en un estado muy avanzado de su embarazo. Funesto resultado: Un parto precipitado en Zaragoza. El niño se salva, pero la Princesa-Reina muere.

Sobreponiéndose a su dolor, los Reyes prosiguen la misma política con el recién nacido. ¿Estaría allí la clave de la reunificación de todas las Españas? Para intentarlo, las dos Cortes de Lisboa y de Valladolid dirigen una ambiciosa tarea política. Y así, el nuevo Príncipe, de nombre Miguel, es jurado heredero sucesivamente por las Cortes de Portugal, de Castilla y de Aragón.

Los Reyes Católicos, en su andariega vida a que les obliga su quehacer regio, llevan consigo a la tierna criatura. Incluso cuando en Granada salta la peligrosa rebelión de la población musulmana, que obliga a Fernando a calzarse de nuevo las botas de soldado, allá va con los Reyes el menudo Príncipe que apenas tiene los dos años.

Y allí, en Granada, sería su muerte. Tal ocurrió el 20 de julio del año 1500.

Otra esperanza del pueblo español que se perdía. A partir de ese momento, la crisis sucesoria se plantearía con toda agudeza. Ya nada podía impedir que un príncipe extranjero —en este caso, Felipe el Hermoso— recogiera la gran herencia política de los Reyes Católicos. Inesperado azar, tanto más incierto cuanto que se conocían perfectamente las inclinaciones francófilas del señor de los Países Bajos. Y todo ello agravado por el extraño comportamiento de Juana, su esposa, a la que la insólita situación existente obligaba a proclamar como nueva Princesa de Asturias.

Por lo tanto, dolor y alarma en la Corte de los Reyes Católicos; el dolor para Isabel por aquella rápida sucesión de muertes inesperadas: en 1496, la de su madre, Isabel. Al año siguiente, la del príncipe don Juan, «su ángel». Y cuando trataba de refugiarse en su hija primogénita, la nueva Reina de Portugal, su tocaya Isabel, otra vez la muerte golpeando en el alcázar regio. Y por último, la pérdida del Príncipe-niño, el fallecimiento de don Miguel, la última esperanza de portugueses, castellanos y aragoneses.

Era demasiado para la pobre Reina. Con razón el cronista Andrés Bernáldez nos habla de los cuchillos que arruinaron aquellos últimos años de Isabel la Católica.

> El primer cuchillo de dolor que traspasó el ánima de la reina doña Isabel —nos dice— fue la muerte del Príncipe. El se-

gundo fue la muerte de doña Isabel, su primera hija, reina de Portugal. El tercer cuchillo de dolor fue la muerte de don Miguel, su nieto...

Y añade, afligido:

... que ya con él se consolaba.

¿Qué podía sobrevenir, después de tanto infortunio? ¿Quién era capaz de sobrellevar tal carga de dolor? El cronista lo sabe:

E desde estos tiempos —comenta— vivió sin plazer la dicha reina doña Isabel, muy necesaria en Castilla e *se acortó su vida e salut* [15].

LA CRISIS SUCESORIA

Había llegado el momento tan anhelado por Felipe el Hermoso. A partir de 1498, cuando se entera de la muerte de su cuñada Isabel, la Princesa-Reina de Portugal, ya sabe que entre él y la Corona de Castilla no hay más que un frágil muro, la existencia —siempre tan incierta, en aquellos tiempos— de un recién nacido. Y como si estuviera bien seguro de lo que acabaría ocurriendo, tiene un correo en la Corte de los Reyes Católicos con la orden expresa de salir a uña de caballo, en cuanto se supiera que don Miguel, el Príncipe-niño, había muerto.

Lo cual da que pensar, y no poco.

La tortuosa ansiedad de Felipe el Hermoso la conocemos por un testigo de la época, quien describe cómo la Corte de Bruselas acoge la muerte de don Miguel, que tantas lágrimas había costado a su abuela Isabel. El cronista —en este caso, Lorenzo Padilla— lo hará en términos escuetos, pero harto elocuentes.

Nos dirá:

Los Archiduques se *holgaron desta nueva,* como era razón [16].

---

[15] Andrés Bernáldez, *Memorias...,* ob. cit., pág. 380.
[16] Lorenzo de Padilla, *Crónica de Felipe I, llamado el Hermoso* (en *Colección de Documentos Inéditos para la Historia de España,* t. VIII, Madrid, 1846, pág. 68).

Y aquel correo que llevaba tan agradable nueva para Felipe el Hermoso había salido a escape de Granada, sin llevar ninguna carta de los Reyes Católicos, como si hubiera partido a escondidas. De forma que un autor de nuestros días no puede menos de hacerse estas reflexiones:

> ¿Cómo era que Felipe el Hermoso estaba tan seguro de la próxima muerte del príncipe don Miguel, para ordenar que se le avisara con tanta celeridad?

Y añade, sentencioso:

> No lo habría hecho mejor el modelo de Príncipe, según Maquiavelo[17].

Tras las lágrimas, la alarma. La alarma para la Reina, porque últimamente le llegaban noticias cada vez más preocupantes del extraño comportamiento de su hija Juana. Se decía de ella que se hallaba trastornada por los celos, tan alborotada, que ni siquiera atendía a las cosas del alma, descuidando gravemente sus deberes religiosos.

¿Impía una hija de Isabel? ¿Se podía creer? La Reina trata de informarse plenamente y, en caso necesario, de poner el debido remedio, para que su hija entrara en razón.

¿Y de qué modo? Mandándole un fraile de su confianza. ¿Qué si no? Era el procedimiento en que confiaba la Reina. Piadosa hasta el extremo, las reflexiones de los frailes que tenía en su entorno, en especial sus confesores —fray Hernando de Talavera, en primer lugar; después, Cisneros—, siempre le hacían meditar. ¿Por qué no probar con su hija?

De ese modo un sencillo fraile, fray Tomás de Matienzo, llegó a la Corte de Bruselas. Eran los días del verano de 1498, a finales del mes de julio, cuando todavía vivía la princesa-reina Isabel.

El fraile fue recibido de inmediato por los Archiduques. La primera impresión sobre la infanta Juana no fue mala, y así se lo cuenta a los Reyes:

> Está tan gentil y tan fermosa y gorda y tan preñada, que si Vuestras Altezas la viesen, habrían consolación[18].

---

[17] Véase mi estudio *Juana la Loca, la cautiva de Tordesillas*, ob. cit., pág. 93, nota 6.

[18] Texto cit. por Antonio Rodríguez Villa, *Bosquejo biográfico de la reina doña Juana*, Madrid, 1874, pág. 33.

Pero Juana pronto se distancia del fraile. ¿Cuál era el motivo de su misión? ¿Acaso hacer inquisición —ojo, atención a la palabra— de su vida? El fraile trata de apaciguarla:

> Yo le respondí que no venía yo a *fazer inquisición* sobre su vida...

Pero en otra audiencia ya aborda el tema que preocupaba a la Reina:

> ... la poca devoción...

Y acusa a la Infanta de tener el corazón endurecido

> ... sin ninguna piedad...

En suma, informa a la Reina:

> ... le dixe todo lo que V. A. me mandó...

Es más: exige a la Infanta que se le confíe, que le cuente todas sus cosas, tanto las buenas como las malas.

Pero nada consigue. A lo más, que Juana le prometa que escribiría a la Corte de España [19].

Era señal clara de que Juana había dejado de estar bajo el control de la Reina, su madre.

Y ello cuando los acontecimientos, precipitándose, la iban a situar como la nueva Princesa de Asturias.

La muerte de don Miguel obliga a los Reyes a llamar a los Archiduques a España. Era preciso que las Cortes de Castilla reconociesen a Juana como la nueva Princesa de Asturias, y las Cortes de Aragón, como la nueva heredera de la Corona. Y puesto que ya había nacido su primer hijo varón, Carlos, el deseo de los Reyes es que también viniese con ellos, a fin de que se hiciese a los nuevos Reinos que había de heredar.

Y primera sorpresa: Felipe el Hermoso no mostró ninguna prisa por tal viaje. Al contrario, alegó no pocas dificultades, entre ellas la ne-

---

[19] A. Rodríguez Villa, ob. cit., pág. 38; cf. mi estudio *Juana la Loca*, ob. cit., págs. 82 y sigs.

cesidad de encontrar el dinero suficiente, pues el señor de los Países Bajos tenía que ir acompañado de un cortejo digno de su categoría. Pero los Reyes sospecharon que había algo más. Era bien conocida la francofilia del Archiduque. Pronto se conoció que estaba en negociaciones con el nuevo Rey de Francia, Luis XII, para llegar a una alianza familiar, proyectando el enlace de su hijo Carlos con la princesa Claudia, hija de Luis XII. Cierto que la tierna edad del hijo de Juana, que en 1500 apenas si tenía unos meses, hacía el proyecto harto dudoso, ni era mucho mayor Claudia, pues había nacido el 14 de octubre de 1499 [20]. Por otra parte, Juana se había negado a secundar aquella maniobra política, consciente del dolor que produciría a sus padres.

Pero sí era verdad que había otro motivo verdadero para aplazar la salida de Bruselas: el nuevo embarazo de Juana. En efecto, el 27 de julio de 1501 la nueva Princesa de Asturias daba a luz una niña, a la que se le pondría el nombre de Isabel. Se puede pensar en un intento de Juana de acercamiento a su madre.

Al fin, los correos llevaron la noticia a Castilla: los Archiduques habían iniciado su viaje a España en el otoño de 1501. Ahora bien, dado su numeroso cortejo, tanto de la nobleza flamenca como de la española que asistía a Juana, y de la impresionante carga de equipaje, que transportaban más de cien carromatos, y que su ruta la hacían por Francia, y que les cogería el invierno por el camino, estaba claro que no habían de llegar a España hasta bien entrado el año de 1502.

Y en ese viaje era seguro el encuentro del Archiduque con el rey Luis XII de Francia. Dadas las tensas relaciones de la Monarquía católica con la Cristianísima corte de Francia, y conocidas las inclinaciones del archiduque Felipe, cabía temer cualquier desagradable incidente.

Durante diez días, la Corte francesa festejó por todo lo alto a los Archiduques, sucediéndose las jornadas de encuentros protocolarios con los saraos y con las cacerías; y hasta con alguna partida de juego de frontón, al que era tan aficionado Felipe. El momento más crítico llegó cuando en una ceremonia religiosa el Rey francés hizo entrega de una cantidad de monedas de oro al Archiduque; era un signo del protocolo

---

[20] Lo curioso de este frustrado enlace sería que Claudia acabaría casando con el duque Francisco de Angulema, convirtiéndole así en Rey de Francia, a la muerte en 1515 de Luis XII. Llegaría así al trono francés el rival más encarnizado que encontraría Carlos V en todas sus empresas de Europa.

feudal, una demostración de que el Rey era Luis XII y que Felipe el Hermoso era su vasallo. Lo cual correspondía a la realidad del momento, dado que los condes de Flandes eran vasallos del Rey de Francia. Pero cuando la Reina trató de realizar una operación similar con Juana, se vio altivamente rechazada por la Princesa. ¡No podía olvidar que era hija de los Reyes Católicos, y que como tal no debía vasallaje alguno a Francia!

> La Princesa sintió el negocio [21] —nos refiere el cronista— y no los quiso rescibir... [22]

Abandonada la Corte francesa, y después de un lentísimo viaje, en parte por la crudeza del invierno y en parte porque era necesario que los pontoneros acondicionasen caminos y puentes por donde había de pasar aquel impresionante cortejo, los Archiduques alcanzaron Madrid el viernes 25 de marzo. Estaba la villa inmersa en plena Semana Santa. Así que los asombrados viajeros flamencos tuvieron ocasión de ver lo que eso suponía en el corazón de Castilla, con las solemnes procesiones religiosas y con el espectáculo de los disciplinantes hiriéndose las desnudas espaldas a latigazo limpio:

> Y no se ven por toda la ciudad —comenta el viajero flamenco Antoine de Lalaing— más que ir gentes desnudas, que se azotan con varas... [23]

Los Reyes esperaban con ansia la llegada de los Archiduques. En Isabel se entrecruzaban los vivos deseos de abrazar de nuevo a su hija, después de tantos años de separación, con los temores por el comportamiento del Archiduque. El cual cayó enfermo en Olías, cuando iban camino de Toledo, que era el lugar marcado para la entrevista y donde habían sido convocadas las Cortes de Castilla, para que reconocieran a Juana y Felipe como los herederos del trono castellano.

Ante aquella inoportuna dolencia, Fernando el Católico dejó a un lado el protocolo y fue a visitar al enfermo. Era la ocasión para abrazar también a su hija Juana:

---

[21] Esto es, se percató de la maniobra a que le querían poner a prueba.

[22] Lorenzo de Padilla, *Crónicas...*, ob. cit., pág. 83.

[23] Antoine de Lalaing, *Primer viaje de Felipe el Hermoso a España* (en la recopilación de J. García Mercadal, *Viajes de extranjeros por España y Portugal,* I, pág. 457).

Al encuentro del Rey..., fue la Archiduquesa —nos comenta el cronista flamenco— y le abrazó y le besó... y le llevó de la mano al cuarto del Archiduque... [24]

Era la primera vez que Fernando se veía con su yerno, del que tantas cosas le separaban, empezando por el dudoso trato que daba a su hija. Pero, consciente de que había que llegar a un entendimiento con el que ya era su heredero, mantuvo aquella entrevista en su alojamiento.

Una entrevista que Fernando el Católico deseaba hacer en la intimidad, sin curiosos intermediarios que después aireasen peligrosamente lo allí transcurrido.

Había una dificultad: Felipe apenas conocía el español y Fernando no entendía nada del francés. ¿Cómo remediarse, entonces?

Sencillamente con la mejor y más allegada intérprete posible: con la princesa Juana, que ya había logrado hacerse con el idioma de la Corte de Bruselas.

Así nos lo confirma el cronista:

> Y hablaron durante largo rato juntos [Fernando y Felipe], sirviendo de intérprete la Archiduquesa entre ellos... [25]

Una entrevista política, minada de recelos entre quienes estaban llamados a forcejear por el poder en Castilla.

Otra cosa fue la que tuvieron pocos días después la reina Isabel y su hija Juana, cuando los viajeros llegaron a Toledo. Era el reencuentro, después de seis años, cuando las distancias hacían tan penosas las separaciones, sin ningún medio de aliviarlas salvo el correo, que llegaba tan de tarde en tarde, o el envío de algún mensajero propio, para los casos muy significativos y muy contados.

Para Isabel el encuentro con su hija, aparte de las connotaciones políticas de poner las bases de la futura sucesión, estaba en principio la cuestión afectiva. En 1502 la Reina se hallaba muy quebrantada, después de tantas desgracias familiares sufridas en tan corto espacio de tiempo; con la agravante de la alarma en que vivía, temiendo que su obra política, construida con tanto esfuerzo, se fuera al traste, al caer la herencia en manos de su vulnerable hija Juana y de su marido, a fin de

---

[24] J. García Mercadal, ob. cit., I, pág. 458.
[25] Ibídem, pág. 488.

cuentas un extranjero, del que además se conocía su amistad con el más cerrado enemigo de España en toda la Cristiandad, como lo era el Rey de Francia, fuese cual fuese: Luis XI, Carlos VIII o Luis XII.

Pero en aquel momento lo que verdaderamente hacía sufrir a la gran Reina era la soledad. Después de las muertes de sus hijos Juan e Isabel y de su nieto Miguel, había visto cómo salían de la Corte sus dos hijas pequeñas, María y Catalina: María, en 1500, para convertirse en Reina de Portugal, como la nueva esposa de Manuel *O Venturoso* (que tanto lo parecía ser por conseguir, una tras otra, a las Princesas de España[26]). Y en cuanto a la pequeña, Catalina, porque con sus dieciséis años había partido para Londres, como futura esposa del príncipe Arturo, aunque luego acabaría siéndolo de su hermano Enrique, el futuro y terrible Enrique VIII.

De modo que Isabel vivía entonces sin el calor familiar de sus hijos. Eso haría que la entrevista con Juana estuviera cargada de ternura. Algo para disfrutar en la intimidad, lejos de las miradas —y de la curiosidad— inoportunas de los cortesanos.

Al punto, Isabel cogió a Juana y se la llevó a su aposento, para disfrutar de la hija a sus anchas. El relato del cronista tiene aquí un no sé qué de profundo afecto materno, que nos transmite la emoción del momento:

> … metió de la mano [la Reina] en su cámara a la Princesa, su hija…

Entrañable reencuentro entre la Reina y su hija. Isabel había cumplido ya los cincuenta años, edad que ahora parece de plena madurez —y sin duda lo es— pero que en aquellos tiempos de principios del siglo XVI podía ser ya una edad avanzada. La tremenda carga que había estado soportando Isabel en su incesante —y trepidante— labor de gobernar personalmente el Reino de Castilla, con tantos avatares, con tantos graves sucesos que tuvo que afrontar —como la guerra de Granada o como la expulsión de los judíos—, el continuo trajín de una Corte nómada, que tan pronto estaba en Medina como en Toledo, en

---

[26] Bien sabido es que el título de *O Venturoso* va unido a que bajo su reinado Vasco da Gama consiguió coronar la secular gesta portuguesa, alcanzando al fin las costas de la India en 1499. En cuanto a la humorística referencia a su afición a las mujeres de la Corte hispana, habría que comprenderla con el recuerdo de que, tras la muerte de María, se volvería a casar con Leonor, la hermana de Carlos V.

Córdoba como en Granada o en Sevilla, en Zaragoza como en Barcelona. Y, sobre todo, la muerte de tantos seres queridos, había hecho envejecer, a ojos vistas, a la Reina.

Un autor de nuestros días comenta, no sin emoción, aquel momento histórico:

> Era el momento tan deseado. Para Juana, era la posibilidad de emplear, en el seno familiar, la lengua materna... [27]

Pero para la Reina era algo más que encontrarse con su hija. Era, y yo diría que sobre todo, el ansia de saber si podía contar con ella, si tendría en ella la digna sucesora, la que mantendría su gran obra política, o si todo estaba en peligro de perderse, si Juana seguía doblegada y sometida a su marido, aquel Archiduque tan distante, tan distinto y que se mostraba tan sumiso a Francia.

Sin duda hubo algo más. Isabel quería tener noticias de aquellos nietos suyos, los que vivían en los Países Bajos, y seguramente sobre todo de Carlos, al que hubiera querido tener a su lado para que viviese y se educase en el país que algún día había de gobernar. Y es posible que fuera entonces cuando surgió la idea de recoger su imagen, junto con las de sus dos hermanas, Leonor e Isabel, en ese tríptico que custodia el Kunsthistorische Museum de Viena, si no es que la propia Juana lo encargara, para tenerlo consigo, dado que se iba prolongando su estancia en España.

De momento, y conforme al plan establecido, Isabel consiguió que las Cortes de Castilla jurasen a Juana y a Felipe como los herederos al trono. En la convocatoria, los Reyes señalaban el motivo:

> Bien sabedes —dirían a las ciudades y villas castellanas— cómo plugo a Nuestro Señor llevarse para sí al ilustrísimo Príncipe don Miguel, nuestro nieto y heredero que había de ser destos nuestros Reinos e señoríos, hijo legítimo de la serenísima Reina e Princesa doña Isabel, nuestra hija primogénita e heredera... [28]

¡Cuántos recuerdos no le vendrían a la Reina al presidir aquella larga ceremonia! Ella, que tan poco amiga era de reunir a las Cortes, lo

---

[27] Véase mi estudio: *Juana la Loca,* ob. cit., pág. 102.

[28] El texto, en Juan Manuel Carretero Zamora, *Corpus documental de las Cortes de Castilla (1475-1517),* Madrid, 1993, pág. 5.

había tenido que hacer en aquellos últimos años, entre 1498 y 1502, en tres ocasiones.

Y ello porque la muerte había irrumpido brutalmente en Palacio, trastocando todos sus planes. Con Juan, o con Isabel, o con Miguel, hubiera estado tranquila. El futuro hubiera podido seguir siendo suyo, fiel a sus consignas. Pero con Juana, y detrás de ella, con la sombra del archiduque Felipe, todo resultaba azaroso.

Sin embargo, era preciso cumplir con su deber y hacerlos proclamar como los nuevos herederos por los procuradores de las Cortes castellanas, y por los Grandes de la nobleza y del clero.

Era la solemne ceremonia final del pleito-homenaje, en la que aquellos personajes iban desfilando ante los Reyes y ante los Príncipes, para poner su mano ante los Santos Evangelios y luego, rodilla en tierra, besar la mano diestra

... a los dichos Príncipe e Princesa, nuestros señores...

Tras de lo cual, a su vez, los Príncipes rindieron homenaje a los Reyes:

... e hincaron las rodillas delante de los dichos Rey y Reina, nuestros señores, e besaron las manos a Sus Altezas, y Sus Altezas con mucho amor les abrazaron e les dieron paz e su bendición...[29]

Ya los Archiduques eran los nuevos Príncipes de Asturias, los herederos del Reino de Castilla. Eso ocurría en la catedral de Toledo, el 27 de mayo de 1502. Algo valorado, sin duda, por el archiduque Felipe fuera y dentro de sus aposentos.

En la intimidad también, aunque solo fuera durante unos días. De eso no nos cabe duda alguna, sin que nos haga falta el testimonio de ningún cronista. Pues nos basta constatar este escueto dato: nueve meses después, la princesa Juana daba a luz, el 10 de marzo de 1503, a su quinto hijo; en este caso un varón, al que pondría el nombre de Fernando, en honor a su padre. Y lo haría en el corazón de España, en Alcalá de Henares.

Mas Felipe no era persona de sentimientos duraderos, antes bien harto mudables. De forma que en cuanto pasó aquel verano anunció a los Reyes que regresaba a los Países Bajos.

---

[29] J. M. Carretero Zamora, ob. cit., pág. 80.

Isabel trató de hacerle cambiar de opinión. ¿Era prudente realizarlo de cara al invierno, máxime cuando Juana mostraba ya lo adelantado que llevaba su embarazo? Pero nada consiguió. Felipe replicó que había prometido a su pueblo regresar antes del año; ese año se había cumplido con creces y debía ponerse en camino.

¿Acaso había otro motivo? De nuevo se había encendido la guerra entre Francia y España, en aquel forcejeo que tenían sus dos Reyes, Luis XII y Fernando el Católico, por el Reino de Nápoles. Eso hacía más incómoda la posición de Felipe el Hermoso en España, por su inclinación hacia Francia; inclinación que dejó bien manifiesta al volver a cruzar el territorio francés a su regreso a los Países Bajos.

Una separación que Juana llevó muy mal, sobre todo a partir de su parto en Alcalá de Henares, donde dio a luz el 10 de marzo de 1503 a su hijo Fernando.

A partir de ese momento, Juana no cejará en su empeño de regresar ella también a los Países Bajos, para estar con su marido. Y, sin duda también, para volver a vivir con los tres hijos que allí había dejado, con aquella pequeña tropa infantil compuesta por Leonor, que entonces andaba ya por los cinco años; por Carlos, que tenía ya los tres años, y por Isabel, que aún no había cumplido los dos.

Pero encontró la resistencia de su madre. La Reina hubiera preferido a la inversa, que fueran aquellos nietos suyos los que vinieran a España y que a su lado se criaran, junto con aquella Juana, a fin de cuentas la que se había convertido en la heredera de sus Reinos.

De ese modo, las relaciones de Isabel con Juana se fueron crispando. Algo que todo el mundo notaba en la Corte.

No de otra manera describe la situación el humanista Pedro Mártir de Anglería, cuando regresa de su embajada a Egipto, donde había ido a pactar unos acuerdos con el Sultán egipcio en relación con los Santos Lugares y para enfrentarse con la amenaza turca, cada vez más fuerte en todo el Mediterráneo. El humanista milanés se sorprendió al ver tan agobiada a la Reina y aún más decaída a la Princesa, ansiosa por juntarse con su marido, sin atenerse a las razones maternas. Era

… la ardiente esposa…

Juana no estaba a la altura de sus obligaciones regias:

… es una simple mujer, aunque sea hija de otra tan grande…

De forma que no había modo de consolarla:

... gime y no hace más que llorar...[30]

Tan desesperada acaba siendo la situación de la Princesa, que Isabel ordena que la examinen los doctores de la Corte, el doctor Soto y el doctor Gutiérrez de Toledo. Los cuales la encuentran en un estado pésimo de postración:

> La disposición de la señora Princesa es tal —ese fue su dictamen médico— que no solamente a quien tanto la quiere debe dar mucha pena, mas a cualquiera, aunque fuesen extraños...

Los signos que daba de su enfermedad, sin duda una depresión aguda, no podían ser peores:

... duerme mal, come poco y a veces nada...

Y lo que era aún peor: en ocasiones, se resistía a contestar cuando se le preguntaba por su salud:

Algunas veces no quiere hablar...

Empeoraba a ojos vistas:

... su enfermedad va muy adelante...[31]

Más claramente nos muestra la depresión en que había caído Juana la pluma del humanista:

> Solicita solo por su marido, vive sumida en la desesperación, con el ceño fruncido...

Y así día y noche, y siempre en silencio, o respondiendo con acritud a quienes se preocupaban por su estado:

---

[30] Pedro Mártir de Anglería, *Epistolario,* ed. López de Toro, en *Documentos inéditos para la Historia de España,* X, Madrid, 1955, pág. 35.
[31] El informe de los médicos Soto y Gutiérrez de Toledo, cit. por C. Silió Cortés, *Isabel la Católica, fundadora de España,* Madrid, Espasa Calpe, 1943, pág. 406, nota 298.

Meditabunda día y noche, sin proferir palabra. Y si alguna vez lo hace..., es siempre en forma molesta [32].

Con esa penosa situación de su hija, la última esperanza de su obra política, tiene que habérselas Isabel. Nada parece tener remedio. Y cuando trata de intervenir personalmente, se produce lo peor: el enfrentamiento de la hija.

¿Qué había ocurrido? Temiendo que Juana decidiera obrar por su cuenta, la Reina había dispuesto ponerla a buen recaudo en el castillo de la Mota de Medina del Campo. Allí es vigilada. Es más: no puede salir del castillo. Las órdenes de la Reina son terminantes. Pero Juana, en un gesto de rebeldía, al encontrar cerrado el portalón de la fortaleza, se niega a volver a sus habitaciones y decide pasar la noche a la intemperie.

¡Pero no estamos en el verano, sino en pleno mes de noviembre! Y las noches de noviembre en la alta meseta castellana pueden ser temibles.

El gesto de rebelión de la Princesa es tanto más escandaloso cuanto que parece atentar contra su salud. Es como un grito desesperado, el modo de llamar la atención de la Reina, de obligarla a dejarlo todo para acudir a Medina.

Y eso es lo que ocurre. Isabel, al tener noticia del extraño comportamiento de la hija, decide acudir a Medina, pese a que su salud empezaba a no ser muy buena y le obligaba a guardar cama en Segovia. ¿Esperaba que ante su presencia Juana se mostrara más sumisa? De hecho, ocurriría todo lo contrario. Y eso lo sabemos por una carta de la propia Reina: ante sus recriminaciones, Juana se revuelve airada:

... me habló tan reciamente —se lamenta la Reina—, con palabras de tanto desacatamiento y tan fuera de lo que la hija debe decir a su madre, que si yo no viera la disposición en que ella estaba, yo no se las sufriera en ninguna manera... [33]

E Isabel cede. Apacigua a la hija, prometiéndole que cuando mejorara el tiempo se la dejaría volver a los Países Bajos con su marido y con sus hijos.

---

[32] Pedro Mártir de Anglería, *Epistolario,* ed. cit., pág. 48.
[33] Isabel a su embajador en Bruselas, Gómez de Fuensalida (César Silió, *Isabel la Católica,* ob. cit., pág. 404).

Y así ocurrió. En la primavera de 1504, Isabel veía marchar a Juana, no sin pena.

Algo le decía que quizá no la volvería a ver.

Y acaso algo peor. Pues Juana no encontraría en Bruselas aquella acogida cordial de su marido, el Archiduque, que tanto anhelaba. Al contrario, lo ve frío y distante. Y con sus celos desatados, lo achaca todo a nuevas infidelidades, que trata de castigar con su propia mano, arremetiendo contra la amante de turno del Archiduque.

Son noticias que llegan a Castilla por las cartas de los servidores leales a Isabel. Y así es como la Reina se entera de que el Archiduque, reaccionando airado, había injuriado a Juana, dejándola abandonada. De forma que otra pena aflige a Isabel:

> No ha sido pequeño el disgusto que sus padres han tenido cuando, por medio de correos y de criados leales a la hija, se han enterado de esto…

Comentaría el humanista Pedro Mártir de Anglería, ante la noticia que estaba escandalizando a toda la Corte.

Y añade, refiriéndose directamente a cómo lo había tomado Isabel:

> La indignación de la Reina, que la llevó en sus entrañas, ha sido aún mayor, y sufre grandemente, asombrada de la violenta reacción del norteño…[34]

El norteño, esto es, el archiduque Felipe el Hermoso. Lo cual indicaba que entre la alteración emocional de la hija y la hostilidad del yerno, el panorama de la sucesión se volvía cada vez más problemático.

La crisis sucesoria era una penosa realidad, que Isabel, encontrándose ya tan enferma en aquel verano de 1504, tendría que afrontar, pues estaba en juego el futuro de su obra política.

Con ese ánimo, con el espíritu combatido por tan sombríos pensamientos, Isabel dictaría su Testamento.

Había que intentar un último esfuerzo para encontrar algún remedio contra todos aquellos males que apuntaban en el horizonte.

---

[34] Pedro Mártir de Anglería, *Epistolario,* ob. cit., págs. 83 y 84.

9
LOS ÚLTIMOS AÑOS: TESTAMENTO Y MUERTE DE LA REINA

Pese a todo el dolor sufrido por la muerte tan seguida de tantos seres queridos, Isabel no cejó en su gobierno del Reino, afrontando los graves problemas que surgían constantemente y que le obligaban a dejar a un lado sus íntimos sentimientos.

Problemas algunos de ellos gravísimos. Así, la rebelión de los moriscos granadinos al finalizar la centuria. Tampoco iba por el camino deseado la evangelización del Nuevo Mundo, que tanto anhelaba la Reina; como hemos de ver, Cristóbal Colón pronto puso de manifiesto que el gobernante estaba muy por debajo del marino. En fin, aunque las noticias eran mejores, y aunque de ese apartado se preocupaba preferentemente Fernando el Católico, no se puede olvidar que es en este último tramo de la vida de la Reina cuando se entabla el definitivo forcejeo con Francia por el dominio del Reino de Nápoles, y que en principio la suerte de las armas era de una gran incertidumbre, dado el poderío del ejército francés.

CONQUISTA DE MELILLA

En cuanto al afianzamiento de la conquista del antiguo reino nazarí de Granada, a cuyo frente pusieron Isabel y Fernando dos figuras del máximo relieve (el conde de Tendilla, como gobernador y capitán general, asumiendo los poderes civiles y militares; y fray Hernando de Talavera, esto es, el antiguo confesor de Isabel, como arzobispo de la nueva archidiócesis creada), se trató de asegurar creando un nuevo centro judicial (la Real Chancillería de Granada) y favoreciendo la inmigración de población cristiana procedente de otras partes de la Corona de Castilla; sobre todo andaluces, pero también castellanos y extremeños, e incluso gallegos.

Y hubo más, y algo de verdadera importancia, en lo que se ve la mano de la Reina: la tentación de la otra orilla. Un salto al norte de África que venía a redondear el goticismo del nuevo Estado, con el recuerdo de una Mauritania dominada por la España visigoda. Con ello se aseguraba la navegación por el estrecho de Gibraltar y, sobre todo, se salía al paso de una posible contraofensiva musulmana sobre el reino granadino, donde todavía existía una importante población musulmana, siempre como una amenaza latente contra el dominio cristiano.

En esas condiciones, y tras la sorprendente noticia llegada a la Corte del duque de Medina-Sidonia de que sus habitantes habían despoblado Melilla, se comprende que el Duque considerara urgente una ofensiva sobre la plaza, que se realizó con toda fortuna en 1497, con el envío de una escuadra —financiada por el mismo Duque— y un golpe de veteranos mandados por un valiente soldado: Pedro Estopiñán, un caballero de Jerez al servicio del Duque.

La operación fue un éxito. Era como el cierre a la guerra de la Reconquista. Tierras bajo el dominio de la Monarquía visigoda volvían a integrarse en la España de los Reyes Católicos. Isabel tuvo conciencia de todo lo que ello suponía. De ahí su conocida advertencia dejada en el Testamento a sus herederos:

> ... e que no cesen de la conquista de África... [1]

Este despoblado se hallaba en términos del reino antiguo de Tremecén, lindando con el de Fez, antes que se constituyese el Reino de Marruecos. De ahí que la historia de Melilla forma parte, desde entonces, de la Historia de España. Hoy Melilla se nos aparece como la réplica de Málaga, al otro lado del Estrecho.

Sin duda, estamos ante una de las herencias más valiosas del reinado de Isabel.

SE RECRUDECE LA GUERRA DE GRANADA

La rebelión de los moriscos granadinos fue motivada por el cambio de política religiosa exigida por Cisneros.

---

[1] Isabel la Católica, *Testamento,* ed. cit., pág. 28.

Cisneros: Estamos ante uno de los personajes más importantes del reinado de los Reyes Católicos, acaso el más destacado, en una época en la que tantos brillaron en la Corte al servicio de los Reyes. En 1492, cuando tenía cincuenta y seis años (edad más bien avanzada para la época), llevaba ya ocho como fraile franciscano sometido a una dura vida ascética. Quizá por eso tuvo fortuna la recomendación del cardenal Mendoza, que le conocía de antiguo, cuando sugirió su nombre a la Reina para el puesto de confesor, relevando a fray Hernando de Talavera, el nuevo arzobispo de Granada.

Ahí era nada. ¡Confesor de Isabel! Tal cargo suponía mucho más que la atención a la vida religiosa de Isabel, porque en la Reina los planteamientos políticos estaban en la mayoría de las ocasiones influidos por los sentimientos religiosos. Lo cual era tanto como hacer de su confesor uno de los pesos pesados de la gran política del momento.

Fue el comienzo de una impresionante carrera. Aquel sencillo franciscano, que lo que anhelaba era la paz del claustro, se vio metido de lleno en la vorágine de la gran política, y en una época de monarquías autoritarias llegó a tener tanto protagonismo que le llevaría en dos ocasiones a la Regencia de Castilla. En 1495, vacante la mitra arzobispal de Toledo, sería propuesto para el cargo por la Reina, que muy pronto percibió las grandes dotes de gobernante y de reformador que había en el fraile franciscano.

Así las cosas, cuando la Reina visitó Granada, junto con Fernando, en 1499, Cisneros siguió a los Reyes, como cumplía a su condición de confesor de Isabel.

Una visita que a la Reina produjo desazón. Hacía siete años que se había conquistado el reino nazarí granadino, pero los avances en la cristianización de aquel pueblo habían sido prácticamente imperceptibles, pese a la categoría espiritual del arzobispo Talavera. ¿Se había mostrado demasiado blando el antiguo confesor de la Reina? ¿No sería conveniente un cambio de política, una acción más enérgica? ¿Haría falta que alguien, con más firmeza, ayudase a Talavera en su misión?

¿Fue esa la razón por la que Isabel renunció por un tiempo a tener a su actual confesor, para dejarlo en Granada, dedicado a aquella tarea de activar la evangelización de su población musulmana?

Hoy sabemos, por una experiencia secular, lo difícil que resulta a los misioneros conseguir resultados apreciables en su tarea evangelizadora en tierras musulmanas. Y eso fue lo que le ocurrió también a Cisneros, quien, perdida la paciencia, acudió a procedimientos más severos, con fuertes presiones sobre los principales dirigentes musulmanes de Granada.

Incluso, llevado de su extremado celo religioso, Cisneros ordenó organizar hogueras en el corazón de la capital granadina, en la plaza de Bibarrambla, para quemar allí públicamente los libros sagrados del Corán y los escritos de los teólogos musulmanes.

Hubo más. Como no eran pocos los helches, Cisneros trató de averiguar cuáles eran, o sus sucesores, considerando que por su antiguo linaje cristiano sería más fácil recuperarlos, de buen o mal grado.

Y el resultado fue que se generara un malestar tan grande que acabó desembocando en una tremenda revuelta. El propio Cisneros estuvo en peligro de muerte, con su casa asediada por los granadinos musulmanes; tomando la revuelta tales proporciones que llegó hasta las Alpujarras. Un cronista cercano a los hechos, como Andrés Bernáldez, dejaría constancia de ello.

Comienza refiriendo los primeros intentos evangelizadores:

> Quedó el arzobispo de Toledo con el de Granada —nos dice— dando forma en el convertimiento de la ciudad. Y buscaron todos los linajes que venían de cristianos, e convirtieron e bautizaron muchos dellos...

Ahora bien, en las capitulaciones dadas a los granadinos en 1492 se estipulaba que se les respetaría en sus costumbres y en su religión. De forma que se podía tomar como una ruptura de lo pactado:

> E los moros —prosigue el cronista— tuvieron esto por muy mal, e alborotándose unos con otros, e escandalizaron toda la cibdad de manera que se alzaron muchos...

La chispa del fuego pronto saltó fuera:

> ... e otros se fueron de la cibdad e alborotaron los lugares comarcanos e las Alpuxarras, e alzáronse contra cristianos...

Gran conmoción en la Corte. Isabel llegó a ver en peligro toda su gran tarea culminadora de la Reconquista. De modo que el propio Fernando tuvo que calzarse otra vez las botas de soldado para sofocar aquella peligrosa rebelión.

Fueron necesarias dos campañas del Rey Católico, la primera sobre las Alpujarras en 1500 y la segunda contra los rebeldes de la serranía de Ronda en 1501, para al fin pacificar todo el Reino.

Entonces la Reina decidió que procedía ya anular las concesiones religiosas anteriores a los musulmanes granadinos.

Así se llegó a la pragmática regia de 11 de febrero de 1502: todos los moriscos de la Corona de Castilla quedaban obligados a escoger entre la conversión o la expulsión.

El modelo seguido en 1492 con los judíos se imponía ahora a los hispanomusulmanes de Castilla.

Era el camino hacia la unidad religiosa, uno de los objetivos más deseados por la Reina, en lo que se entremezclaban sus sentimientos religiosos con los políticos: los de lograr, también por esa vía, una mayor unidad de la Corona de Castilla.

Ahora bien, tan graves alteraciones en el antiguo reino nazarí de Granada, con la dura represión posterior del rey Fernando, no pasaron inadvertidas. No pocos de los granadinos huidos al norte de África llevaron por todo el mundo musulmán del Mediterráneo la noticia de aquellos dramáticos sucesos. Y de ese modo llegó a saberse también en Egipto, entonces bajo la dinastía de los mamelucos, y cuyo Sultán tenía bajo su dominio los Santos Lugares. El Sultán juró tomar venganza, y amenazó con las más duras represalias. ¿Sobre quiénes? Pues sobre los cristianos que podía tener bajo su alcance: sobre los peregrinos que acudían año tras año a Belén y a Jerusalén, ansiosos por conocer las tierras donde Jesús había vivido, había predicado y había sufrido la muerte en la cruz.

Eso ya eran palabras mayores. Algo que escapaba al control de Isabel y que hería sus más íntimos sentimientos, una consecuencia inesperada de su política religiosa frente a los musulmanes granadinos.

Fernando compartía sus sentimientos. Algo había que hacer para aplacar al enfurecido Sultán de Egipto. Así que decidieron mandar una embajada especial a El Cairo. Pero ¿a quién enviar? Aquella no era una misión corriente. Era necesario escoger con especial cuidado al que se había de hacer cargo de la embajada, un hombre acostumbrado al trato de la Corte, pero al mismo tiempo culto y prudente.

Al fin, el elegido fue Pero Mártir de Anghiera o Anglería, el humanista milanés que llevaba tantos años en la Corte, quien, sin pérdida de tiempo, llegó a Egipto en diciembre de 1501. Y el resultado fue óptimo, de lo que Anglería dejaría constancia en un curioso escrito: su *Legatio Babilonyca*. Es más, tan orgulloso estaba del éxito de su misión, que la recordaría en su Testamento. Se refiere a un ropaje suntuoso que le había regalado el Sultán, y comenta:

... querría que durase lo más que fuese posible, a cabsa de la memoria de tan santa obra como se fizo en mi embajada, como fue redimir que el gran Soldán no tornase moros por fuerça y fiziese morir con tormentos a los christianos que estaban dentro de sus señoríos y a los freyles de Jerusalem... [2]

Los tratos entre España y Egipto siguieron unos años, finalmente a cargo de un franciscano, fray Mauro Hispano, ya a finales de 1504, cuando Isabel entraba en su agonía. Pero del satisfactorio resultado no quedaría la Reina al margen. Aquí sí que puede recordarse la frase posterior de Castiglione, respecto a la influencia que seguía manteniendo después de muerta:

... como rueda... movida con gran ímpetu largo rato...

DE NUEVO VIAJANDO CON COLÓN

Para entonces, ya Colón había reanudado sus viajes a las Indias. Ya hemos visto cómo los Reyes le recibieron alborozados en Barcelona, y cómo confirmaron sus privilegios en 1493, facultando al Almirante a realizar su segunda expedición descubridora; aquella expedición en la que intervendría, como hombre de confianza de Isabel, Juan Rodríguez de Fonseca.

Rodríguez de Fonseca tenía por valedor nada menos que al antiguo confesor de la Reina, a fray Hernando de Talavera, y comenzaba entonces a destacar en el servicio de los Reyes. La nueva expedición era ya una verdadera escuadra de diecisiete naves, tres de ellas de gran aparejo. Se trataba de colonizar y evangelizar, de forma que entre los 1.500 componentes de su tripulación iban no solo marineros, sino además labradores y frailes; y asimismo el veterano Juan de la Cosa y futuros conquistadores, como Ponce de León y Alonso de Ojeda. La escuadra iba muy bien armada, pues se temía algún ataque portugués (aún no se había firmado el acuerdo de Tordesillas), pero llevaba también animales de labor y aperos de labranza. La obra colonizadora de España en Indias estaba en marcha.

---

[2] El texto del Testamento de Pedro Mártir de Anglería, cit. por Vidal González Sánchez, *Isabel la Católica y su fama de santidad...*, ob. cit., pág. 150, nota 147. Véase también el relato de Anglería en la ed. de Luis García de Castro, *Una embajada de los Reyes Católicos a Egipto,* Valladolid, 1947.

Colón, en este segundo viaje, logra un derrotero mucho más corto, tomando una ruta más al sur que la primera, que en veinte días le puso de las Canarias en las Antillas de Barlovento. La primera isla que esta vez encuentra es la que nombraría La Deseada, significativo título, pues se hallaba a 750 leguas del punto de partida, conforme el Almirante había prometido a los Reyes; de tal forma que estos le contestan con aquella frase:

> ... parécenos que todo lo que al principio nos dijistes que se podría alcanzar por la mayor parte ha salido cierto como si lo hobiérades visto antes que nos lo dijésedes...

Colón recorre las pequeñas islas de Barlovento, toca en Puerto Rico, a la que llama San Juan, y finalmente atraca en Santo Domingo, con la esperanza de volver a ver al grupo de españoles que había dejado en el fuerte de Navidad. Con lo que se encontró, sin embargo, fue tan solo con las ruinas del fuerte y con la certidumbre de la muerte de su guarnición a manos de los indios, probablemente por divisiones ocurridas entre los españoles y por deserciones del fuerte, ante el ansia de encontrar oro.

Dos años largos pasó Colón en La Española, dirigiendo la nueva colonia, organizando expediciones descubridoras a la búsqueda de oro y realizando él mismo una navegación a la isla de Cuba, en el curso de la cual también descubre la isla de Jamaica y el archipiélago del Jardín de la Reina. Pero el gobierno de La Española le resultó difícil, pues mantuvo a duras penas la disciplina de su gente y tuvo que guerrear con los indios de la isla, a los que reducía a la esclavitud, mientras la labor misionera estaba paralizada. Estas noticias se iban sabiendo en la Corte, así como el descontento que cundía entre los colonos. Sin embargo, cuando Colón se presentó en ella, en 1496, obtuvo el apoyo de la Reina para una nueva expedición descubridora. Sería el tercer viaje de Colón, que llevaría a cabo en el verano de 1498. Para entonces, otros marinos habían ya iniciado sus propios contactos, entre ellos el hermano del Almirante, Bartolomé Colón (que con tres naves había llegado a La Española en junio de 1494), Juan Aguada (enviado por los Reyes en 1495, para inspeccionar el estado de la colonia) y Pedro Alonso Niño, que en 1496 había dirigido personalmente una nueva empresa descubridora.

El tercer viaje de Colón (julio de 1498) tiene interés porque toca por primera vez Tierra Firme, tras descubrir la isla de la Trinidad y el golfo de Paria, en la punta nordeste de América del Sur. Durante unos días exploró aquella costa y sus islas, y emitió la hipótesis de una forma distinta de la Tierra, que en la mitad norte sería esférica y en la zona austral tendría forma de pera. Habiendo enfermado, tiene que suspender su exploración y buscar refugio en La Española, que había dejado bajo el gobierno de su hermano Bartolomé en 1496.

La colonia española estaba en franca descomposición, por disidencias graves entre los colonos, que el Almirante no supo resolver satisfactoriamente. Se sucedieron los actos de extrema contemporización con los rebeldes con los de la más dura represión, sin que el descontento entre los colonos cediese en modo alguno. Estas alarmantes noticias llegaron a la Corte, y los Reyes Católicos decidieron el envío de un juez pesquisidor, con plenos poderes incluso sobre el Almirante, para cuya difícil misión nombraron al comendador Francisco de Bobadilla. Este, con energía, dominó la situación, si bien apresando al Almirante y a sus dos hermanos Diego y Bartolomé (1500). Cristóbal Colón fue enviado a España por Bobadilla cargado con grilletes, como un vulgar delincuente.

Gran escándalo en la Corte.

Los Reyes procuraron desagraviarlo y aun le permitieron organizar un cuarto viaje descubridor, pero con prohibición de tocar en La Española, con arreglo a lo que el Almirante había demostrado: ser un excelente marinero y un audaz descubridor, pero un pésimo gobernante. Ordenaron también la sustitución de Bobadilla por Nicolás de Ovando, al que se manda al frente de la mayor escuadra hasta entonces enviada: 32 naves y 2.500 tripulantes. Ovando llevaba orden de proceder contra los culpables de las anteriores rebeliones y de devolver al Almirante los bienes que Bobadilla le había arrebatado. El cuarto viaje de Cristóbal Colón fue el más accidentado, y tan lleno de peripecias y de adversidades que difícilmente hubiera podido superarlas otro que no fuera el consumado marino que era el genovés. La expedición no era grande, aunque mayor que la primera (cuatro naos y 150 tripulantes). Repite la ruta del segundo viaje, entre la isla canaria de Hierro y las Pequeñas Antillas de Barlovento. Trata de arribar, por dificultades en sus barcos, a Santo Domingo, pero no le fue consentido por Ovando, riguroso ejecutor de las instrucciones regias. Explora las costas de América Central, en busca de un paso, teniendo que sortear tremendas borrascas. A duras penas puede refugiarse en Jamaica, con sus barcos destrozados. Consigue mandar un aviso de socorro a Santo Domingo, que al fin le llega un año después (junio de 1504), y regresa inmediatamente a España. Estaba ya maltrecho y enfermo. A poco muere su gran protectora, la reina

Isabel, y el Almirante entra en el período de sus reclamaciones a la Corona, creyendo que obtendrá más de Felipe el Hermoso y de doña Juana que del rey don Fernando. El 21 de mayo de 1506 muere en Valladolid, sin que se sepa a ciencia cierta dónde están hoy sus restos, que sufrieron numerosos traslados entre España y Santo Domingo.

Pero no basta con dar unos datos y narrar la continuidad de unos sucesos, en particular cuando los tales revisten la trascendencia de la gesta colombina. Es preciso hacer algunas reflexiones sobre el hombre que la realizó, sobre la Reina que le ayudó y sobre las consecuencias que de aquella gesta se derivaron.

Del genial Almirante baste decir que su empresa fue la más grande realizada por hombre alguno en los tiempos modernos. Sus cuatro felices navegaciones demuestran su pericia como marino. En su último viaje, cuando esperaba encontrar apoyo en Santo Domingo, es él quien advierte las fuertes borrascas que se avecinan, y que causan la pérdida de numerosas naos que no quisieron seguir su consejo; mientras, él sabe sortear las peores tormentas. No solo halló el camino de Poniente, sino que encontró la ruta adecuada para el tornaviaje, aprovechando para la ida los alisios y para el regreso la Corriente del Golfo. Por desgracia, su talento colonizador no estaba a la altura de sus dotes como marino, lo que justifica que los Reyes Católicos acaben distinguiendo las dos funciones; mientras siguen confiando en el marino, terminan por nombrar a Ovando para dirigir la nueva colonia de Santo Domingo.

CONSECUENCIAS DEL DESCUBRIMIENTO

Por supuesto, la empresa de las Indias es tan colombina como española. Fue la España de los Reyes Católicos la que respaldó al Almirante en su increíble proyecto, la que le ofreció el apoyo oficial, nombrándole Almirante de la Mar Océana, la que le dio dinero y hombres para que pudiera hacer efectivos sus planes. Donde otros pueblos negaron y rechazaron, España afirmó y apoyó. Serían largas las deliberaciones y habría momentos de incertidumbre e, incluso, otros en los que pudo darse todo por perdido; pero, al fin, Colón logró las capitulaciones de Santa Fe y el apoyo de los marinos de Palos. Es cierto que en sus últimos años Colón tuvo dificultades en la Corte, en parte emanadas de los conflictos surgidos en La Española, en parte porque Fernando el Católico empezaba a reconsiderar la cuestión de las Indias.

Aunque la gesta colombina tuvo pronta difusión por sus cartas, en las que daba cuenta de su primer viaje, reimpresas diversas veces desde finales del siglo XV en Barcelona, París, Roma y Bruselas —entre otros sitios—, sin embargo aún tardó en medirse por la mayoría la magnitud de lo que aquello suponía. Baste recordar que cuando Münzer viene a España, en 1496 —sin duda atraído ya por aquel triunfo—, confiesa en su entrevista con los Reyes Católicos:

Insigne prodigio en el que muchos no creen todavía.

Y no hay que tomar a mero azar el que España, apoyando a Colón, fuese la descubridora y colonizadora del Nuevo Mundo. Porque la España de los Reyes Católicos, la vencedora en Granada y la que tenía ya bajo su control las islas Canarias, era por entonces el Estado más poderoso de Occidente, hallándose bajo la dirección de las dos más fuertes personalidades políticas de su época y con una experiencia secular de conquista y repoblación. Los hombres que, siglo tras siglo, habían ido conquistando y repoblando Castilla, Castilla la Nueva, Andalucía occidental y Granada a lo largo de medio milenio, los que ya se habían topado con una civilización primitiva en las Canarias y estaban en vías de transformar una población sumida en una cultura prehistórica en otra más de la cultura occidental, constituían sin duda el pueblo de Europa mejor preparado no ya para el mero hecho de colaborar con Colón en su gesta descubridora, sino para triunfar donde el Almirante ya nada sabía hacer: en el posterior proceso de conquista y colonización del Nuevo Mundo.

Finalmente, ¿qué supuso para Europa entera, para la cultura occidental, en suma, aquel magno descubrimiento colombino? En principio, ya lo hemos visto, tarda en hacerse a la idea de un Nuevo Mundo que se ponía bajo su esfera de influencia, como lo prueba el hecho de que hagan falta los descubrimientos posteriores en América del Sur de Américo Vespucio para que en el círculo humanista de Saint-Dié se acuñe el nuevo nombre: América, que empieza ya a circular por Europa desde principios del siglo XVI, si bien España continuaría dándole el nombre de las Indias. La ampliación del horizonte europeo es también la obra de otras grandes personalidades: de Bartolomé Díaz, que franquea el primero el cabo de las Tormentas, en África del Sur; de Vasco da Gama, que corona la serie secular de viajes portugueses con su travesía del Índico y su llegada a Calicut en 1497-1498. Añadamos el descubrimiento de Brasil por Álvarez Cabral en 1500; el del mar del

Sur, atravesando el istmo de Panamá, por Vasco Núñez de Balboa, en 1513; la internada de Díaz de Solís en el Río de la Plata en 1516, y, finalmente, como algo que dejaba de una vez por todas bien patente la esfericidad de la Tierra, la inmensidad de sus océanos y el aislamiento del Nuevo Continente, el viaje de circunnavegación iniciado por Magallanes y coronado por Elcano.

De todo ello, lo más inmediato era que el Nuevo Mundo ejercería una extraña fascinación sobre el europeo. La ruta hacia las Indias orientales abría nuevas perspectivas para el comercio y enriquecería a las naciones que sucesivamente la usufructuaran: primero Portugal, más tarde Holanda, finalmente Inglaterra. Pero la ruta de las Indias occidentales supone mucho más que un mero incremento en el ámbito económico. Europa iba a tener ante sí espacios abiertos, tierras vírgenes, un mundo en muchas de sus partes en puro estado natural, que podría moldear a su modo. Europa tendría la oportunidad de desdoblarse, de crear nuevas Europas —Nueva España, Nueva Holanda, Nueva Inglaterra—, donde tratara de despojarse de sus defectos seculares, donde pudiera aspirar a la creación de sociedades más justas, donde estuviera en condiciones de dar vida a todas las utopías de sus pensadores, desde las forjadas por los filósofos del mundo clásico hasta las renovadas por los humanistas del Renacimiento.

Y eso fue importante, verdaderamente importante. Más aún que el cuerno de la abundancia que había de volcar la ubérrima América sobre la agotada Europa.

ÚLTIMAS REFLEXIONES: ISABEL LA CATÓLICA Y LA EMPRESA COLOMBINA

Después de estas consideraciones, dos preguntas cabe hacerse: ¿cómo vivió Isabel la gran hazaña del Descubrimiento? Y, sobre todo, ¿cuál fue su protagonismo? ¿En qué medida Colón encontró apoyo en la Reina?

¿Cómo vivió Isabel la gran hazaña del Descubrimiento? Es una pregunta que hoy podemos contestar mejor, gracias a los últimos hallazgos de los americanistas, en particular las cartas de Colón. Hoy ya no contamos solo con las que mandó al escribano de los Reyes Católicos, Luis de Santángel, y al tesorero de la Corona de Aragón, Gabriel Sánchez. Por fortuna, conocemos la que envió a los Reyes Católicos, con lo que podemos asomarnos a ese momento cumbre en el que Isabel, junto con Fernando, sabe al fin que la temeraria operación del marino genovés había sido culminada por el éxito.

Hablo de los dos Reyes, porque a los dos va dirigida la carta del Almirante y porque los dos habían tomado la decisión, en último término, de apoyar su viaje descubridor, tal como lo fijaban las capitulaciones firmadas en Santa Fe. Pero si Fernando accedía a ello totalmente escéptico (como sabemos por su posterior confidencia a los oficiales de La Española, en la carta que les escribe en 1510 y que ya hemos comentado, cuando llega a confesar, refiriéndose a lo pactado con Colón, «cuando ninguna esperanza había de que aquello pudiese ser...»), e imponiendo posiblemente la condición de una mínima participación en los gastos para financiar el viaje, dado que lo consideraba como un negocio ruinoso y sin ningún futuro, en Isabel, con la natural incertidumbre, había como un rayo de esperanza de que por aquella vía se podían lograr cosas maravillosas, y no ya económicas, sino sobre todo las espirituales del aumento de la fe.

Una mezcla singular de dudosa incertidumbre y de gozosa esperanza que anidaba en el corazón de la Reina y de los que con ella compartían tales sentimientos, bien reflejada en aquella exclamación de fray Hernando de Talavera, que también hemos comentado, pero que ahora conviene recordar, cuando desde su retiro de Granada, e inquieto por no recibir noticia alguna sobre el primer viaje colombino, tiene aquella exclamación, que parece salirle del fondo de su alma:

¡Oh, que si lo de las Indias sale cierto!

Así pues, no es difícil evocar el momento, verdaderamente gozoso, en el que Isabel y Fernando recibieron la carta de Colón, dando cuenta de su primer viaje, y que hemos procurado comentar con el mayor detalle.

Y en cuanto al protagonismo de Isabel en la empresa colombina, frente a una corriente americanista que resalta el papel de Fernando, sería bueno atenerse a los indicios que nos da el propio Colón. Es cierto que lo frecuente es que sus cartas vayan dirigidas a los dos Reyes, cosa, por otra parte, que era lo protocolario. Pero en alguna ocasión el Almirante se dirige directamente a la Reina, y entonces el tono de su pluma se vuelve mucho más afectuoso.

Así, en la carta que envía a los Reyes dándoles cuenta de su tercer viaje —una carta larguísima, en la que describe las maravillas de las nuevas tierras que había descubierto—, de pronto deja de usar el plural y se dirige directamente a la reina Isabel, con un tono cargado de gratitud y de afecto.

Se trataba de salir al paso de los que en la Corte malmetían murmurando contra él. Y Colón se anima recordando lo que le había dicho Isabel, en lo que da la impresión que se trata de una vez en que la Reina le había recibido sin estar presente Fernando:

> Tengo por muy firme —escribe Colón— lo que me respondió Vuestra Alteza, una vez que por palabra le dezía desto, no porque yo oviese visto mudamiento ninguno en Vuestra Alteza, salvo por temor de lo que yo oía destos que yo digo; y tanto da una gotera de agua en una piedra, que le hace un agujero...

Tras de lo cual, tras de ese temor a los que insistían en sus murmuraciones, Colón añade, reconocido, lo que entonces le había dicho Isabel. Esto es, vamos a asistir, sin duda alguna, a unas afirmaciones personales de la Reina sobre la empresa colombina, a unas declaraciones suyas no solo en cuanto a su protección a Colón, sino también a qué le movía a ello. Y lo hará en forma directa, ella misma, no en nombre también de su marido, lo que da la impresión de que lo hizo en una audiencia que la Reina diera personalmente al navegante. Y de la fidelidad del texto no cabe dudar, puesto que Colón lo dice en esa carta dirigida a los dos Reyes, a Isabel y a Fernando.

Oigamos, pues, a la Reina, para saber a qué atenernos, de una vez por todas, en cuanto a su patrocinio sobre las empresas colombinas y en cuanto a lo que pretendía de ellas. A las dudas de Colón sobre las murmuraciones que oía en la Corte en su contra, Isabel le contesta:

> Y Vuestra Alteza me respondió con aquel corazón que se sabe en todo el mundo que tiene, y me dixo que no curase de nada deso, porque su voluntad era de proseguir en esta empresa y sostenerla, aunque no fuese sino piedras y peñas.

A continuación la Reina declara el motivo que le había llevado a proteger y patrocinar la gesta colombina:

> ... que el gasto que en ello se hazía que lo tenía en nada, que en otras cosas no tan grandes gastaba mucho más...

Insiste en su desinterés:

> ... y que lo tenía todo por muy bien gastado, lo del pasado y lo que se gastase en adelante...

¿Y ello por qué? Es cuando la Reina señala la esperanza que le movía, el verdadero motivo de su patrocinio indiano: la evangelización de nuevos pueblos. Y en ese momento engloba a su marido, el Rey:

> ... porque creían que nuestra sancta fe sería acreçentada y su real señorío ensanchado...

De forma que tenían por malos vasallos a los que trataban de disuadirles[3].

En otros textos colombinos volvemos a encontrar ese recuerdo agradecido del Almirante hacia la Reina. En especial, llama la atención lo que inserta en una carta que escribe a doña Juana de la Torre, ama que había sido del príncipe don Juan. Alude al gran debate promovido en la Corte, cuando había propuesto a los Reyes su navegación por el Mar Tenebroso hacia Occidente, y recuerda la general oposición que había encontrado, salvo en la Reina:

> En todos ovo incredulidad, y a la Reina, mi señora, dio dello y a [Dios] el espíritu de intelligençia y esfuerço grande y lo hizo de todo heredera, como a cara y muy amada hija...

De nuevo Colón personaliza y cita solamente a Isabel, con el resultado correcto, que se debería resaltar más de lo que se hace: que las Indias descubiertas fueran incorporadas a la Corona de Castilla solamente:

> La posesión de todo esto fui yo a tomar en su real nombre...[4]

Después del tercer viaje, cuando Colón pasa por la penosísima experiencia de la prisión a que le somete Bobadilla, y una vez en Es-

---

[3] Relación del tercer viaje de Colón (en *Cristóbal Colón: Textos y documentos completos,* ed. cit. de Consuelo Varela, ob. cit., pág. 219).
[4] Carta de Colón a doña Juana de la Torre (en *Cristóbal Colón: Textos y documentos completos,* ed. cit., págs. 263 y 264).

paña es Isabel quien le consuela. Así lo testimonia Colón en una carta que por aquellas fechas, en mayo de 1501, escribe a fray Gaspar de Gorricio:

> La Reina, nuestra Señora —le indica—, me embió a dezir que folgaría que yo me conformase con el señor Obispo...[5]

Es más, le prometía ser la mediadora, si el Obispo y Colón no llegaban a un acuerdo satisfactorio. Y así, añade Colón:

> ... y que, si obiese debate, que Su Alteza sería terçero...[6]

Así no es de extrañar el tono rendido con que Colón escribe por aquellas fechas de 1501 a la Reina. En una carta que le manda a finales del verano de ese año le dice frases como esta:

> Yo soy el siervo de Vuestra Alteza. Las llaves de mi voluntad yo se las di en Barcelona[7].

Pero Colón ya tiene noticia de que la Reina andaba con males y achaques, a lo que atribuye que las cosas de él tampoco vayan bien:

> Yo veu este negocio de las Indias muy grande, [pero] los otros negocios que Vuestra Alteza tiene, *con su indisposiçión,* non dan lugar que el regimiento deste vaya perfeto...[8]

De ese modo se comprende el que con tanta pena y tanto desasosiego tome Colón la noticia de la suma gravedad de la Reina, como lo señala en una carta íntima a su hijo Diego escrita desde Sevilla, el 1 de diciembre de 1504, cuando lo que el Almirante temía —el fallecimiento de la Reina— ya se había producido:

> Muchos correos vienen cada día —le escribe entristecido— y las nuebas acá son tantas y tales que se me increspan los cabellos todos de las oír tan al revés de lo que mi ánima desea...

---

[5] Don Juan de Fonseca.
[6] *Colón: Textos y documentos,* ed. cit., pág. 284.
[7] Esto es, a la vuelta de su primer viaje, en 1493.
[8] Colón a la Reina, agosto-septiembre 1501 (*Textos y documentos,* ed. cit., pág. 303).

Y añade, con un resto de esperanza:

> Plega a la Santísima Trinidad de dar salud a la Reina, nuestra señora, porque con ella se asiente lo que va levantado...[9]

Se comprende que cuando Colón acaba teniendo certeza de la muerte de la Reina, le dedique un recuerdo, verdaderamente emotivo. Es un momento en el que Colón echa la memoria atrás, piensa en todo lo que Isabel había supuesto en su vida, y en un documento tan personal y tan íntimo como en su memorial a su hijo Diego Colón de cómo había de comportarse, lo primero que le encomienda es una oración por la Reina. Y lo hace en términos tales que sin duda conmovieron a su hijo, como sigue haciéndolo a nosotros:

> Memorial para ti, mi muy caro fijo don Diego, de lo que al presente me ocurre que ha de hacer...

¿Y qué es lo primero? El recuerdo piadoso a la Reina, recién fallecida:

> Lo principal es —le advierte— de encomendar afectuosamente con mucha devoçión el ánima de la Reina, nuestra señora, a Dios.

Y le añade un elogio de su santa vida, que sin duda será recordada ahora por no pocos:

> Su vida siempre fue católica —le dice— y santa y pronta a todas las cosas de su santo servicio...

De tal modo, que bien se podía creer que gozaba ya de la bienaventuranza eterna:

> Y por esto se debe creer —siguen siendo palabras de Colón— que está en su santa gloria y fuera del deseo deste áspero y fatigoso mundo[10].

---

[9] Colón a su hijo Diego, Sevilla, 1 de diciembre de 1501 (*Textos y documentos,* ed. cit., págs. 338 y 339).

[10] Ibídem, pág. 341.

Después de muerta la Reina, Colón escribiría alguna carta al rey Fernando; pero con otro tono, como al Rey poderoso, sin las notas de afecto que observamos en su relación con Isabel[11].

Era como si Colón supiera que con la muerte de la Reina se le había ido su gran protectora.

La gran protectora en la mayor hazaña de aquellos tiempos y aun de muchos siglos: el descubrimiento de América.

EL ECO DE LOS TRIUNFOS DE ITALIA

Aunque la intervención en el Reino de Nápoles, afrontando el reto del forcejeo con la mayor potencia de la Cristiandad, como se tenía a finales del siglo XV a la Francia de Carlos VIII y Luis XII, fuera sobre todo algo deseado y realizado por Fernando el Católico, es claro que no poco de todo ello afectó a la reina Isabel. En principio, apoyando a su marido con los hombres y recursos de la Corona de Castilla. No se puede olvidar que la gran figura militar que consigue tan brillantes victorias, en especial las de Ceriñola y Gargliano, de 1503 y 1504, y con ellas el señorío sobre el Reino de Nápoles, fue obra de aquel gran soldado tan preferido de la Reina, de nombre Gonzalo Fernández de Córdoba, el Gran Capitán. De aquellas guerras de Italia y de la actividad diplomática desplegada por Fernando, a favor entre otras cosas de la Roma de Alejandro VI, vino la gran distinción del título de Reyes Católicos, que les concedió el Papa en 1496 y con el que desde entonces conoce la Historia tanto a Isabel como a Fernando. Y no cabe duda de que las hazañas de nuestros tercios viejos en los campos de Italia, que tanto admiraron a toda Europa, se celebraron todavía mucho más en la Corte de los Reyes.

Del interés con que Isabel seguía todo lo que iba ocurriendo en Italia, y más concretamente en aquella pugna por el Reino de Nápoles, nos da buena prueba aquello que nos cuenta Gonzalo Fernández de Oviedo, al relatar la visita que a la Corte hizo uno de los más famosos caballeros napolitanos que habían luchado junto con el Gran Capitán: Próspero Colonna; el cual fue recibido por la Reina, llevando en su compañía a otro famoso soldado de aquellas guerras: Héctor Fieramosca.

---

[11] *Textos y documentos,* ed. cit., págs. 354 y 357.

Aquí se impone el propio texto de Fernández de Oviedo:

> E como Próspero Coluna ovo besado la mano a la Reyna,
> le dixo: Señora, dé Vuestra Alteza la mano a este caballero
> que os ha servido muy bien. E... dixo la Reyna...: ¿Cómo se
> llama? E Próspero dixo: Señora, llámase Éctor Aferramosca.
> E entonces la Reyna le dio la mano e dixo: No le han de lla-
> mar sino el conde don Éctor Aferramosca, *e yo estó muy bien
> informada de lo que dezís quél nos ha servido.*

Y todavía añadió:

> El Rey, mi señor, e yo se lo gratificaremos porque él es
> muy digno de qualquier merced que se le haga[12].

Eso ocurrió en el mismo año de 1504, cuando la salud de Isabel se
iba resintiendo cada vez más y más.

ISABEL Y FERNANDO: LOS CELOS DE LA REINA

Es una cuestión que desborda lo meramente familiar.

En una estructura política como la Monarquía Católica, tan marcadamente autoritaria, incluso con signos de absolutismo, el protagonismo de los Reyes es una constante, lo que resulta particularmente
notable en el caso de Isabel y Fernando. Por ello, la armonía entre ambos monarcas se torna en algo prioritario y la base de la estabilidad política y social de todo el país.

Como eso acabó siendo un logro notorio de los Reyes, podríamos
deducir que en líneas generales se logró esa armonía. Y de tal modo
que hasta podríamos hablar de una «armonía amorosa», aunque evidentemente no dejaran de producirse sus fricciones y hasta sus momentos críticos. Pues bien, esa «armonía amorosa» se logra en los primeros momentos, desde que se conocen los entonces jóvenes Príncipes
en aquel Valladolid de 1469, días antes de la boda. Una boda de unos
jóvenes Príncipes que era como una aventura, como un reto al poder

---

[12] Gonzalo Fernández de Oviedo, *Batallas y quinquagenas,* ed. cit., págs. 71 y 72; lo
subrayado es nuestro.

del rey Enrique IV y hasta a la misma Roma, puesto que no se había conseguido la necesaria dispensa pontificia.

Fue toda una aventura. Y no cabe duda de que ese aire aventuresco estimuló la unión amorosa de aquella joven pareja, que se casaban marcando su propia voluntad, contra viento y marea.

Algo que bien se podría suponer, pero que además lo podemos asegurar por algún testimonio de los propios protagonistas, y en este caso de Fernando. Las obligadas ausencias, al tener que atender cada uno cuestiones distintas en distantes lugares, daría pie a echar en falta al ser amado, y a dejar constancia de ello en lastimeras cartas.

Tal fue lo que ocurrió cuando, a finales de 1474, Fernando tuvo que dejar la Corte de Castilla para atender asuntos que requerían su pronta atención en Cataluña. Entonces se lamentaría de cuán pocas veces gozaba de su matrimonio con Isabel, y en estos expresivos términos dirigidos a la Reina:

> … no sé por qué Nuestro Señor me dio tanto bien para tan poco gozar dél, que ha ya tres años que no he estado con vuestra Señoría siete meses en vegadas… [13]

Y meses más tarde, ante otra obligada separación, Fernando tiene esta queja de enamorado, no ya tanto porque hubiera dejado a Isabel en la gran urbe de Toledo, mientras a él le tocaba andar por malos caminos y alojarse en aldeas, sino porque no tenía noticias de su amada, pese a las cartas que le mandaba:

> No puedo dormir…

Le llegaban correos de la Reina, pero sin cartas de ella:

> … los mensajeros que allá tenemos sin cartas se vienen…

Tacha a Isabel de altiva. Si no le escribía, ¿era que ya no le quería?

> … sin cartas se vienen, no por mengua de papel ni de saber escribir, salvo de mengua de amor…

---

[13] «… en vegadas…», esto es, a veces. Amalia Prieto, «Correspondencia privada, autógrafa, entre Fernando e Isabel», en *Opinión de españoles y extranjeros,* III, págs. 61-145; cit. por Tarsicio de Azcona, *Isabel la Católica,* ob. cit., pág. 368.

Y termina expresando su profundo anhelo:

... algún día tornaremos en el amor primero... [14]

¡En el amor primero! ¿Hay más abierta declaración del arranque amoroso de aquella joven pareja principesca? Con razón, Tarsicio de Azcona encuentra aquí una pasión amorosa

... al rojo vivo... [15]

Pero claro que en el matrimonio regio se produjeron distanciamientos, como en cualquier otra pareja. Distanciamientos agravados en algunas ocasiones por motivos políticos. Tal fue lo que ocurrió cuando, tras la proclamación de Isabel en Segovia, Fernando se creyó postergado; o cuando fue Isabel la desencantada, por el revés sufrido por Fernando ante Toro, en 1475; o, en fin, cuando años después, en plena guerra de Granada, Isabel vio amenazada la empresa de su vida ante el proyecto de Fernando de dejarlo en suspenso, dando prioridad a los asuntos de la Corona de Aragón, y a su proyección en Europa.

Sería la grave crisis de Tarazona.

Otros escollos tuvieron que salvar, entre ellos los muy humanos de los celos de Isabel provocados por las infidelidades de Fernando.

Que Fernando era muy mujeriego, lo sabemos por mil vías. Ya había dado muestras de ello desde bien temprano, incluso desde sus años mozos antes del matrimonio; hasta el punto de contar ya con dos hijos naturales, Alfonso y Juana. Y esa tendencia se mantendría a lo largo de su vida. ¿Cómo no recordar ahora a ese Alonso de Aragón que sería arzobispo de Zaragoza, o a las dos Marías de Aragón, que regirían el convento de las agustinas de Madrigal, entrado ya el siglo XVI? [16].

Y eso provocaría los celos de la Reina. ¡Y de qué modo! Algo reflejado en las crónicas del tiempo, lo cual es bien revelador. Fernando

---

[14] Amalia Prieto, «Correspondencia...», ob. cit., pág. 79; cit. por Tarsicio de Azcona, *Isabel la Católica,* ob. cit., pág. 368.

[15] Ibídem.

[16] De Alonso, arzobispo de Zaragoza y virrey de aquel Reino en 1516, publiqué yo una importante carta en el *Corpus documental de Carlos V,* Salamanca, 1973, reed. Espasa, 2003, I, pág. 50; en cuanto a las Marías de Aragón, una de ellas abadesa del convento de Madrigal, doy amplia cuenta en mi libro *Carlos V. El César y el hombre,* Madrid, Espasa Fórum, 2002, 12.ª ed., págs. 266-268.

del Pulgar lo recuerda por vía doble en su libro *Claros varones de Castilla*. Al tratar de Fernando declara su amor por Isabel, pero no deja de aludir a su tendencia mujeriega.

El texto es contundente:

> E como quiera que amaba mucho a la Reyna, su muger, pero dábase a otras mugeres...[17]

En justa réplica, al tratar de Isabel, nos dirá:

> Amaba mucho al Rey, su marido, e *celábalo fuera de toda medida*...[18]

Años después, otro humanista vinculado a la Corte, Lucio Marineo Sículo, se atrevería a dar más detalles: los celos de la Reina eran tales, que vigilaba sin cesar a las damas de su Corte, para poner pronto remedio a la menor sospecha:

> ... andaba sobre aviso con celos a ver si amaba a otras...

A la celosa Reina no se le escapaba que Fernando no iba muy lejos a buscar una amante. De modo que en cuanto notaba que el Rey se fijaba en alguna de sus damas, al punto la despachaba[19].

Y eso no podía quedar oculto. Era la inevitable comidilla de la Corte. De forma que los propios hijos estaban al tanto, porque la reacción de Isabel solía ser muy fuerte, conforme a su recio carácter.

No es una suposición. Es un tema con el que me encontré hace años, al estudiar la documentación de Juana la Loca. Porque la desventurada Juana, cuando en 1505 trata de justificar sus rabiosos celos y los excesos que con tal motivo había cometido, nos hace esta confidencia:

> ... si en algo yo usé de pasión y dexé de tener el estado que convenía a mi dignidad, notorio es que no fue otra causa sino celos...

---

[17] Fernando del Pulgar, *Claros varones...*, ob. cit., I, pág. 148.
[18] Ibídem, pág. 149.
[19] Lucio Marineo Sículo, *De las cosas memorables de España*, Alcalá, 1539; cit. por Tarsicio de Azcona, *Isabel la Católica*, ob. cit., pág. 366.

Hasta aquí, la confesión de Juana, la nueva Reina de Castilla, en cuanto al mal que la atormentaba. Pero no lo deja ahí. A continuación, viene este recuerdo de lo que había visto en la Corte de sus padres:

> … y no sólo se halla en mí esta pasión, mas la Reina mi señora [20], á quien dé Dios gloria, que fue tan eçelente y escogida persona en el mundo, *fue asimismo çelosa…* [21]

Esto lo escribía Juana en 1505, como una situación harto conocida por toda la Corte, y que ella había vivido, sin duda, entre 1486 y 1496, en esa década en que ella tenía entre los seis o siete años y los dieciséis, cuando dejó la Corte de sus padres para celebrar su matrimonio en Flandes.

No podía ser de otro modo. Fernando menudeaba en sus infidelidades, e Isabel replicaba con sus arrebatos de celos:

> … celábalo fuera de toda medida…

EL RIGOR JUSTICIERO DE ISABEL

La Reina fue muy religiosa, con una religiosidad que iría en aumento con el paso de los años, conforme iban aumentando sus responsabilidades de gobernante. Es muy posible que ello se viera propiciado también por sus grandes éxitos políticos, como si Isabel concluyera que esa era la prueba del apoyo divino. Ella era Reina por la gracia de Dios. En consecuencia, debía mostrar su agradecimiento mostrándose cada vez más y más devota, más y más vinculada a las prácticas de una vida religiosa muy intensa. No digamos cuando lo que estaba en juego era toda una guerra santa, como la lucha contra el reino nazarí de Granada, la culminación de aquella secular Reconquista en la que no hacía sino proseguir la gran obra política de sus antepasados, como Alfonso VI, como Fernando III el Santo o como Alfonso X el Sabio. En ese terreno, Isabel se encontraba no como un eslabón más, sino

---

[20] Esto es, Isabel la Católica.
[21] Véase mi estudio, *Juana la Loca, la cautiva de Tordesillas,* ob. cit., pág. 132. Por cierto, un texto bien conocido ya y estudiado por los mejores historiadores del siglo XIX, como Modesto Lafuente y Antonio Rodríguez Villa.

como el cierre de una preciosa cadena. El mismo hecho de que al final del 92, aquel año que se había iniciado con la rendición de Granada y que se había continuado con la purga religiosa de la expulsión de los judíos —acción que nuestra época puede considerar harto censurable, pero que en su día fue muy popular—, acabara con la noticia de la gran hazaña del descubrimiento de América, podía considerarse —y, de hecho, así fue tomado— como un regalo divino, como otro signo del favor de los cielos.

Y de ese modo, la religiosidad de la Reina y su estrecha vinculación con la Iglesia de su tiempo fue creciendo. Algo consagrado por Roma con el título de Reina Católica, con el que se le conoce en la Historia.

Y de esa religiosidad la Reina daría mil pruebas, aparte de sus prácticas devotas. En especial citaríamos aquí su honda preocupación y sus esfuerzos por lograr la reforma de las grandes Órdenes religiosas, para que se ajustaran a los principios marcados por sus fundadores; tarea en la cual, y por lo concerniente a la Orden franciscana —que era una de sus preferidas—, Isabel contaría con el poderoso y eficaz apoyo de un hombre excepcional: el franciscano, y luego cardenal, Jiménez de Cisneros.

La pregunta que ahora debemos formularnos es si esa profunda religiosidad se corresponde con un carácter bondadoso. En su vida de gobernante, ¿nos encontramos ante la Reina llena de bondad, gobernando con ternura a sus súbditos, como una madre a sus hijos? Veremos que ese es el planteamiento y que esa es la pregunta que se formuló en aquel tiempo.

La respuesta, a bote pronto, es que la Reina, al tener que escoger entre ser amada y ser temida —adelantándose unos años al planteamiento que formularía Maquiavelo en su célebre tratado *El Príncipe*—, prefirió ser temida.

Lo hemos de ver. Pero antes, permítaseme esta reflexión: la religiosidad, aun la más extrema, puede convivir con la mayor severidad.

Y ahora viene la gran pregunta: ¿fue rigurosa en sus justicias la reina Isabel? ¿Qué nos dicen sus cronistas? ¿Qué podemos entrever a través de la documentación del tiempo? ¿Cómo la vemos obrar, cuando tiene que ordenarla personalmente, en su ir y venir por todos sus Reinos de Castilla?

¿Qué nos dicen los cronistas? Estamos ante un planteamiento adecuado, por cuanto no se trata de que, con nuestra mentalidad actual, tachemos de severa a la Reina por hechos que la época consideraba normales. Nuestro propósito, al acudir a las crónicas de aquellos días, nuestra idea al preguntar a los hombres de aquel tiempo, es constatar si ellos mismos, dentro de las tablas de valores de la época, juzgaban a Isabel como Reina bondadosa o como Soberana severísima, con un rigor extremo en sus justicias.

Oigamos una vez más a Fernando del Pulgar, que tan bien la conoció:

> Era muy inclinada a facer justicia —nos dice de la Reina—, tanto que le era imputado seguir más la vía de rigor que de la piedad... [22]

Cierto que al momento encuentra la justificación:

> ... y esto facía por remediar a la gran corrupción de crímenes que falló en el Reyno cuando subcedió en él [23].

Andrés Bernáldez, otro contemporáneo de la Reina, al hacer su elogio fúnebre, nos dice expresamente:

> Fue la más temida y acatada reina que nunca fue en el mundo, ca todos los duques, maestres, condes, marqueses e grandes señores la temían e avían miedo della [24].

No fue arbitraria en sus justicias. Al contrario. Procuró siempre ser justa. Pero los juzgados como culpables fueron tratados con un rigor implacable:

> ... los rufianes açotados e desterrados, los ladrones asaetados... [25]

Y tal fue su fama de rigurosa en su justicia, que los pueblos se llenaban de temor ante su presencia.

Eso fue lo que ocurrió en Sevilla, cuando la Reina entró por primera vez en la hermosa ciudad del Guadalquivir. Recordemos cómo

---

[22] Fernando del Pulgar, *Claros varones de Castilla,* ed. cit., pág. 150.
[23] Ibídem.
[24] Andrés Bernáldez, *Memorias del reinado de los Reyes Católicos,* ed. cit., pág. 487.
[25] Ibídem.

entonces la acción de la justicia regia fue tan inmisericorde, que una comisión de la ciudad, presidida por el obispo de Cádiz —que hacía de provisor de aquella iglesia arzobispal, por ausencia de su titular—, le pidió audiencia, en la cual el Obispo le suplicó a la Reina que mitigase su rigor:

> ... *tanto terror e espanto ha puesto en ella el rigor grande* que vuestros ministros muestran en la execución de vuestra justicia...

¿Cuál fue el resultado? El pavor extendido por la ciudad. Aquella implacable justicia les había golpeado demasiado fuerte:

> ... el qual —rigor— les ha convertido todo su placer en tristeza, toda su alegría en miedo e todo su gozo en angustia e trabajo...

Por lo tanto, según el sentimiento de las gentes del tiempo, el rigor de la justicia de la Reina era tan grande que imponía pavor:

> ... terror e espanto... [26]

Y de ese temor de sus súbditos era consciente la Reina. Diego Ramírez de Villaescusa, un clérigo muy cercano a Isabel —tanto que había sido mandado por la Reina como capellán de la infanta Juana, cuando su partida a Flandes en 1496—, compondría años más tarde unos *Diálogos* dedicados a los Reyes, en los que hace conversar a Isabel con Fernando. Y en un texto que iba a ser leído por ellos, pone en boca de la Reina esta reveladora defensa de su rigor justiciero. De entrada, la Reina defiende su proceder:

> No es cruel el que degüella a los canallas...

Reconoce —y esto es lo que llama la atención— que debía ser la madre de sus súbditos y que su proceder, en ocasiones, antes la hacía parecer madrastra que madre:

---

[26] Fernando del Pulgar, *Crónica de los Reyes Católicos,* ed. cit., I, pág. 311; véase, *supra,* pág. 190.

Tengo asumido que soy madre de mis súbditos, por lo que si alguna vez puedo dar la impresión de ser madrastra, nunca es por mi deseo, sino por culpa de los malhechores...

Y es cuando añade:

No es cruel el que degüella a los canallas...[27]

Por lo tanto, la Reina severa en sus justicias, con una severidad ya notada y subrayada por los propios contemporáneos y que ella justificaría como una medicina que debía aplicar al Reino para imponer el orden. Ahora bien, una nueva pregunta cabe hacerse. ¿Fue siempre así la Reina? ¿No se aprecia una evolución en su carácter, sobre todo en sus últimos años, con una mayor tendencia a la generosidad y a la clemencia? Pienso que sí, en particular cuando se tiene en cuenta su proceder en casos puntuales de esa última etapa.

En efecto, cuando el jovencísimo duque de Calabria se entrega al Gran Capitán en 1502, con promesa de respetar su libertad; cuando en vez de ello, la orden expresa de Fernando el Católico es que sea tratado como prisionero de Estado y enviado como tal a la Corte en Castilla, la Reina se apiadaría de aquel desventurado muchacho, y le acoge con especial ternura.

El cuadro nos lo transmite Gonzalo Fernández de Oviedo.

El cronista nos presenta al joven duque de Calabria, que con sus catorce años a punto de cumplir (esto es, pronto para salir de la puericia según se estimaba entonces)[28] entra en la Corte de Castilla para reverenciar a la Reina. Después de los saludos de rigor, Isabel haría algo que asombró a toda la Corte:

... e la Reyna le hizo sentar al Duque en su falda...

---

[27] El texto, en Vidal González Sánchez, *Isabel la Católica y su fama de santidad...,* ob. cit., pág. 98.

[28] Estas eran, en términos generales, las edades del hombre, según el concepto de la época: hasta los catorce ó quince años, puericia; entre quince y veinticinco, juventud; de veinticinco a cuarenta, virilidad; y de cuarenta en adelante, senectud, «que es hasta los sesenta». (Fray Antonio de Guevara, *Menosprecio de Corte y alabanza de aldea,* Madrid, ed. Martínez de Burgos, 1915, pág. 130. Cita que debo a mi buen amigo Juan Bautista de Avalle-Arce.)

El único que había tenido tal favor de la Reina había sido su hijo, el príncipe Juan, cuando era niño. Esto explica el tierno recuerdo que el duque de Calabria tenía de la Reina:

> Yo le vi al Duque suspirar muchas veces por la Reyna, porque sin dubda le trató con tanto amor que tengo creydo que si como ella murió... fuera el Rey el que muriera, según la clemencia de aquella gran Princesa e su real corazón, le volviera el Reyno... [29]

Un gran cambio, sin duda. Isabel, a finales de 1502, ya no era aquella Reina de la rigurosa justicia señoreando sus Reinos, sino la mujer que sabía dolerse de la desgracia ajena.

TESTAMENTO Y MUERTE DE LA REINA

Ya hemos visto cómo la muerte había abierto el camino para que los futuros herederos fueran la infanta Juana y su marido, Felipe el Hermoso. Y cómo todo eran dudas sobre el comportamiento de ambos: del de Juana, por su excesiva sumisión a los deseos del Archiduque, y de Felipe el Hermoso, por su conocida inclinación hacia la Corte de París, tan enemiga de los Reyes Católicos.

Temores que no hicieron sino confirmarse a partir del viaje a España de los Archiduques en 1502. La desairada marcha de Felipe antes de las Navidades de aquel año, dejando a Juana en España, próxima a dar a luz a su quinto hijo, no hizo sino complicar las cosas, con aquel penoso enfrentamiento de la hija con su madre, quien hubo de dejar su lecho de enferma en Segovia, todavía combatida por la fiebre, para tratar de serenar a su arrebatada hija, ciega por regresar a Flandes.

Aquella desatinada conducta de su hija y heredera deprimieron a la Reina. ¿Qué sería de su obra política, qué de tanto como se había logrado, si el poder caía en manos tan inseguras? Máxime cuando las noticias que iban llegando de Bruselas, a lo largo de 1504, no hacían sino empeorar el panorama. Se sabía de las infidelidades de Felipe, de las violentas reacciones de Juana contra sus rivales y del duro comportamiento final del Archiduque, llegando incluso a encerrar a la Princesa en sus habitaciones.

---

[29] El de Nápoles, que pronto conquistaría el Gran Capitán. Gonzalo Fernández de Oviedo, *Batallas y quiquagenas,* ed. cit. de Juan Bautista de Avalle-Arce, pág. 135.

En esas condiciones, con el cuerpo tan debilitado y con el ánimo tan deprimido, la Reina soportó mal unas fiebres que le aquejaron en el verano de 1504, con la agravante de que también viera caer enfermo al Rey. Cierto que Fernando superó el mal, pero los médicos consideraron que era preciso separar a los dos dolientes, medida que afectó sobremanera a Isabel. No viendo a su marido, no recibiendo sus visitas, y después de tantas desgracias sufridas, creyó que algo se le estaba ocultando y dio en pensar en lo peor. Con lo cual, ella, que era tan animosa para las grandes empresas de Estado, agravó su mal dejándose caer presa del abatimiento.

Entrado el mes de octubre, viendo inevitable su final, la Reina hizo Testamento. Le urgía ponerse en orden para afrontar su propia pasión, y le urgía también dejar solucionados lo mejor posible los problemas de Estado.

Pues la pregunta que no dejaba de hacerse era: ¿qué ocurriría a su muerte? ¿Qué pasaría en Castilla cuando la viniesen a gobernar su hija Juana, tan desequilibrada, y su yerno Felipe, tan hostil a los grandes planes de los Reyes?

Con ese doble afán, el de todo cristiano ante el juicio inexorable del día final, y el de la mujer de Estado, por sus obligaciones con el pueblo al que había gobernado durante tantos años, con tan fuertes y encontrados sentimientos, Isabel afrontó aquellos difíciles momentos. Y así fue como, embargada por tales sentimientos, dispuso sus últimas voluntades.

Era, curiosamente, en el día del aniversario de un hecho glorioso: el 12 de octubre de 1504.

EL TESTAMENTO DE LA REINA [30]

Pocos testamentos de grandes personajes de aquella época tienen tanta carga religiosa como el de la reina Isabel. En muchos otros los apartados dedicados a lo religioso parecen como copiados, como algo formulario, como algo encargado al clérigo de turno, como si se pusieran para cubrir el expediente, de cara a lo que la Iglesia esperaba de un buen cristiano en tan decisivo momento.

---

[30] Sigo la ed. ya citada del Archivo de Simancas, Valladolid, 1944.

En Isabel no es así. La parte primera de su Testamento, donde aparecen las notas de su vida religiosa y de su devoción, son de tal sinceridad que nos parece estar escuchando a la propia Reina. Impresionan. Digo que impresionan, claro está, a poco sentido religioso que se tenga. Comienza, es cierto, con la inevitable referencia a la Santísima Trinidad, de un modo tradicional. Pero enseguida, al mencionar a la Virgen, aparece la nota personal. Era:

> ... la reina de los cielos, señora de los ángeles, nuestra señora e abogada... [31]

Una nota personal que se marcará todavía más cuando evoca a san Juan Evangelista, que no en vano su escudo y, por lo tanto, su linaje estaba puesto bajo su amparo:

> Al qual sancto Apóstol e Evangelista yo tengo por mi abogado speçial en esta presente vida, e así lo espero tener en la hora de mi muerte...

Ya está la imagen de la muerte, y con ella la del juicio divino, que a Isabel se le aparece tanto más temible, por cuanto como tan poderosa Reina era consciente de que más estrechamente sería juzgada. El temor la invade:

> ... en la hora de mi muerte e en aquel muy terrible juizio e estrecha examinación *e más terrible contra los poderosos,* quando mi ánima será presentada ante la silla e trono real del Juez soberano, muy justo e muy igual, que segund nuestros mereçimientos a todos nos ha de juzgar... [32]

Evocará también, cómo no, al apóstol Santiago, que no en vano estaba tan vinculado a la España cristiana:

> ... el apóstol Santiago, singular e exçelente padre e patrón destos mis regnos...

Recordará también, claro está, a sus santos preferidos: tres santos y una santa. ¿Cuáles eran los santos? Aquí sin duda podemos rastrear y

---

[31] Archivo de Simancas, ed. cit., pág. 7.
[32] Ibídem, pág. 8.

no poco del carácter de la Reina, de sus inclinaciones y de sus preferencias. Uno de ellos será san Jerónimo, aquella figura gigante de los primeros siglos, el que había sido capaz de hacer la mejor traducción latina de la Biblia, la conocida por la Vulgata; teólogo además de sensibilidades exquisitas, que aunaba santidad y sapiencia. Era, para Isabel,

... [el] doctor glorioso...

En cuanto a los otros dos santos, coincidían en una misma tendencia de la Iglesia bajomedieva, una corriente a la cual tendremos que vincular a la Reina: pues se trata de los fundadores de las dos grandes Órdenes mendicantes del siglo XIII: franciscanos y dominicos.

Para Isabel, san Francisco aparecía como

... patriarca de los pobres... [33]

Claro, no podía olvidar al santo español, al fundador de la otra gran Orden mendicante, a santo Domingo. Para todos tiene un hermoso recuerdo:

... que como luzeros de la tarde resplandeçieron en las partes oçidentales de aquestos mis regnos...

Curiosamente, la santa recordada sería aquella gran pecadora y después gran santa, María Magdalena:

... a quien yo asimismo tengo por mi abogada...

Después se añade un párrafo que bien podría ser del confesor de turno, una frase repetida una y cien veces por todos los clérigos desde todos los púlpitos:

... porque así como es cierto que avemos de morir, así nos es ynçierto quando ni donde moriremos, por manera que devemos vivir e así estar aparejados como si en cada hora oviésemos de morir [34].

---

[33] Archivo de Simancas, ed. cit., pág. 8.
[34] Ibídem.

Tras esa sentida invocación religiosa se presenta el personaje de la tierra: la Reina de tantos reinos. Pero una Reina que ha llegado al trono llevada por la mano divina:

> Por ende, sepan quantos esta carta de testamento vieren, como yo, doña Ysabel, *por la gracia de Dios,* reyna de Castilla, de León, de Aragón...

Con lo cual ya nos está declarando que no había sido por un azar, o por la industria y la astucia de los hombres por lo cual ella, en principio solo Infanta de Castilla, se había convertido en la Princesa heredera del trono y, en definitiva, en la Reina de Castilla y de León.

Era Dios, y solo Dios, quien la había puesto en lo más alto. Y eso solo tenía una explicación: que se esperaba de ella una alta misión que cumplir. ¿Se comprende ahora su entrega apasionada a la Reconquista, o su iluminada protección a la acción descubridora del Nuevo Mundo?

Se cubre con todos sus títulos, se recuerda en toda su grandeza terrenal. Títulos entre los cuales, por cierto, están los que aluden al territorio vasco:

> ... señora de Vizcaya...[35]

¿Podía olvidar Isabel a quienes tanto le habían apoyado en los difíciles momentos de la guerra de Sucesión y a los que con tanta energía había defendido de las acometidas francesas? Y eso es importante señalarlo, porque toda historia debe tener su natural eco en el mundo actual: para Isabel, una de las piezas del gran mosaico con que había formado las Españas era la tierra vasca.

Y es ese gran personaje de la historia, con toda la larga serie de sus títulos, la que hará a continuación una solemne protesta o declaración de su fe religiosa, hecha con el cuerpo doliente, pero con el ánima clara:

> ... estando enferma de mi cuerpo de la enfermedad que Dios me quiso dar, e sana e libre de mi entendimiento...[36]

---

[35] Archivo de Simancas, ed. cit., pág. 9.
[36] Ibídem.

Es el momento de pronunciar su fe:

> ... creyendo e confesando firmemente todo lo que la sancta Iglesia Cathólica de Roma cree e confiesa e predica...

Declaración de fe que reitera:

> ... en la cual fe e por la cual fe estoy aparejada para por ella morir..., e con esta protestaçión ordeno esta mi carta de testamento e postrimera voluntad...

Lo hace teniendo un buen ejemplo, que a buen seguro le recordaría más de una vez aquel santo confesor que tuvo, fray Hernando de Talavera, cuando no aquel nuevo que le sucedió, el franciscano Cisneros:

> ... queriendo ymmitar al buen rey Ezechías, queriendo dispopner de mi casa commo si luego la oviese de dexar [37].

Y puesto que con la muerte del cuerpo del juicio eterno se trata, a continuación la Reina se encomienda a la misericordia divina, reconociendo los beneficios que había hecho al linaje humano y a ella

> ... como un pequeño individuo dél...

Y esto con expresiones que parecen sacadas de santa Teresa, como si estuviéramos leyendo su *Libro de la Vida*:

> ... los quales sé que no basta mi lengua para contar ni mi flaca fuerça para los agradeçer...

Aterrada ante el temible juicio divino, pide misericordia: Que al Señor

> ... plega no entrar en juizio con su sierva, mas haga comigo segund aquella grand misiricordia suya...

---

[37] Archivo de Simancas, ed. cit., pág. 9.

¿Por qué tan gran temor? Por lo mucho que los poderosos deben responder ante el Altísimo:

> ... ninguno ante Él se puede justificar, quanto menos los que de grandes reynos e estados avemos de dar cuenta...[38]

Porque ¿no está acaso el demonio luchando por llevársela? ¡Espantosa batalla que se presenta ante la imaginación de la Reina! De ahí que llame en su socorro al arcángel san Miguel:

> ... el qual quiera mi ánima reçebir e amparar e defender de aquella bestia cruel e antigua serpiente que entonces me querrá tragar...[39]

Pero ¿cómo explicar esa angustiosa visión de la cruel serpiente abriendo ya sus fauces para devorar su ánima? ¿Es que se le venía a la memoria su atrevimiento juvenil, al casarse sin las debidas licencias canónicas, amparándose en una falsa bula pontificia? ¿O sus arrebatos de cólera, como cuando había castigado a los combatientes que se presentaron ante ella, derrotados tras el primer forcejeo por Toro? ¿O sus rigurosas sentencias contra los malhechores, de implacable justicia? ¿O aquellos llantos que desgarraban el corazón de quienes los veían partir de España, de aquellos judíos, con sus mujeres y niños camino del exilio? ¿O, en fin, la imagen de tantos como habían perecido abrasados en las hogueras inquisitoriales?

Evidentemente, no lo sabemos. Solo que, ante la perspectiva de la muerte, la Reina siente pavor, como podía producirlo a cualquier creyente una conciencia inquieta.

Después de tal declaración de fe, después de impetrar tantas protecciones para su ánima en aquel descomunal combate, la Reina procede a disponer todo lo que se había de hacer a la hora de su muerte. Primero seguirá con sus cláusulas religiosas y piadosas, para después entrar en las disposiciones políticas.

Esto es, primero hablará la mujer cristiana; después, la mujer de Estado.

---

[38] Archivo de Simancas, ed. cit., pág. 10.
[39] Ibídem.

LAS CLÁUSULAS RELIGIOSAS Y PIADOSAS:
LAS DISPOSICIONES FÚNEBRES

A continuación la Reina ordenará cómo y dónde debía ser enterrada, así como las exequias y las limosnas que habían de darse en su nombre; cláusulas habituales en estos documentos, pero que siempre muestran una nota de la personalidad del testamentario.

Así, en el caso de la Reina, una vez más comprobamos cómo veía el final de la Reconquista y la incorporación de Granada al cristianismo como su obra política por excelencia, y cuyo recuerdo le confortaba, sin duda, al pensar en el juicio divino. De modo que ordena ser enterrada en Granada, y que si la muerte le sorprendía fuera de la ciudad, al punto fuera llevada a ella:

> ... la qual traslación encargo a mis testamentarios que hagan lo más presto que ser podiere [40].

Granada, pues, última morada de la Reina. Pero ¿dónde y cómo? También en esa ocasión surge el espíritu religioso de Isabel, vinculado a una de las corrientes más ascéticas y más verdaderamente cristianas del tiempo: la línea franciscana; no en vano ya la Reina había invocado al Santo de Asís al principio de su Testamento:

> ... seráphico confesor, patriarca de los pobres e alférez maravilloso de nuestro Señor Jhesuchristo...

Al Santo le quería, además, como

> ... padre otro sí mío muy amado e speçial abogado...

De ese modo, se entiende que quiera ser enterrada, sí, en Granada, pero en el monasterio de San Francisco:

> ... que es en la Alhambra...

---

[40] Archivo de Simancas, ed. cit., pág. 11.

Y no solo eso, sino que también dispone que su cuerpo fuera vestido

> ... con el hábito del bienaventurado pobre de Jhesuchristo sant Francisco... [41]

No cabe duda: Isabel está impregnada de la espiritualidad franciscana, de esa exaltación de la pobreza que proclamó el Santo de Asís como la mejor vía para acercarse a Cristo. En lo cual bien podríamos ver la mano de su último confesor, el gran Cisneros. ¿Cómo dudar de que el fraile y la Reina hablarían y recordarían a san Francisco? Bien pudiera ser que Cisneros leyera a la Reina algún pasaje de la vida del Santo, o bien aquellas maravillosas *Florecillas,* con un san Francisco hablando con los pajarillos, con el hermano sol o con la hermana luna; y también, claro, con el hermano lobo. La poética vida de aquel enamorado de la pobreza cautivó a la Reina, y este es uno de los mayores elogios que, a mi parecer, se pueden hacer de Isabel. Y eso relumbra en esas disposiciones primeras que ordena en su Testamento. Para ella, san Francisco era como un Cristo renovado, la esperanza de que el verdadero cristianismo pudiera también resurgir en su tiempo, como lo había hecho de la mano del Santo de Asís, en pleno siglo XIII.

Aun así, y dándonos la prueba más evidente de cuánto amaba a su marido, Isabel ordena que si el rey Fernando disponía otro lugar para su enterramiento, en otra iglesia, monasterio o ciudad, allí se mandara también el suyo. Y con estas razones:

> ... porque el ayuntamiento que tovimos viviendo e que nuestras ánimas, espero en la misericordia de Dios, ternán en el Çielo, lo tengan e represanten nuestros cuerpos en el suelo [42].

También en sus mandas pías sigue campeando esa espiritualidad franciscana que entonces embargaba a la Reina, de tal modo que ordena que sus obsequias fueran sencillas, lejos de todo boato, para que lo que se ahorrara en los lutos

> ... se convierta en vestuario a pobres...

---

[41] Archivo de Simancas, ed. cit., pág. 10.
[42] Ibídem, págs. 10 y 11.

Los pobres. La pobreza en el pensamiento de la Reina, tomada como algo que tiene un sentido en la vida del cristiano. Entre otras cosas, porque sus oraciones llegan con más fuerza a los cielos, hacen más mella en la justicia divina. E Isabel quiere tener esos valedores. Y lo proclamará en su Testamento. No solo han de emplearse en ellos esos dineros que se ahorran del luto. La Reina ordena que además se hiciera así expresamente con otros doscientos desafortunados:

> Ítem, mando —señala en su Testamento— que demás e allende de los pobres que se avían de vestir, de lo que se avía de gastar en las obsequias, sean vestidos dozientos pobres...

¿Y eso por qué? Por lo que la Reina espera de ellos, y no cualquier cosa, sino algo muy importante para esta alma franciscana:

> ... porque sean speçiales rogadores a Dios por mí... [43]

En ese orden de cosas, en esa preocupación por los pobres, con sus vinculaciones religiosas, hay que situar las mandas pías de la Reina a favor de las doncellas necesitadas, así como las destinadas al rescate de cautivos. Dos millones de maravedíes debían ser aplicados para las jóvenes, bien para las que querían casarse, bien para las que deseaban meterse monjas; a este respecto se aprecia también, a través del testimonio de Isabel, cómo se protegían los dos únicos estados que se consideraban honorables para la mujer en la época del Renacimiento: el matrimonio humano y el matrimonio a lo divino, las casadas y las monjas [44]. Si bien la Reina matizará cada estado: un cuento de maravedíes sería

> ... para casar doncellas menesterosas...

Y el otro cuento:

> ... para con que puedan entrar en religión algunas doncellas pobres... [45]

---

[43] Archivo de Simancas, ed. cit., pág. 12.

[44] Véase sobre esto mi reciente estudio *Casadas, monjas, rameras y brujas* (Madrid, Espasa Fórum, 2002).

[45] *Testamento,* ed. cit., pág. 12.

Y los términos no difieren por mor del estilo, sino en función de cada grupo social. Las que vivieran en el mundo como casadas habían recibido esa dote de la Reina, pero no con el calificativo peyorativo de pobreza. Otra cosa era, sin duda, las que entraban en un convento.

En cuanto a los cautivos, otra dolorosa estampa, otra de las singularidades de aquella sociedad, también Isabel atenderá a los que careciesen de medios para conseguir su rescate:

> Ítem, mando que dentro del año que yo fallesciere sean redimidos dozientos captivos *de los necessitados.*

Y también, claro, esperando su recompensa por ello:

> ... porque Nuestro Señor me otorgue jubileo e remissión de todos mis pecados e culpas... [46]

Aun así, eso no bastaba para tranquilizar a la Reina. Todavía estaba el capítulo de las misas; eso sí, después de que se hubiera cumplido con el pago de todas sus deudas, incluidos los dineros que se debían de salarios a sus criados o lo que se les hubiera prometido para sus bodas.

¿Cuántas misas? ¿Cien, doscientas? Nada de eso: veinte mil:

> ... se digan por mi ánima veinte mill missas adonde a los dichos mis testamentarios pareçiere que devotamente se dirán... [47]

Una cantidad de misas que podía parecernos enorme, pero que no lo era en los conceptos de la época, y que hay que poner en relación con la idea de que la justicia divina juzgaba más severamente a los poderosos de la tierra. Por lo tanto, cuanto más poder, más tenían necesidad de impetrar la clemencia divina [48].

No podía faltar el recuerdo de la Reina a los seres queridos, bien familiares o amigos. Aquí el Testamento nos da pistas del mayor interés. ¿Cómo olvidarse de aquel nieto, Fernando, que era el que vivía a

---

[46] *Testamento,* ed. cit., pág. 13.
[47] Ibídem, pág. 12.
[48] De hecho, los Austrias mayores elevarían ese número de misas en sus Testamentos a 30.000 (véanse mis estudios *Carlos V: el César y el hombre,* ob. cit.; y *Felipe II y su tiempo,* ob. cit.).

su lado, el único hijo de Juana que la Reina llegó a conocer? Así que lo recuerda, lo menciona y ordena que se le asignen dos cuentos de maravedíes

... fasta que se acabe de criar...[49]

Igualmente es significativa la mención de aquellos que mejor le habían servido. Es cuando aparecen los nombres de los marqueses de Moya:

... en especial, el marqués e la marquesa de Moya...[50]

¡Naturalmente! ¿Cómo iba a olvidarse la Reina de aquella Beatriz de Bobadilla a la que tanto había querido?

Y también se consignan expresamente algunos más. No muchos. Estos otros cuatro: el comendador don Gonzalo Chacón, el comendador mayor de León don Garcilaso de la Vega, Antonio de Fonseca y Juan Velázquez[51].

LA REINA

En su Testamento no aparecerá solamente la mujer cristiana, sino también la Reina, como no podía ser de otro modo. Y la Reina preocupada de asuntos de régimen interno, que a su juicio habían quedado a medio resolver o mal resueltos durante su reinado. También, por supuesto, los toques adecuados en cuanto a las directrices en política exterior más sobresalientes (tal, la cuestión de la navegación hacia las Indias; tal, el problema de África).

Ahora bien, la mayor preocupación de la Reina, y que hubiera justificado la creación de un nuevo Testamento, era la penosa situación creada por la muerte de sus hijos Juan e Isabel y por su nieto Miguel. Que la Corona de Castilla acabase en manos de su hija Juana, con signos ya de tanto desequilibrio y tan supeditada a un marido como Felipe el Hermoso, tan contrario a la política internacional de los Reyes Católicos, angustiaba a Isabel.

---

[49] *Testamento,* ed. cit., pág. 32.
[50] Ibídem.
[51] Ibídem.

Y trataría de resolverlo lo mejor posible, como hemos de ver.

En las cuestiones de orden interno, la preocupación por el aumento de la burocracia, o por la concesión de mercedes, son las más destacadas. Su sentido de la justicia le hace comprender que allí entraba mucho de lo que había dado a los marqueses de Moya, esto es, a su gran amiga Beatriz de Bobadilla y a su marido, don Andrés de Cabrera. Lo justificaría, recordando su valioso apoyo en los comienzos de su reinado:

> ... las quales [mercedes] emanaron de nuestra voluntad e las fezimos por la lealtad con que nos sirvieron para aver e cobrar la suçesión de los dichos mis Reynos, según es notorio...

De todas formas, algo a corregir porque se había hecho en perjuicio de terceros, y en este caso de la ciudad de Segovia. ¿Cómo salir entonces del conflicto? Muy sencillo: entregando a los marqueses de Moya en tierras de Granada tanto como lo que debían restituir en Segovia.

De verdadero interés, aunque se estipule en breves cláusulas, es lo que se refiere a las consignas de la Reina en política exterior. Y curiosamente ninguna sobre Europa, como si ese fuera un terreno aparcado para su marido Fernando; sobre todo, porque era el que llevaba todo el peso de la intervención de España en Italia (que en este caso seguía la tradición de la Corona de Aragón, con la incorporación del Reino de Nápoles), lo que traía consigo la rivalidad con Francia y la pugna diplomática para encontrar aliados en Europa que aislasen al poderoso Rey francés.

Quizá por ello la atención de la Reina no se centre en Europa, pero sí en aquellos dos objetivos que más parecían importar a Castilla: el salto al norte de África y la expansión marítima hacia Occidente, lo que englobaba el afianzamiento en Canarias y el seguir las navegaciones iniciadas por Colón en América.

En cuanto a África, no era solo la tentación del salto a la otra orilla, después de haber conquistado el reino nazarí de Granada; era también el asegurar lo conseguido, evitando de ese modo con más facilidad cualquier asalto por sorpresa de los norteafricanos, alentados por los mismos musulmanes granadinos que se habían refugiado al otro lado del Estrecho. A ese respecto, no cabe duda de que estaba presente en el pensamiento de Isabel la conquista de Melilla, hecha en 1497.

Ese era un buen comienzo, que debía proseguirse. Y de ese modo lo señalará en su Testamento, eso sí, al tiempo que recuerda la impronta religiosa de la Monarquía. Aquí hablará Isabel la Católica, y de este modo, dirigiéndose a su hija Juana y al archiduque Felipe, como sus sucesores:

> ... que como católicos príncipes tengan mucho cuidado de las cosas de la honra de Dios e de su sancta fe...

No era una recomendación formularia. Era la indicación de que por esa honra de lo divino estaban obligados a echar el resto, vidas y bienes:

> ... pues por ella somos obligados a poner las personas e vidas e lo que toviéramos, cada que fuera menester...

Y es en ese párrafo dedicado a la defensa de la fe donde se inserta, y no sin sentido, la consigna sobre África:

> ... e que no cesen de la conquista de África e de pugnar por la fe contra los ynfieles... [52]

No cabe duda: la Reina tiene en la mente su preciada conquista de Granada y sabe que la mejor manera de que no hubiera un paso atrás era dominar el estrecho de Gibraltar. De ahí su deseo de que hubiera una posición fuerte en la costa norteafricana, donde ya se poseía Melilla. Y eso también está en el pensamiento de Isabel. De ahí que no pida a sus sucesores que hicieran la empresa africana, sino que la continuaran:

> ... e que no cesen...

Del mismo modo hay que anotar en este capítulo la preocupación de la Reina porque la plaza de Gibraltar perteneciera a la Corona, cuyo valor era tan evidente, hasta el punto de ser

> ... uno de los títulos de los Reyes destos mis reynos... [53]

---

[52] *Testamento,* ed. cit., pág. 28.
[53] Ibídem, pág. 18.

Y es precisamente en esa parte del Testamento donde la Reina se refiere a la Inquisición, con una frase breve, lo cual no deja de llamar la atención, pues no se aprecia en ella el fervor que cabía esperar de quien había sido tan firme fundadora de la institución; y en esa advertencia a sus sucesores sobre la defensa de la fe y de la acción sobre África, añade sin más estas pocas palabras:

> ... e que siempre favorezcan mucho las cosas de la sancta Inquisición contra la herética pravidad... [54]

Recuerda, como no podía ser de otro modo, a las empresas de Ultramar.

Es un momento muy importante del Testamento de la Reina. Su deseo es dejar bien sentado que esas empresas de Ultramar —en las que engloba, citándolas expresamente, a las Canarias, junto con lo descubierto en las Indias occidentales— estuvieran exclusivamente vinculadas a la Corona de Castilla. Estamos, repito, ante uno de los pasajes más importantes del Testamento, teniendo en cuenta su trascendencia:

> Otrosí —señala Isabel—: por quanto las Yslas e Tierra Firme del mar Oçéano e Yslas de Canaria fueron descubiertas e conquistadas a costa destos mis reynos e con los naturales dellos...

Esta afirmación tan contundente invita a la reflexión. No se menciona para nada la participación, al menos en la protección a Colón, de ningún aragonés, ni siquiera al propio Fernando. La empresa de las Indias es recordada por la Reina como algo muy personal; algo que, como la conquista de las Canarias, quedaba bajo la órbita de la Corona de Castilla. De ahí que lo ordene en los términos más firmes:

> ... e por esto es razón quel trato e provecho dellos se aya e trate e negocie destos mis reynos de Castilla e León e en ellos e a ellos venga todo lo que allá se traxiese... [55]

Y por si cupiera alguna duda, insiste, pensando en el futuro:

---

[54] *Testamento,* ed. cit., pág. 28.
[55] Ibídem, pág. 26.

Por ende, ordeno e mando que así se cumpla, así en las que fasta aquí son descubiertas como en las que se descubrieren de aquí adelante, *e no en otra parte alguna*[56].

¿Se perdió de esa manera, con esa exclusión de los naturales de la Corona de Aragón en la empresa indiana, la posibilidad de unir más fuertemente aquellos dos grandes cuerpos de la Monarquía? ¿No hubiera sido altamente prometedor embarcar a los dos pueblos, a castellanos y aragoneses, en la misma gran tarea de hispanizar América?

Es una pregunta inevitable, como lo es también el consignar cuán dentro de sus afanes tenía la Reina aquella acción de Ultramar.

En eso el Testamento coincide con lo que sabemos por el propio Colón, y que ya hemos comentado: el que fue Isabel, en definitiva, la que creyó y amparó al marino genovés, vinculando de ese modo aquellas navegaciones a la Corona de Castilla.

Eso sí, como un reconocimiento a lo que el Rey le había ayudado, sobre todo en la pacificación de Castilla y en la conquista de Granada, la Reina le concedería, de por vida, la mitad de lo que rentaren las Indias, descontados los gastos que se realizasen para su defensa y gobierno[57].

Por lo tanto, muchas cosas importantes se consignan en el Testamento de la Reina, que nos ayudan a perfilar su personalidad, como mujer cristiana y como mujer de Estado. Pero todavía no hemos hecho mención a la que más hondamente preocupaba a Isabel en aquellos instantes: el grave problema de la sucesión que planteaba la inestabilidad de su hija y heredera, la princesa Juana, y su sojuzgamiento por el archiduque Felipe, que se mostraba tan mal marido y tan hostil a los grandes planes políticos de los Reyes Católicos.

Isabel tenía que buscar una solución a tan grave e inquietante problema. Una solución que pasaba por el apoyo de Fernando, ya que

---

[56] *Testamento,* ed. cit., pág. 26. Curiosamente, su bisnieto Felipe II seguiría marcando en su propio Testamento esa diferencia entre las Coronas de Castilla y Aragón, de cara al Nuevo Mundo, mientras que emparejaba a los castellanos con los portugueses en la tarea descubridora y evangelizadora. Después de declarar su deseo de que ambos pueblos se mantuviesen siempre juntos, razona: «por ser esto lo que más conviene para la seguridad, augmento y buen gobierno de los unos y de los otros...». Y añade, después, su íntimo anhelo: «y para poder mejor ensanchar nuestra sancta fe católica y acudir a la defensa de la Iglesia...» (véase mi libro *Felipe II y su tiempo,* ob. cit., pág. 928).

[57] *Testamento,* ed. cit., pág. 31. Ahora bien, tampoco aquí la Reina habla del apoyo del Rey a la empresa indiana.

veía en el Rey al único capaz de salvar la crisis. Pues todo consistía en que Fernando sirviese de puente hasta que la siguiente generación, representada por el príncipe Carlos (el futuro Carlos V), se pudiera hacer con el poder. Eso suponía en los planes de Isabel —y, sin duda, de Fernando— que el Rey Católico tuviera el cargo de Gobernador de Castilla, hasta que el Príncipe-niño cumpliera los veinte años; esto es, era dar un margen de tiempo lo suficientemente amplio (dieciséis años, ya que el futuro Carlos V entonces solo tenía cuatro) para que las cosas se asentasen, alejando el fantasma del gobierno de un extranjero, tan mal encarnado además, como era Felipe el Hermoso.

Un plan político dirigido a la estabilidad del Reino, que Isabel señalará en su Testamento, con alusiones veladas a los motivos que le movían a ello. En primer lugar, en caso de que la princesa Juana estuviera ausente. Pero también, aunque se presentara en España.

Eso ya era más difícil de argumentar, dado que se trataba de la Princesa heredera. La Reina, entonces, lo justificará de este modo:

> ... o estando en ellos no quiera o no pueda entender en la governación dellos...[58]

Era la declaración implícita de la incapacidad de Juana para gobernar Castilla. Una incapacidad que no se formulará de derecho, pero que obligaba a tomar medidas. Y en eso todo el Reino parecía estar conforme; al menos las Cortes de Castilla, que reunidas en Toledo en 1502, y terminadas en Madrid y en Alcalá de Henares en 1503, profundamente alarmadas por el incierto futuro que se les echaba encima, así se lo pidieron:

> ... me suplicaron e pedieron por merçed que mandase proveer cerca dello...

Eso llevó a la Reina a consultar con miembros de la alta nobleza y del alto clero:

> ... e todos fueron conformes e les paresció que en cualquier de los dichos casos el Rey, mi señor, devía regir e governar e administrar los dichos mis reynos e señoríos por la dicha Princesa, mi hija...[59]

---

[58] *Testamento*, ed. cit., pág. 26.
[59] Ibídem.

Una orden que Isabel reitera más adelante, marcando ya los plazos:

> … fasta en tanto que el ynfante don Carlos, mi nieto, hijo primogénito heredero de los dichos Príncipe e Princesa, sea de hedad legítima, a lo menos de veynte años cumplidos… [60]

Eso era dar por sentado que Fernando heredaría algo de la longevidad de su padre, el rey Juan II de Aragón, que había muerto a los ochenta y dos años. Y aunque en eso fallaban los cálculos de la Reina (y del Rey), como es notorio, lo cierto es que, con algunos vaivenes (debido a la resistencia opuesta por Felipe el Hermoso, con ayuda de la mayor parte de la nobleza castellana), en definitiva, la pronta muerte del Archiduque haría bueno el plan marcado por Isabel; con la única modificación de que la muerte de Fernando en 1516 llevaría al futuro Carlos V a hacerse con el poder en Castilla no a los veinte años (como hubiera preferido Isabel), sino a los dieciséis.

Claro que todo ello pedía la conformidad de la princesa Juana y de Felipe, su marido. Sobre ello, la Reina echará el resto:

> E asimismo, ruego e mando muy afectuosamente a la dicha Princesa, mi hija, porque merezca alcanzar la bendiçión de Dios e la del Rey e la mía, e al dicho Príncipe, su marido, que siempre sean muy obedientes e subjetos al Rey, mi señor… [61]

Tal debían hacer como se esperaba de unos buenos hijos. Aquí la Reina muestra su preocupación: ¿Qué puede decir más? ¿Cómo puede apretar más a los Príncipes?

Recordándoles su propia persona:

> … de manera que para todo lo que a Su Señoría [el Rey] toca, parezca que yo no hago falta e que soy viva… [62]

No era un acuerdo tomado a la ligera. La experiencia del Rey en cosas de Estado y todo lo que había hecho para el buen gobierno de Castilla, lo avalaban como el mejor gobernante posible.

---

[60] *Testamento,* ed. cit., pág. 27.
[61] Ibídem, pág. 29.
[62] Ibídem.

Es cuando la loa de la Reina a Fernando, nos muestra la hondura de aquel matrimonio, superando (eso sí, con algún que otro rifirrafe) las infidelidades conyugales del Rey:

> ... es mucha razón que Su Señoría sea servido e acatado e honrado más que otro padre, así por ser tan excelente Rey e Prínçipe, e dotado e ynsignido de tales y tantas virtudes, como por lo mucho que ha fecho e trabajado con su real persona en cobrar estos dichos mis Reynos... [63]

Y lo detallaría Isabel: la pacificación de Castilla, tan alterada cuando habían llegado al poder; la conquista de Granada y, en fin, el buen gobierno de Castilla,

> ... segund que oy, por la gracia de Dios, están [64].

Eso es lo más sustancial de lo ordenado por Isabel en su Testamento. Por supuesto que marcará también el orden de sucesión a la Corona, recordando sucesivamente los derechos de sus nietos y descendientes, dando prioridad a los varones, según su edad, y después a las hembras, tal como se indicaba en los documentos del tiempo, y también por orden de mayor a menor. Se suceden así sus nietos Carlos, Fernando, Leonor e Isabel, y sus respectivos descendientes, con referencia a los otros hijos que Juana y Felipe tuvieran [65]; para pasar después la línea sucesoria a sus mismas hijas María (la Reina de Portugal) y Catalina (entonces Princesa de Gales), con sus propios descendientes [66].

Otras cláusulas menores, sobre precisiones para el pago de las deudas existentes, o para las limosnas a iglesias, hospitales y pobres, así como para el cumplimiento de las dotes de sus hijas, y algunas más que podríamos considerar de tono menor, pueden rastrearse. De ellas, acaso las de más interés son las que muestran su afán por los enterramientos de sus dos hijos fallecidos: la princesa-reina Isabel había de ser enterrada en el monasterio de Santa Isabel de la Alhambra

---

[63] *Testamento,* ed. cit., pág. 29.

[64] Ibídem, págs. 29 y 30. Pero, atención a esto, sin ninguna referencia a la participación de Fernando en el apoyo a Colón.

[65] No se citan expresamente, claro, las otras dos hijas de Juana, María y Catalina, que nacerían en 1505 y 1507, después, por lo tanto, de la muerte de Isabel.

[66] *Testamento,* ed. cit., págs. 32-35.

de Granada. Y en cuanto a don Juan, algo especial, que se cumpliría fielmente:

> Ítem, mando que se haga una sepultura de alabastro en el monasterio de Santo Thomás, çerca de la çibdad de Ávila, onde está sepultado el príncipe don Juan mi hijo, que aya sancta gloria, para su enterramiento... [67]

Y con esta referencia al hijo bien amado y a su enterramiento en la iglesia de Santo Tomás de Ávila, cuya contemplación tantas cosas evoca de la Historia de España, la que fue y la que pudo ser, dejamos nuestro comentario sobre el Testamento de la gran Reina, consignando su notario y testigos: Gaspar de Grizio, secretario real, como notario; y testigos, los obispos don Juan de Fonseca, de Córdoba; don Fadrique de Portugal, de Calahorra, y don Valeriano Ordóñez, de Ciudad Rodrigo; junto con los doctores Pedro de Oropesa y Martín de Angulo, del licenciado Luis Zapata, los tres, miembros del Consejo Real. Y, por último, el camarero de la Reina Sancho de Paredes.

A este respecto el Codicilo de la Reina, firmado por Isabel el 23 de noviembre, tres días antes de su muerte, consigna algunas cuestiones pendientes, entre la jurisdicción civil —y la eclesiástica—, la muy importante de la legitimidad del impuesto de las alcabalas y, sobre todo, la cuestión del Nuevo Mundo, mostrando de nuevo Isabel su interés por aquella gran empresa, junto con su preocupación por que los indios fueran gobernados con justicia.

Es cuando comprende que está en deuda con sus nuevos súbditos de las Indias, que debe dejar bien proveído el cómo debían ser gobernados. Y así ordena a sus autoridades:

> ... que no consientan ni den lugar que los indios, vecinos y moradores de las dichas Indias y Tierra Firme, ganadas e por ganar, reciban agravio alguno en sus personas e bienes.

Y es que la Reina, hasta en sus últimos momentos, siente la responsabilidad que tiene ante la Justicia. Debe ser y seguir siendo hasta la última hora una Reina justa, también con sus nuevos vasallos. Y así añade en su Codicilo:

---

[67] *Testamento,* ed. cit., pág. 40.

Mas manden que [los indios] sean bien e justamente tratados[68].

Ahora bien, no se puede silenciar que al lado de ese noble afán por reconocer la libertad del indio, Isabel no tendría dificultad en tener a su servicio no pocos esclavos, en su mayoría negros.

Estamos ante una de las grandes contradicciones de la época. Sabemos que todo el que podía tenía esclavos: la alta nobleza, como el alto clero; el patriciado urbano y, en las ciudades de Andalucía, hasta las clases modestas; así lo pude constatar yo para el caso de Granada.

De igual modo aparecen en la Corte. Las referencias encontradas por Tarsicio de Azcona sobre los esclavos de la Reina son concluyentes. Es más: no solo los tenía, sino que los regalaba. Y en una ocasión, al menos, hasta a su propio marido Fernando, cuando se hallaba ausente en Valencia, lo que no deja de ser chocante, siendo ella, como era, tan celosa, pues se trataría de esclavas. Y es algo que sabemos por la misma Reina, quien ordena anotar:

> Tres esclavas que mando comprar, dos para enviarlas al Rey a Valencia, y una para Juan Alvarnáez, 30.000 mrs.[69]

Sin duda, la esclavitud del negro era un viejo mal heredado desde los siglos más remotos, y que tardaría mucho en desecharse por la Cristiandad; afortunadamente, esa no sería la suerte del nuevo vasallo indio, gracias a la Reina, y ahí estribaría la grandeza de Isabel.

En su conjunto, ¿qué impresión nos produce el Testamento de la Reina? Está claro que parte del mismo es obra de los secretarios de oficio, o incluso de los oficiales de despacho, como la prolija relación del orden sucesorio. Por supuesto, también, que ciertas cláusulas religiosas corrieron a cargo del clérigo de turno, y que en ese aspecto no pocas cosas la Reina las hubo de consultar con su confesor. Asimismo, resulta evidente que el Rey tuvo amplia noticia, cuando no participación, en lo que se refiere a su futuro protagonismo como Gobernador del Reino.

Pero yo quisiera añadir que, con todo, y reconociendo como evidentes esas colaboraciones y esas intervenciones, en su Testamento se

---

[68] *Codicilo* del 23 de noviembre; cit. por Enrique San Miguel, *Isabel I,* ob. cit., pág. 274. Sobre el Codicilo de la Reina, una síntesis muy completa en el libro de Tarsicio de Azcona, *Isabel la Católica,* ob. cit., págs. 932-937.
[69] Tarsicio de Azcona, *Isabel la Católica,* ob. cit., pág. 401.

perfila también, de modo claro, la personalidad de la Reina, con su profunda religiosidad, con aspectos muy personales, que la vinculan a la espiritualidad franciscana. Y de tal forma que nos preguntamos: ¿fue así siempre Isabel? ¿Es compatible ese perfume de espiritualidad franciscana con la rígida severidad de sus primeros años de gobierno, incluso con sus conocidos arrebatos de cólera en los difíciles momentos de la guerra civil? ¿No será lo más adecuado pensar en una evolución de la Reina?

Y entonces, ¿cuándo se produce esa transformación? Habría que tener en cuenta, desde luego, la influencia del franciscano Cisneros, un asceta, desde que pasa a ser confesor de la Reina en 1492.

Y acaso también hay que pensar en las desgracias sufridas con la muerte de sus hijos mayores, a partir de 1497. En este caso, cuando las desgracias familiares se suceden tan encadenadas, sin apenas dar respiro, bien podría ser que la Reina, acongojada y como podría reaccionar cualquier otra madre, antes y después que ella, se preguntara angustiada:

¿Qué he hecho yo, Dios mío, para merecer este castigo?

Y que con esa reflexión fuera más susceptible a dejarse captar por el ideal cristiano predicado por san Francisco.

Y de ese modo, aquella gran mujer de Estado, tan enérgica, tan recia en sus justicias, tan metida en el mundo real, y en las grandes empresas políticas, se iría transformando en una asceta para quien la pobreza personal y el amparo y protección a los pobres adquirían un sentido especial, como lo quería aquel santo que ya la Reina había tomado como su seráfico protector, el santo italiano, que había sido romero (santiaguero) en España[70], san Francisco de Asís.

Porque es de la mano de san Francisco como vemos a la Reina transformarse, para buscar la muerte que ella quiere.

---

[70] Todavía en no pocos sitios de España se recuerda el paso del Santo de Asís, en pleno siglo XIII, como lo hace la ciudad de Oviedo, cuyo gran parque lleva su nombre; que no en vano conserva la reliquia de un arco de la ermita que amparó allí a san Francisco.

MUERTE DE LA REINA

Medina del Campo a principios del siglo XVI. Estamos en una ciudad de las más importantes de Castilla; no tanto por sus monumentos (aunque sea notable el castillo de la Mota que la vigila) ni por su relevancia política o religiosa, pues no tiene representación en las Cortes ni tampoco Obispado. Pero sí por su pujanza económica, porque alberga las mejores ferias del Reino a las que acuden hombres de negocios de media Europa. Antoine de Lalaing, el cronista de Felipe el Hermoso, que la visitó en 1502 (dos años antes de la muerte de la Reina), nos dice de ella que además de tener un hermoso castillo, bien artillado, era la villa donde se celebraba la feria de los mercaderes,

> ... tenida por una de las mejores de Castilla...

Y añade que estaba bien asentada y bien amurallada,

> ... y posee dos hermosas calles, donde exponen las mercaderías durante la feria...[71]

El censo de 1530 le daba una población de cerca de cuatro mil pecheros, que con los centenares de familias hidalgas y un notable contingente de clérigos y frailes hacían de ella uno de los burgos más notables de la meseta, al nivel de las grandes capitales de corregimiento, solo superada por Valladolid, Salamanca y Segovia.

En esa bulliciosa villa, con la salvaguarda de su fuerte castillo, fue a posar en los últimos meses de su vida la Reina. Se alojó en una casona palaciega que daba a la Plaza Mayor. Prefirió vivir los últimos meses de su vida en el corazón del núcleo urbano, y no en el imponente castillo que la señoreaba, a imitación de aquellas Órdenes religiosas que tanto admiraba, como los dominicos y los franciscanos. Cada vez dedicaba más horas a la meditación y a la lectura de libros piadosos. Una de sus obras preferidas era la que había compuesto para ella, y por su petición, el poeta y religioso fray Ambrosio de Montesino. Eran unas coplas sobre la Pasión del Señor, en las que Montesino señala la orden recibida:

---

[71] Antoine de Lalaing, *Primer viaje de Felipe el Hermoso a España,* en García de Mercadal, *Viajes de extranjeros por España y Portugal,* ob. cit., I, pág. 456.

Coplas por mandado de la reyna doña Ysabel, estando Su Alteza en el fin de su enfermedad[72].

Por lo tanto, siendo consciente de cuán cercano estaba el término de su vida, quiso vivir sus últimos días al compás de la Pasión de Cristo. Y por eso, el 23 de noviembre, tres días antes de su muerte, al tiempo que firmaba su Codicilo para tratar algunos puntos importantes no bien precisados en su Testamento, se despojaba también de todo su poder político, dejando el gobierno de Castilla en manos del Rey, su marido.

Y con ese cuidado de vivir ya descuidada de los asuntos del mundo, se aparejó para bien morir.

Muy debilitada por las fiebres que sufre desde hacía más de tres meses, siente que llega el final. Sin duda, tiene ante sí la visión de aquel tríptico con las imágenes de Jesús y de la Virgen, que con tanto fervor conservarían sus sucesores, como sabemos por el Testamento de Felipe II, quien se lo lega a su hija Isabel Clara Eugenia con esta notable mención:

> ... la cual [imagen], por havérmela dado la Emperatriz, mi señora, y haver oydo dezir que fue de la Reina Católica, dona Ysabel, mi visagüela, la he traído siempre conmigo...[73]

Tiene el consuelo de ver a su lado al Rey, su marido; pero no a sus hijos, muertos o ausentes[74]. Despreciando su cuerpo, como si ansiara ya el descanso eterno, no quiere que sus pies sean vistos, cuando recibe los santos óleos[75].

Es ya pura alma, y así expira.

Así muere Isabel. A mediodía del 26 de noviembre de 1504.

El Rey se lamentaría. Se veía:

> ... en el mayor trabajo que en esta vida nos podía venir...

El pesar le abruma:

---

[72] Tarsicio de Azcona, *Isabel la Católica,* ob. cit., pág. 938.

[73] Véase mi estudio *Felipe II y su tiempo,* ob. cit., pág. 926.

[74] En efecto, los dos mayores (Isabel y Juan) ya habían fallecido, mientras las otras tres hijas se hallaban bien lejos: Juana, en Bruselas; María, en Lisboa, y Catalina, en Londres.

[75] Existe otra interpretación, por supuesto: que, conforme a una vieja tradición cristiana, la castidad pide el olvido del cuerpo, frente a la exaltación del desnudo, propio de la cultura clásica, reverdecida por el Renacimiento.

> ... el dolor... por lo que en perderla perdimos nos y perdieron todos estos reynos, nos atraviesa las entrañas...

De ese modo se dolía Fernando con el Gran Capitán, al darle la triste nueva[76].

Más impresionante es aún el largo elogio que le dedica en los primeros folios de su Testamento. Una de las mayores mercedes que había recibido de los cielos, proclama Fernando, había sido haber tenido tal mujer:

> ... avernos dado por muger e compañía la serenísyma señora Reyna doña Ysabel, nuestra muy cara e muy amada muger, que en gloria sea...

Es cuando reitera su dolor infinito, del que pone al mismo Dios por testigo:

> ... el fallesçimiento de la qual sabe Nuestro Señor quánto lastimó nuestro coraçón y el sentimiento entrañable que dello ovimos...

¡Era una mujer tan excelsa, tan llena de grandes dotes!

> ... que allende de ser tal persona e tan ajunta a nos, meresçía tanto por sí, en ser doctada de tantas e tan singulares exçelencias...

No se olvida, ciertamente, para terminar su elogio, de lo enamorada que la tenía, de modo que por eso la quería tanto:

> Y amava e alava[ba] tanto nuestra vida, salud e honrra, que nos obligava a querer e amarla sobre todas las cosas deste mundo...[77]

Cit. por Tarsicio de Azcona, ob. cit., pág. 940.

[77] Fernando el Católico, *Testamento* (Archivo de Simancas, doc. cit., fol. 3r). La copia que poseo procede de la optativa que di en el curso 1986-1987 en la Universidad de Salamanca. Mi propósito era hacer una edición crítica del Testamento del Rey (proyecto que no cuajó), con la ayuda de mis alumnos, cuyos nombres cito ahora para expresarles mi agradecimiento: Paz Martín, Maite Borrego, Sonsoles Ortiz de Urbina, Paz Llorente, Paz Villar, José María Martín, Luisa Granados, Carlos Brey, José Luis Sánchez, José María Coca, Elías Cortés, Concepción Torres, Carlos Martín, Julia Sánchez, Susana Camarero, Beatriz La Cruz, Pilar Riol, Cruz Ramos y Emilia Romero.

No solo el Rey. Todos en la Corte están con el luto en los corazones. Pedro Mártir, el gran humanista, no sabe cómo decirlo a fray Hernando de Talavera, el antiguo confesor de la Reina:

> La pluma se me cae de las manos. Mis fuerzas desfallecen...[78]

Fue una muerte que conmovió a España y a la misma Europa. Al menos, de ese modo lo sentiría el cronista flamenco Antoine de Lalaing:

> Su muerte ha causado tal pérdida a la Cristiandad, que todos los cristianos deberían vestirse de luto para mostrar duelo...[79]

Hasta los más recónditos rincones de España voló la mala nueva. También al lugar andaluz de Palacios, donde su cura Andrés Bernáldez lloraría, como España entera, haciendo aquel elogio de la Reina a su manera:

> Fue la más temida y acatada reina que nunca fue en el mundo, ca todos los duques, maestres, condes, marqueses e grandes señores la temían e avían miedo della...

Pero añadiendo una loa verdaderamente hermosa:

> Los provecillos [sic] se ponían en justiçia con los cavalleros e la alcançavan[80].

Tanto más notable, por venir además de un extranjero, es la alabanza del italiano Baltasar Castiglione.

Castiglione fue nombrado Nuncio en España en 1524, veinte años después, por lo tanto, de la muerte de la Reina, y en su famoso libro *El Cortesano* (publicado en 1528) es donde hace su loa sobre Isabel.

El autor entra en el debate de quién valía más, si Fernando o Isabel. Y es cuando hace que uno de sus personajes, Julián de Médicis, entone el elogio sobre la Reina, iniciándolo de esta soberbia forma:

---

[78] Cit. por Modesto Lafuente, *Historia general de España,* ed. Montaner y Simón, Barcelona, 1889, VII, pág. 225.

[79] Lalaing, ob. cit., pág. 486.

[80] Andrés Bernáldez, *Memorias de los Reyes Católicos,* ed. cit., pág. 487.

Si los pueblos de España, los señores, los privados, los hombres y las mujeres, los pobres y los ricos, todos no están concertados en querer mentir en loor della, no ha habido en nuestros tiempos en el mundo más glorioso exemplo de verdadera bondad, de grandeza de ánimo, de prudencia, de temor de Dios, de honestidad, de cortesía, de liberalidad y de toda virtud, en fin, que esta gloriosa Reina.

Julián de Médicis enumera después sus hazañas, de las que destaca dos. La primera, el freno puesto a la alta nobleza:

... no hay quien no sepa que, cuando ella comenzó a reinar, halló la mayor parte de Castilla en poder de los Grandes; pero ella se dio tan buena maña y tuvo tal seso en cobrallo todo tan justamente que los mismos despojados de los estados que se habían usurpado y tenían ya por suyos le quedaron aficionados en todo estremo y muy contentos de dexar lo que poseían.

La segunda, el coronar la Reconquista:

A ella sola se puede dar la honra de la gloriosa conquista del reino de Granada.

Junto con eso, lo que Castiglione llama su divino modo de gobernar:

Demás desto afirman todos los que la conocieron haberse hallado en ella una manera tan divina de gobernar que casi parecía que solamente su voluntad bastaba por mandamiento, porque cada uno hacía lo que debía sin ningún ruido y apenas osaba nadie en su propia posada y secretamente hacer cosa de que a ella le pudiese pesar.

De forma que había dejado tan buena memoria, que Isabel parecía seguir gobernando después de muerta:

... de tal manera que, aunque su vida haya fallecido, su autoridad siempre vive, como rueda que movida con gran ímpetu largo rato, después ella misma se vuelve como de suyo por buen espacio, aunque nadie la vuelva más.

No cabe duda: elogio de esa naturaleza no podía ser superado. Y dada la fama de Castiglione, pondría el nombre de Isabel y su obra ante toda la Europa del Quinientos en el más alto grado.

... como rueda que movida con gran ímpetu...

Un siglo después, también el padre Mariana recordaría el suceso con dolor:

Su muerte fue tan llorada...

Había sido:

... la más excelente y valerosa Princesa que el mundo tuvo... [81]

Sí, había muerto la reina Isabel, la gran Reina, asida a su muerte, que había querido apurar en su agonía, como el Señor había apurado la suya.

---

[81] Padre Mariana, *Historia de España,* ed. cit., II, pág. 626. Sería bueno recordar aquí el impresionante cortejo fúnebre que, de acuerdo con el deseo de la Reina, cruzó media España para llevar su cuerpo desde Medina del Campo hasta Granada; un cortejo en el que iban doce capellanes y doce cantores, amén de los mozos auxiliares para todas las faenas, desde las del transporte del cadáver regio, los del servicio de cocina. Conforme a lo ordenado por Isabel, el cortejo inició su recorrido tras la celebración de las exequias fúnebres en Medina del Campo, siendo estos los principales lugares de su itinerario: Medina del Campo, Arévalo, Ávila, Toledo, Jaén y, finalmente, Granada. En Toledo hubo una pausa de dos días, celebrándose otro solemne funeral en San Juan de los Reyes, la fundación tan querida de la Reina, símbolo de su victoria en la guerra de Sucesión. La llegada a Granada fue el 18 de diciembre, tras veintidós días de atravesar las dos mesetas y el norte de Andalucía, con un tiempo cada vez más invernal. La Reina fue enterrada, en un principio, y conforme a su deseo, en el convento de San Francisco. Tendrían que pasar no pocos años hasta que Carlos V dispusiera su traslado, junto con el del rey Fernando, su marido, a la Capilla Real de la catedral de Granada, recién terminada. Y eso fue el 10 de noviembre de 1521.

APÉNDICE

RECURSOS Y ESTRUCTURAS

Evocar a la España de los Reyes Católicos no es tan difícil. Basta muchas veces con saber mirar. ¿No está la tierra como testimonio directo? ¿Y las creaciones de aquellos hombres, sus libros, su música, sus lienzos, sus ciudades? En otras ocasiones, una galería de personajes parece ponerse en movimiento. A veces, es un año que resulta particularmente evocador. Otras, una situación histórica, o el ambiente de una ciudad. Pero en ocasiones, ciertamente, los enigmas se suceden, los interrogantes se acumulan y es preciso acudir a la investigación histórica. Y aun así...

En primer lugar, la tierra. La inmensa tierra de las altiplanicies, con luz cegadora, la tierra reseca de las dos Castillas, de veranos ardientes, con inviernos largos y gélidos, de primaveras cortas y desapacibles, de otoños luminosos y prolongados.

O las lluvias de Galicia y de la cornisa cantábrica, con sus ciudades y sus villas de piedras grises, de cielos encapotados, de montes jugosos, de pinos y helechos; tierras a las que baña un mar siempre batiendo, un mar que golpea furioso sobre los acantilados de Finisterre como sobre los del cabo asturiano de Peñas o sobre el vasco de Machichaco.

O la teoría de naranjos y de olivos que se alinean, como un viejo ejército, a lo largo del litoral mediterráneo.

Estas tres Españas —la galaica y norteña, de clima húmedo; la interior, de clima seco y continental, y la levantina y meridional, de clima mediterráneo— están presentes a lo largo de su historia, y es lo primero que hay que tener en cuenta para evocar su pasado. De igual modo sus ríos y sus montañas, sus vados y sus desfiladeros, sus villas y sus pueblos. En las mismas ciudades, las partes viejas nos permiten evocar la vida de nuestros antepasados como testimonio en piedra.

Ahora bien, para que la evocación sea más certera hay que tener en cuenta qué es lo que falta y qué es lo que sobra; en otras palabras, la mano del hombre, para bien o para mal, cambió no pocas cosas. Esos cambios son más notorios en las grandes ciudades, pero también se aprecian en el campo; baste con recordar los grandes lagos artificiales producto de la creación de las gigantescas presas con fines de aprovechamiento del agua de los ríos para energía eléctrica. Pero, sobre todo, donde está la gran diferencia es en la relación hombre-espacio. En primer lugar, por el aumento de la población; en segundo lugar, por la revolución técnica operada en el terreno de las comunicaciones. Entonces, el español se veía dominado por el espacio, que se le imponía como una realidad difícilmente superable. Los cambios son mínimos, sobre todo en tierra, en relación incluso con las etapas primeras de la historia. Los ejércitos del Gran Capitán no avanzan más deprisa que las legiones de Julio César. Y si en el mar Océano hay modificaciones sustanciosas (la carabela es la nave nueva que hace posible los magnos descubrimientos), en el Mediterráneo las galeras que combaten en sus aguas difieren muy poco de las usadas por los cruzados.

Otra diferencia, y bien marcada, se aprecia en las relaciones internacionales. Los Estados no eran capaces de asegurar, de forma eficaz, la vida pacífica de las poblaciones costeras frente a incursiones de otras potencias, y eso rezaba muy en particular para España, donde el panorama se ensombrecía con la constante amenaza de las incursiones berberiscas en las costas de Levante y Mediodía. De ahí radica el fundamento de la potente vida de las dos Castillas; en primer lugar, son casi inaccesibles a esta amenaza externa. Castilla es un castillo, es una altiplanicie elevada, con grandes murallones montañosos en su contorno, que la distancian y la apartan pero también la resguardan. En su interior la vida es más segura. Y, por otra parte, las comunicaciones entre los pueblos, más fáciles que en la España de la periferia, tan encrespada por sistemas montañosos. El peso de las dos mesetas es soberano. Es también la zona que evoluciona más intensamente en relación con las corrientes culturales, frente a una bien marcada atonía de la periferia, si se exceptúa Andalucía.

Y Andalucía no es sino una prolongación de Castilla, una Castilla novísima que se forja en la Baja Edad Media. Porque Castilla, siempre en expansión a lo largo de estos siglos, no se vierte hacia Occidente ni hacia Levante, sino preferentemente hacia el Mediodía. No importa que los sistemas montañosos le sean contrarios, ni que el curso de sus ríos tome otra dirección. Castilla ha mostrado siempre una marcada proyección hacia el Sur, patente incluso en su salto a Ultramar a través de los puertos andaluces; primero, por los onubenses de las rías del Tinto y del Odiel, después por los del Guadalquivir —en particular, Sevilla—, finalmente por Cádiz. Su fuerza hace que incluso asuma en el Mediterráneo el papel desempeñado antes por Cataluña, con los consiguientes recelos de los pueblos de la Corona de Aragón, pero la dirección de su flecha va hacia el norte de África y hacia Ultramar.

Esto influye también, aun de un modo inconsciente, sobre la tarea de los gobernantes. España se gobernará desde Castilla, y preferentemente por y para Castilla. Son las ideas y los hombres castellanos los que se imponen al resto del país. No sin esfuerzo, ni sin resistencias, pero eso es inevitable. Castilla, por otra parte, triplica en territorio a la Corona de Aragón, y la cuadruplica en población. Otra singularidad de la época: que la zona meseteña esté más poblada que la periférica, a excepción de la andaluza, a la que, por otra parte, señalábamos como una clara prolongación de Castilla.

Por eso, cuando se trata de la tierra, no se puede distinguir sin más con categorías geográficas entre una España húmeda y otra seca, sino que es precisamente introducir las diferencias marcadas por la Historia, viendo por un lado la Corona de Castilla y por el otro la de Aragón como los dos grandes núcleos políticos integrados en una sola Monarquía, a partir de la obra unificadora de los Reyes Católicos.

Por otra parte, hay una realidad en la geografía hispana que se impone a los siglos y marca su historia: su posición crucial entre dos mares y dos continentes. Situada en el extremo suroccidental de Europa, frente por frente a las costas africanas, dominando el estrecho que une el Atlántico con el Mediterráneo, España participa de esa situación a la vez europea y fronteriza de cara al África; y si por el Mediterráneo está en contacto con todo lo que supone la fabulosa cultura forjada en la península italiana desde la Antigüedad, por el Atlántico va a ponerse en contacto con la aventura de lo inesperado, con el prodigio de los nuevos mundos hasta entonces por nadie conocidos.

Finalmente, una advertencia: Tanto en el campo de las estructuras socioeconómicas como en las políticas y hasta en las religiosas y culturales, los Reyes Católicos no se limitarán a recoger una herencia, sino que pondrán sus manos en ella para transformarla. Y de tal modo, con tal ímpetu, que esa acción renovadora no morirá con ellos, sino que penetrará profundamente en el siguiente reinado; de ahí que, en no pocos casos (como hemos de ver), las referencias a la época de Carlos V resulten obligadas.

TERRITORIO Y POBLACIÓN

Uno de los aspectos más engañosos que puede ofrecer la Historia de España en los tiempos modernos es el de su supuesta unidad, a raíz del matrimonio de Isabel y Fernando. Y no solo porque lo que allí dio comienzo fue un largo proceso, pues hasta los Borbones del siglo XVIII son muchas aún las separaciones que se marcan entre los reinos. Dejando aparte ese aspecto —dado que tendrá que desarrollarse en otro lugar de esta obra—, lo que quiero indicar es que con la misma simplicidad de las referencias personales se tiende a la confusión. Fernando e Isabel fueron dos grandes personajes, y su unión aportó algo nuevo y, a la vez, dio una impresionante vitalidad a la historia de Europa. No cabe encontrar paralelo en la Historia. Es como si la Inglaterra de Enrique VIII fuese contemporánea de la de su hija Isabel, como si en Francia se aunara al tiempo la energía de Luis XIV con la lucidez de Richelieu. Cada uno de por sí eran ya una potencia; juntos constituyeron el binomio humano de mayor fuerza penetrante que pudiera pensarse, como quizá no lo tuvo pueblo alguno antes y después. Pero lo que cada uno de ellos suponía era a título personal; en eso sí que los encontramos pareados. De ahí que esa paridad no es transferible a los territorios cuyo dominio aportaban. Bien es cierto que la fuerza de Fernando no puede limitarse a la de ser Rey de Aragón, puesto que su intervención resultó decisiva tanto para el control de Castilla, con la derrota de los partidarios de la princesa Juana, como en el avance sobre Granada (y no digamos en cuanto a la anexión de Navarra). Forzosamente ha de quedar huella de todo eso en las páginas que siguen. Ahora bien, esto no elimina la cuestión de la desigual situación entre las Coronas de Castilla y Aragón, con una fuerte desproporción tanto territorial como demográfica. Por eso la unión de los Reyes, lograda en un plano de igualdad, no supuso lo mismo para sus dos pueblos. Es preciso, por lo tanto, para que comprendamos la serie de inhibiciones que se producen en Aragón, que tengamos en cuenta la fuerza abrumadora de los números. Pues, en efecto, Castilla contaba con unos 350.000 kilómetros cuadrados, mientras que la Corona de Aragón no pasaba de los 110.000, sumando los tres reinos de Aragón, Cataluña y Valencia y las islas Baleares; eso sí, dejando aparte su dominio sobre Cerdeña y Sicilia, pues, aunque suponían cerca de otros 50.000 kilómetros cuadrados, es claro que no contaban en igual medida que los dominios hispanos de la Corona de Aragón.

Tal desproporción de tres y medio a uno entre la Castilla de Isabel y el Aragón de Fernando, en lo que se refiere al territorio, no se veía compensada por las cifras de población, lo cual es digno de tenerse en cuenta, por cuanto que hacía mayor el contraste entre las dos regiones: como tendremos ocasión de ver, la densidad de población era mayor en el área castellana que en la aragonesa.

Una comunicación difícil

La primera nota, por ello, que hay que destacar en el territorio español a principios de los tiempos modernos es esa disparidad entre las tierras de Castilla y las de Aragón. Habría que recordar, además, algo que es propio de la España eterna, propio de su estructura geográfica, a saber: las muchas e intrincadas sierras, las altas montañas infranqueables, las regiones apartadas, los ríos difícilmente navegables. El rumbo histórico en Castilla —y también en el Aragón peninsular— es marcadamente Norte-Sur. Pues bien, en este avance tanto los castellanos como los aragoneses han de franquear difíciles sistemas montañosos y han de cruzar ríos que van a contrapelo de su marcha: hacia el oeste atlántico, como el Duero y el Tajo; hacia el oriente mediterráneo, como el Ebro. Cuando el castellano va acorralando al musulmán en su reducto penibético, le es preciso franquear anchos ríos, desde el Duero hasta el Guadalquivir, y asaltar altos murallones de sierras. Ahora bien, las dificultades que ha de vencer el soldado en tiempo de guerra son las mismas que ha de superar el comerciante en tiempo de paz. En consecuencia, las comunicaciones lentas y difíciles harán que los pueblos vivan casi aislados y que su economía se resienta, tendiendo hacia el intercambio local entre la ciudad y su campo comarcano y al consumo *in situ* de las mercancías que se producen. Como, en contraste, el tráfico marítimo era mucho más barato, nos encontramos con que, en aquellos tiempos, resultaba más económico vender el vino catalán en Asturias que en la Meseta. Esta aspereza, esta fragosidad de la tierra, se muestra aún mayor en las dos regiones más apartadas del centro: en Galicia y en Granada, lo cual obligará a un régimen administrativo especial, colocando al frente de cada una de ellas un gobernador. La lejanía y la intrincada orografía hacen de Galicia la tierra ideal para el señor o el bandolero (cuando no ambos unidos) que quieran mostrar pujos de independencia frente al Rey. Cuando Fernando solicita la mitra de Santiago para el tercer Fonseca —hijo del anterior arzobispo—, indica a Roma que comprende que su petición se sale de lo común, pero que había que tener en cuenta los servicios inestimables prestados por el viejo Arzobispo en la tarea de domeñar aquella región, pues «la gente de aquella tierra es feroce», como reza el propio documento; «feroce», se entiende, indócil al mandato de la Corona, por apartada y lejana.

Por lo tanto, las comunicaciones escasas y difíciles hacen aún más inmenso el territorio. La expresión de Braudel de que la Francia de las guerras de religión es como la China del siglo XX, hay que aplicarla con más razón a la España de los Reyes Católicos, entre otras razones porque su densidad de población no alcanzaba, posiblemente, el 50 por 100 de la francesa. Esta situación se prolonga lo que dura el Antiguo Régimen, con un momento mucho más depresivo en el siglo XVII y con una mejoría en el siglo XVIII. Pero recordemos que todavía Larra nos cuenta en uno de sus «artículos de costumbre» el cambio producido con la implantación del servicio regular de diligencias en el primer tercio del siglo XIX, describiendo la anterior situación con estas significativas palabras:

> Hace pocos años, si le ocurría a V. hacer un viaje, empresa que se acometía entonces solo por motivos muy poderosos, era forzoso recorrer todo Madrid, preguntando de posada en posada por medios de transporte... No se concebía cómo podía un hombre apartarse de un punto en un solo día más de seis o siete leguas... En los coches viajaban solo los poderosos: las galeras eran el carruaje de la clase acomodada; viajaban en ellas los empleados que mudaban de vara; los carromatos y las acémilas estaban reservados a las mujeres de los militares, a los estudiantes, a los predicadores cuyo convento no les proporcionaba mula propia. Las demás gentes no viajaban; y semejantes los hombres a los troncos, allí donde nacían, allí morían.

Estos fragmentos de Larra, escritos en 1838, nos dan idea del aislamiento de los pueblos y las regiones españolas antes de que sobreviniera el gran acontecimiento de nuestros tiempos contemporáneos: el tren primero, después el coche, finalmente el avión. Pero bajo el Antiguo Régimen España nos da la impresión de cosida a retazos, de mal trabada, de pésimamente intercomunicada. De ahí el peso específico de las anchas mesetas. Las dos Castillas tienen la grandeza del espacio abierto; también la facilidad de la comunicación y de la unión. No es por un azar que encontramos coaligadas, con relativa facilidad, a las urbes meseteñas. Lo que acaece en Toledo o en Ávila se sabe pronto en Medina y en Toro.

El espacio. El inmenso espacio de la España del Renacimiento, cuando lo usual era caminar por ella a pie o al paso de mula. Hay que medir la distancia en estos términos.

El peregrino que había de ir desde Roncesvalles hasta Santiago sabía que tenía ante sí cerca de dos meses de fatigosa marcha, caminando de quince a veinte kilómetros diarios, lo cual era ya una buena velocidad media. El único que viajaba relativamente deprisa era el correo del Rey, que, yendo de relevo en relevo —hombres y caballos—, podía pasar de los cien kilómetros diarios. Pero para los demás viajeros (comerciantes o soldados, estudiantes o frailes, funcionarios o peregrinos) el espacio se presentaba con tal fuerza que solo por necesidad del mismo oficio, por espíritu religioso o por·afán de aventura se atrevían a cruzarlo; para las otras gentes —que eran la inmensa mayoría— el espacio las cercaba, las acorralaba. En suma, no viajaban, salvo en ocasiones muy especiales, «y semejantes los hombres a los troncos, allí donde nacían allí morían».

El balance demográfico

En cuanto a la población, cabe mantener la tesis de que la desproporción entre las Coronas de Castilla y de Aragón es aquí mayor de lo que lo era ya en cuanto al territorio, por ser las dos mesetas y Andalucía las zonas más pobladas de España, de forma que la desproporción pasa a ser de cuatro, o incluso de seis a uno, entre ambos territorios.

Puede admitirse el cómputo general de Alonso de Quintanilla, realizado hacia 1492, que establecía para la Corona de Castilla —sin Granada— la cifra de 1.500.000 fuegos. Tal número de vecinos venía reputándose como muy alto, comparado con el que se obtenía para 1528, que es el primer censo detallado y fidedigno que nos depara la administración del Renacimiento. Se solía tomar, además, como coeficiente por hogar, el número cinco, lo cual daba un total de siete millones y medio de habitantes para Castilla a finales del siglo XV. Ahora bien, en los estudios concretos que he podido hacer me he encontrado con que el coeficiente cuatro resulta mucho más apropiado que el cinco, siendo, por otra parte, el que venían a considerar los mismos contemporáneos. Con lo cual, la población a principios de la Edad Moderna podía quedar cifrada en seis millones de habitantes para la zona de Castilla.

El advenimiento de los Reyes Católicos inauguró una era de paz y prosperidad, sobre todo a partir de su afianzamiento en el trono con la victoria de Toro, conseguida en 1476. A este respecto, la guerra de Granada no supone una notable perturbación demográfica, ya que es una guerra muy localizada, siempre desarrollada en terreno enemigo, que no altera, por lo tanto, ni las cosechas, ni el comercio, ni las comunicaciones en el ámbito castellano. La guerra de Granada es larga y dura, pero en ella no se libran batallas sangrientas. El mayor percance cristiano, el de la Axarquía, cuesta menos de dos mil víctimas entre muertos y cautivos. Al principio de la guerra, las campañas se reducen por lo general a asedios de plazas, donde la artillería cristiana juega un papel capital. Cuando la guerra se endurece es en las campañas finales de 1487, 1489 y 1491, con los asedios de Málaga, Baza y Granada, respectivamente. En esas campañas el ejército cristiano puede llegar a cincuenta mil y hasta a sesenta mil soldados. Se tratará de cercos difíciles de establecer, pero más por agobios económicos que por pérdida de hombres. En estos cercos la mayoría de las acciones militares se reducen a escaramuzas entre las vanguardias de ambos bandos. Posiblemente las pérdidas cristianas no pasarían de un 10 por 100 de sus efectivos, y en el total de la guerra quizá no sobrepasaran las veinticinco mil bajas; pérdidas de población que, espaciadas en los diez años de la guerra, son escasas y quedaron ampliamente compensadas por la incorporación del reino granadino vencido. Por otra parte, los historiadores de la demografía tienden cada vez más a reducir la proporción de las pérdidas provocadas por la guerra en los tiempos modernos. En este sentido, cabría hablar del aumento demográfico en la España de los Reyes Católicos, logrado gracias al buen gobierno de aquellos monarcas y a la sensación de orden y de autoridad que con ellos se difunden por todo el país.

Pero la primera catástrofe demográfica de la Edad Moderna nos la apunta cuidadosamente el cronista Andrés Bernáldez: el año de 1502 la reina Isabel había puesto tasa al trigo, señal de penuria en las cosechas; malas son las de los tres años siguientes, a causa de la sequía. Devastadoras inundaciones traen consigo la ruina del campo en 1505. En estas condiciones no es de extrañar que una terrible hambre se desate por toda Castilla en 1506 y que a ella acompañase, como de la mano, una mortífera peste en 1507. Faltos de brazos que recogiesen la siembra, los campos andaluces son devorados por la temible plaga de la langosta en 1508:

> ... andaba por toda la tierra, fecha exércitos, como batallas; e había exército della que duraba cuatro o cinco leguas en luengo y en ancho dos o tres leguas...

Si nos atenemos al relato de Andrés Bernáldez, en la mayor parte de los lugares de Castilla (en lo que hay que entender, sobre todo, la zona meseteña y Andalucía) las pérdidas fueron del 50 por 100 de sus habitantes, aunque en algunos pasaron estas cifras, llegando incluso a las dos terceras partes de la población. Así pues, hacia 1510 la población de la zona de Castilla podía valorarse de 700.000 a 800.000 fuegos.

Por entonces Vizcaya daba unos 15.000 fuegos (en los que entraban los hidalgos); Guipúzcoa y Álava, 10.000 cada una, y Navarra, 30.000. En 1495 se calculaba que Aragón tenía 51.000 fuegos, y Cataluña por esas fechas daba 55.500, cifra que posiblemente ya desbordaba Valencia[1].

Esos datos, recopilados por Felipe Ruiz y aquí en sus números aproximados, nos permiten establecer las debidas comparaciones: la población hispana estaba concentrada, sobre todo, en las dos mesetas y en la opulenta Andalucía. Su peso demográfico era tan notorio en el conjunto de la población que también tenía que hacerse notar en los demás aspectos de aquel convivir de la colectividad hispana. En verdad, había dos grandes razones que potenciaban las zonas meseteña y andaluza, la una por ser la tierra productora de trigo, vino y aceite (este al sur del Tajo), a lo que había que unir la apreciada lana de la oveja merina castellana; otra razón habría que ponerla en la facilidad de sus comunicaciones, al menos en los tres ámbitos de meseta superior, inferior y cuenca del Guadalquivir. En contraste, Galicia, con el norte cantábrico, estaban entonces entre las zonas más pobres de España, y a las que el intrincado sistema montañoso separaba radicalmente del corazón de la Monarquía. En cuanto al Levante español, si bien sus relaciones mercantiles con Italia debían favorecerlo, la realidad es que la pesadilla de las incursiones piráticas hizo que disminuyesen notablemente su producción y su riqueza. En el caso concreto de Barcelona, dos hechos la afectaron vivamente: el primero, la pérdida de la capitalidad, al fijar la Corte su asiento por lo general en tierras de Castilla; en segundo lugar, la actuación de la Inquisición, que aniquiló a la comunidad hispanojudía barcelonesa.

Hemos visto los datos generales sobre la población hispana en la época del Renacimiento, a través del censo de Quintanilla de finales del siglo XV. Para que estos datos nos den una visión más clara del panorama demográfico español es preciso tener en cuenta la población de las principales naciones de la Europa occidental. Hacia 1500 se calculaba que Francia y Alemania tenían, cada una, sobre los 15.000.000 de habitantes; Italia, 12.000.000; Inglaterra y Países Bajos, entre los 3.000.000 y los 3.500.000; Portugal, sobre 1.250.000. Por lo tanto, España, con sus 7.000.000, de habitantes estaba muy por debajo de Francia, Alemania e Italia, teniendo apenas el doble de los Países Bajos, cuando su terri-

---

[1] El término de fuegos equivale, naturalmente, al de los hogares o vecinos; esto es, a familias, que era la forma de censar de la época, no por habitantes.

torio era casi diez veces mayor. Habría que añadir los movimientos migratorios y las incorporaciones que sufre la Monarquía durante este período. Hay que recordar, en primer lugar, la violenta expulsión de los judíos, realizada en 1492, y que afectó aproximadamente a 150.000 habitantes; cifras que habría que incrementar teniendo en cuenta que la política antisemítica de los Reyes Católicos se inicia prácticamente con su reinado (leyes discriminatorias de tipo racial de Madrigal y de Toledo de 1476 y 1480), lo que fue produciendo un lento éxodo, como el ya comentado de Barcelona. A estas pérdidas humanas habría que añadir también las que afectan al pueblo morisco, después de la campaña de las Alpujarras realizada por Fernando el Católico. Campañas y persecuciones contra esa minoría disidente que se traducen en contracciones demográficas, aunque difíciles de precisar en número. Por lo que hace a las incorporaciones, merced a la política expansiva de los Reyes Católicos, vemos que aquí también Castilla fue la más afortunada, ya que añadió a su Corona el territorio de Granada, con un total de 30.000 kilómetros cuadrados y con una población sobre 250.000 habitantes aproximadamente; mientras que a la Corona de Aragón solo se incorporaron el Rosellón y la Cerdaña, pequeños territorios cuya población no pasaría de los 50.000 habitantes.

¿Cómo se hallaba repartida esa población? Ya ha quedado señalada la estructura social de sus componentes. Recordemos que en su inmensa mayoría era una población de tipo rural, pechera y cristianovieja, que se agolpaba sobre todo en las dos mesetas, en Andalucía occidental y alrededor de los tres grandes núcleos urbanos de la Corona de Aragón (Barcelona, Zaragoza y Valencia).

Esta población podría clasificarse de la siguiente manera:

Grupos sociales	Población
Campesinos (80%)	5.600.000
Artesanos y jornaleros urbanos (10%)	700.000
Pequeños propietarios rurales (0,5%)	35.000
Clase media urbana (3%)	210.000
Eclesiásticos (con sus familiares) (1,5%)	105.000
Patriciado urbano (2%)	140.000
Hidalgos (0,5%)	35.000
Alta nobleza y clero (con su clientela) (0,5%)	35.000
Pobres y mendigos (2%)	140.000
TOTAL	7.000.000

¿Siete millones? Una cifra algo elevada, si hemos de creer a uno de los mayores especialistas en la materia, el profesor Vicente Pérez Moreda, para quien a finales de siglo rondaría más bien los cinco millones.

No debiéramos olvidar a los extranjeros, de los cuales los genoveses suponían una creciente colonia instalada preferentemente en Andalucía, sobre todo en Sevilla.

LAS BASES ECONÓMICAS

La tierra

La tierra constituye una de las principales cuestiones en la época del Renacimiento, no solo porque en España es la que soporta de forma decisiva la economía de la Monarquía Católica, sino porque, como ya se ha visto, a ella está vinculada una mayoría aplastante de la población, que podría cifrarse en el 80 por 100. Pero es aún poco lo que sabemos sobre muchos de los problemas fundamentales en relación con ella: su reparto, sobre todo, sigue siendo un tema abierto a la discusión.

Según Vicens Vives, en su *Historia económica de España*, «hacia 1500 los nobles poseían el 97 por 100 del suelo peninsular, por propiedad directa o por jurisdicción. Vale tanto como decir que el 1,5 por 100 de la población poseía la casi totalidad del territorio español»; y añade: «este hecho es capital».

Esa afirmación tan tajante obliga a algunas rectificaciones. En primer lugar, habría que recordar que alrededor del 30 por 100 de la España de señorío estaba en manos de las Órdenes militares (a su vez controladas por la Corona) y la Iglesia. Y, en segundo lugar, que basta recordar el mapa de los corregimientos en Castilla para concluir que al menos el 25 por 100 del territorio castellano era de realengo. Ahora bien, puesto que la mayor parte de las ciudades estaban en manos del patriciado urbano, da la impresión de que buena parte de la historia de Castilla es la pugna entre las dos noblezas: la alta nobleza, latifundista, y el patriciado urbano, que a su vez controla la tierra de la ciudad.

El problema de la tierra no está solo en su reparto, sino en que no podamos precisar, hoy por hoy, en qué medida el labrador cultivaba su propia finca o era colono sometido incluso a una jurisdicción señorial. Una tierra, por otra parte, de la que no se extrae el suficiente rendimiento hasta muy entrada la Edad Moderna. Esto hace que el campesino, incluso el pequeño propietario, lleve una existencia muy dura, cargado de impuestos (alcabalas, diezmos eclesiásticos, tercias, derechos señoriales), a merced de los agentes del fisco, de las arbitrariedades de los jueces, de los atropellos de los reclutadores de soldados, cuando no de estos mismos, en tensión con el hidalgo rural e incluso en constante conflicto con el otro estamento afincado en el campo: el pastor trashumante.

Este tipo de vida es bastante homogéneo en toda la Europa occidental, donde, en general, se aprecia una mayor libertad de movimientos del campesino, en contraste con lo que ocurre en la Europa central y oriental. En el caso español destaca, en este sentido, la penosa situación del campesino aragonés, mucho más sujeto a su señor que sus vecinos, los campesinos de Castilla y Cataluña.

El régimen señorial. La cuestión señorial, que afecta a la mayor parte de Europa y muy gravemente a España, nos marca, por un lado, la perdurabilidad de un sistema feudal, cuando en los grandes núcleos urbanos intenta ya abrirse camino un incipiente capitalismo. La gran realidad de la época es la existencia de una mayoría abrumadora de campesinos que trabajan en condiciones ínfimas de vida para un puñado de rentistas. Por lo tanto, otra pregunta clave sería cómo se origina el señorío y, vinculadas a esta, cómo evoluciona, cuándo se extingue y cuáles son sus características.

No cabe duda de que el señorío es una herencia medieval que en España tiene una íntima relación con el desarrollo de la Reconquista, ya que en gran número de casos la Monarquía acude a él con fines repobladores o bien para pagar los altos servicios de los magnates, pareciéndole justo repartir con ellos buena parte de los territorios recuperados al infiel. De ahí que este señorío abunde y se incremente al sur del Sistema Central. Si se añade la piedad de la Corona y sus constantes donaciones a la Iglesia, se puede tener el esquema de la formación del señorío eclesiástico, pues también en este caso las Órdenes monásticas podían contribuir a fijar la población en algunos puntos clave, así como a mejorar las técnicas de cultivo.

Una herencia, la cuestión señorial, que se prolonga, además, más allá no solo de los límites cronológicos del Renacimiento, sino de toda la Edad Moderna. Recordemos de una vez por todas que el señorío jurisdiccional no queda abolido en España hasta 1811, y el solariego, hasta 1837.

Por lo tanto, el campo español en la época del Renacimiento vive un ambiente que se prolonga cronológicamente tanto en el pasado como en el futuro. En este sentido nada cambia, salvo algunos aspectos de detalle, dando un signo de inmovilidad muy característico de la España del Antiguo Régimen. En efecto, la escasa movilidad propia de una sociedad mayoritariamente rural será una de las notas predominantes de aquel período.

Se ha calculado que el valor de la renta señorial alcanzaba del 30 al 40 por 100 del total de los ingresos del labrador, el cual, por otra parte, se veía obligado a consumir (a causa de los defectos de su técnica de cultivo) un 25 por 100 en la siembra para la futura cosecha, con lo cual lo que le quedaba era un margen muy escaso que apenas le permitía una situación de supervivencia. Raras veces podrá ahorrar el labrador, y cuando lo hace siempre es bajo la amenaza de que una mala cosecha le obligue a devorar sus ahorros, cuando no es víctima de la soldadesca, de cuyos atropellos nos ha dejado numerosos testimonios la literatura del tiempo.

Resulta interesante seguir la pista de las rentas señoriales, como lo hizo Mandrou para la Francia del Antiguo Régimen. Esas rentas en especie van a parar a la ciudad o a los palacios señoriales y allí se pierden en su inmensa mayoría. Lo que vuelve al campo es una parte muy pequeña, representada principalmente por los derechos que perciben los párrocos rurales. En ocasiones puede darse el caso de que el campesino de señorío, tras una serie de malas cosechas, se vea obligado a comprar el grano que hacía poco había entregado al señor y que este había almacenado en sus graneros.

Estancamiento agrícola. Poco se avanza en relación con la técnica o con el intento de conseguir nuevos cultivos. Quizá lo más destacado sea que en Castilla se tiende a sustituir en la zona meseteña el ganado vacuno por la mula como animal de tiro, lo cual tiene una justificación por la mayor resistencia física de esta y por la dificultad de encontrar pastos suficientes para aquel. Ya hemos visto que el aumento demográfico es escaso y solo apreciable en los últimos años del Renacimiento, que sería el período en el cual habría que suponer una mayor demanda de los productos de la tierra, aumentada por el hecho de que también las Indias occidentales provocaban cada vez más este tirón. Pero, en general, hay que situar en la época siguiente la tendencia a aumentar la zona cultivada, roturando tierras de peor calidad hasta entonces marginadas; por lo tanto, las consecuencias que esta tendencia provoque hay que colocarlas en los tiempos del Barroco.

Es Andalucía la zona más rica y la que acusa más esas nuevas tendencias, con las demandas crecientes de trigo, aceite y vino, cuyos cultivos aumentan en la primera mitad del siglo XVI en esta proporción: el cultivo del trigo se duplica, el del aceite se triplica y el del vino aumenta más de siete veces. De forma que las zonas de olivares y viñedos serán lo característico del paisaje andaluz. En cuanto al resto de Castilla, el campo puede decirse que está abandonado a su rutina ancestral, salvo en las cercanías de las ciudades, en las que el burgués o el patricio enriquecido invierten en ocasiones dinero y tiempo en mejorar algunos cultivos, pero, en conjunto, en proporciones muy pequeñas en relación con el total. Las residencias señoriales campestres, al modo de las quintas italianas del Renacimiento, son escasas, y solo merece recordarse aquí la que el duque de Alba montó en Abadía, con su jardín adornado de estatuas antiguas traídas de Italia, cuyas ruinas aún pueden verse en esta localidad extremeña.

Que el trigo, el vino y el aceite fueran los cultivos más valorados y la base fundamental de la alimentación de la época, a la que podía añadirse algo de carne y algo de fruta, permite comprender la concentración humana en las dos mesetas y en Andalucía, pues el abundante ganado lanar proporcionaba ese complemento de carne y de productos lácteos (queso de oveja, principalmente) que, junto con el valor total de la producción lanera, daba a esas regiones su incuestionable supremacía económica. Estas tierras estaban en condiciones de sortear, con mayor facilidad que las del resto de la Península, las crisis agrarias producidas por las malas cosechas. Sin embargo, el injusto reparto de la tierra y la mísera situación del campesinado de señorío provocan una tensión que no hay que olvidar. Si las crisis agrarias, frecuentes de todas maneras, no se traducen en alzamientos de la población campesina es porque, en general, bajo el Antiguo Régimen es preciso, para que dichas perturbaciones sociales se produzcan, que actúe sobre el campesino otra causa externa a modo de detonador. La población campesina está tan inmersa en su mísera situación, y la concepción general de la existencia es tan estática, que no se concibe la posibilidad de modificar el estado de cosas. El que nace campesino, muere campesino y engendra hijos campesinos. El que nace mísero, muere mísero y engendra hijos míseros. No hay salida posible. Las excepciones, que las hay, evidentemente, se toman como algo portentoso, como algo inaudito. Al modo como en la Alemania de la época de Carlos V —donde la situación del campesino no era mejor que en España— es necesario que se alce la voz de Lutero y que se tome pretexto de la rebelión religiosa para desembocar en el movimiento subversivo rural, de igual modo en España es preciso que se produzca la gran conmoción de las Comunidades (que en principio es urbana y política) para que el campo castellano entre en fermentación y en revuelta. Pero antes y después de las Comunidades ese campo permanecerá tranquilo, resignado a su suerte. No cabe duda, sin embargo, de que la euforia propia de los tiempos en los que España se consideraba la primera potencia del mundo se transmitía de algún modo hasta el campesino del último rincón de la Monarquía Católica. Estaba, además, la posibilidad de hacer fortuna alistándose en los tercios viejos o emigrando a las Indias: dos válvulas de escape que hay que tener en cuenta para comprender la resignación con que Castilla toma la derrota de Villalar.

En cuanto a la pesca de altura, se ve reducida en el siglo XVI, porque los marinos vascos encuentran más fructífero cubrir la creciente demanda del tráfico mercantil que desarrolla entonces la Monarquía Católica; de forma que junto a los navíos de la Hansa se verán llegar ahora los de Bretaña con el bacalao nórdico. Y al lado de la pesca, la sal. La necesidad de conservar la pesca, para que llegara en buenas condiciones a la Meseta, explica el auge de las salinas, que en España adquieren verdadera importancia. El estanco de la sal será una regalía codiciada, y no pocos pueblos mantienen en su nombre el recuerdo de esas actividades.

La Mesta. El Honrado Concejo de la Mesta de los Pastores de Castilla reunía el mayor conjunto de ganado lanar trashumante. Su existencia se remonta al siglo XIII y se halla en relación tanto con la enorme extensión que adquiere Castilla con los avances de la Reconquista logrados en aquel siglo, en que se alcanza la vega del Guadalquivir, como con la tranquilidad que empieza ya a ser una realidad para las tierras al sur del Sistema Central, hasta entonces amenazadas por las incursiones musulmanas. Al correr de los siglos, la Mesta consigue unos pasos para sus ganados, que por miles y miles de cabezas se trasladan de las montañas más húmedas a las llanuras más soleadas, según la época del año, y eso a lo largo de cientos de kilómetros. Entre las montañas de León y las tierras extremeñas, entre las montañas del Guadarrama y la zona de la Mancha, se producen así unos amplios desplazamientos de cientos de miles de cabezas de ganado, dirigidas por sus pastores y sus perros guardianes y protegidas por un sistema judicial peculiar, a cargo de los llamados alcaldes entregadores, por sus propios caminos o cañadas. Tales cañadas, con sus ramificaciones, presuponen ya un país en el que el espacio es inmenso y en donde las zonas desérticas son abundantes.

Una estructura de este tipo no podía darse en ningún otro país de la Europa occidental. En su momento de mayor esplendor, la Mesta sobrepasa los dos millones y medio de cabezas. Por otra parte, ese ganado había conseguido un ejemplar de raza depuradísima, cuya lana no tenía igual en toda Europa: la oveja merina. Así se comprende que la Mesta se convirtiese en la potencia económica mayor de la Corona de Castilla, prestamista de los reyes y amparada por ellos. Con frecuencia sus intereses rozan con los pueblos colindantes por donde atravesaban las cañadas, lo cual da motivo a constantes conflictos que pasan a la jurisdicción de los alcaldes entregadores de la Mesta, con resultados casi siempre favorables a los pastores; una vez más, los campesinos eran los sacrificados. Al frente de toda esa curiosa estructura judicial estaba el alcalde entregador mayor, categoría vinculada en los últimos bajomedievos a la familia nobiliaria de los condes de Buendía; pero los Reyes Católicos, reconociendo así la importancia de la institución, la subordinaron al Consejo Real.

Después del estudio de Klein sobre la Mesta se creyó que su estructura venía a ser un tipo de democracia económica en la que los pequeños propietarios tenían la mayor parte; hoy, por el contrario, se considera que el núcleo principal de la Mesta estaba constituido por los inmensos rebaños de la alta nobleza, y que esta era la que en realidad controlaba sus destinos.

La cuestión tiene importancia, por lo que suponía dentro de la economía española la producción lanar, base de la industria más poderosa del tiempo: la textil. En efecto, dado además que la industria textil española estaba entonces en sus comienzos y apenas si contaba con algunos centros locales de relativa importancia (entre los que destacaba Segovia), la mayor parte de la producción lanar tenía que buscar su salida en los mercados extranjeros, particularmente en los Países Bajos y en Italia. Esto es, la economía española del Renacimiento descansaba en buena parte sobre este capítulo de la exportación de las lanas castellanas, que venían a suponer para la época lo mismo que hasta hace poco, en nuestros días, la naranja valenciana. Como los precios que se conseguían en el extranjero eran más altos y las ventas globales podían hacerse en cantidades más elevadas, la Mesta estaba interesada en esa política exportadora, aun con perjuicio de los intereses de la industria textil castellana. A esos intereses se unían los de la Corona, porque obtenía el beneficio de un impuesto sobre la lana exportada. La legislación permitía que dos tercios de la producción fueran destinados a satisfacer las necesidades de la industria extranjera. En ocasiones las

Cortes protestaron, saliendo en defensa de la industria castellana, pero con poca fortuna. Por otra parte, esas Cortes no siempre tuvieron la conciencia clara de las posibilidades económicas porque, representando más bien los intereses de los consumidores que de los productores y con una visión muy simplista del problema, llegaron incluso a aconsejar más de una vez la importación masiva de paños extranjeros para abaratar dicho producto. En ese sentido, no cabe duda de que no puede hablarse de política mercantilista dentro de la época del Renacimiento.

Vinculada a la fortuna de la Mesta estaba la ciudad de Burgos, que controlaba su comercio, al principio en manos de los conversos. En una fecha tan temprana como 1494, Burgos tiene su consulado, para amparar así, tanto bajo el punto de vista de la organización como de la administración de la justicia, el negocio de la lana; consulado que se completa con el que se monta en Bilbao en 1511. El comercio de la lana tiene así un eje Burgos-Bilbao que conecta con los puertos del norte de Europa. Sin embargo, no siempre hubo cordialidad en las relaciones entre los productores y los transportistas, hasta el punto de que Burgos buscó en alguna ocasión el enlace con otro puerto cantábrico y en particular con Laredo; pero, en líneas generales, Bilbao era el gran puerto por donde salían la mayor parte de las lanas con destino a los Países Bajos y a Francia. Las que iban hacia Italia embarcaban preferentemente en Málaga y Cartagena. En todo caso, la prosperidad de estas ciudades, y muy particularmente de Burgos y de Bilbao, se basa sobre el negocio de la exportación de la lana, enviada en unas naos que no volvían vacías, sino cargadas con paños y también con obras de arte religioso, como los valorados trípticos flamencos. ¿No explicaría eso el que puedan admirarse tantas obras de pintura flamenca en su Museo de Bellas Artes?

Se había legislado que cualquier natural pudiese comprar hasta la mitad de la lana que se enviaba al extranjero a los mismos precios que marcaba ese mercado, pero en las protestas de las Cortes se echa de ver que tal decreto era muy difícil de mantener, entre otras cosas porque el primer perjudicado era el Rey, que así dejaba de percibir el impuesto por cada saca de lana que se exportaba. La cuestión estaba ligada a la posibilidad de crear en Castilla uno de los centros productores de paño más importantes de Europa, puesto que la materia prima era inmejorable: bastaba con cerrar la exportación de la lana e incrementar la producción del paño. Eso era lo que correspondía a los intereses de Segovia, ciudad donde la industria del paño era floreciente, pero también lo que perjudicaba a Burgos, cuya prosperidad estaba montada sobre el fenómeno exportador de la lana, sin conexión con la industria. Hoy día puede verse muy claro que el apoyo de la Corona a los exportadores burgaleses —y, con ello, a la poderosa Mesta— fue una visión muy estrecha que perjudicó a los intereses generales de la nación. Lo curioso del caso es que hubo quien lo percibió así en aquel mismo tiempo, alzando su voz de alarma ante la catástrofe económica que podría sobrevenir si se seguía exportando materia prima por valor de uno e importando productos manufacturados por valor de diez; este fue el caso precisamente de un contador de Burgos llamado Luis de Ortiz, cuyo memorial publiqué en 1957.

Lo que Luis de Ortiz señalaba con claridad en 1558 era que estaba en la mano de la Monarquía Católica el conseguir un producto manufacturado de la máxima importancia (como lo era entonces el paño, base de la industria más importante de la época, alejada aún del maquinismo) y sin rival posible, con solo cerrar la exportación de la lana merina. Pues lo curioso del caso es que el paño flamenco que desplazaba en España al nacional estaba hecho con la materia prima que España le suministraba, ya que Inglaterra —que era la otra importante productora de lana— había restringido muchísimo en el siglo XVI su exportación. En la misma Sevilla, ese paño flamenco desplaza al segoviano, y es el que en su mayoría llena las panzas de las naves con destino a las Indias occidentales. Por lo tanto, cambiar aquel estado de cosas, como apuntaba Luis de Ortiz, era fundamental si se quería aprovechar la coyuntura económica que le deparaban a Castilla estas premisas: la abundante materia prima de inmejorable calidad suministrada por la oveja merina, un mercado con demanda creciente y fácil de controlar (el de las Indias occidentales) y la posible financiación de los centros productores gracias a la abundancia de oro y plata que entonces tenía la Monarquía Católica. Pero para aprovechar esta coyuntura económica habría sido necesario desmontar un arcaico sistema basado sobre los intereses inmediatos de los ganaderos y de los exportadores burgaleses y bilbaínos. Habría que añadir que este ganadero era, predominantemente, un personaje de la alta nobleza acostumbrado a percibir unos ingresos elevados a través de la venta inmediata de la lana de sus rebaños, cosa que no estaba considerada en detrimento de su reputación, mientras que había un concepto peyorativo de las tareas vinculadas al obraje del paño. Por otra parte, tampoco había en el Consejo Real que asesoraba al Rey nadie con suficiente conocimiento de los problemas económicos para comprender todo el daño que se estaba produciendo a la economía nacional. La

Corona estaba acostumbrada también a obtener unos ingresos cuantiosos por sus derechos sobre la lana que se exportaba, y no podía comprender que el cortar esa fuente de ingresos pudiera beneficiarla. Además, en el Consejo Real tenían mayor representación o encontraban mejor eco los magnates castellanos que no los pequeños industriales pañeros. Ya se ha visto cómo la Mesta estaba vinculada al Consejo Real, lo que era un reconocimiento de su importancia y de su poderío económico; situación de privilegio que nunca alcanzó la industria pañera segoviana.

De ese modo, la reforma preconizada por Luis de Ortiz no encontró eco suficiente en el gobierno de la Monarquía Católica y la situación privilegiada de la Mesta siguió manteniéndose con toda su potencia: era una situación secular que no se supo desmontar. Todo giraba en función de la prosperidad de esa ganadería trashumante. Las grandes diferencias climatológicas de las mesetas hacían de España el país ideal para el pastoreo de trashumancia, permitiendo según las épocas del año tener buenos pastos para grandes rebaños de ganado lanar: en el verano las altas montañas y en el invierno los valles soleados al sur del Sistema Central. Tales posibilidades no las había entonces en ningún otro país de Europa. Por otra parte, la escasez de hombres y los grandes espacios vacíos, tal como ocurría en la España del Renacimiento, facilitaban las cosas al permitir el tránsito más cómodo de los grandes rebaños y el que tuviesen para su sola disposición estas larguísimas cañadas. Además, todo el movimiento de tan inmensos rebaños era realizado con un número escaso de pastores, tipo humano muy peculiar y muy importante en la España de la época, del que con frecuencia vemos salir al soldado y aun al conquistador. Por lo tanto, con todos sus inconvenientes, habría que resumir diciendo que la Mesta estaba en la entraña misma de la España del Renacimiento, la que conquistó medio mundo y la que se arruinó al hacerlo.

Rutas y ciudades

Inmersas en ese campo inmenso, alejadas entre sí por muchas jornadas de viaje —que es como hay que medir el espacio—, están las ciudades, representativas de la política, forjadoras de la economía dineraria y artífices de la cultura. Están enlazadas por rutas frecuentemente mal trazadas y nunca con demasiada seguridad guardadas, salvo cuando se utilizan las fluviales y las marítimas; en todo caso, rutas que tientan al bandolero en tierra y al pirata en el mar para apostarse en los puntos más débiles y desvalijar al viajero. Es cierto que los Estados bien estructurados tratan de garantizar un mínimo de orden dentro de los territorios que controlan, pero estos Estados se cuentan con los dedos de una mano, y entre ellos quedan amplias zonas sin protección plagadas de peligros que el viajero ha de afrontar. De ahí la tendencia de la mayor parte de la sociedad al inmovilismo, pero de ahí también el espíritu de aventura que anima a los más audaces y que permite comprobar que aquellas sociedades viven y evolucionan.

Por eso, tras el examen de la tierra y de sus particularidades, hay que observar también a la ciudad, en parte para conocer el marco donde se mueve y vive el sector más avanzado de la sociedad y en parte también para poder detectar la serie de actividades tan ajenas a la vida del campo, tales como el comercio, la industria, la cultura y la política. Precisamente el feliz ensamblamiento de todas esas circunstancias dará por resultado la sociedad del Renacimiento, en la que se aúnan un incipiente capitalismo, unas nuevas directrices políticas y un generoso mecenazgo de la cultura. Tal será el caso del Renacimiento italiano y flamenco. Pues lo cierto es que lo que entendemos por la esencia del Renacimiento está vinculado al desarrollo y prosperidad de la ciudad en los tiempos modernos.

En líneas generales, puede decirse que la ciudad es como la cristalización de una actividad económica; que la ciudad es, sobre todo, un mercado y, por ende, una actividad comercial. De ahí su frecuente aparición en las encrucijadas de los caminos y en los puertos. La singularidad del caso español es que con gran frecuencia la ciudad surge por otro motivo. Están, por supuesto, las vinculadas a las tareas económicas, como es el caso de Bilbao y Sevilla, de Valladolid y de Segovia. Pero también nos encontramos con las enlazadas a otros aspectos de la sociedad de la época, como es el caso de Santiago, tumba del Apóstol; de Salamanca, centro universitario, o como el caso posterior de Madrid, cabeza de la política.

Ahora bien, la gran diferencia de la ciudad hispana, su singularidad, vendrá dada sobre todo por el número importante de las que surgen como centros defensivos o por su emplazamiento militar de primer orden, como es el caso de Ávila o de Toledo, de Zamora o de Cuenca. Son ciudades emplazadas sobre todo buscando su fácil defensa y la fuerza de su posición natural, más que la fecundidad de las tierras que las circundan. Ciudades que nacen por y para la guerra, más que por y para el comercio, hasta el punto de que en ellas los ríos constituyen frecuentemente más bien fosos naturales que vías de comunicación. Las que se alinean tras el Duero tienen como misión defender su paso para proteger las tierras que quedan al norte de esa gran línea trazada de Este a Oeste en el corazón de Castilla. La dura y larga Reconquista trae esa exigencia, que se percibe por doquier, pero sobre todo en la zona meseteña, donde sus ciudades se refugian tras una muralla que los habitantes de la ciudad procuran hacer lo más fuerte, pero también lo más pequeña posible, porque cuanto más pequeño sea su perímetro menos costará su construcción y más fácil será de defender y de reparar. Ahora bien, un perímetro de muralla pequeño comprime a la ciudad, la obliga a calles estrechas y a renunciar a grandes espacios vacíos, si no son los dedicados a huertas que, naturalmente, pueden ejercer también funciones de tipo defensivo para el aprovisionamiento de la ciudad en caso de asedio. El mercado semanal, del que no puede prescindir la ciudad, se hará extramuros, debido a tales circunstancias.

Esta situación irá cambiando paulatinamente a partir del momento en que los Reyes Católicos aseguran el orden interno, reorganizan la Santa Hermandad, frenan a la pequeña nobleza con tendencias al bandidaje, y acaban con los bandos urbanos. Esto hará que poco a poco se pueda prescindir de las fuertes murallas o descuidar su reparación y, sobre todo, que se pueda pensar en aprovechar los espacios vacíos internos para la colectividad y, en especial, para crear la gran plaza mayor. Todo en un proceso lento, pues no hay que olvidar cómo san Juan de Sahagún increpa a los salmantinos enzarzados en constantes luchas callejeras, hasta conseguir que depongan sus mutuos agravios y sus armas a finales del siglo XV (recordemos que la pacificación de los bandos nobiliarios es en torno a 1476).

En su conjunto, el burgo que habita el hombre del Renacimiento es una ciudad heredada de la Edad Media, bien sea de tipo cristiano (como es el caso de Ávila o de Vitoria), o bien sea de tipo musulmán, de la que el ejemplo más representativo lo supone, por supuesto, Granada. Sin embargo, algo innova el hombre del Renacimiento en esta ciudad heredada, sobre todo en aquellas que conquista en el reino granadino. Sin cambiar por completo su fisonomía, sí proyecta sobre ellas su personalidad, con arreglo a las nuevas tendencias urbanísticas y a sus preocupaciones religiosas, cuando no políticas: otro trazado de calles, más amplias y rectas, desembocando en plazas, va a dividir a esa ciudad musulmana en dos sectores: por una parte, el antiguo, de sabor musulmán, de callejuelas laberínticas y callejones ciegos, y por otra, la zona que habita el vencedor y donde se instala la gran catedral. Y habría que destacar, más de lo que suele hacerse, que esa catedral, aunque sea contemporánea a las construidas en Segovia o en Salamanca al estilo gótico, lo será en este caso al estilo renacentista. Pues tal es lo que ocurre tanto en Granada como en Málaga o en Guadix.

En cambio, ciudades de nuevo cuño son pocas las que pueden citarse en la historia del Renacimiento. Estaba reciente, y por ello es preciso recordarlo, el caso de Villarreal, construida en la plana de Castellón por la Corona aragonesa. La España de los Reyes Católicos construye una ciudad *ex novo* verdaderamente simbólica: Santa Fe, en la vega de Granada, representativa de su voluntad de proseguir la campaña hasta la victoria total sobre el hispanomusulmán. Pero, por lo demás, es en América donde puede contemplarse la energía constructora hispana, creadora de ciudades que surgen de la nada desde las tierras mexicanas (como es el caso de Veracruz) hasta las de Sudamérica, como ocurrirá con Lima o con Buenos Aires, sin olvidar las primeras surgidas en las islas del Caribe, como Santo Domingo o La Habana.

Atendiendo sobre todo al aspecto de la economía dineraria desarrollada por la ciudad, es interesante apreciar el esfuerzo realizado en la época del Renacimiento. Aquí, como en el resto de Europa, la ciudad ha superado ya el mero comercio de intercambio a escala local, en conexión con el campo circundante, para entrar vigorosamente en un importante comercio interurbano a escala nacional e incluso internacional. Los mercaderes se alían para comerciar en lugares lejanos, se unen en compañías cada vez mejor organizadas, crean seguros que los pongan a resguardo de los riesgos de un tráfico comercial tan rodeado de peligros, establecen consulados en puntos clave (como serán en España los de Barcelona, Sevilla, Burgos y Bilbao), tendrán agentes en las principales plazas comerciales europeas y, en fin, perfeccionarán una técnica comercial en la que el crédito, la letra de cambio y las bolsas comerciales tendrán un destacado valor. En España cuatro ciudades tienen núcleos importantes de mercaderes: una de ellas es Sevilla, que controla el comercio con las Indias occidentales como verdadera avanzada de Europa hacia el Océano; otra, con un grupo mercantil de primer orden, será el vinculado al comercio de las lanas, con su emplazamiento en Burgos. Y las dos restantes son Barcelona y Valencia, en la Corona de Aragón.

En relación con las rutas, la importancia de España —como ocurría con la Europa mediterránea— estribaba en que no era una zona terminal, sino que estaba abierta a todas las direcciones. Desde la Baja Edad Media estaba vinculada España a dos rutas internacionales de verdadera importancia: la primera, la que ponía en contacto sus centros económicos de Castilla la Vieja con el norte de Europa mediante el eje Bilbao-Amberes, con el que se enlazan un verdadero rosario de centros urbanos meseteños representados principalmente por Valladolid, Medina del Campo y Burgos. La otra vía era la que ponía en contacto la amplia fachada mediterránea española con Italia: Barcelona, Valencia, Cartagena y Málaga eran los puertos principales que alimentaban esa ruta. A estas dos habría que sumar, aunque tuviera un origen religioso y unas derivaciones culturales más que económicas, el famoso Camino de Santiago, que penetraba por Roncesvalles y acababa en el corazón de Galicia. A esas rutas internacionales hay que añadir las internas, que recogió un contemporáneo —Villuga— en su *Repertorio de caminos de España*. Pueden apreciarse unos caminos paralelos al sistema fluvial meseteño y, por lo tanto, en el sentido de los paralelos. Pues, en definitiva, las rutas internas de España tienen que buscar puntos de las costas, al Norte, al Sur o al Levante, y siempre a contrapelo de los sistemas fluviales y orográficos. No puede olvidarse, por lo que supone de fuerte desventaja económica, esta infraestructura viaria, por la cual tanto esfuerzo implica el poner la lana burgalesa en Bilbao o el paño segoviano en Sevilla; esfuerzo, o lo que es lo mismo, aumento del precio de coste del producto. Para remediar esas dificultades del medio ambiente poco podía hacer la técnica del Renacimiento. Como vía fluvial de verdadera importancia solo se utiliza el tramo final del Guadalquivir, en especial a partir de Sevilla. Bajo Carlos V se tanteará trazar algunos canales, pero más bien en beneficio de la agricultura que del tráfico comercial interurbano, como es el caso del Canal Imperial de Aragón. Abrir caminos que hicieran accesibles las regiones del norte y del noroeste de España, a través de las fragosidades de Asturias o de Galicia, era una tarea quizá por encima de las posibilidades de la época. Los puertos de montaña suelen estar al cuidado de las pequeñas aldeas comarcanas, que precisamente gozarán de privilegios especiales, como contrapartida a su obligación de mantenerlos abiertos, como ocurre con Pajares o con los habitantes del Acebo en la zona del Bierzo limítrofe con Galicia.

No puede cerrarse el capítulo sobre las rutas sin hacer referencia a la más importante de todas ellas, que precisamente será una obra del Renacimiento: la ruta de las Indias occidentales, que ponía en contacto a Sevilla con Santo Domingo y los puertos americanos de la costa firme. La importancia de esta ruta acabará obligando al Estado a procurar su control, creando la Casa de Contratación, y organizando los viajes en convoy bajo protección a fin de sortear, en lo posible, la amenaza de los ataques piráticos. Pues, en efecto, aunque la mayor parte de Europa tarda en hacerse a la idea de lo que supone el descubrimiento de América, las poblaciones marítimas de la costa atlántica europea pronto lo perciben. De ahí saldrán los primeros piratas y corsarios, que buscan un rápido enriquecimiento a costa de los galeones españoles.

Tampoco se libró la España del Renacimiento de la plaga del bandolerismo. Aunque los estudios del tema suelen colocarla en la época del Barroco, lo cierto es que en esta primera etapa de la Edad Moderna hay dos zonas de bandolerismo pujante, una de ellas en Galicia y la otra en Cataluña. Las justicias de los Reyes Católicos redujeron bastante la actividad del bandolero gallego, pero no así en la zona catalana. Cuando Adriano VI recibe la noticia de que ha sido elegido Papa, hallándose en Vitoria como Regente de España por ausencia de Carlos V, ha de atravesar la Península para embarcar en la costa catalana. Blas Ortiz, su acompañante, que nos relata su viaje, nos da detalles sobre el bandolerismo catalán en esta época temprana del siglo XVI (hacia 1521):

> ... por esta región —nos dice al referirse a Gerona—, más que en otros sitios del principado de Cataluña, andan malhechores, bandidos o proscritos que destruyen los campos y son una raza de hombres más nociva y pestífera que la de las víboras. Hacen frecuentes incursiones por todas partes, acechan a los vecinos en las travesías y caminos, de tal maña, que infestan toda la región; asedian a los viajeros, los roban y maltratan y originan innumerables daños, a lo que no se pone eficaz y pronto remedio.

La situación no había cambiado veinte años después, de forma que cuando Carlos V embarca en Palamós, en 1543, para dirigir la gran ofensiva sobre el norte de Europa, se encuentra con el problema del bandolerismo catalán erizado de dificultades, porque a él se hallaba vinculada la más importante nobleza regional, a uno de cuyos representantes —don Luis de Cardona— tiene que encarcelar y mandar prisionero a la Corte que su hijo tiene en Castilla como Regente de España, en tanto que el Emperador prosigue su camino para su ausencia más dilatada, de la que sólo regresaría para el retiro de Yuste.

La moneda

Dentro de esa economía dineraria cuyo motor es la ciudad, hay que hacer referencia a la moneda. Y lo típico de los principios de la Edad Moderna es un caos monetario, con circulación de moneda de oro y de plata originaria de las más diversas acuñaciones, en las que hay abundancia de extranjeras, en particular procedentes de Florencia, Venecia y los Países Bajos. Los Reyes Católicos procuran la unificación de la moneda, adoptando el excelente, que era el ducado impuesto por Juan II en Aragón. Esta moneda sustituye en 1480 a la dobla medieval castellana, llevando en el anverso el busto de los Reyes Católicos y en el reverso su escudo. Se acuña también el medio excelente, con peso de 3,52 g y ley de 948 milésimas. Sin embargo, el nombre de ducado es el que prevalece. La división monetaria, dentro de no pocas variantes que se perciben, es la siguiente: el valor monetario base es el maravedí, moneda hispanomusulmana en su origen, que ahora no se acuña. Los tres tipos de moneda en uso son de vellón (amalgama de cobre y plata), plata y oro. De vellón se acuñaban la blanca (medio maravedí), moneda que da lugar a la expresión tan conocida de «estar sin blanca», como significación de la mayor de las penurias; el ochavo, cuyo valor era de cuatro maravedíes y media blanca, y el cuarto, cuyo valor era ocho maravedíes y una blanca. De plata se acuñaban el real y el medio real, cuyo valor respectivo era de 34 y 17 maravedíes. Finalmente, de oro se acuñaban el escudo, el ducado, el doblón, la media onza y la onza, con valores de 350, 375, 700, 1.400 y 2.800 maravedíes. Aparte estaban el peso americano, moneda fuerte de plata con valor de 450 maravedíes, y el cuento, cuyo valor era de un millón de maravedíes, que, por supuesto, no se acuñaba, pero que aparece frecuentemente en la contabilidad del tiempo. Estas son las monedas que afectaban a Castilla, en las que puede verse una relación de valor entre las de vellón y plata, de las que el real era la más importante, siendo el medio real, el cuarto y el ochavo submúltiplos. Dentro de las de oro el escudo es la moneda base, siendo sus múltiplos el doblón, la media onza y la onza; ahora bien, el ducado acaba imponiéndose y circulando con más profusión que el escudo. Otra advertencia que hay que hacer es que no existía unidad monetaria entre Castilla y Aragón, pues en este reino las monedas eran el dinero, el sueldo y la libra, valiendo el sueldo doce dineros y la libra veinte sueldos (por lo tanto, 240 dineros). Una libra se correspondía con 312 maravedíes. Hay que añadir que la división monetaria era bien marcada entre las dos Coronas, correspondiendo también a la división aduanera, contra la cual nada se hizo en el Renacimiento.

Para comprender el valor de esas monedas hay que tener a la vista algunos salarios de la época. Sabemos que a mediados del siglo XVI un maestro albañil ganaba tres reales diarios, y la mitad un peón, los días que trabajaban (entonces solamente se cobraban los días de labor). Un físico de la armada de la época de los Reyes Católicos tenía por salario 50.000 maravedíes anuales. Recordemos, asimismo, que una buena encomienda de las Órdenes militares podía suponer de 2.000 a 3.000 ducados de renta anuales, que los Obispados más pobres tenían 4.000 ducados de renta, que las de los magnates podían alcanzar cifras superiores a los 100.000 ducados anuales y que el arzobispo de Toledo podía llegar al cuarto de millón de ducados. Por supuesto, es muy difícil establecer una equiparación entre la moneda de la época y la actual, sobre todo porque tanto aquellos tiempos como los nuestros se vieron afectados por una gran erosión monetaria; con todas esas advertencias y solamente en relación con los artículos de primera necesidad con los que puede establecerse esta comparación (pan, leche, vino, carne, pescado), podríamos decir que el maravedí en la época del Renacimiento tenía un valor adquisitivo bastante aproximado al de medio euro de nuestros días.

Feudalismo y capitalismo

A la época del Renacimiento se corresponde también un cambio económico que apuntaba ya en los tiempos bajomedievos. Este revulsivo económico rompe con la estructura medieval de economía cerrada, con base exclusivamente local o de mero intercambio comarcal. Estamos, sin duda, ante los atisbos del capitalismo. Ahora bien, hablar de capitalismo es hacer referencia a algo que ha tenido su plena eclosión en los tiempos contemporáneos. El capitalismo está vinculado a la sociedad capitalista y, como suele decirse, a la sociedad de consumo. El capitalismo, pues, es una función absorbente que marca la vida social entera. Por ello, habituados a ese amplio sentido que tiene hoy día la voz capitalismo, podemos llamarnos a engaño si se la traslada a los tiempos del Renacimiento. Puede decirse que económicamente comienza ya un incipiente capitalismo, pero que está muy lejos aún de moldear la sociedad conforme a sus exigencias. Desde finales del Renacimiento y en pleno Barroco se asiste a una refeudalización de la sociedad, porque buen número de los burgueses enriquecidos a través de las prácticas capitalistas invierten sus beneficios en tierras y tienden a buscar la forma de vida señorial, considerándola la meta ideal de su existencia. Sin embargo, la monarquía absoluta no es un instrumento de la clase señorial, con la cual en muchos casos la vemos entrar en conflicto. Más bien podría decirse que acaba existiendo un compromiso entre ambas partes y que, en el caso concreto español, nos encontramos con una estructura monárquico-señorial.

Por lo que hace a la evolución económica, es evidente que desde los principios de la Edad Moderna audaces hombres de empresa van configurando un capitalismo, aunque casi exclusivamente de tipo comercial y financiero, puesto que la técnica no se había desarrollado lo suficiente como para permitir el auge pleno de un capitalismo industrial.

Por lo tanto, cabe hablar de capitalismo desde la época del Renacimiento aplicado a un sector de la economía; bien entendido, y es preciso subrayarlo, que ese capitalismo no sustituye del todo al feudalismo y que, por ende, no impregna todos los aspectos de la vida social, pues el feudalismo persiste como forma económica, coexistiendo con ese capitalismo comercial y financiero en la Edad Moderna e incluso incrementándose en la Europa eslava lo mismo que en Francia y en España, dando lugar a ese régimen que ya hemos titulado monárquico-señorial, ayudado por lo que se ha denominado, con frase de Braudel, «la traición de la burguesía».

Es claro que para comprender bien todo el contenido de esta polémica habría que ponerse de acuerdo sobre el sentido de las palabras feudalismo y capitalismo, que aquí están tomadas en su aspecto primordialmente económico. En este sentido feudalismo es un régimen de servidumbre, un régimen señorial en el que el señor disfruta de los bienes de las tierras que no trabaja; tierras donde habita un campesino, que a las veces es siervo, o en el mejor de los casos un colono, pero nunca propietario de ellas y solo dueño de sus aperos de trabajo y de su ganado. Diríamos que el feudalismo es un sistema económico de producción con base en la tierra, de la que el señor es el propietario y el beneficiario máximo, y el labrador (siervo o colono), el que debe entregar parte de su cosecha al señor o trabajar gratis en las reservas señoriales; mientras que con el capitalismo nos encontramos con un sistema de producción de bienes en donde el productor es un proletario que no posee más que su trabajo, considerado como otra mercancía, por la que percibe un valor (salario) inferior a los bienes que produce, un salario que con frecuencia solo le permite la mera subsistencia y la reproducción, dejando un margen (una plusvalía) de la que se beneficia el hombre de empresa capitalista. A diferencia con el artesano, ese asalariado no es dueño de los medios de producción. Tal es el sistema capitalista pleno, que solo se da en su última fase, el capitalismo industrial, en la que se tiende a la polarización de grandes capitales en pocas manos, beneficiándose del trabajo de masas de desheredados o proletarios. Pero antes de que esto ocurra el capitalismo comienza ya a destacar conforme al sentido etimológico de la palabra, esto es, la acumulación de importantes cantidades de numerario o capital, conseguido las más de las veces por las vías del comercio o de hábiles prácticas financieras, como los fuertes beneficios obtenidos mediante préstamos con altos intereses a reyes y príncipes. Por supuesto, esas formas capitalistas tienden a mezclarse, y los banqueros gustan pronto de aplicar su dinero en empresas de tipo comercial e incluso en un incipiente industrialismo.

Es evidente que la economía monetaria no tiene en España la fuerza que en Italia o en los Países Bajos, pero, en cambio, la circulación de dinero es tan intensa, que provocará fenómenos económicos como no se conocen en el resto de Europa. Ahora bien, lo que no se puede hacer en España es identificar al Estado absolutista con la estructura señorial. En primer lugar, es dudoso que se pueda considerar que en España se dé un pleno absolutismo en los tiempos modernos. La tendencia innegable hacia el absolutismo, tanto de los Reyes Católicos como de Carlos V, no permite hablar de un absolutismo pleno, pues en este sentido la propia Corona reconoce sus limitaciones. Afirmará su derecho a aplicar normas absolutistas, pero siempre justificándolas como medidas obligadas por la necesidad en casos que podríamos denominar de emergencia. De hecho, había una Castilla de señorío y otra de realengo, y, entre las dos, constantes tensiones y conflictos que no permiten considerar a la Monarquía como la expresión política de los intereses de la clase señorial. Por ello, podría decirse que feudalismo y capitalismo coexisten; que junto con la fuerza del feudalismo señorial se aprecia el comienzo de un capitalismo comercial y financiero, y que, aunque la traición de la burguesía haga que incluso tome más auge el feudalismo señorial, nunca dejarán de seguir desarrollándose las citadas formas capitalistas.

Y en cuanto a los orígenes del capitalismo, también aquí nos encontramos con una polémica que afecta grandemente a la época del Renacimiento español. Pues entre las muchas causas que suelen citarse para explicar ese comienzo del capitalismo, esa acumulación de capital —explotaciones mineras, influencia de la Reforma, espíritu aventurero del hombre de empresa, aumento del comercio interurbano, acumulación de rentas rústicas y urbanas—, está la que valora sobre todo el pacto colonial, a raíz de los grandes descubrimientos geográficos en los que tanta parte tienen los pueblos ibéricos, portugueses y españoles.

Pues con la expansión colonial se produce una honda transformación que afecta vivamente a la metrópoli. En primer lugar, porque la producción industrial encuentra mercados de mejor salida y una creciente demanda que la estimula; en segundo término, porque puede obtener materias primas o metales preciosos. Y, en conjunto, porque hay un estímulo general para la vida comercial y para toda la economía. En este pacto colonial hay una parte sacrificada y otra beneficiada; la metrópoli cuida de que no se inviertan los términos.

Por lo tanto, a partir de los descubrimientos geográficos, España —lo mismo que su vecina Portugal— camina con paso firme hacia una economía colonial, que se apoya básicamente en los recursos que obtiene de los territorios que va descubriendo, conquistando y explotando. Esto la lleva pronto a una economía esclavista en Ultramar, con el importante mercado negrero de Sevilla a que antes hemos aludido. Ya en enero de 1510 Fernando el Católico apremiaba al segundo almirante de las Indias, don Diego Colón en estos términos:

> Vi vuestra letra que embiastes con vuestro hermano Fernando, y vi todo lo que él me dijo de vuestra parte. Ahora sólo respondo a lo que me decís de las minas, de do se saca mucho oro. Y pues el Señor lo da, y yo no lo quiero sino para su servicio en esta guerra de Africa, no quede por descuido el sacar lo más que se pudiera. Y porque los indios son flojos para romper piedras, métanse todos los esclavos en las minas, que ya mando a los officiales de Sevilla que os embíen los cincuenta esclavos.

Esos cincuenta esclavos, negros sin duda, que anuncia Fernando el Católico que había de mandar desde Sevilla, representan todavía una pequeña cantidad, pero pronto habrían de aumentar, pasando a centenares y aun a miles por año. Y eso que todavía se hallaba la conquista en la fase insular de la zona del Caribe. Cuando los Hernán Cortés y los Pizarro salten a Tierra Firme, a los dominios de los aztecas y los incas, las inmensas zonas enseñoreadas exigirán cada vez más un creciente aumento de la mano de obra esclava, que Sevilla proporcionará, convirtiéndose en el gran mercado negrero de la época, junto con Lisboa, puerto con el que, por otra parte, se hallaba a este respecto en estrecha conexión. A mediados de siglo son ya más de tres mil los esclavos anuales que a través del control oficial pasan a las Indias.

Pero la economía colonial hispana se basará casi exclusivamente en el aporte de metales preciosos por parte de las colonias y en la actuación de España como intermediaria para el paso de productos industriales europeos a las Indias, entre los cuales los españoles ocupan un modesto lugar. Lo primero traerá consigo el fenómeno de la revolución de los precios, que tendrá una influencia decisiva en la evolución económica europea; el segundo hecho será tanto como la derrota económica hispana, al no ser capaz la Monarquía Católica de montar un sistema eficaz para abastecer a las colonias con aquellos productos que su desarrollo iba exigiendo. En definitiva, esa doble circunstancia hizo que también el oro y la plata pasasen por España y acabasen en los principales centros económicos italianos, flamencos y alemanes.

LA ESTRUCTURA SOCIAL

Los grandes rasgos de la sociedad moderna

La sociedad de la España del Antiguo Régimen tiene unas características muy marcadas, en contraste con la actual, algunas de las cuales corren a lo largo de todos los tiempos modernos, mientras que otras son privativas de cada una de sus épocas. Una de las más acusadas es la existencia del privilegio y su reconocimiento como algo inherente a la estructura social. El privilegio divide a la sociedad en dos bloques: uno minoritario, formado por la nobleza y el clero (que puede suponer del 3 al 5 por 100 de la población), y otro constituido por la inmensa mayoría del país, que es la gran masa pechera. Ese privilegio se nota en dos aspectos, frente a la justicia y frente al fisco, pues la justicia ordinaria no actúa de igual manera —o se inhibe completamente— frente a la nobleza y al clero que frente al pechero; en ocasiones, vemos a ese noble o a ese representante del clero impartir justicia. Y por lo que hace al fisco, tanto la nobleza como el clero están exentos de pagar los servicios votados por las Cortes a favor de las arcas regias.

No hemos de creer que la época veía bien los privilegios, en especial la administración de la justicia señorial o la compra de hidalguías por los pecheros ricos. Buena parte de la emigración a las Indias podría explicarse por ese deseo de escapar a la opresión señorial, como aconteció a los labriegos que acudieron a la posada de fray Bartolomé de Las Casas para pedirle que los englobase en sus alistamientos de pasajeros para el Nuevo Mundo. En cuanto a la compra de hidalguías

—que responde indudablemente a la tendencia hacia el ennobleci- miento propio de la época—, provoca siempre tal descontento, que son constantes las reclamaciones y los pleitos, y en tal medida, que las Audiencias y Chancillerías han de contar con una sala dedicada exclu- sivamente a la resolución de esas demandas, procedentes sobre todo de la España rural. De ahí que un organismo como la Inquisición re- sultara popular, contra lo que se pudiera creer, y no por sus dudosos procedimientos judiciales, sino porque ante ella no valían privilegios, viéndose en sus cárceles tanto a miembros de la alta nobleza como del alto clero.

Otra nota que destaca como muy propia de aquellos tiempos era la de ser una sociedad en cierto sentido esclavista, y no solo porque na- die pusiera en duda la licitud de la esclavitud, sino porque, además, los esclavos eran abundantes en Andalucía y Levante y no eran raros en las dos mesetas. Es cierto que en España no apreciamos una economía esclavista, pero esa sería la realidad en sus dominios de Ultramar, so- bre los cuales tan directamente acabará descansando la economía de la metrópoli.

La España del Renacimiento se abre con una notoria discrimina- ción religiosa por la que margina a los disidentes. También aquí apre- ciamos dos bloques muy dispares: por un lado, el mayoritario de los cristianos viejos; por otro, el minoritario de los hispanojudíos y los his- panomusulmanes, a los que una serie de medidas más o menos legales convierten en cristianos nuevos. La cuestión adquiere verdadera grave- dad por cuanto que, en primer lugar, se produce precisamente en el momento en el que la política oficial asume en el campo internacional la defensa más estricta de los valores religiosos del catolicismo; y, tam- bién, por el alto porcentaje que representa ese grupo de cristianos nue- vos dentro del conjunto de la población hispana, que quizá superaba el 15 por 100 del total.

En lo cultural, aunque no sea posible dar cifras, todo hacer pensar que el analfabetismo era verdaderamente abrumador, particularmente en el campo, así como entre los sectores humildes de las urbes; un analfabetismo estricto que, si hemos de aplicar con el sentido con el que actualmente se entiende esta palabra, habría que extender tam- bién a no pocos representantes de la alta nobleza, como puede apre- ciarse por los torpes rasgos de su escritura, así como por los comenta- rios de los contemporáneos, como hacía en sus cartas fray Antonio de Guevara. Esta podría ser una de las razones del gran eco popular que acaba consiguiendo el teatro, como una manifestación cultural que puede ser seguida tanto por las personas cultas como por los analfabetos, que no otra cosa sería la gran masa urbana donde esos espectáculos tenían lugar.

En lo económico, la parvedad de las cifras de la alta nobleza y del alto clero, junto con la exigüidad de nuestros grupos mercantiles de Sevilla, de Burgos y de Valencia, hacen que lo preponderante sea la penuria más general, de forma que una mala cosecha puede provocar una caída en el escalón social y dos seguidas una verdadera catástrofe. Esa precariedad es la propia de la demografía, aunque en la época del Renacimiento se aprecie una tendencia alcista, pues los vaivenes son tan frecuentes que prueban la fragilidad del soporte humano. Naturalmente, también aquí las clases privilegiadas se salen de la regla general, soportando mejor las crisis económicas y sorteando con mayor eficacia las temibles pestes; en parte porque estaban mejor alimentadas, y en parte también porque una de las medidas más radicales que conocía la higiene de la época era el cambio de aires, buscando zonas no afectadas por la dolencia; cambio de domicilio que solo se podían permitir los poderosos, con sus diversas mansiones en lugares distintos, en la ciudad, en el campo y en la montaña.

Singularidad también muy dentro de los tiempos modernos es la rivalidad que se aprecia en el campo entre el labriego sedentario y el pastor nómada, quien —pese a su corto número frente al primero— lucha con ventaja merced al apoyo de los poderes públicos y a la fuerza que le da su inserción en ese organismo de gran potencia económica que ya hemos comentado: la Mesta. Los pleitos que aquí se ventilan discurrirán por conductos distintos a la justicia ordinaria, siendo una de las atribuciones de sus alcaldes entregadores.

El hidalgo y, en general, la sociedad (que en esto muestra su tendencia al ennoblecimiento, entendido como un deseo de asimilar los hábitos de conducta y los gustos de la clase noble) adoptan una particular conducta ante el trabajo y el ocio. Los trabajos denominados viles —y, por ende, deshonrosos— serán numerosos. Como la alta nobleza se puede dispensar de trabajar, viviendo de las rentas, ese efecto externo se tomará como norma de vida por una sociedad que aspira a integrarse entre los privilegiados, lo cual conduce, al carecer del soporte adecuado, a un desbarajuste económico por la escasa producción y a un vacío laboral que tenderá a llenar el extranjero, atraído por los buenos salarios que se ganan en el solar hispano. Así se acumulan las causas que acrecientan la gran derrota económica de España durante la época de su Imperio.

De todas formas, ese sombrío panorama solo apunta a finales de la época del Renacimiento, como tendremos ocasión de ver, predominando sobre el conjunto la euforia provocada por las victorias militares en Europa y por los descubrimientos y los avances en las Indias occidentales. En definitiva, comenzaba la hora en la que los tercios viejos y los conquistadores imponen su ley en el Viejo y en el Nuevo Mundo, y eso repercute en la tónica general, de marcado optimismo. No en vano es cuando se desarrollan los reinados de los Reyes Católicos y de Carlos V.

Señalemos, en fin, como otra característica de los tiempos, el inmovilismo que presidía aquella sociedad, tan propio de las que toman como base principal la posesión de la tierra, frente al dinamismo que adquieren las que lo hacen sobre el dinero. Cada cual tiene su oficio y a él ha de atenerse, como si fuera su misión sobre la tierra, pues cambiar de tipo de vida era novedad propia de aventureros. Y así fray Antonio de Guevara nos advertirá:

> El oficio del labrador es cavar; el del monje, contemplar; el del ciego, rezar; el del oficial, trabajar; el del mercader, trampear; el del usurero, guardar; el del pobre, pedir, y el del caballero, dar, porque el día que el caballero comienza a atesorar hacienda, aquel día pone en pregones su fama.

Esto es, hasta al caballero, que estaba en la cima de la sociedad, se le fijan unas normas de conducta que no debe romper si no quiere caer en entredicho

La nobleza

Fijémonos, en primer lugar, en la nobleza. De ella sobresale, tanto por su empuje económico como por su preponderancia social y su influencia política, la alta nobleza, Los documentos oficiales la destacan, después de las referencias a la familia real y a los prelados: los duques, condes, marqueses, o sea, los «ricos homes» medievales, la espuma de aquella sociedad, que a lo largo de la Edad Media había pasado de ser altos cargos estatales a señores de amplias circunscripciones, tan amplias, que el conjunto de las tierras de señorío sobrepasaba ampliamente a las de realengo. Esa situación —esa hambre de tierras— es la que lleva a la Corona al proceso de incorporación de las Órdenes militares, para nivelar de tal modo su desventajosa situación.

Estos magnates, muy unidos entre sí, pues tienden a los enlaces matrimoniales a ese alto nivel, con el consiguiente acercamiento, y aun apiñamiento, dado el corto número de sus linajes, van a sufrir un proceso de estructuración con Carlos V. Bajo ese monarca son reconocidos sesenta linajes de la alta nobleza, a veinticinco de los cuales se les da la categoría de Grandes, y a los treinta y cinco restantes la de Títulos. Tal clasificación la realiza Carlos al principio de su reinado, en 1520, el mismo año, pues, en el que el alzamiento de las Comunidades acerca a la Corona y a la alta nobleza castellana en un inteligente proceso de incorporación, ya que el tremendo poderío de esa alta nobleza no puede ser orillado de ningún modo por la Monarquía. Aunque su poderío económico era bastante semejante y su tipo de vida y su mentalidad similares, algunas diferencias separan en la Corte a los Grandes de los Títulos. Los Grandes son «los primos» del Rey, tratamiento que reciben en los documentos oficiales, y tienen derecho a cubrirse en su presencia, mientras los Títulos solo son tratados como «parientes» del soberano. En cuanto a su derecho de acceso a las sesiones del Consejo Real, se ve muy limitado, en la práctica, a las sesiones que guardaban relación con sus intereses inmediatos.

En todo caso, por medio de esos tratamientos de primos y parientes vemos a la Corona ponerse a la cabeza de la alta nobleza, tratándola como una gran familia en el solar hispano, de la que asume la alta jefatura; sistema que completa con el control de sus enlaces familiares, a los que debe dar el visto bueno, cayendo en caso contrario los infractores en el enojo real y perdiendo su gracia. La nadería aparente de todas esas cuestiones esconde, en realidad, un claro afán de controlar al grupo más poderoso del país; de ese modo, cuando apunta la Edad Moderna, en la que la Monarquía tiende por todas partes a refrenar el poderío de la alta nobleza mediante un pacto con la burguesía, en España (bien por la debilidad del estamento burgués, bien como una consecuencia del alzamiento comunero, o posiblemente por ambas razones a la vez) se camina hacia ese entendimiento entre la Corona y la alta nobleza que dará a nuestras estructuras políticas un aire arcaizante que pesará largamente sobre su proceso histórico; es lo que ha llevado a uno de los más notables hispanistas franceses, el profesor Noël Salomon, a hablar de una estructura monárquico-señorial. La Corona tratará de apartar a la Grandeza de los principales cargos en el gobierno central de la Monarquía —concediéndole, en cambio, a manos llenas los muy pingües y representativos de las piezas periféricas—, pero le reconocerá todo su poderío en el ámbito señorial, de forma que la España de señorío civil no disminuye, sino que antes aumenta a lo largo del siglo XVI.

En realidad, el tema de la alta nobleza nos lleva a la cuestión de la serie de contrastes que se aprecian en la sociedad española; en este caso, los poderosos frente a los desheredados.

Los poderosos: una pequeñísima minoría que lo posee prácticamente todo. Y, en contraste, la masa del país viviendo en la mayor penuria o al borde de la miseria. Un documento de mediados del siglo XVI nos habla de cómo dos malas cosechas sucesivas habían provocado en Cuenca la caída en vertical de los necesitados en el hambre absoluta y de los que algo tenían en la penuria.

Alta nobleza y Monarquía. Así pues, es compresible que Carlos V quiera tener más en la mano a ese puñado de altos linajes, vertebrándolos en esos dos grupos de Grandes y Títulos, con algunos privilegios especiales y algunas concesiones honoríficas que hoy nos pueden parecer ridículas, pero que, psicológicamente, realizaban entonces su función. Por otra parte, dado que esta alta nobleza controla más de la mitad del territorio nacional, el monarca no puede enfrentarse con ella y no tiene más elección que buscar su apoyo; sobre todo, después de que la revuelta de las Comunidades le ha obligado a rebajar la única fuerza que podía ayudarlo en esta pugna: la de las ciudades. En esa situación, el equilibrio político radicará en la misma fuerza de la personalidad del monarca: mientras esta sea grande, la alta nobleza podrá quedar relegada a funciones discretas o marginales (o, simplemente, retirada en sus espléndidos dominios rurales); pero en cuanto la Monarquía no esté representada por figuras de primer orden, la alta nobleza no tendrá dificultades para abalanzarse sobre el poder, con un signo arcaizante dentro de las directrices políticas europeas, que será ya una constante en la historia española.

Por ello, cuando se afirma que los Reyes Católicos destruyeron los privilegios de la alta nobleza, se plantea mal la cuestión. Cierto que, en la medida que les es posible, recaban para la Corona algunas piezas que parecen fundamentales dentro de la Corona de Castilla: así, las plazas fuertes de Ponferrada en el Bierzo y de Plasencia en la Alta Extremadura. De igual modo se les ve castigar al marqués de Villena, incorporando esta zona al patrimonio de la Corona; pero ha de tenerse en cuenta que se trataba de su más claro enemigo en la guerra de Sucesión, en la que el Marqués resultó vencido. Hábilmente consiguen también que los condes de Luna acaben renunciando a «las cuatro sacadas» asturianas: Cangas, Tineo, Llanes y Ribadesella. Aún se muestra más su habilidad al desplazar a la alta nobleza de cargos regionales, como el de merino mayor, sustituyéndola por funcionarios regios en la nueva categoría de corregidores. Por lo demás, aunque suprimen los últimos privilegios concedidos en tiempos de Enrique IV, dan por buenos los logros de esa alta nobleza conseguidos en la Baja Edad Media. Es cierto que emplean mano dura, y con una gran eficacia, contra el tipo del noble bandolero, que pululaba entonces por Galicia o que se había hecho fuerte en algunos reductos de Castilla (tal es el caso del señor de Monleón en tierras salmantinas). Es cierto, también, que logran reducir a los bandos urbanos, en los que se enfrentaban linajes nobiliarios con el consiguiente daño para todo lo que suponía la vida burguesa. Pero en uno y otro caso los Reyes Católicos no actuaban tanto contra la alta nobleza como contra la mediana nobleza rural y urbana.

Por lo demás, se trata de mantener un cierto equilibrio entre la Corona y esa segunda fuerza del país que es la Grandeza. Cuando esté en litigio la propia autoridad de la Corona, esta no dudará en actuar con la necesaria firmeza, sobre todo en estos tiempos del Renacimiento en los que vemos a figuras de primer orden al frente de la Monarquía. Este es el caso de Fernando el Católico cuando ha de enfrentarse con el desacato del marqués de Priego, que se atreve a poner mano sobre un representante de la justicia regia a principios del siglo XVI; el resultado es que Fernando el Católico se dirige hacia el sur con un verdadero ejército, que destruye por completo el castillo de Montilla, principal bastión de los dominios del Marqués, y que este escapa al patíbulo solo por intercesión de su pariente el Gran Capitán. A la inversa, sin embargo, cuando Carlos V reúna a toda la alta nobleza en Toledo, treinta años después, para exigir de ellos apoyo económico a su política imperial, se encontrará con la más cerrada resistencia. Y en los conflictos surgidos en ese forcejeo, al mandar arrestar en su domicilio al duque del Infantado, la reacción de la Grandeza será tan amenazadora que con buen tino el Emperador preferirá la vía conciliatoria. No es que no tantee la fuerza: es que no tiene el necesario poderío para dominar a aquel «senado» aristocrático. Por eso, cuando las crónicas nos describen el incidente ocurrido entre el mismo Emperador y el condestable de Castilla, al que Carlos V consideraba el alma de la oposición encontrada en 1538, y vemos cómo a la amenaza imperial de arrojar al magnate por la ventana surge la réplica oportuna del Condestable diciendo que se lo pensara muy mucho el César, porque si bien era pequeño pesaba mucho, no nos encontramos solo ante una anécdota trivial, sino ante una realidad que encarna la verdadera distribución de fuerzas en la España del Renacimiento. La alta nobleza era una potencia con la que había que contar sin remedio.

Por otra parte, esta alta nobleza se muestra más temible en su potencia por lo estrechamente entrelazadas que se hallan sus ramas entre sí, formando un solo tronco. Cuestión favorecida, además, por el afianzamiento del mayorazgo, que los Reyes Católicos legalizan en Toro el año 1504; pues, contra lo que puede leerse en algún texto mal informado, las Cortes de este año no democratizan esa institución, sino que la dejan reservada para la gracia del Rey, lo cual supone reducirla a los casos contados de la alta nobleza o de los principales personajes adscritos al servicio de la Corona. Además, hay que tener en cuenta la estrecha conexión de esa alta nobleza con el alto clero, puesto que la mayoría de las supremas dignidades de la Iglesia española recaían en segundones de los linajes más aristocráticos: los Mendoza, los Carrillo, los Fonseca, los Anaya, por no citar más que unos cuantos. Esa especie de senado aristocrático, cuyas rentas desbordaban con creces en su conjunto a las que poseía la misma Corona, a veces mostraba también diferencias y rivalidades dentro de sí, dando con ello un respiro a la Monarquía y una capacidad de maniobra que tanto Fernando como Carlos V sabrán aprovechar con habilidad. En principio, podría hablarse de un pequeño sector aristocrático partidario de la trepidante política exterior iniciada por los Reyes Católicos y tan brillantemente continuada por Carlos V. De ese pequeño sector el representante más cualificado será la Casa de Alba. Por lo demás, apartada la Grandeza del poder en el mismo corazón del gobierno central por la prudente política tanto de los Reyes Católicos como de los Austrias Mayores, se explica la posibilidad de que florezca un gobierno personalista y autoritario durante este período. Es la época de la monarquía autoritaria, incluso con ribetes de absolutista. Pero cuando la nobleza, coaligada, se atreva a poner cerco al Trono —como ocurrirá a la muerte del Rey Prudente—, el monarca no parecerá otra cosa sino un excepcional prisionero de Estado.

El linaje: estilo de vida.   Ya se puede comprender que a tono con ese poderío estaba el tren de vida de aquellos grandes señores, a los que vemos como auténticos reyezuelos dentro de sus posesiones. El despliegue de boato realizado por esos magnates en las ocasiones que les deparaba la época era deslumbrante, aun para la misma Corona. Cuando la nobleza colindante con Portugal ha de recibir a la princesa Isabel —futura Emperatriz—, en 1526, o a la princesa María Manuela, la que había de llegar en 1544 para convertirse en la primera esposa de Felipe II, esos magnates compiten en poderío y riqueza hasta extremos que los cronistas nos detallan asombrados. Mexía nos relata la recepción hecha a Isabel por el duque de Calabria, el arzobispo de Toledo y el duque de Béjar,

> ... los cuales todos fueron con el más y mejor acompañamiento que pudieron e con grandes vestidos de aderezos de sus casas y criados, que cierto fue una muy real e grande cosa de ver.

Veinte años después serían el arzobispo Silíceo y el duque de Medina-Sidonia los que desplegarían su boato en franca competición, si bien con ventaja para el Duque, que se presentó con un cortejo de cerca de mil personas. A tenor con esa presentación se hallaba la sucesión de banquetes prodigados, como si en ello estuviera en juego el prestigio de aquellos Grandes, para los que la misión real era como una piedra de toque ante el vulgo a fin de poder mostrar hasta qué punto sus riquezas eran fabulosas. Eso a lo largo del país, pues en el ámbito de sus posesiones ya lo mostraban sobradamente, con su pequeña corte y su ceremonial, sus caballeros y sus guardianes, y con todo el montaje de un pequeño Estado que gobernaban con casi absoluta independencia, puesto que la misma administración de la justicia que impartían apenas si era interferida, de hecho, por la Audiencia real más cercana, aunque teóricamente tuviese a su cargo vigilarla. Los poderosos nobles gozaban de pleno señorío sobre el amplio territorio, merced a un privilegio real que les permitía impartir justicia civil o criminal en sus primeros grados y designar las autoridades correspondientes para ello, tales como jueces, alcaldes y alguaciles. Es cierto que, como se ha indicado, sus vasallos podían apelar a la Audiencia real más próxima y que, en todo caso, los magnates castellanos no tenían derecho a dictar sentencias de muerte, en contraste con los aragoneses, los cuales podían disponer de vida o muerte de sus vasallos. Pero es preciso insistir en que ese derecho de apelación del vasallo del señorío castellano era más ilusorio que real.

¿Cuál era la mentalidad de esta alta nobleza? ¿Cuál su función social? En primer lugar estaba su orgullo de linaje, tan acusado como el que se desprende del epitafio mandado grabar por los Monroy en su sepulcro de la catedral vieja de Salamanca:

> Aquí yacen los señores Gutiérrez de Monroy y doña Constanza de Anaya, su mujer, a los cuales dé Dios tanta parte del cielo como por sus personas y linajes merecían de la tierra.

La fuerza del linaje, que aquí parece querer vencer a la misma muerte, tiene una importancia fortísima en la mentalidad nobiliaria española, que la diferencia de la sociedad renacentista italiana.

Habría que referirse, también, a que el sentido caballeresco de la existencia lo reflejan los nobles en su particular concepción de la honra, por donde conectan, además, con el propio monarca. ¿No eran los Reyes los maestres de las Órdenes de caballería? ¿Y acaso no era también Carlos V el que regía la Orden del Toisón de Oro y Fernando el Católico el que había recibido tal collar en su juventud? En ese sentido el Rey no es sino un caballero más, un *primus inter pares*. Por algo en las cuestiones de honor que le afectan directamente, Carlos encontrará oportuno solicitar el consejo de esos «primos y parientes» suyos, esto es, entre la Grandeza de España. No otra cosa es lo que hace Carlos V cuando se encuentra con el incumplimiento de la palabra que Francisco I le había dado al firmar el tratado de Madrid. ¿Debía tomarlo como punto de honra? Consultado el duque del Infantado, este define la honra como algo que afecta tanto a reyes como a nobles, dándole su propia definición que sin duda era el reflejo de la mentalidad caballeresca de la época:

> Que esta ley de honra se extiende —le dice— a los príncipes, por grandes que sois, y a los caballeros, *que somos de una misma manera...*

Esta alta nobleza, estos Grandes y Títulos (los sesenta linajes designados por Carlos V) son la cumbre de la nobleza, su fracción más poderosa e influyente, los que dan la pauta al tipo de vida nobiliario. Sus grandes dominios se extienden, sobre todo, por las dos mesetas y Andalucía, sin olvidar en Aragón las tierras que están al sur del Ebro. Las tierras del Condestable forman en Burgos toda una provincia, conocida así por la administración de la época; igual podría decirse de los dominios que el conde de Benavente poseía al norte de Zamora. Por las actuales provincias de Salamanca y Cáceres se extendían las posesiones de los duques de Alba y de Béjar; del primero eran las villas de Alba y Piedrahíta, y recuérdese que el gran Duque hizo construir su magnífica residencia campestre (al estilo de las mansiones renacentistas italianas, que sin duda había conocido en aquel país) en Abadía, al sur ya de la sierra de Béjar. Los señores de la Casa del Infantado lo eran de casi toda la Alcarria, sin contar los dominios que tenían en tierras de Santander o alrededor del castillo de Viñuelas, ese fabuloso retiro cercano a Madrid, todavía rodeado de monte y de caza mayor, donde el visitante puede admirar aún la capilla gótica y los recuerdos del marqués de Santillana, después de caminar por kilómetros de monte señorial, ayer como hoy. A los Fajardo solo redujo su aplastante poderío en Murcia la decidida acción de los Reyes Católicos, rescatando al menos la capital para la Corona. La Casa de Feria dominaba ambas vertientes de la sierra de Aracena, con su sede en la villa de Zafra. ¿Será preciso, en fin, recordar lo que suponían las posesiones de un duque de Osuna o de un duque de Medina-Sidonia en Andalucía? Si aún no poseemos datos más concretos que nos permitan realizar con toda precisión el mapa del señorío civil en la época del Renacimiento, sí podríamos indicar al menos dos cosas: la primera, que ese poderío se incrementa notoriamente conforme se avanza hacia el sur de España y, en segundo lugar, que después de la primera contracción —no demasiado grande— que sufre bajo los Reyes Católicos, ese poderío no disminuye, sino que, por el contrario, tiende a aumentar. De todas formas, es preciso recordar la Sentencia de Guadalupe, dictada por los Reyes Católicos en 1486, favoreciendo a los payeses de remensa catalanes, y la pragmática de los Reyes Católicos en beneficio del labriego de señorío castellano, permitiéndole libertad de residencia con familia y bienes; lo que nos presenta, entre Castilla y Cataluña, una zona donde la vida del campesino era más dura, que es la del campo aragonés.

Para completar el análisis de la mentalidad de esa alta nobleza habría que referirse a su religiosidad (aunque con frecuencia más apegada a las fórmulas externas), al espíritu de milicia y, en algunos, al sentido del mecenazgo. En cuanto a su tendencia a la vida de milicia, que era el recuerdo de su grandeza primera y donde habían conseguido todo su poderío, aún persiste en no pocos de estos Grandes señores; algunas de las principales cabezas militares de la época proceden de este sector: los Fernández de Córdoba, los Alba, por no citar sino los más importantes. Por lo que hace a su protección a la cultura, cosa que para algunos parecía propia de su linaje, bastaría con recordar las dedicatorias de no pocos escritores en sus libros, puestos bajo el amparo de uno u otro Grande. Es famosa la amistad concedida por el duque de Alba a poetas y artistas, sin que queramos con ello aludir a la que le unía con Garcilaso de la Vega, que a fin de cuentas pertenecía a la gran familia de la nobleza; pero sí recordemos su pretensión de traer nada menos que a Luis Vives a su pequeña corte, como preceptor de sus vástagos. De igual forma habría que citar la corte que los Manrique tenían en tierras extremeñas. En otras ocasiones, esa misma nobleza no

Tienda de campaña de los
Reyes Católicos en el cerco
de Granada

Bigarny: Entrada de los
Reyes Católicos en Granada
con el cardenal Mendoza.
(Detalle del altar mayor de
la Capilla Real de la catedral
de Granada)

Rodrigo Alemán: Rendición de Granada: Boadil entrega, pie en tierra, las llaves de la ciudad a Fernando el Católico (Sillería del coro de la catedral de Toledo)

Juan de Flandes: Isabel de Castilla, en sus últimos años (Real Academia de la Historia, Madrid)

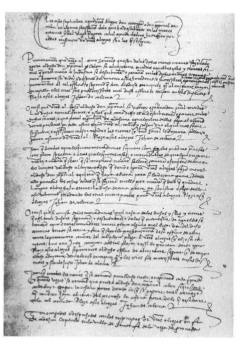

Capitulaciones de Santa Fe. Archivo de la Corona de Aragón, Barcelona

Rendición de Granada. Óleo de Francisco Pradilla. Palacio del Senado, Madrid

Última página del acta de entrega de la ciudad de Granada a los Reyes Católicos. Archivo General de Simancas

Cristóbal Colón en La Rábida, por Eduardo Cano de la Peña

Salida de Colón desde Palos de Moguer
Grabado de T. de Bry

Maqueta de la carabela *Santa María*. Museo
Naval, Madrid

Cristóbal Colón. Óleo en el Museo Naval, Madrid

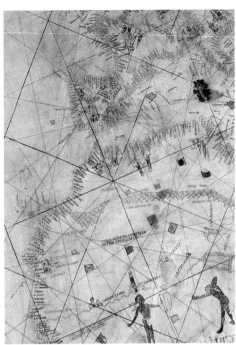

Carta de navegación de Colón. Biblioteca Nacional, París

Carta de Colón a los Reyes Católicos con alusiones a sus descubrimientos. Archivo de Indias, Sevilla

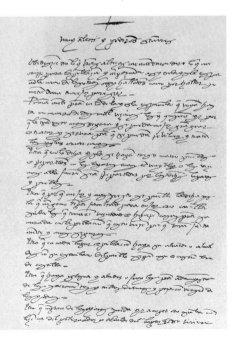

Carta de Colón a los Reyes Católicos con datos sobre el arte de la navegación. Archivo de Indias, Sevilla

Primera y última página del testamento de la reina Isabel. Archivo de Simancas, Valladolid

Capitulaciones sobre la línea de demarcación
entre España y Portugal. Tordesillas, 7 de junio
de 1494

Estatuas orantes de los
Reyes Católicos en la Ca-
pilla Real de Granada

Vista general del sepulcro de los Reyes
Católicos en la Capilla Real de Granada
y detalle de la escultura de la reina Isabel

duda en coger la pluma, como es el caso de don Luis de Ávila y Zúñiga, marqués de Mirabel, tan cercano a la figura de Carlos V. Sin embargo, esas serían las excepciones, pues lo normal era que la cultura de estos altos personajes fuese más bien escasa.

Minuciosos en su religiosidad, dando su tributo a la milicia, muy pagados de su índole caballeresca, de escasa cultura, aunque a veces haciendo de mecenas a fuer de grandes señores: ese es el cuadro que podría hacerse de la Grandeza española de la época del Renacimiento. Su poderío económico no se cifra solo en la posesión de la tierra, sino —y con ello— en la de enormes rebaños de oveja merina que iban trashumantes por las dos mesetas, conforme al rodar de las estaciones, La fuerza económica de la Mesta es, en buena medida, la fuerza económica de la alta nobleza; esto explica los condicionamientos que afectarán a la economía española, dada la importancia que dentro de ella tenía la Mesta, controlada por la alta nobleza.

Caballeros e hidalgos. Es evidente que la nobleza, como clase social, no quedaba agotada ni mucho menos por esa espuma nobiliaria. Al contrario, su poderío no debe hacernos olvidar que era un grupo muy pequeño dentro del estamento. Por lo tanto, habremos de referirnos también a caballeros y a hidalgos.

Los documentos nos permiten hablar de caballeros de las Órdenes militares, caballeros de alarde y de guerra y, por último, de caballeros cuantiosos. Por lo que hace a los caballeros de las Órdenes militares, que es lo mejor documentado, constituyen a su vez un grupo pequeño, formado por los que han obtenido la gracia real de uno de sus hábitos, lo cual era algo muy apreciado por su escasez y porque era la base necesaria para el disfrute de encomiendas. Bien sabido es que para recibir tal hábito era preciso superar favorablemente un expediente, donde se había de probar la condición nobiliaria del peticionario. Aparte de eso, la importancia de su linaje o la de sus servicios en la diplomacia o en la guerra hacían el resto.

Pero esta era una condición particular dentro de la clase caballeresca. La base principal venía constituida por los caballeros de alarde y de guerra, esto es, los que en sus orígenes medievales eran armados por el propio Rey. Sus requisitos eran, por un lado, ser hidalgos y, por otro, el poder mantener en perfecto uso caballo y armas para salir a la guerra. Estaban obligados a acudir al llamamiento del Rey en los momentos de peligro colectivo y, por supuesto, a no ejercer los oficios tenidos por bajos y viles, como eran: sastres, carpinteros, herreros, barberos, zapateros, pellejeros, tundidores, pedreros, regatones y otros por el estilo. Tenían sus privilegios, como eran no pagar pecho y no perder sus caballos ni sus armas por deudas, en lo que hemos de ver una precaución del Estado para proteger a una clase amenazada de extinción en estos tiempos modernos. Eran candidatos preferidos a las alcaldías de sus lugares y, por supuesto, gozaban de los demás privilegios de los hidalgos frente a la justicia, en cuanto que no debían ser metidos en las cárceles comunes ni ser torturados en los procesos criminales en que se viesen implicados.

Por lo tanto, la esencia del caballero será, por un lado, su condición nobiliaria y, por el otro, un determinado nivel de vida que le permita mantener caballo y armas. La crisis en que entra este estamento con la revolución de los precios que padece el siglo XVI y con la disminución del poder adquisitivo de las rentas, va provocando una fuerte erosión en esta clase social que, por otra parte, cada vez es menos necesaria porque va siendo sustituida por los ejércitos profesionales.

Sin embargo, hay una zona de España donde se echa de menos la existencia de la clase caballeresca: es la zona meridional, por su condición de fronteriza y por el constante peligro de incursiones enemigas. Este estado de guerra perenne que se aprecia en Andalucía, a lo largo de la época del Renacimiento, hace que en esta región la escasez del caballero lleve a la sociedad a la formación de otro tipo social: el caballero cuantioso. La necesidad hace que se prescinda aquí del requisito de la hidalguía; se requiere simplemente a los avecindados en Andalucía y Murcia que tengan una hacienda al menos de 100.000 maravedíes de renta: esto es, se mantiene el principio económico que les permita sostener

caballo bueno para pelear.

Los tales caballeros cuantiosos están obligados a hacer tres alardes al año, controlados por el corregidor o el alcalde del lugar. No podían vender su caballo sin dar cuenta de ello a la justicia y obligándose a comprar otro en el plazo de dos meses. Entre los veinte y los sesenta años debían acudir a los llamamientos militares que realizase la autoridad en su comarca.

En cuanto al hidalgo, valorando aquí la condición jurídica nobiliaria, habría que precisar también una serie de matices, pues no era igual el considerado «hidalgo de solar conocido» que aquel otro que tenía recién comprada su ejecutoria de hidalguía a la Corona. La particular valoración que la época hacía del varón había establecido también el acceso a la hidalguía cuando un padre afortunado conseguía siete hijos varones sucesivos, aunque en esto no está claro si nos hallamos ante una creencia popular o ante un caso firmemente establecido por la legislación del tiempo, pero era al menos lo que en lenguaje popular se llamaba «hidalgo de bragueta».

La importancia del hidalgo, sin más, estaba en su crecido número, dado que ninguna traba económica lo limitaba y dado también que la Corona, en sus momentos de apuro, iba prodigando la venta de estos títulos. Después de los estudios de la doctora Ana Díaz Medina, con su tesis doctoral dedicada a este tema, podemos precisar con más seguridad la distribución numérica de esta clase nobiliaria: en efecto, los documentos de Simancas, con su particular atención para aquellos que debían pagar (o que estaban exentos de hacerlo) los servicios votados por las Cortes, dan una clara estampa de esta situación. Los hidalgos eran muy numerosos en las dos Asturias y en las provincias Vascongadas, hasta el punto de superar el 75 por 100 de la población. Todavía en Ponferrada, León y norte de Burgos las cifras son importantes, pero a partir de esa línea y conforme se avanza hacia el sur la población hidalga va disminuyendo hasta llegar a proporciones casi insignificantes, de menos del 5 por 100, que eran, por otra parte, las mismas que apreciamos en Galicia.

La situación social de este hidalgo viene condicionada por su penuria económica. Sus pocos recursos, la imposibilidad de dedicarse a oficios lucrativos sin perder en la estima de la opinión pública, la disminución del poder adquisitivo de su escasa renta, todo le lleva a arrastrar una vergonzante pobreza y, con frecuencia, a escapar del medio rural con la esperanza de conseguir en la urbe lo que en su patria chica no le es posible ya adquirir: algún medio que le permita vivir conforme a su apellido. Claro está que eso es con frecuencia una esperanza engañosa, pero al menos podrá esconder en la ciudad su lacería sin el temor a comprometer tanto su apellido. Para estos hidalgos oprimidos por la evolución económica de los tiempos se abre la posibilidad de hacer fortuna en los tercios viejos o en las Indias, y no cabe duda de que buena parte de esa fuerte proyección política española en el exterior viene dada por la presión de esta clase social. En todo caso, las circunstancias no le son propicias, y su crecimiento vegetativo debía de ser negativo, aunque aliviado por la inserción de los nuevos hidalgos surgidos a favor del amparo oficial con la venta de hidalguías que lleva a cabo la Corona a lo largo del siglo XVI.

Ese hidalgo, que ha huido de su terruño para esconder en la gran ciudad su miseria, que no ha logrado plaza en los tercios viejos ni ha tenido el arranque de audacia de tentar la fortuna en las Indias occidentales, solo puede esperar ya la ilusoria plaza de escudero o consejero de un alto linaje. No otra cosa es lo que le ocurre al hidalgo con que topa en Toledo el Lazarillo de Tormes. La irónica descripción que de su estampa nos hace el anónimo autor de este inmortal libro vale por el mejor estudio sobre el tema:

> Mayormente —le hace decir— que no soy tan pobre que no tengo en mi tierra un solar de casas que, a estar ellas en pie y bien labradas, dieciséis leguas de donde nací, en aquella Costanilla de Valladolid, valdrían más de doscientas veces mil maravedíes, según se podrían hacer grandes y buenas. Y tengo un palomar que, a no estar derribado como está, daría cada año más de doscientos palominos. Y otras cosas que me callo, que dejé por lo que tocaba a mi honra. Y vine a esta ciudad *pensando que hallaría un buen asiento,* mas no me ha sucedido como pensé. Canónigos y señores de la Iglesia muchos hallo, mas es gente tan limitada, que no los sacarán de su paso todo el mundo. *Caballeros de media talla* también me ruegan; mas servir con éstos es gran trabajo. Porque de hombre os habéis de convertir en malilla y si no «Andá con Dios» os dicen. Y las más veces son los pagamentos a largos plazos, y las más ciertas comido por servido. Ya cuando quieren reformar consciencia y satisfaceros vuestros sudores, sois librados en la recámara, en un sudado jubón o raída capa o sayo. Ya cuando asienta un hombre con un *señor de Título,* todavía pasa su lacería.

No cabe duda de que el caso del hidalgo rural, que se escapa a la gran urbe apremiado por la necesidad, debía de ser muy frecuente, y que su número se acrecienta a lo largo del siglo XVI; el cual hidalgo sigue alardeando de unas posesiones en su lugar de origen que en realidad ya no suponen nada: tal unas casucas medio derruidas o unos palomares derribados por tierra. Ese hidalgo trata de apoyarse en aquellos otros compañeros de clase nobiliaria más afortunados, pero los caballeros de «media talla» bastante tienen con defenderse en la vida, y en cuanto a los señores de Título, resulta difícil enlazar con ellos. Esto hace comprensible que en los tiempos revueltos (como en las vísperas del advenimiento de los Reyes Católicos o en las revueltas de las Comunidades) esta clase social sea un fermento de malestar que tratará de buscar por la fuerza la solución a su penuria. De ahí que sea frecuente la estampa del noble bandolero. Pero cuando el Estado moderno se asiente con más firmeza y el orden sea una realidad, la suerte para esta clase social estará echada. Algunos de sus representantes lograrán superar la situación adversa ganándose un puesto en la milicia o labrando su fortuna en las Indias, pero la mayoría entrará en un estado de descomposición que ya bajo los tiempos de Carlos V provocará el menosprecio de la sociedad. Precisamente ese afán irresistible de conseguir una situación económica en parangón con lo que creen que corresponde a su apellido es lo que lleva a no pocos de estos hidalgos a situaciones desesperadas, que motivan tantas gestas heroicas y tantos actos crueles al dispararse por el mundo. No olvidemos que seguimos estando en una época en la que predomina la mentalidad nobiliaria.

Recordemos, finalmente, el intento de Cisneros de crear los «caballeros pardos» o milicias ciudadanas con especiales privilegios que los equiparaban a los hidalgos (al modo como lo estaban en el sur los caballeros cuantiosos), intento que habría podido dar a la ciudad castellana una fuerza militar importante, precisamente en la víspera de las Comunidades, pero que no cuajó, cosa notable, por la oposición de la villa de Valladolid. En relación con el bandidaje, que acaba siendo endémico en Galicia y en Cataluña, hay que ver más la protección de altos linajes a salteadores de caminos y malhechores (protección de la que obtienen su particular compensación) que una degradación de la nobleza menor en esas regiones.

El clero

Con el clero nos encontramos también con todas las gamas de los escalones sociales, al igual que con la nobleza, pues del párroco rural de una humilde aldea perdida en las montañas de Galicia a un arzobispo de Sevilla, pongamos por caso, las diferencias no podían ser más extremas. Nos encontramos más ante un estamento que ante una clase social, si la entendemos como definida por una situación económica determinada. Un estamento privilegiado ante el fisco y ante la justicia, al modo como lo era la nobleza. Un estamento que, en sus más altos grados, alcanza también la nota del señorío jurisdiccional.

Pero hay algo, aparte de la consagración religiosa, que diferencia de forma notable a este estamento, y es el hecho de que en principio cualquiera puede ingresar y ascender dentro de él sin tener en cuenta su linaje; lo será en la mayoría de los casos, pero no necesariamente. Incluso cuando en esta misma época del Renacimiento y hacia sus finales, a efectos de la tensión religiosa creciente, se establezcan los estatutos de limpieza de sangre, primará la condición de cristiano viejo sobre la del linaje más famoso.

Otra nota es preciso destacar en relación con el clero, y es su vinculación a la cultura y, por medio de ella, a la política. Se apreciará durante esta época cómo la Corona no tendrá inconveniente en echar mano de los altos representantes del clero para los altos cargos políticos dentro del gobierno central. Su formación jurídica y moral los hace los personajes idóneos para presidir Audiencias y Chancillerías, y aun el mismo Consejo Real. Todas las veces que sea preciso establecer un Regente que no pertenezca a la familia reinante, la Monarquía acudirá a un alto prelado, sea Cisneros, sea Tavera.

La estructura eclesiástica nos marca también unas directrices que vienen dadas por el desarrollo histórico y unas diferencias notorias respecto al esquema actual. A occidente nos encontramos con el arzobispado de Santiago, que por tener la posesión del sepulcro del Apóstol gozaba de fama en toda la Cristiandad. Ese arzobispado englobaba no solo a los obispados del reino de Galicia, sino también a los de la banda occidental meseteña, tales como Zamora, Salamanca, Ciudad Real, Coria y Plasencia. Los obispados de Oviedo y León, así como el arzobispado de Burgos, dependían directamente de Roma. El resto de los obispados castellanos caían bajo la jurisdicción del arzobispado de Toledo, con algunas excepciones: así, Astorga dependía de Braga (y ese era el caso también de Orense) y Calahorra de Zaragoza. En el sur nos encontramos con el arzobispado de Sevilla, que abarcaba la Andalucía occidental, y con el de Granada, que se extendía por el antiguo reino granadino. En la Corona de Aragón los tres reinos se reflejaban fielmente en sus tres arzobispados de Tarragona, Zaragoza y Valencia.

Pero hay que añadir, para tener una más justa visión del mapa eclesiástico de la época del Renacimiento, que muchos de estos obispados tenían una extensión muy distinta a la actual. Baste recordar que el de Oviedo, por ejemplo, desbordaba las fronteras asturianas con jurisdicción sobre los arciprestazgos de Ribadeo y Babia y los arcedianazgos de Cordón y Benavente. El arzobispado de Burgos, sobre todas las Asturias de Santillana. El obispado de Palencia se extendía por Medina de Rioseco, Tordesillas y Torrelobatón. El obispado de León abarcaba la Liébana, con Potes. El obispado de Pamplona tenía incorporados los arciprestazgos de Guipúzcoa y Fuenterrabía. El obispado de Plasencia se extendía hasta Béjar, Trujillo y Medellín, y, en fin, el de Salamanca llegaba a Medina del Campo.

Es claro que esa distribución de arcedianazgos, con sus parroquias consiguientes, traía consigo también una muy distinta renta de los obispados. En algunos casos estos tenían, además, amplios dominios señoriales. Recordemos que el obispado de Oviedo era señor de aproximadamente una quinta parte del principado asturiano y que a esa mitra iba incorporado el título de conde de Noreña. Pero los más pingües beneficios los obtenía el arzobispado de Toledo, que con su mesa arzobispal conseguía, un año con otro, sobre los 200.000 ducados de renta, ingresos no alcanzados por ninguna casa nobiliaria. En contraste, otros obispados, como el de Tuy, eran considerados como pobres, pues no llegaban a los 4.000 ducados. Pero, por supuesto, el contraste era mayor entre las altas dignidades eclesiásticas y el humilde clero rural, sobre todo en la zona gallega por su extrema proliferación.

La Iglesia española tenía establecida una jerarquización de funciones mucho más perfecta que la que había conseguido la estructura política a finales de la Edad Media. Este hecho, unido al carácter confesional que pronto adquiere el Estado español, trajo la inevitable consecuencia de que el Estado se aprovechara de los canales de la Iglesia para sus fines. Es importante constatar que ya en las Cortes de Madrigal de 1476, en las que se promueve la organización de una nueva hermandad para combatir el bandolerismo, se ordena que estas hermandades se hagan a través de las capitales eclesiásticas:

> ... que todas las dichas provincias e merindades e valles e cibdades e villas e lugares... cada cibdad e villa por si e por su tierra e término, hagan la dicha hermandat una con otra e otras con otras e todas juntas... e que la venga hacer cada pueblo a la cabeza del arzobispado o obispados o arcedianazgo o merindad de donde fuere. E que el tal concejo que así fuere cabeza de su partido sea tenido... de notificar esta dicha carta e la facer pregonar e publicar por todas las cibdades e villas e lugares...

También, en este sentido, hay que tener en cuenta la estrecha vinculación o, por mejor decir, dependencia de la Iglesia española con el Estado, por el derecho de presentación de que gozaba la Monarquía española respecto a los obispados y por su carácter de patronos de la Iglesia en Granada y las Indias occidentales. De esa forma, los obispos se convertían, en cierto sentido, en servidores del Estado, con lo cual tenían ciertas obligaciones; y la primera de ellas una económica, como era la de pagar de sus ingresos una serie de pensiones que la Corona

ISABEL LA CATÓLICA

asignaba a cada obispado. Esa situación fue agravándose conforme iban creciendo las necesidades de la Monarquía en el siglo XVI, pues la Corona, entendiendo que su actuación en política exterior correspondía en gran medida a una guerra divinal, se consideraba con más derecho a exigir el apoyo económico de la Iglesia. De forma que cuando ocurría una vacante era muy frecuente que al nuevo obispo le obligase también alguna nueva aportación en forma de pensiones a favor de determinados ministros de la Corona. Por ese sistema la Monarquía se ayudaba a la hora de recompensar a sus servidores, ante la imposibilidad de hacerlo completamente por sus propios medios. En ocasiones se pedían a la Iglesia subvenciones extraordinarias. Si se añaden a ello los subsidios eclesiásticos que periódicamente va a obtener la Monarquía, por gracia pontificia, se comprenderá hasta qué punto —pese a su carácter de estamento privilegiado— apoyó económicamente la Iglesia al Estado. Así, el subsidio eclesiástico pedido por Carlos V en 1554 se valoró en unos 150.000 ducados. Al subsidio eclesiástico hay que sumar las tercias del diezmo eclesiástico, que era otra aportación de gracia pontificia que beneficiaba a la Corona. Igualmente, habría que consignar aquí la aportación indirecta obtenida a través de la predicación de la Bula de Cruzada. Recordemos también la plata pedida por Isabel a la Iglesia de Castilla a principios de su reinado, como nos indica Tarsicio de Azcona.

Ahora bien, lo que caracteriza al clero, en principio, es su mayor permeabilidad para recibir a los procedentes de cualquier clase social. Aunque la nobleza procura ayudar a sus segundones, incitándoles a seguir la carrera eclesiástica y procurando obtener para ellos los puestos más codiciados, sin embargo es un hecho el ascenso de hombres modestos a los más altos lugares. A finales de la época del Renacimiento se aprecia, incluso, una valoración mayor del cristiano viejo de origen humilde sobre el cristiano nuevo emparentado frecuentemente con altos linajes. Tal es el resultado que quiere obtener el arzobispo Silíceo cuando implanta en la catedral de Toledo el estatuto de limpieza de sangre. Frente al prelado, el deán del cabildo sugiere que las pruebas de limpieza de sangre fueran trocadas por otras nobiliarias, junto con el título de licenciado en una universidad hispana. En la réplica del arzobispo se aprecia qué tensión religiosa tan viva se había producido a mediados del siglo XVI:

Que se admitan cristianos viejos, aunque no sean ilustres ni nobles ni letrados, es mucho mejor que admitir los que descienden de herejes quemados, reconciliados, penitenciados y abjurados, teniendo la calidad de ilustres nobles letrados, como los hay en esta Santa Iglesia: porque de los ilustres cristianos viejos está muy segura esta Santa Iglesia que no será afrentada llevándoles la Inquisición, como se suele hacer de los que no son cristianos viejos...

Controlados por el Consejo Real, a través de la Cámara de Castilla, los prelados siguen un *cursus honorum* que puede llevarlos de una modesta silla episcopal a una de las importantes, como Sevilla o Toledo. A veces la Monarquía coloca directamente en la misma metropolitana de Toledo a un recién encumbrado: tal podría pensarse que fue el caso de Cisneros, de Silíceo o de Carranza. Sin embargo, téngase en cuenta que Cisneros es primero confesor de la Reina, a Silíceo le sirve de plataforma su cargo anterior de preceptor del Príncipe y a Carranza su actuación al lado del Rey contra los herejes ingleses y en los Países Bajos. Por lo demás, es frecuente verlos pasar de una diócesis a otra, conforme la muerte va dejando vacantes. Mendoza es obispo de Sigüenza antes que arzobispo de Toledo, y Fernando de Valdés ocupa el obispado seguntino antes que el arzobispado de Sevilla.

Que el Estado echase mano de estas altas dignidades eclesiásticas para los principales puestos del gobierno dentro de Castilla (como eran las presidencias de las Audiencias y Chancillerías y como era, sobre todo, la presidencia del Consejo Real) se comprende, pues, por dos razones: la primera, porque los considera criaturas suyas, ya que han conseguido sus obispados gracias a la presentación del Rey, y, en segundo lugar, porque el estamento eclesiástico era el único que podía facilitar con cierta abundancia hombres preparados para el gobierno, por sus estudios en las aulas universitarias. Esa estrechísima simbiosis que se aprecia, por lo tanto, entre la Iglesia y el Estado español reportará beneficios a las dos partes, pero también sus pesadas servidumbres. La Iglesia se verá demasiado politizada y, a su vez, el Estado adquirirá una mentalidad confesional muy cerrada.

Como el campo de acción estatal era todavía muy reducido, dejando fuera de su gestión directa aspectos tan importantes como la beneficencia y la cultura, vemos a la Iglesia llenar estos dos huecos. Los hospitales son, con gran frecuencia, fundaciones suyas (recordemos los famosos de Santa Cruz y de Tavera en Toledo). También quedan a su cargo las casas de niños expósitos, que nos muestran uno de los aspectos más dolorosos de aquella sociedad, muy vinculado a su particular sentimiento del honor. Los mayores avances en el régimen hospitalario se deben a la Iglesia española y, en particular, a la figura ejemplar de san Juan de Dios.

Si nos fijamos en la cultura, aquí sí que la acción de la Iglesia es decisiva y casi excluyente. Ante todo en el enriquecimiento de los viejos Estudios universitarios con la fundación de colegios mayores, gracias al mecenazgo de los prelados. Los seis existentes entonces en España son otras tantas fundaciones episcopales: los de Anaya, Fonseca, Cuenca y Oviedo, en Salamanca; el de Santa Cruz, fundado por Mendoza, en Valladolid, y el que erige bajo la advocación de san Ildefonso en Alcalá de Henares la magna figura de Cisneros. A él se debe, como ya hemos dicho, la fundación de la universidad de mayor corte renacentista de esa época (la de Alcalá de Henares), mientras que otro prelado merece ser aquí recordado por el legado universitario que deja en Asturias: es el caso del inquisidor Valdés, si bien su Testamento no se cumplirá hasta entrado el siglo XVII.

En esas tareas de beneficencia y cultura colaboran con eficacia las Órdenes religiosas. Habría que recordar la benéfica influencia de las antiguas Órdenes esparcidas por el ámbito rural, y en especial la de los benedictinos y la de los jerónimos, estos favorecidos por el singular apoyo regio que encuentran tanto por parte de la dinastía Avís de Portugal como por los Reyes Católicos y por la Casa de Austria española, como se refleja en los monasterios de Belem y de Yuste, este último ya anunciando la fundación de El Escorial. Custodios de santuarios famosos, muy vinculados a la vida popular, gozarán de gran influencia en todas las capas sociales; tal es el caso de la comunidad jerónima de Guadalupe, tan distinguida por Isabel. Las Órdenes regulares bajomedievas, surgidas en el siglo XIII, se asentarán preferentemente en las ciudades. Así lo harán las Órdenes mendicantes de franciscanos y dominicos; la primera consigue pronto la mayor ascendencia sobre el pueblo, y con tal proliferación de conventos que acaba poniéndose a la cabeza de las Órdenes religiosas en España. Por su parte, los dominicos, hasta la aparición de la Compañía de Jesús, puede decirse que controlan la enseñanza universitaria.

Se carece de datos precisos para esta época, de forma que no es posible dar cifras, aunque a todas luces el número de miembros del clero era importante. En cuanto a su mentalidad y costumbres, ya se ha dicho algo anteriormente; baste añadir que al clero español del Renacimiento se le abren labores evangelizadoras en dos frentes muy distintos. Una entre los moriscos del reino de Granada, recién incorporados. La otra, más allá del mar, con la tarea de evangelizar las Indias occidentales. Suele señalarse, con justicia, la magna obra hecha a este respecto por la Iglesia española. Sin embargo, para que el cuadro sea más completo, habría que añadir que no estuvo a la misma altura en su intento de captar a la población morisca granadina. Cuando Carlos V estuvo allí, en plena luna de miel, se encontró con grandes agravios y muchas quejas que le fuerzan a ordenar una inspección sobre la actuación del clero granadino. Los comisionados por el César

> anduvieron visitando el reino —consigna el cronista Sandoval— y hallaron ser muchos los agravios que se hacían a los moriscos, y junto con esto que los moriscos eran muy finos moros... y de esta infidelidad tuvieron culpa los cristianos, por los favorecer y no doctrinar.

El problema nunca bien resuelto del morisco español está ligado indisolublemente a ese fallo del clero local.

En cuanto a su mentalidad, cabe rastrear no pocos signos medievales, tales como una extrema belicosidad en algunos de sus miembros, que se constata en personajes como el turbulento arzobispo Carrillo, por citar uno de los más conocidos. Pero, al lado de ello, el clero español del Renacimiento da nota de su valía cristalizada en santos de la talla de un san Juan de Sahagún, que tan pronto es capaz de enfrentarse nada menos que con el duque de Alba, para defender a los humildes lugareños de su señorío, como de conciliar a los bandos nobiliarios de la ciudad de Salamanca.

La calidad de la Iglesia española, tanto por sus hombres de letras como por sus costumbres, queda, por otra parte, bien reflejada en hechos de este calibre: en primer lugar, por la reforma interna que sabe hacer, y que la pone al más alto nivel dentro del panorama religioso de la Iglesia del Renacimiento en toda Europa; en segundo lugar, por el florecimiento a que sabe llevar a la Universidad hispana y muy en particular al Estudio salmantino.

La reforma religiosa: el impulso de la Reina y la obra de Cisneros

Los últimos tiempos medievales habían hecho notar la necesidad de una reforma religiosa para reajustar las creencias con la conducta. El ideal ascético que teóricamente seguía afirmándose estaba en desacuerdo con el tono de vida mundano propio de las primeras manifestaciones del Renacimiento italiano. Las prácticas religiosas habían cristalizado en fórmulas para la salvación del alma, sin estar vivificadas por una experiencia interior. Junto con ello, la pureza de las costumbres del clero y la disciplina de las Órdenes religiosas dejaban mucho que desear. Roma misma era centro de escándalo, agravado por el dinero que los fieles enviaban de todas partes de Europa, un dinero que parecía servir para alimentar mejor esa vida fastuosa y mundana. En consecuencia, las herejías se habían sucedido, algunas de la importancia de las sustentadas por Wycleff en Inglaterra y por Huss en Bohemia, esta última a principios del siglo XV, esto es, a las puertas de la Edad Moderna. Eran movimientos religiosos disidentes, pero también eran protestas contra el estado de cosas imperante, aspirando a una vida espiritual más en consonancia con el Evangelio. Eran ya los primeros síntomas de una oposición contra el poder religioso controlado por Roma.

Para salvar el desajuste provocado por la erosión del ideal ascético había dos posibilidades: la de orillar la vida religiosa, despojándola del lugar de primacía que hasta entonces ocupaba en las conciencias, o procurar una recristianización de la existencia. Es bien conocido que la primera alternativa sería la que campearía en la mayoría de las Cortes renacentistas de la Italia del *Quattrocento,* mientras la segunda daría su sello al humanismo nórdico, más tardío, vinculado a las figuras de un Tomás Moro o de un Juan Luis Vives, y sobre todo de Erasmo de Rotterdam.

Este sería también el caso de España. Y a ello contribuiría decisivamente la obra de dos personajes: la reina Isabel y el cardenal Cisneros. Pues la situación en los difíciles años del gobierno —o desgobierno— de los últimos Trastámaras no podía ser más penosa y a tenor con lo que sucedía por el resto de Europa; la diferencia estribó en la reforma radical de las costumbres planteada con rigor y constancia por Cisneros con el apoyo decidido de Isabel. Una reforma que el estado del clero estaba exigiendo, ya que la codicia de los altos estamentos se unía a la extrema ignorancia del clero bajo, mientras que el relajamiento de las costumbres era general, tanto en el clero secular como en el regular. Que el clero tuviese sus barraganas y sus hijos naturales era muy frecuente, como se puede comprobar por mil testimonios, de entre los cuales no son los menos expresivos los literarios. Ya el Arcipreste de Hita a mediados del siglo XIV pone en boca de los clérigos de Talavera —a quienes el arzobispo de Toledo les ordenaba dejar sus barraganas— la siguiente queja:

> Fabló en post aqueste el chantre Sancho Muñós;
> Diz: Aqest arzobispo ¡non sé qué se ha con nos!
> El quiere acaloñarnos lo que perdonó Dios.
> Per endé aquello en este escripto: ¡abivádvos!
> Que si yo tengo o tove en casa un sirvienta,
> ¡non ha el arzobispo desto porqué se sienta!
> ¿Que non es mi comadre? ¿Que nin es mi parienta?
> ¡Huérfana la crié! ¡Esto, porque non mienta!
> Mantener ome huérfana obra es de piedad.
> Otrosí a las vibdas: ¡esto es mucha verdat!
> Si el arzobispo tiene que es cosa de maldat,
> ¡Dexemos a las buenas! ¡a las malas vos tornad!

Esto es, si persistía la orden de dejar a las barraganas, aquel chantre no se veía sino que tendría que cambiar una buena mujer por otra cualquiera de un prostíbulo. En otras palabras, el clero de Talavera —y parece que el Arcipreste lo señala como un exponente general— no se plantea la cuestión de la castidad.

Cierto que este es un texto de mediados del siglo XIV, pero no otro era el ambiente que nos deparan los del Renacimiento. Así, las Cortes de 1480 se han de pronunciar sobre esa situación:

> Somos informados —dicen los Reyes Católicos— que muchos clérigos han tomado osadía en tener las mancebas públicamente e ellas de se publicar por sus mujeres...

Y cuando Alfonso de Valdés compone su *Diálogo de las cosas ocurridas en Roma* y enfrenta a un caballero —Lactancio— con un clérigo —el Arcediano—, al reprocharle al caballero la desarreglada vida que llevaban y si no sería mejor se casasen, obtiene esta cínica respuesta:

> Mirad, señor...: Si yo me casase sería menester que viviese con mi mujer, mala o buena, fea o hermosa, todos los días de mi vida o de la suya; agora, si la que tengo no me contenta esta noche, déxola mañana y tomo otra. Allende desto, si no quiero tener mujer propia, cuantas mujeres hay en el mundo hermosas son mías, o por mejor decir, en el lugar donde estoy. Mantenéislas vosotros y gozamos nosotros dellas.

Aún, pese a las medidas tomadas, la escasez de sinceras vocaciones religiosas, incluso dentro del clero regular, daba los más penosos resultados; resultados que entre otras cosas hacían que surgiese el galanteador de monjas, como aquel secretario imperial que tenía su cita con una del convento burgalés de Las Huelgas, o como aquel otro que, perseguido por la justicia (pues era antiguo comunero), halla refugio en un convento,

> donde se dio tan buena maña que empreñó las catorce dellas...

Cierto que las medidas tomadas por el Emperador contra su secretario nos muestran que la sociedad reaccionaba ya contra aquella situación.

Habría que apuntar también la rudeza de las costumbres de un clero no demasiado ajeno al uso de las armas. La belicosidad de un arzobispo Carrillo era la misma que demostraría después el obispo Acuña, y que se hace bien patente con su compañía de clérigos escopeteros que nos describe Guevara en sus *Epístolas familiares*. En algunas regiones, como en Asturias, los estudios de testamentarías y de almonedas dan como usuales las armas de fuego entre las pertenencias del clero; aunque, por supuesto, en función de la caza. Ignorancia, violencia, codicia y lujuria eran cuatro males de que no estaba carente la Iglesia española, a tenor con el panorama europeo. Sin embargo, hay que tener en cuenta que en las crónicas, en las cartas y en los documentos salta con más frecuencia la estampa que producía escándalo que la del sacerdote que cumplía sencillamente, y sin mayores estrépitos, su deber cristiano. Y no solo por la pureza de sus costumbres, sino también por el valor con que saben enfrentarse a los desmanes de los poderosos, como cuando san Juan de Sahagún recrimina al primer duque de Alba desde el púlpito —¡y en Alba!— por la opresión en que tenía al campesinado; y ante las amenazas de próxima violencia con que se despacha el magnate, le contesta lisa y llanamente que él predica conforme al Evangelio, no para satisfacer a los poderosos:

> Entendiendo el duque que lo había dicho por él mostró tanta indignación contra el bienaventurado, que acabado el sermón, yéndole a visitar, le dixo en presencia de muchos caballeros: «Padre, bien habéis impleado vuestra lengua, pues habéis hablado descortésmente», y a éstas se siguieron otras palabras de enojo e ira, concluyendo: «Pues no tenéis rienda en vuestro hablar, no será mucho que os castiguen cuando menos penséis en el camino». Respondió el santo con mansedumbre: «Señor, yo para qué me subo al púlpito, para qué me

pongo a predicar, ¿para decir la verdad o para decir lisonjas? Vuestra merced sepa que al predicador evangélico le conviene decir verdad y morir por ella»...

Por otra parte, en la balanza positiva está la impresionante galería de santos que jalonan nuestra sociedad de los siglos XV y XVI, junto con la de los teólogos que tan poderosa hacen sentir su voz en el magno Concilio tridentino. Eso no fue obra del azar. Tal cosecha se preparó en la cuidadosa labor de saneamiento del campo espiritual y en la siembra realizada por las dos grandes figuras de la historia hispana del Renacimiento: el reformador Cisneros y la protectora Isabel, aquí nunca mejor llamada la Reina Católica.

Ahora bien, como nos recuerda Tarsicio de Azcona, los afanes reformadores en el ámbito religioso que siente la Reina son anteriores a la tarea de Cisneros. En este sentido, es obligado mencionar a fray Hernando de Talavera, que ya desde 1475 —por lo tanto, desde los primeros momentos del reinado— lo vemos como confesor de Isabel, puesto que no deja, como es tan sabido, hasta que la Reina no le proponga a Roma para la nueva y tan comprometida sede de Granada. En todo ese período de tiempo, el hombre clave en la reforma religiosa hispana, en especial en el clero regular, fue fray Hernando. «En este terreno —nos dice Azcona— fue el consejero insustituible de Isabel.» Y la fortuna que tuvo la Reina estribó en encontrar el hombre que le sustituyera.

Sería la hora de Cisneros.

Cisneros era exigente. Daba también él ejemplo. Su austeridad era de verdadero asceta desde que, abandonando una carrera que parecía propicia a los triunfos fáciles, ingresó en la Orden franciscana. Durante siete años, el retiro del mundo, la meditación, la predicación a los fieles, la santidad, en suma, es la meta de ese hombre que ha rebasado ya el medio siglo. Y el 1492, ese año crucial de la Historia de España (y del mundo), el año de la toma de Granada y de la hazaña de Colón, es también el de la entrada de Cisneros en la escena política. La grandeza de los Reyes Católicos se mide en ese acto sencillo: en el de saber escoger sus colaboradores sin atender más que a sus méritos. ¿Quién era Cisneros? Un humilde fraile franciscano de linaje oscuro, de esos linajes de los hidalgos rurales que hambreaban por media Castilla. Sus únicos méritos eran su talento y sus valores morales. Pero había llamado la atención del cardenal Mendoza, tanto más sorprendido cuanto que le vio escoger el retiro de la Orden franciscana reformada, renunciando a su poderosa protección. Fue entonces cuando Isabel tuvo noticia del austero y severo franciscano (cuya fama andaba ya en boca del pueblo) y lo hizo su nuevo confesor. Ahora bien, ser confesor de la Reina a principios de la Edad Moderna, cuando esa Reina era Isabel, era tanto como entrar de lleno en las decisiones de la más alta política; pues Isabel, al contrario de su contemporáneo Maquiavelo, no separaba la política de la moral. Y en eso estriba su grandeza.

Pero lo primero no fue intervenir en los avatares políticos, sino en la reforma de la Orden franciscana, aprovechando precisamente que sus hermanos de religión lo habían elegido Provincial de Castilla, lo cual suponía su mandato en las dos mesetas y en Andalucía. Isabel lograría que ampliase aún más su radio de acción, consiguiendo de Roma plenos poderes para el reformador a escala nacional, y no solo para la Orden franciscana, sino para el conjunto de las Órdenes mendicantes. A partir de aquel momento Cisneros luchó con energía para volverlas a la pureza de su regla primitiva, despojándolas de sus riquezas superfluas y procurando una redistribución más adecuada de sus bienes, con un admirable sentido de la justicia social, en beneficio de otras instituciones más necesitadas. Que su reforma no fue baladí se echa de ver en la resistencia e incluso en las rebeldías de una oposición declarada que encontró en los lugares más apartados de España, en Catatayud como en Salamanca, en Toledo como en Segovia. Verdadero adelantado o precursor de muchas de las disposiciones que más tarde consagraría con su autoridad el Concilio tridentino, Cisneros aprovechó su salto al arzobispado toledano para imponer el deber de residencia, la catequesis de los niños en las parroquias y hasta la anotación de los nacimientos y de las comuniones, poniendo en marcha esos registros de libros sacramentales que tan preciosa fuente son hoy para los historiadores.

Si todo ello fue importante, aún lo fue más la fundación de la Universidad de Alcalá de Henares, de la cual la vieja madrileña se considera justamente heredera. Empresa cultural que está unida a la obra renovadora del ambiente espiritual y religioso. En efecto, cuando Cisneros crea los Estudios de Alcalá no piensa en otra institución similar a las tradicionales de Salamanca o Valladolid, sino en un centro dedicado especialmente a los estudios escriturarios, con un fuerte complemento de las lenguas clásicas. No quería aumentar, en suma, la serie de teólogos al corte escolástico o el número de juristas; para eso estaban las antiguas. Lo que él deseaba era la forja donde se moldease el clero futuro, las promociones de los que habían de vivificar la Iglesia hispana, de acuerdo con las necesidades de la época. Era, por lo tanto, un centro universitario de corte humanista, de ese humanismo cristiano que preconizaban en los Países Bajos Erasmo y Juan Vives, y en Inglaterra, Tomás Moro. No hay que olvidar, a este respecto, los afanes de Cisneros para que Erasmo enriqueciese el claustro universitario de Alcalá con su magisterio. Y aunque no lo consiguiese, su intento marca la línea en la que deseaba poner a su fundación. Fiel a esa impronta, Alcalá de Henares se transformaría en el vivero del erasmismo español, que tanta importancia alcanzaría a lo largo del siglo XVI. Conforme al sistema español, Cisneros creó al tiempo un Colegio universitario, con categoría de colegio mayor, al que denominó de San Ildefonso; fundación que estaba en la línea de la realizada por su antiguo protector, el cardenal Mendoza, en Valladolid, con el Colegio de Santa Cruz. Como en aquel caso, también Cisneros piensa en la institución que dé cabida al estudiante pobre, merecedor por sus dotes de tener acceso a la cultura. Estaba, por ello, en la línea del mejor mecenazgo, llevado a cabo por las grandes figuras de la Iglesia española desde que el cardenal Albornoz hubo dado la pauta a mediados del siglo XIV, con su célebre fundación del Colegio de los Españoles de Bolonia.

Los pecheros

Después de referirnos a los dos estamentos privilegiados, la nobleza y el clero, corresponde hacerlo al estado llano, entonces llamado de los pecheros porque, al no tener privilegios que los liberasen de sus deberes frente al fisco, les correspondía pagar el pecho o servicio que las Cortes votaban a favor de la Corona. Conforme a un esquema tradicional, se entendía que cada uno de los grandes sectores sociales debía contribuir a la comunidad y, por ende, al Estado, personificado en la figura del Rey: la nobleza con su participación en la guerra, el clero orando y el estado llano con su trabajo. Pero claro está que este estado llano, que constituye la inmensa mayoría del país (por encima del 90 por 100 de la población), tiene características muy distintas según viva en la ciudad o en el campo. Por eso a este tercer estamento habría que estudiarlo en dos apartados según el marco de su residencia.

Además, al enfocar este estamento, tanto en la ciudad como en el campo, nos encontramos también con toda una gama de escalones sociales marcados por la economía, sin olvidar que, al estudiar su influencia respectiva, nos tropezamos de nuevo con la acción y la presencia de los miembros de los estamentos privilegiados. No se trata, por lo tanto, de hablar de las ciudades como la representación colectiva de un tercer poder, al margen de la nobleza y del clero. Ahora bien, habría que puntualizar si esas ciudades estaban en manos de un patriciado urbano (y, por lo tanto, de esos caballeros de «media talla» a que aludía el Lazarillo) o bien de representantes del comercio y de la industria de cada urbe. Podríamos ya adelantar que la fuerza de los Monroy o los Maldonado en Salamanca, por ejemplo, es innegable; por ello, al hablar de las ciudades hay que tener en cuenta ese estamento nobiliario. Su fuerza es mucho mayor conforme se avanza hacia el sur, especialmente en Murcia y Andalucía.

Si eso es así en relación con la nobleza, a la que nunca hay que olvidar cuando se habla de la ciudad, algo semejante habría que decir respecto al clero. Ya habrá ocasión de hacerlo cuando se trate de la posición del cura en el ambiente rural, pero también hay que señalar su influencia en el medio urbano. El obispo era entonces una potencia impresionante, todavía mucho más destacada cuando su sede radicaba en un pequeño núcleo urbano como Astorga, Sigüenza o Coria. Puede decirse entonces que la fuerza que suponía la curia eclesiástica era omnipotente y no se hallaba equilibrada por ninguna otra.

Por otra parte, si hemos de tratar de las clases urbanas no podremos hacerlo generalizando, dadas las grandes diferencias que había entre las ciudades hispanas de la época del Renacimiento. En la Corona de Castilla se pueden distinguir tres tipos de ciudades, que se diferenciaban grandemente entre sí. Al norte nos encontramos con una serie de ellas, en su mayoría vinculadas al mar, desde La Coruña a Bilbao (con las dos excepciones de Santiago de Compostela y Oviedo, la primera marcada con un signo religioso y la segunda con el político de ser cabeza de la cuna de la Reconquista). Esas ciudades son pequeñas, pero tienen un marcado ritmo económico derivado del movimiento de su puerto. En segundo lugar nos encontramos con las meseteñas, las que crecen a lo largo de los siglos medievales a la sombra de la guerra. Emplazadas en puntos fuertes de la altiplanicie, su primera condición es la estratégica: dominar un río que se concibe aquí más como foso que como arteria de comunicaciones; recordemos el caso de Soria o Zamora sobre el Duero, de Ávila en las estribaciones del Sistema Central, de Cuenca o de Toledo. En tercer lugar nos hallamos, en fin, con las cabeceras de los antiguos reinos musulmanes del Mediodía español: Murcia, Jaén, Córdoba y Sevilla. Son ciudades ubérrimas que han ido atesorando en el transcurso de los siglos los testimonios de su opulencia.

En cuanto a la Corona de Aragón, sus ciudades tienen ante todo el sello político de ser cabeceras de los tres reinos, pero dos de ellas (Barcelona y Valencia) también tienen la nota mercantil derivada de la actividad de sus puertos, de forma que en ellas se reflejan también los altibajos de la proyección del Levante español sobre el Mediterráneo. De todas formas, lo más significativo es el auge de Valencia en esta época. Durante este período Barcelona va menguando, demográfica y económicamente, mientras que Valencia logra un proceso de signo inverso. ¿Afecta más a Barcelona la pérdida, en 1492, de su minoría judía? ¿Se contrae, dolorosamente, ante la pérdida de su capitalidad?

A mi entender, la gran diferencia que cabría establecer entre las ciudades hispanas de este período viene dada por el signo religioso más que por el económico. Aunque el pueblo hispanojudío marque su impronta en barrios determinados —las aljamas, donde concentra su población—, no existe una ciudad que podríamos denominar de tipo judío, pero sí las que responden a una sociedad cristiana o musulmana. Hoy día nos queda aún la imagen de unos barrios de intrincadas callejuelas de corte musulmán. Hay que pensar lo que podría suponer esa estructura externa cuando, además, la ciudad estuviera habitada por una población mayoritariamente musulmana. Este era el caso de las ciudades del antiguo reino granadino: Granada o Málaga, Guadix o Baza, Ronda o Almería. En esa zona las casas, las calles y la población cristiana eran minoritarias y la nota predominante era la musulmana. Cuando los viajeros de la época del Renacimiento, un Münzer o un Navagero, aluden a ellas, nos transmiten una estampa que está llena de un exótico color musulmán. En contraste, tanto las norteñas como las meseteñas tenían un carácter marcadamente cristiano y su modelo podía ser tanto Vitoria como Ávila o Salamanca. Pero una convivencia de tantos siglos entre cristianos y musulmanes tenía que reflejarse también en el mundo urbano. De ahí que una serie de ciudades posean un carácter mixto en donde los barrios que responden a la sociedad cristiana están superpuestos a los anillos de callejuelas de tipo musulmán; ese es el caso tanto de Toledo como de Córdoba o Sevilla. Y eso hay que recordarlo, porque la población musulmana, en creciente número al sur del Tajo, marca allí una distinción, una escala social; por supuesto, el más ínfimo escalón social, en una situación que a veces raya en la esclavitud.

Esto se halla en relación con uno de los grandes interrogantes de la historia de aquella época: su población. ¿Cómo es posible afirmar que la población morisca en la Corona de Castilla no llegaba a los cien mil habitantes? Por el contrario, andaría muy cerca de los tres cuartos de millón, cifra que nos orienta sobre los contrastes que podían verse en la vida urbana.

Otra de las ideas que hay que desechar es la de que la ciudad supone tanto como una febril vida económica dirigida por activos mercaderes y secundada por laboriosos artesanos. Esa incipiente clase burguesa solo tiene cierta importancia en algunos casos concretos: en Sevilla, por supuesto, que canaliza la mayor parte de las relaciones económicas con el exterior y que incrementará su importancia con el creciente comercio de Ultramar derivado del descubrimiento de América. También habría que recordar el caso de Burgos, que centralizaba el mercado de las lanas y su exportación a los mercados europeos. Podríamos mencionar, asimismo, a Bilbao, puerto norteño adonde llegaban las lanas castellanas y que exportaba a su vez su hierro, del que tan necesitada estaba la naciente industria del norte de Europa. También habría que citar, desde luego, a la opulenta Valencia, de cara al Mediterráneo. En cuanto a apellidos que hagan sentir su poderío económico, y que permitan a sus poseedores tutearse con los más prestigiosos linajes, pocos son los que pueden recordarse: tales los Ruiz de Medina del Campo o los Espinosa de Sevilla.

En general, el núcleo más activo, de cara a las empresas económicas, en estas agrupaciones urbanas viene siempre dado por los conversos. Pero habría que añadir que sus conexiones con la alta nobleza eran bastante estrechas. Así lo pudo demostrar para el caso de Toledo Benito Ruano, poniendo de manifiesto la alianza entre el conde de Cifuentes y los conversos de aquella ciudad a mediados del siglo XV.

Cuando se estudia la estructura de una ciudad en la España del Renacimiento lo frecuente es encontrarse con algunos linajes de caballeros de «media talla» controlando casi por completo el poder municipal, con algunos mercaderes (cuyo número, naturalmente, aumenta en los principales núcleos mercantiles ya citados) y con una masa de población artesana dividida en un sinnúmero de oficios. En general, estas profesiones agremiadas apenas si daban para malvivir. Y en relación con ello estaba el tipo de edificación: una mayoría de casas humildes y solo de cuando en cuando el portalón de la morada de una casa nobiliaria, con su escudo. Por supuesto, la presencia del clero se hacía notar también por todas partes por las iglesias y los conventos, a los que hay que añadir la gran catedral en las cabezas episcopales. A su vez, la alta nobleza tenía sus palacios urbanos: el Condestable en Burgos, el Almirante en Valladolid y los Monterrey en Salamanca. Sin embargo, eran más bien lugares ocasionales de residencia que permanentes, pues preferían vivir más frecuentemente en el centro de sus dominios señoriales; a esas preferencias debemos los palacios renacentistas medio por medio del agro castellano, como el del conde de Miranda, en Peñaranda de Duero. Por lo tanto, también la influencia de la alta nobleza en la ciudad hay que tomarla como más bien ocasional que permanente. Tenían, sin duda, sus partidarios, pero no constituían más que un sector de la ciudad y probablemente sin una influencia preponderante.

Si hubiera que dividir la población por su condición de urbana o rural, tendríamos que asignar una inmensa mayoría a la población campesina, que algunos autores colocan por encima del 80 por 100. De todas formas, en aquella época la distinción no era excesivamente clara, puesto que la nota distintiva no venía dada por un número determinado de personas: en el norte, agrupaciones de dos o tres mil habitantes tenían un marcado carácter urbano (como eran los casos de Oviedo o de Santander), mientras que en el sur había comunidades rurales que sobrepasaban con creces esas cifras: Ocaña, con más de doce mil, y cifras semejantes Lucena y Aracena. Había villa con voz y voto en Cortes, como Madrid, que bajo los Reyes Católicos tenía un marcado aire rural (pese a que contara con alcázar regio), y pequeñas comunidades con barrios de espaldas al campo; al menos eso habría que pensar de la comunidad hispanojudía de Hervás y, en general, de la serie de aljamas repartidas por las dos Castillas entre Briviesca y Ocaña o Toledo. Habría que añadir, en las ciudades, la serie de desocupados que proliferan en una sociedad cuyas apetencias nobiliarias dan ya un signo despectivo al trabajo. Cuando ese desocupado no tenga, como soporte, una situación económica que le permita vivir de sus rentas, irá a engrosar el número de los desheredados, de quienes más adelante hemos de hacer referencia.

En cuanto al campo, también la nota religiosa permite establecer una gran diferencia ente el aragonés, valenciano o granadino (de marcada población musulmana), con el agro catalán o meseteño, habitado por una población cristianovieja. En todo caso, la figura del cura rural da una nota de uniformidad. Este personaje es no solo el cura de almas, sino también, con frecuencia, la figura más ilustrada del lugar, pues tiene unas letras, ha pasado por unos estudios eclesiásticos y a veces incluso por la Universidad. Se erige, por lo tanto, por su autoridad moral y sus conocimientos, en el asesor de sus feligreses, cuando no en el juez de paz que soluciona sus conflictos. Es también el receptor de unos diezmos eclesiásticos que nadie le discute, si bien no sabemos en qué medida ese caudal económico afluye a la cabeza del obispado y en qué otra queda en la misma comunidad rural cuya vida espiritual dirige.

También en el campo español la Reconquista ha ido marcando sus notables diferencias. Este campo no ha evolucionado de igual manera en el norte, en el centro o en el sur de la Península. En el norte la propiedad está muy repartida; en Galicia esa propiedad está con frecuencia en manos del clero, tanto secular como regular, y sobre la base de una explotación de la tierra realizada por colonos que trabajan pequeñas parcelas. En Asturias también se da el minifundio, pero en este caso controlado económicamente más por la pequeña nobleza que por el clero. En todo caso, toda esta España húmeda está sumida aún en la mayor pobreza, dado que su campo no cosecha ni trigo ni vino —al menos en cantidad y calidad aceptables— y dado que aún no se ha transformado con los cultivos del maíz o de la patata, tan típicos del Barroco y de la Ilustración. Asturias tiene, además, la característica muy marcada de una población sin vestigios apenas de elementos judíos ni musulmanes, y este es el mismo caso de Santander, de las provincias Vascongadas y de toda la España pirenaica, en contraste aquí con la zona del Ebro.

En las dos mesetas nos encontramos con el tipo de villano rico, que pretende acaparar los cargos concejiles y al que se le ve en manifiesta rivalidad con el hidalgo rural; un hidalgo cuya tendencia al absentismo y a refugiarse en la ciudad ya hemos señalado.

En esa zona la nota religiosa viene dada predominantemente por el cristiano viejo. Al contrario, tanto las vegas más feraces de la cuenca del Ebro a su paso por Aragón como el campo valenciano vienen señalados por la existencia de comunidades rurales de signo musulmán y dominadas por grandes señores. Aquí la ciudad está en doble contraste con el campo: la ciudad es de realengo, el campo de señorío; la ciudad es cristiana y el campo musulmán. Andalucía abarca los dos aspectos anteriormente reseñados: mientras la occidental sigue las directrices de la Meseta, el reino granadino tiene la misma estructura que el campo valenciano.

Ahora bien, conforme avanzamos hacia el sur nos encontramos cada vez más con un elemento predominante que da una nota singular al campo español: el bracero. Esto es, aquel que no tiene más bien de fortuna que sus propios brazos, que no posee ni el más pequeño palmo de tierra, ni tampoco la cultiva de una forma permanente como colono, sino que está a la espera de ser llamado para las faenas de mayor importancia en los meses de la recolección. Ese bracero, cuyo número ya es importante en Castilla la Nueva, aumenta notoriamente en los grandes latifundios del Mediodía andaluz. Con él nos ponemos en contacto con la España de los desheredados.

Los desheredados

Una de las cuestiones más propias de esos principios de la Edad Moderna y que más impresionan es el gran número de desheredados que, por un motivo o por otro, aparecen marginados de la sociedad. Algunos son de todos los tiempos, otros propios de aquellos del Renacimiento, pero unos y otros son muy numerosos. Quizá sea este el detalle más a tener en cuenta: que la masa de los desheredados suponga tanto, en su conjunto, en relación con el resto de la sociedad. A lo que hay que añadir que sus condiciones de vida fuesen tan ásperas, alcanzando extremos que difícilmente pueden imaginarse. Las dos grandes partidas son los pobres y los delincuentes, guardando por otra parte entre sí una notable correspondencia, de forma que muchos pobres delinquían ocasionalmente y la mayoría de los delincuentes procedían del seno de la pobreza. Ya veremos las particulares condiciones de vida del pobre y hasta qué punto constituía un mal endémico en aquella sociedad. En parte porque, descontando un grupo minoritario que estaba al resguardo de cualquier vaivén de fortuna, el resto del cuerpo social tenía una vida económica tan frágil que cualquiera podía caer en la pobreza. Así pues, se veía el estado de pobreza como algo natural al que era difícil escapar o, al menos, en el que era muy fácil caer. Por eso los casos extremos que parecen extraídos de narraciones infantiles (que aquí dejan el recuerdo de situaciones pasadas) eran entonces una realidad: por ejemplo, la posibilidad de que una familia acosada por el hambre tratara de desembarazarse de sus hijos. Veremos también cómo la mentalidad de la época, con su particular sentido del honor, fuerza a innumerables casos de hijos ilegítimos abandonados a su suerte, que formarán un capítulo de estructura social: los expósitos. Aquí encaja también la referencia al cautivo, el pobre que por haber perdido su libertad y carecer de bienes de fortuna no tiene esperanza de recobrarla; es un lastimoso mal que aflige a no pocas familias, especialmente en el sur y en la zona levantina. En cuanto al mundo de la delincuencia, hay que señalar la dureza de un sistema judicial que castigaba los más pequeños delitos contra la sociedad con las más terribles penas, mientras que los homicidios, por verse mezclados en ellos con frecuencia los miembros de la nobleza, quedaban justificados con suma facilidad o caían bajo penas simbólicas. En este mundo de la delincuencia nos encontramos, además, con el galeote, que es más una necesidad social que un castigo contra el delincuente. La sociedad del Renacimiento (como la medieval e incluso como la barroca) necesita galeras, porque esta es la nave del comercio y aún más de la guerra en el Mediterráneo; ahora bien, la galera no se mueve sin galeotes. Partiendo de ese esquema tan sencillo se puede comprender que los Estados ribereños con el *Mare Nostrum* no duden en forzar a sus justicias para que condenen nimios delitos con la pena de varios años a cumplir en galeras. Finalmente, digamos que estamos ante una sociedad esclavista, entendida en el estricto sentido de la palabra, es decir, una sociedad que admite la existencia del esclavo y que posee esclavos. Tanto Sevilla como Valencia son mercados de esclavos. Y si bien la economía peninsular no descansa exactamente sobre la mano de obra esclava, sí hay que decir que esa economía de la metrópoli está enlazada a la de las colonias de Ultramar, las cuales tienen una economía básicamente esclavista.

Por todo ello se puede comprender hasta qué punto el tema de los desheredados tiene importancia dentro de la sociedad española del Renacimiento, y hasta qué punto le da matices tan peculiares que la singularizan cuando se la pone en contraste con nuestros tiempos.

Pobreza y mendicidad. En cuanto a los pobres, Luis Vives, que vivía en los Países Bajos, cuyo nivel de vida entonces era el más alto de Europa, se creyó, sin embargo, obligado a escribir todo un tratado que titula Del socorro de los pobres. Él mismo nos relata la estampa del mendigo importuno que hace mercancía de sus llagas y enfermedades para excitar la piedad del cristiano. Primeramente piden con suma procacidad e importunidad,

> más por alcanzar a viva fuerza que por ruegos...

y más adelante añade:

> ... pordioseando sin ningún miramiento del dónde ni del cuándo, en la misma celebración del sacrificio de la Misa, no dejan a los fieles venerar, atenta y piadosamente, el Santísimo Sacramento; se abren paso a través de las más apiñadas multitudes con sus llagas repugnantes, con el hedor nauseabundo que exhala todo su cuerpo. Tan grande es su egoísmo y el desprecio que sienten por la ciudad es tan agudo, que no se les da nada de comunicar a los otros la virulencia de sus enfermedades, no habiendo casi ningún género de mal que no tenga su contagio. Y no es esto solo: de muchos se ha averiguado que con ciertos medicamentos se abren y ensanchan las úlceras para producir más lástima en los que los ven. Y no solamente por la avidez

de la ganancia afean ellos sus propios cuerpos, sino los de sus hijos y otros niños que a veces piden prestados o alquilados para llevarlos por todas partes. Yo sé de una gente que los llevaba hurtados y raquíticos por conmover más los sentimientos de aquellos a quienes piden limosna. Otros hay con salud entera e integridad física que simulan enfermedades varias; quienes, si están solos o les sobreviene de repente una necesidad, muestran hasta qué punto no están enfermos.

Si esta era la situación en los Países Bajos, ya se puede comprender cuál sería la de España, cuya prosperidad era mucho menor. La base principal de la economía era la agricultura, y un año de mala cosecha era ya un problema difícil de resolver, porque las lentas y costosas comunicaciones de la época no hacían muy factibles las importaciones de víveres que aliviasen la penuria general. Dos años seguidos de sequía traían el hambre y tres provocaban la catástrofe. Las ciudades del interior podían encontrarse bloqueadas por la distancia y abocadas a la mayor necesidad. Un documento del hospital de la Orden de Santiago de Cuenca nos revela la erosión provocada por dos años de malas cosechas en aquella región a mediados del siglo XVI: los que tenían algo cayeron en la indigencia; ¡cuál no sería la situación de los indigentes! El mismo hospital se consideraba obligado a asistir a los que se hallaban en la cárcel, para que no pereciesen de hambre

En otras ocasiones no eran las sequías, sino las inundaciones, las que destruían las cosechas, cuando no las plagas de langosta, contra las cuales no tenía recursos la técnica de la época y que solo desaparecían al morir por haber consumido todo el alimento a su alcance: triste consuelo, porque era señal también de que habían devorado toda la cosecha. En tales casos poblaciones enteras se lanzaban al camino para buscar un remedio fuera de sus lugares, y así familias enteras podían convertirse de la noche a la mañana en pobres multitudes mendicantes. Andrés Bernáldez nos refiere cómo, después de unos años de sequías y de inundaciones, el de 1506 fue de muy gran hambre por toda Extremadura y Andalucía. Y nos cuenta:

> ... despoblábanse los lugares y las villas, e dexadas sus casas e naturalezas se iban los hombres e las mujeres de unas tierras en otras, con sus hijitos a cuestas, por los caminos, a buscar pan, e con otros por las manos, muertos de hambre; demandando por Dios a los que lo tenían, que eran muy grand dolor de ver. Y muchas personas murieron de hambre, y eran tantos

los que pedían por Dios en cada lugar, que acaescía llegar cada día a cada puerta veinte e treinta pobres, hombres y mujeres y muchachos. Comían carne y pescado, hierbas e frutas, cuando lo podían haber, sin pan, en lugar de pan; de donde quedaron infinitos hombres perdidos y en pobreza, perdido cuanto tenían para comer.

Hambres que traían pestes que atacaban a aquellas multitudes debilitadas y hambrientas.

E fue tanta que en los más de los pueblos, de las cibdades e villas e lugares, murieron medio a medio, y en algunas partes murieron más que quedaron y en parte hubo que murieron más de dos veces que quedaron. Y por la mayor parte morían más los flacos acicionados e los que habían estado de modorra e de otras enfermedades, e los cetrinos amarillos que no los sanos.

Andrés Bernáldez era gran observador y con justeza relacionaba al debilitado ya por el hambre y al enfermo con el que perecía a causa de la peste. Observa también cómo a las mujeres preñadas atacaba sin remedio, mientras las que estaban criando escapaban con más facilidad. En todo caso, las ciudades, con su escasa higiene y carencia de alcantarillados adecuados, eran focos pestíferos que obligaban a buscar la salvación en la fuga.

Todo esto fue general en España —termina el cronista— especialmente en Castilla y en León. E moríanse por los caminos e por los montes y en las campiñas, y no había quien los enterrase. Huían los unos de los otros, y los vivos de los muertos, y los vivos unos de otros, por que no se les pegase. Moríanse también muchas gentes de hambre. E acaescia hallar muchas mañanas en la plaza de San Francisco de Sevilla diez, doce, veinte e treinta pobres muertos de pestilencia e hambre, y enterrábanlos todos juntos en un hoyo... ca desde el tiempo de san Laureano, arzobispo de Sevilla..., nunca tan grandes estragos de pestilencia e hambre se halla que fuesen en España.

No es de extrañar que el cronista, testigo y superviviente de aquellos terribles años, se considerase como aquel que ha logrado salir libre después de un gran combate:

... los que quedaron ansí les parescía como aquel que escapa de una batalla, de entre muchas espingardas y saetas y lanzadas. Nuestro Señor sea loado por siempre.

En estas condiciones no es de extrañar que el Lazarillo de Tormes califique el arca del cura de Maqueda, donde el clérigo guardaba las hogazas de pan, de «mi paraíso panal». Hay que entender, pues, que el pobre se consideraba una estampa inevitable, una situación que en cierto sentido había que respetar, porque el más pintado podía caer en ella, si es que no era Grande de España; e incluso así, cuando el peligro de contagio de la herejía podía hacerle perder sus bienes a manos de la Inquisición. Al pobre se le ve pedir por todas partes e importunar con sus ruegos en cualquier sitio, pero especialmente en los de devoción: en las puertas de las iglesias o en las ermitas del campo los días de romería. Pide no solo porque está apremiado por la necesidad, sino también porque se cree con derecho a pedir; y porque, en aquella lonja de cambios, también tiene algo que ofrecer: su oración. Nadie más cerca del cielo que el pobre, según rezan los textos evangélicos; por lo tanto, la oración del pobre era un valor digno de ser tenido en cuenta por una sociedad tan impregnada de sentimientos religiosos. Lo que ocurre es que pueden pasar dos cosas: la primera, que haya un pobre vergonzante que prefiera morirse de hambre antes de solicitar socorro y, a la inversa, que gente que, pudiendo valérselas sin necesidad de acudir a la mendicidad, prefiera, sin embargo, la holgaza al trabajo, simulando algún mal incurable. Eso ya lo sabía la sociedad. Los pobres de día, ciegos y tullidos, ocurría más de una vez que veían y andaban cuando caía la noche. Pero, aun así, se imponía el respeto hacia el pobre que pedía socorro. Otros, como en el caso del ciego del Lazarillo de Tormes, aunque verdaderamente afectados por un mal incurable, no cumplían con la segunda parte, que era la de hacer aquellas oraciones que habían prometido a trueque de la limosna:

> ... también él abreviaba al rezar —leemos del ciego en el *Lazarillo*— y la mitad de la oración no acababa porque me tenía mandado que, en yéndose el que la mandaba rezar, le tirase por cabo del capuz. Yo así lo hacía. Luego él tornaba a dar voces diciendo: «¿Mandan rezar tal y tal oración?», como suelen decir.

Por supuesto, las había para los casos más inesperados, porque eso formaba parte de su oficio. Y así Lazarillo nos comenta admirado:

En su oficio era un águila: ciento y tantas oraciones sabía de coro.

Es imposible, por supuesto, dar una cifra, ni siquiera aproximada, del número de mendigos, porque a los de oficio habría que añadir, además, los que pedían obligados por la necesidad en los años de pésimas cosechas. En todo caso, podría señalarse, a modo de orientación, que los enjambres de mendigos en las ciudades y en los pueblos fueron un mal de España hasta muy entrada la Edad Contemporánea, alcanzando casi a nuestros días. No cabe duda de que a ello contribuía también el peyorativo sentido que se tenía del trabajo y, por ende, la tendencia general a la holganza.

Cautivos y esclavos. Muy cerca del pobre se encontraba el cautivo, un personaje de singular importancia en la España del Renacimiento (que, evidentemente, encontramos antes y después de esa fecha). Porque el cautivo tenía que esperar su libertad de la labor redentora de Órdenes religiosas como la de los mercedarios o la de los trinitarios, y esta podía retrasarse si la familia carecía de bienes de fortuna con los que pagar su rescate. El cautivo se encontraba privado de uno de los bienes mayores que puede tener el hombre y que, en cierto sentido, estaba al alcance del pobre: la libertad. El estado de guerra constante que existía entonces entre la Monarquía Católica y las potencias musulmanas del norte de África hacía que con mucha frecuencia se pudiese caer en el cautiverio, cuando no en la esclavitud. Pues aparte de las acciones bélicas a gran escala se desarrollaba una constante piratería, tanto por parte musulmana como por parte cristiana, que en este caso afectaba a los viajes marítimos. Las naves que iban hacia Italia, saliendo del Levante español, preferían ir costeando, aunque con ello dieran un gran rodeo, no solo por miedo a las tormentas que las pudieran sorprender en alta mar, sino por el peligro mucho más serio del abordaje de una nave marroquí, argelina o turca que obligase a sus pasajeros a pasar del estado libre al del cautiverio. Añádase, además, la particular condición del Levante y del sur, con una abundante población morisca que facilitaba las entradas y enseñaba los pasos a los asaltantes que procedían del norte de África, los cuales, aprovechando las noches, hacían incursiones tierra adentro y cargaban con el botín que encontraban al paso, ya fueran bienes muebles, animales o la misma población cristiana.

A principios del siglo XVI la ciudad de Almería indicaba al Consejo Real el extremado peligro en que se hallaba de un asalto enemigo, por lo solitario de la tierra y por la peligrosa vecindad de los moriscos de la sierra granadina. En 1528 un fraile dedicado a estas labores de redención de cautivos describe lo que había visto en la costa marroquí: avisado de que el reyezuelo de Vélez de la Gomera tenía buen número de cautivos, acude allí, a punto para presenciar el regreso de una de esas expediciones piráticas que saqueaban entonces nuestra costa mediterránea:

> A ocho días del mes de septiembre —refiere en la relación que manda a su superior y que custodia el Archivo de Simancas— metieron otra gran cabalgada en que había noventa y tantos cautivos cristianos, la cual traían de un lugar que se dice Rojales, que es entre Murcia y Orihuela...

Debía de ser todo el poblado, con mujeres, hombres y niños, pues los habían cogido de noche «durmiendo en sus camas». Para los habitantes de Vélez de la Gomera aquel botín, que tanto duelo suponía a los cristianos, era para ellos motivo de riqueza y, por lo tanto, de alegría:

> ... fueron tantas las alegrías de los moros con gritos y alaridos, así de las moras que estaban en los terrados e moros que estaban en la cibdad con otros moros que venían con la cabalgada, tirando espingardas e alzando e abajando las banderas, como si aquel día tuvieran la mayor victoria del mundo.

En contraste, para el cristiano era terrible la desoladora estampa de los cautivos:

> Cuando yo, padre, salí de la posada —sigue refiriendo el fraile— e vi entrar la cabalgada, e vi los tristes cautivos e todos con los pescuezos e las manos atadas, e las mujeres con los hijos a las tetas e con otros hijos alrededor asidos de las haldas, ya vuestra reverencia puede pensar lo que mi ánima sentiría y ansí mesmo los cautivos cuando me vieron, y llorando por su pena... alzaron todos tan gran grito y alarido de lloro cuanto en tal caso ni se puede pensar...

Cuando los frailes redentores conseguían su propósito y volvían con buen número de rescatados, la fiesta y acogida que se les hacía eran tan grandes que por ellas se echa de ver cómo la sociedad vivía aquel drama, el drama del cautivo:

> Salió la ciudad en procesión... tiraron las galeras e de la fortaleza [2] de la ciudad [de Gibraltar] no parescia sino el día del juicio.

En otras ocasiones, una gran victoria de las armas cristianas podía reportar la libertad a miles de cautivos: este fue el caso cuando las tropas de los Reyes Católicos van tomando las ciudades del reino nazarí de Granada, en especial en Ronda, Málaga y Granada. En cambio, en otras ocasiones el lance no era tan afortunado, como el de aquella familia que se pasa años enteros tras las huellas del padre cautivo sin poder encontrarlo hasta pasados los años, y cuando al fin consigue el dinero para el rescate les llega la noticia de que el triste había fallecido.

En relación con el cautiverio podría hablarse del esclavo, en cuanto que supone en cierto modo su contrapartida. En efecto, el esclavo es, en la mayoría de los casos, un apresado en la guerra contra el infiel, del que no se espera obtener rescate alguno, dado que la sociedad musulmana no tenía organizado un sistema semejante al de las Órdenes redentoras de mercedarios y trinitarios.

La base ideológica de la esclavitud es una herencia de la Antigüedad y viene sustentada en la autoridad de Aristóteles. La formulación que había hecho el filósofo griego del esclavo como algo inherente a la propia naturaleza humana había calado muy hondo, por el magisterio que la Iglesia católica había atribuido a Aristóteles y por la reverencia que los hombres del Renacimiento sentían a todo lo que procedía de la Grecia clásica. Es cierto que Aristóteles se había formulado con mayor profundidad el problema de la esclavitud y la había hecho arrancar, teóricamente, de la diferencia de capacidad entre los diversos hombres Para él había un tipo humano que había nacido para mandar y otro de inferiores cualidades discursivas, cuya función mejor era la de obedecer. Ahora bien, dado que el fenómeno de la esclavitud se producía en la guerra, como un derecho de conquista, el resultado era que cualquier fuerte guerrero del pueblo vencedor podía pasar sin más a enseñorear las élites del pueblo vencido; y como la situación se hereda-

---

[2] «Tiraron», se entiende, disparos de sus cañones.

ba, el hijo de ese vencedor, por muy pobres condiciones espirituales que tuviese, era el amo de aquellos que habían nacido en la esclavitud, aunque en su tiempo hubieran sido hijos de príncipes. En realidad, lo que Aristóteles venía a dar era una justificación intelectual a un viejo problema que arrancaba de las sociedades más primitivas, pues el derecho a disfrutar de los bienes del vencido ha sido tan antiguo como el principio de la guerra, y el primer valor económico que tiene un pueblo es el mismo hombre. Lo que había ocurrido, a lo largo de la Edad Media, es que la Cristiandad había cambiado esa costumbre, dulcificándola entre los países cristianos, donde el enemigo vencido se convertía en prisionero que podía ser objeto de rescate, pero nunca en esclavo. Por el contrario, la guerra contra el infiel seguía dando pie a la esclavitud. Ahora bien, la mayoría de los esclavos con los que nos encontramos a principios de la Edad Moderna no proceden del campo musulmán, sino del África negra. Los árabes habían organizado un comercio de esclavos negros desde los más remotos tiempos, y eso seguía perdurando cuando alborea la época del Renacimiento. En realidad, la raza negra venía a ser sinónima de esclava, y así en un documento del siglo XVI puede leerse:

Es color mulata, como esclavilla.

Es precisamente el ansia de poseer esclavos, como un bien de fortuna, lo que empuja en buena medida a los portugueses a las empresas atlánticas, bordeando la costa africana; ciertamente hay otras razones, sin olvidar las espirituales —la expansión de la fe—, y alguna bien poderosa, como la necesidad de obtener oro. Pero la esclavitud anda también en juego. Los historiadores de las islas Canarias saben también hasta qué punto el problema de la esclavitud está en relación con los esfuerzos de los primeros conquistadores de aquellas islas. Por otra parte, los cultivos tropicales de las islas del Atlántico, que pronto implantan portugueses y castellanos, van a ser realizados con mano de obra esclava. Ya hemos visto cómo a comienzos del siglo XVI, cuando la dominación de las Indias occidentales empezaba a ser un hecho, Fernando el Católico ordenaría a sus oficiales de la Casa de Contratación que metieran negros a trabajar en las minas para sacar oro, porque eran más fuertes que los indios; antes, pues, que fray Bartolomé de Las Casas promueva el desplazamiento del indio por el negro en las faenas esclavas, ya comienza a ser una realidad con el Rey Católico. Por lo tanto, la cuestión de la esclavitud, que era ya una realidad que procedía de la Edad Media, se incrementa y se hace mucho más acuciante conforme avanza el proceso de colonización de nuevos mundos, cuyas riquezas van a ser conseguidas sobre todo a base de mano de obra esclava. La legislación, tanto de los Reyes Católicos como de los monarcas de la Casa de Austria, procurará defender al indio, pero solo será a costa de sacrificar al negro africano.

De ese modo, a la antigua corriente de esclavos procedentes en su mayoría de los puertos del Mediterráneo va a unirse ahora esta otra de cara al Atlántico, con vistas a la expansión económica de las colonias de Ultramar. Y esto se ve muy pronto en la España del Renacimiento. La guerra de Granada produce buen número de esclavos, que hay que colocar en la línea de esa corriente mediterránea. Pues aunque no siempre la victoria sobre el infiel trae consigo ese resultado (en ocasiones se lograrán rendiciones pactadas: tal es el caso de Baza, como lo será el de la misma capital, Granada), en otros casos la encarnizada resistencia del hispanomusulmán lleva al vencedor a castigarlo con la extrema pena de la esclavitud, y esta será, por ejemplo, la suerte de los vencidos en Málaga. Sabemos que después del alzamiento de los moriscos granadinos en la sierra de las Alpujarras, a finales del siglo XV, bajo Fernando el Católico, la campaña de represión llevada a cabo por el Rey traerá consigo buen número de esclavos. Asimismo, cuando Cisneros promueva la conquista de Orán, el resultado será un nuevo eje político y económico establecido entre Cartagena —el puerto de donde arranca la expedición conquistadora— y Orán, que es la plaza conquistada, y ambas ciudades se convierten al punto en mercados de esclavos. El mismo Cisneros escribía desde Cartagena a su secretario Ayala:

> ... escribo a Valencia y a toda esta costa y comarcas para que luego vayan a vender provisiones —a Orán, se entiende—, porque es cierto que tienen tanto dinero y riqueza que es maravilla, y por ir a comprar esclavos ya comienzan a ir y a cargar provisiones...

De esa corriente esclavista vinculada al Mediterráneo, Valencia era la plaza principal donde radicaba el más importante mercado de esclavos, bajo los Reyes Católicos, como pudo comprobarlo Vicenta Cortés; aquí también, por supuesto, el esclavo negro es el más abundante, hasta alcanzar proporciones del 80 por 100 sobre el total. En todo caso, este movimiento esclavista estará en relación con la fortuna de nuestras armas en su forcejeo con las potencias musulmanas que dominaban el norte de África, y con el mismo gran Turco, al que pronto se le verá aparecer en dicho escenario. Toma, por lo tanto, un impulso con la expansión norteafricana conseguida por Fernando el Católico entre 1508 y 1510, con un máximum que se alcanza con la conquista de Trípoli. La muerte de Fernando el Católico y la audaz ascensión, como estrella política de primera magnitud, de Barbarroja, dueño de Argel desde 1516 (el mismo año de la muerte del rey Fernando), supone una contracción que se prolonga durante los primeros años del reinado de Carlos V. Por lo tanto, en su conjunto la época del Renacimiento tiene dos etapas de signo distinto. La primera, que es la que se corresponde con los Reyes Católicos, de claro predominio sobre las potencias musulmanas colindantes y, por ello, de ritmo esclavista cada vez más creciente; mientras que bajo Carlos V, salvo el paréntesis de su acción sobre Túnez, la suerte de las armas imperiales, sobre todo de su marina, en relación con el mundo musulmán, arroja un saldo negativo que trae consigo una contracción de esa corriente esclavista citada.

Si este es el resultado en relación con el puerto de Valencia, como centro mayor del mercado esclavista del Levante español, otro muy distinto es el que observamos de cara el Atlántico. Aquí la expansión castellana en la ruta de las Indias occidentales no tiene reposo, y a esa actividad trepidante del castellano hay que unir el incremento constante del tráfico de esclavos negros. El castellano salta pronto de las islas del Caribe a Tierra Firme, y su penetración, primero por la zona mexicana dominada por los aztecas, y después por la América del Sur, sede del imperio de los incas, va a traer consigo muy pronto una explotación de la riqueza de aquellas tierras, con la participación masiva de mano de obra esclava sacada del África Central. Sevilla y Lisboa se convierten en los grandes mercados de esclavos negros. El negrero afincado en Sevilla hará sus compras en Lisboa o bien organizará lucrativas expediciones al continente negro, eludiendo al intermediario árabe. Será preciso llegar a la época del Barroco para encontrar voces autorizadas que se alcen contra aquel brutal y cruel tráfico, pues el Renacimiento estará tan ciego a ese respecto que vemos nada menos que al propio fray Francisco de Vitoria justificándolo y dándolo por bueno. Es conocida su respuesta al padre Bernardino de Vic respecto hasta qué punto se podían comprar esclavos a los negreros portugueses, de los cuales se contaban verdaderas atrocidades; Vitoria rechaza que el Rey de Portugal las tolerase, por lo que no veía escrúpulo en que cualquier mercader español hiciese allí sus compras de esclavos, sin entrar en más averiguaciones:

> Basta que este es esclavo, sea de hecho o de derecho, y yo lo compro llanamente.

Tal sería su respuesta.

El tráfico de esclavos se consideraba como una regalía de la Corona y, por ello, solo se podía realizar mediante licencia regia, licencia que había de pagarse con buenos dineros. En definitiva, nos encontramos con una fuente de ingresos, nada despreciable, que se procurará incrementar cuando las necesidades sean más apremiantes. Tal era la mentalidad esclavista de la época.

Los galeotes. A su vez, y muy relacionado con el esclavo, está el galeote. En España ese galeote podía ser un esclavo, aunque más frecuentemente lo era un condenado por la justicia.

La dureza de vida del galeote era proverbial, y este personaje de la sociedad venía de la más remota Antigüedad. El Mediterráneo, con sus épocas de calmas chichas y con sus escasos vientos y la poca fuerza de sus corrientes, es el ámbito marítimo natural para que se dé en él la galera. La galera tendrá velas, para auxiliarse de ellas cuando el viento es propicio. Pero, en todo caso, tendrá remos para vencer las condiciones adversas con la fuerza del motor humano, y esos remos requerirán la existencia de galeotes. Habrá barcos dedicados al comercio, de pequeño porte generalmente, que se auxilien solo de velas. Pero las naves dedicadas a la guerra, a la piratería y, por ende, al dominio del Mediterráneo tendrán que basar su fuerza en la velocidad de movimientos en todo momento, esto es, en su autonomía. Ese tipo de nave será preferentemente la galera, que es la verdadera señora del Mediterráneo a lo largo de toda la época del Renacimiento y cuya existencia se prolongará hasta finales de la Edad Moderna. En este sentido, los problemas que plantea a los Estados la necesidad de contar con galeras son fácilmente comprensibles, puesto que una galera de tipo medio tenía cincuenta remos y precisaba de tres galeotes para cada remo, lo cual hace un mínimo de ciento cincuenta galeotes por galera, cifra que cada nave tenía que aumentar para prever los casos frecuentes de enfermedad o de bajas por accidentes naturales, que eran el pan nuestro de cada día en la dura y afanosa vida del galeote.

El Turco remediaba la escasez de galeotes poniendo al remo a los cautivos conseguidos en su guerra contra las potencias cristianas. Estaba, además, el hecho de que el Turco, gran señor de esclavos, podía echar mano de cualquiera de las poblaciones sometidas, ya que la libertad en su Imperio era solo un privilegio de la minoría otomana dominante. Pero, como con razón señalaba Ranke, los reyes de la Monarquía Católica no eran señores de esclavos, sino de hombres libres, y puesto que los esclavos conseguidos en sus guerras contra el infiel no eran muchos, siempre andaban en apuros para suministrar galeotes a las galeras. Hubo un tiempo en que se trató de remediar la situación mediante mercenarios —los galeotes «de buena boya»—, pero la vida era tan dura que el aliciente económico no compensaba los riesgos y penalidades que había de sufrir tal mercenario. Por ello, la Monarquía Católica (al igual que las demás potencias cristianas del Mediterráneo) tiene que remediar esta carencia de remeros forzando a la justicia a condenar a la pena de galera a muchos de los delincuentes, aunque sus delitos fueran pequeños. Y aun así los apuros serán constantes. Bien revelador es el caso ocurrido bajo Carlos V, cuando la marina imperial logra en una ocasión apresar unas galeras argelinas, a cuyo remo se hallaban galeotes cristianos, los cuales, en vez de hallar su liberación, se vieron con que se les obligaba a continuar en aquel estado ante la imposibilidad de encontrar quien los remplazase; penoso caso puesto en conocimiento del Emperador y autorizado por él mismo, con tal de que a los tales galeotes cristianos se les pagase como gente «de buena boya».

La galera y el galeote tienen tanta importancia en la vida del Renacimiento que sus particularidades nutren la trama de una obra de primer orden: *El viaje a Turquía,* hasta hace poco atribuida a Cristóbal de Villalón. El galeote, como tipo humano de aquella sociedad, siempre sujeto a sufrimientos y a privaciones, a castigos y a tratos inhumanos rayanos en la máxima crueldad, que cuando entraba en acción su nave se veía a merced del fuego o del naufragio con la peor de las muertes, ya que, encadenado como se hallaba, la destrucción de la nave suponía su propio final; el galeote, decimos, es una estampa más que hay que tener en cuenta para comprender la rudeza de la época. Baste recordar la frase de Cristóbal de Villalón, si él es el autor de la obra citada, para quien la vida del galeote era tal,

que cada minuto le es dulce la muerte.

Hemos puesto al galeote después del esclavo por la similitud que en muchos casos había entre unos y otros, aunque en cierta medida más bien habría que tomarlo como el exponente del final de la vida del delincuente, sujeto a la arbitrariedad de una intrincada justicia, a las penalidades de unas cárceles primitivas y a un sistema penal que basaba en el terror la reducción de los delitos. En efecto, la frágil vida económica empujaba a los escalones inferiores de la sociedad —numéricamente muy cuantiosos— a vivir al margen de la ley y en constante tentación de caer en pequeños delitos, sobre todo contra la propiedad. El terror será considerado entonces, por los sectores poderosos, como el sistema más eficaz para frenar estas tendencias. Tanto es así que para muchos de estos poderosos el tipo de juez ideal era el juez inflexible y rayano en la crueldad. Recordemos el fragmento de Guevara en el que cita el comportamiento de un juez cruel:

> Miento si no me acontesció en Arévalo, siendo yo guardián, con un juez nuevo e inexperto, al cual, como yo riñiese porque era tan furioso y cruel, me respondió estas palabras: «Andad cuerpo de Dios, padre guardián, que nunca da el rey vara de justicia sino al que de cabezas y pies y manos hace pepitoria»; y dixo más: «Vos, padre guardián, ganáis de comer a predicar y yo lo tengo de ganar a ahorcar, y por Nuestra Señora de Guadalupe, prescio más poner un pie o una mano en picota que ser señor de Ventorilla»...

Cierto que Guevara critica al juez cruel, ¿pero acaso no es notoria la severidad de Isabel la Católica en estas materias?

Otro personaje que podría ser traído aquí para completar este desolador cuadro de la España de los desheredados podría ser el del expósito, fruto del particular sentido que del honor tenía aquella sociedad, por el cual se prefería el abandono de la criatura inocente (aunque eso supusiese la muerte en la mayoría de los casos o la tara física en los supervivientes) antes que el oprobio cayese sobre el apellido de la familia. A la existencia del expósito contribuyen la presión erótica de una juventud que no tiene una salida natural a sus tendencias, la existencia del tipo de donjuán, tan valorado en los ambientes cortesanos, y la guarda del honor familiar. En este sentido, padres y hermanos son cómplices, cuando no autores materiales, del abandono de los recién nacidos cuando eran ilegítimos. Aquí frecuentemente el mentecato sentido del honor del abuelo de la criatura se impone sobre los sentimientos de la joven madre.

EL NUEVO ESTADO: LA ORGANIZACIÓN POLÍTICA

Existe una sugestiva tesis de Ortega según la cual la vida política de los pueblos se renueva al paso de carga de las generaciones, pero no al darse el relevo, sino al entrar en conflicto con el poder: una —la veterana—, tratando de seguir controlando el gobierno; la otra —la nueva ola—, pugnando por penetrar en él, desplazando a la anterior. Quince o veinte años las diferencian. Con ello se pone de manifiesto que el conflicto generacional, además de estar presente en el seno de las familias, salta también al plano público. Sin embargo, el esquema no es del todo completo, pues con frecuencia son los hombres de una misma generación los que luchan entre sí por hacerse con el poder, apoyándose unos y otros en las generaciones siguientes: son los grupos en cadena, que el examen del pasado permite apreciar.

En el caso del advenimiento de Isabel, con el pleito que se debate, son los mismos hombres de la época de Enrique IV los que entran en juego. Y después de la victoria de los Reyes Católicos, varios subsisten, como el cardenal Mendoza (n. 1428), al que por su poder llegaría a ser llamado «el tercer Rey de España».

Más esclarecedor es considerar que todo nuevo poder suscita automáticamente una oposición. En ese juego de fuerzas y contrafuerzas, de impulsos creadores y renovadores, está la dialéctica de la Historia. Y en cuanto a los Reyes Católicos, no son tanto otra generación en marcha (desde luego, ellos mismos lo eran frente a Enrique IV) como la oposición incubada durante el anterior reinado. Pero había algo distinto en ese mecanismo, algo que obligará pronto a arbitrar procedimientos eficaces para el afianzamiento en el poder. Me refiero a la sombra de la ilegitimidad que se proyecta sobre Isabel en cuanto a sus pretendidos derechos al trono de Castilla. Con esa sombra, con esa sospecha, la princesa Juana y sus partidarios van a poner un reto a la capacidad de supervivencia del nuevo Estado.

La gran cuestión que se le plantea, por lo tanto, al historiador de los tiempos modernos no es el relato al por menor de las hazañas de los nuevos Reyes, ni tampoco analizar si le correspondía a Isabel el trono de Castilla, partiendo de la base del pacto de los Toros de Guisando, por el que Enrique IV la reconocía como heredera (ya que el Rey no tenía facultad para elegir su sucesor; no estamos ante una Monarquía electiva, sino hereditaria). Nada de esto tiene mayor trascendencia que la de un puro anecdotario de la pequeña historia. Al contrario, la honda transformación que se opera en el cuerpo hispano, empezando

por el de sus estructuras políticas, llama la atención. El milagro castellano de la época del Renacimiento está en este salto de una entidad
inoperante y deshilachada que se transforma en poco tiempo en algo
compacto y tremendamente eficaz, hasta el punto de convertirse en la
primera potencia de la Edad Moderna. ¿Cómo se logró tamaña proeza? Cierto que en buena medida cambiaron los hombres, pues no hay
que olvidar que se transformó el sistema selectivo. Pero también sufrieron un cambio radical las instituciones. En definitiva, es en la creación de un nuevo Estado, más que en la transformación de las estructuras económicas, donde brilla el genio político de los Reyes Católicos.

La singularidad estriba también en que para ello los monarcas no
fraguarán el Estado nacional característico de la Edad Moderna. Aunque para muchos el clisé de aquellos soberanos va incorporado al de la
unidad hispana, por el hecho de la unión de Castilla y Aragón, a la que
se añade la conquista de Granada, la realidad es otra. Los Reyes Católicos se las han de haber, desde un primer momento, con una Monarquía no nacional, sino supranacional. No estamos ante un caso similar
al que tienen ante sí los soberanos de Francia o Inglaterra. Cuando
Fernando pernocta por primera vez en Burgo de Osma, camino de Valladolid donde ha de desposar a Isabel, lo hace como Príncipe heredero de Aragón, pero también como Rey de Sicilia.

Por lo tanto, es un tipo de Estado de raigambre medieval con el
que tienen que habérselas los Reyes Católicos. Y para ponerlo a punto
harán de una de sus partes el centro del poder, remozándolo y moder-
nizándolo; pero manteniendo el resto del cuerpo en su forma tradicional. Lo característico de la Monarquía Católica es la hipertrofia que va
a tener una de sus piezas, con la atonía en que caerá el resto de la Monarquía. Castilla será tomada como el núcleo principal del poder, en
parte porque potencialmente era la más fuerte y también porque durante unos años es la única con la que cuentan los Reyes (pues Aragón no se incorpora hasta la muerte de Juan II, ocurrida en 1479). Las
demás serán naciones asociadas, a las que se respetan cuidadosamente
sus instituciones, y que vienen a servir para ensanchar el campo de las
actividades externas de los castellanos, para un aumento de su presión en el escenario europeo; para ampliar, en suma, sus fronteras con
Europa.

Por otra parte, y conviene subrayarlo, los Reyes Católicos no mon-
tan unos organismos a escala nacional, capaces de realizar la verdadera
unidad interna al modo como lo habían hecho las Cortes de Castilla y
León en la Baja Edad Media. Será preciso llegar hasta el siglo XVIII

para que España tenga, con la nueva dinastía de los Borbones, Cortes Generales de España. Hasta entonces, más cabe hablar de las Españas, en plural, por el carácter de diversidad de sus piezas, que en singular, cosa que hacían los mismos monarcas: Príncipe de las Españas se titulaba Felipe II en 1551, cuando era el heredero de la Corona. ¿Cómo vertebran entonces los Reyes Católicos un Estado tan heterogéneo? Mediante el gobierno directo de la parte castellana, a la que asocian —respetando sus instituciones— las piezas periféricas; en estas colocan representantes —los virreyes o gobernadores— que regulan la vida local y que coadyuvan al tono general de la política exterior. Muy pronto, para dilucidar los conflictos que surjan entre sus representantes y los organismos propios de cada reino, los Reyes se asesorarán de unos consejos especiales, integrados por juristas: así, el Consejo de Aragón, que arranca de 1493.

Así pues, esta Monarquía autoritaria está asistida por unos Consejos (sistema polisinodial) de carácter consultivo, unos relacionados con materias administrativas y otros con áreas geográficas. En principio, los primeros son los más vinculados al poder (Estado, Hacienda, Inquisición). Sin embargo, de los territoriales hay uno de mayor valor porque no se limita a consultas jurídicas, sino que gobierna directamente todo un reino, que además es considerado como el cuerpo principal de la Monarquía. Este es el caso del Consejo Real de Castilla, o Consejo Real a secas, la gran institución política que hoy conocemos con tanta precisión gracias al estudio del profesor salmantino Salustiano de Dios.

Tan importante organismo no es creado por los Reyes Católicos. En este, como en otros muchos casos, los Reyes reorganizan y ponen a punto viejas instituciones medievales. Y la cuestión es para ellos de tal trascendencia, que procederán a esa reforma interna muy pronto, en cuanto superan la primera fase de contiendas civiles promovidas por los partidarios de la princesa Juana: en las Cortes de Toledo de 1480; al iniciarse la decisiva lucha por la conquista de Granada, la Monarquía está ya a punto.

De esa forma la Monarquía Católica está también muy pronto en condiciones de absorber cuerpos extraños, mediante la fórmula de piezas asociadas a las que se respetan sus leyes, su lengua y sus costumbres. Ya hemos visto que Fernando llega a Castilla como Rey de Sicilia. Más tarde se producirá la incorporación del resto de los reinos de la Corona de Aragón. Fáciles conquistas aportan otras piezas periféricas, como Nápoles y Navarra. Así que cuando sobrevenga el advenimiento de la Casa de Austria será la Monarquía Católica —con Castilla como centro— la que absorba piezas tan dispares como los Países Bajos, Milán o Portugal, sin contar con todo lo que se va gestando en las Indias occidentales y en Filipinas. El Imperio español, con sus virtudes y defectos, no es producto del azar; es un sistema muy singular que en principio se muestra capaz de ir asimilando las piezas más dispares. Y quizá no quepa considerarlo medieval por esa nota supranacional que lo caracteriza; en realidad, esto ha sido propio de los Estados fuertes, siempre con tendencia a desbordar sus fronteras para crear un imperio. El Estado, en un momento de su desarrollo, puede pasar de la estructura nacional a la supranacional, sea en los tiempos de Carlomagno, en el de los Reyes Católicos o en el de Napoleón. Por otra parte, si la Monarquía Católica no poseyera condiciones de modernidad desde finales del siglo XV, no hubiera podido imponer su ley a Europa durante más de un siglo.

De hecho, el nuevo Estado que estructuran los Reyes Católicos tiene toda la complejidad de las formas políticas supranacionales. Por eso el término de Monarquía Católica (título dado por el Papa a Fernando e Isabel en 1496) resulta más adecuado para la Edad Moderna que el mismo de España.

Este Estado supranacional —la Monarquía Católica— tiene un centro de gravedad: España y, más concretamente aún, Castilla. La reorganización política del nuevo Estado la enfocan los Reyes Católicos sobre Castilla, núcleo al cual se adhieren —por un peculiar sistema hispano que luego analizaremos— las demás piezas de la Monarquía.

Distintos por sus costumbres, lenguas e incluso por su ordenamiento jurídico, estos pueblos insertos en la Monarquía Católica tienen dos notas en común: idéntica religión —la católica— e igual política exterior. Precisamente como defensora de la primera y orientadora de la segunda se alza la Corona. Castellanos, aragoneses, sardos, sicilianos, napolitanos (como más tarde milaneses y flamencos) son súbditos del Rey Católico, que se les presenta como protector de su religión y de sus privilegios y como el que lleva la pauta de la política exterior. De ahí una de las notas que al punto hay que destacar en la estructura política de la Monarquía Católica: el celoso respeto de la Corona hacia las costumbres y el ordenamiento jurídico de las piezas marginales.

Para comprender la complejidad que alcanza la Monarquía Católica en los tiempos modernos es preciso recordar el concepto de Estado, tal como nos lo definen los tratadistas políticos; esto es, como una estructura política basada en un grupo social y asentada en un territorio determinado. De aquí se destacan las tres notas clásicas del Estado: población, territorio y poder. Es decir, un poder coactivo a ejercer sobre una determinada masa humana en unos límites geográficos también determinados; pero poder coactivo no arbitrario, sino en función de un ordenamiento jurídico. Para que ese orden jurídico sea una realidad es preciso que el poder que lo garantiza sea independiente en el exterior e irresistible en el interior; es lo que se entiende por soberanía. Todo ello en busca de un objetivo final que se proclama constantemente, aunque no siempre se cumpla: el bien común.

Ahora bien, en la Monarquía Católica tanto el territorio como la población no pueden ser más dispares. No existe unidad territorial. El Estado llegará a comprender los pueblos más diversos, incluso racialmente. Por eso necesitará de una estructura adecuada que le permita su gobierno. Y, en primer lugar, la de su parte principal, la Corona de Castilla.

El Estado nuevo de los Reyes Católicos

La unión personal de las Coronas de Castilla y Aragón realizada con el matrimonio de Isabel y de Fernando no da pie para hablar de un Estado moderno de tipo nacional, como pedía la época renacentista, puesto que no se fundieron sus instituciones, conservando incluso la Corona de Aragón sus particularidades propias en su seno, con las diferencias que arrancaban de la época medieval y que distinguían a sus cuatro partes, Aragón, Cataluña, Valencia y Mallorca. Tampoco cabe hablar de absolutismo, con el valor que después alcanzaría esa palabra en el terreno político, sino solo, en todo caso, de algunas tendencias en este sentido.

No se puede considerar a los Reyes Católicos como prototipos de monarcas absolutos. Tal término, aplicado a su sentido de gobierno, resulta inadecuado. Más ajustado a la verdad es el título de poder personal; pero un poder personal que se proclama servidor del bien común. El Rey es un mero administrador de un poder dado por Dios, a fin de que administre justicia.

Por lo tanto, primer principio claro en el *idearium* de los Reyes Católicos: el Rey no tiene un poder absoluto sobre sus súbditos, sino un poder prestado.

Así lo dicen y así lo reconocen los Reyes solemnemente ante las Cortes de Madrigal de 1476, en lo que podría llamarse el discurso de la Corona, que en su momento hemos citado:

> A quien más dé Dios —se lee en las actas de aquellas Cortes— más le será de mandado. Y como Él hizo sus vicarios a los reyes de la Tierra e les dio gran poder en lo temporal, cierto es que mayor servicio habrá de aquéstos e más le son obligados... Y esta tal obligación quiere que le sea pagada en la administración de la justicia, *pues para esta les prestó el poder...*

En términos semejantes renuevan tal declaración de principios ante las importantes Cortes de Toledo de 1480:

> A los que tenemos sus veces [de Dios] en la Tierra dio mandamiento singular, a Nos dirigido por boca del sabio, diciendo: amad la justicia los que juzgáis la Tierra.

Y poder prestado por Dios en tanto en cuanto que administre justicia. La recta administración de la justicia es el primer deber del soberano, una justicia para grandes como para menudos: la justicia, fundamento de los reinos, es, por lo tanto, el segundo principio del *idearium* de aquellos Reyes. Pero mala justicia pueden imponer si no escogen bien a sus ministros; de ahí el tercer punto clave de este *idearium:* el principio selectivo.

Los cronistas nos hablan del cuaderno en el que la reina Isabel apuntaba los nombres de aquellos que destacaban y de los que podía servirse. Se trataba de poner al hombre debido en el puesto adecuado.

Y como el ministro (y en especial el que se halla lejos de la Corte) puede sentir las tentaciones del poder, pasando del uso al abuso de este, los Reyes Católicos establecerán un sistema de control a través de los veedores.

Los veedores eran una especie de inspectores de la época, que informaban sobre la labor de funcionarios tan importantes en la estructura política del Reino de Castilla como los corregidores.

Mas de nada sirve el mejor de los sistemas si previamente no está garantizado su funcionamiento mediante un firme orden interno. He aquí otra norma de los Reyes Católicos: el Rey como guardián del orden interior.

Por último, y por lo que hace a su misión histórica, en los Reyes Católicos prende un fuerte sentido de providencialismo divino, que los hace considerarse ejecutores de la divina Providencia.

Esa vinculación con la divinidad, a la que aluden tan solemnemente los Reyes Católicos tanto en las Cortes de Madrigal como en las de Toledo, les da un sentido de misión histórica a cumplir; esta será la doctrina del providencialismo divino de la que se hacen eco los cronistas. Se considerarán brazos ejecutores de la divina Providencia y, por ello, en la obligación de emprender la Cruzada contra el reino nazarí de Granada. Con el triunfo sobre los granadinos vendrá la expulsión de los judíos, determinación en la que hay que ver un tanto por ciento muy elevado de correspondencia al favor divino con algo que a sus ojos resultaba grato al Cielo. El hecho de que el camino de las Indias se descubriera aquel mismo año puso ya el montaje de la teoría, válida para ellos y sus sucesores, de que de aquel modo Dios recompensaba sus servicios. Desde entonces la guerra divinal se arraiga con fuerza en el ánimo de los españoles e impregnará hondamente toda su política exterior.

Todo hace pensar que los Reyes Católicos no se plantearon la necesidad de la unidad política interna. Salvo en el aspecto religioso, no existe un organismo central coordinador de la unidad entre Castilla y Aragón. Las Cortes, por ejemplo, que se habían mostrado tan eficaces en la Edad Media para realizar la fusión de Castilla y de León, no desarrollaron análoga función con Aragón. Los dos grandes reinos hispanos siguen reuniendo las suyas por separado.

Por el contrario, parece que los Reyes Católicos pensaron en hacer de Castilla el centro de su poder. Es Castilla la que controlan más eficazmente, y también de la que se sirven para lograr sus empresas, aun en el caso de que haya que actuar en terrenos tan tradicionalmente aragoneses como lo había sido todo el ámbito del Mediterráneo occidental. En la educación de Juan, el Príncipe heredero, la presencia casi exclusiva de magnates castellanos, con los que se le rodea en las soledades de la villa castellana de Almazán, era como una consciente castellanización de la dinastía. Otro ejemplo que conocemos por la documentación publicada, muy significativo a este respecto, es que Cisneros era completamente opuesto a emplear súbditos de la Corona de Aragón en puestos de responsabilidad política, como lo era entonces el de embajador en Roma. Se trata de un problema aún mal estudiado. Sin embargo, parece ser que hay que poner en los tiempos de los Reyes Católicos la castellanización del Imperio hispano, tanto en Europa como en Ultramar. Cuestión que resalta, sobre todo, al analizar la estructura política del nuevo Estado, tal como lo planearon los Reyes Católicos. Esa castellanización de la Monarquía trajo una consecuencia inevitable que se mostraría fatal en el momento de la gran crisis del siglo XVII: el desvío de los súbditos de la Corona de Aragón, que se consideraban postergados y se veían marginados en las empresas exteriores que acaudillaba Castilla. Por eso solo volcarán sus esfuerzos cuando se trate de la defensa de la frontera de sus reinos, sin que la opinión pública se viese captada, generalmente, por la propaganda oficial, al modo como ocurría en Castilla. Arduo problema suscitado en el reinado de los Reyes Católicos y mal resuelto a lo largo de los tiempos modernos, que constantemente aflora en la Historia de España.

De ahí, también, que la personalidad de cada Rey sea tan importante en la Monarquía Católica, puesto que tanto de su flexibilidad como de su energía depende la fuerza de la unión. A partir de los Austrias, la unidad de la Monarquía vendrá reflejada en la fuerza de cada monarca, el verdadero puente entre ambas Coronas. Esto nos obliga a examinar la estructura de cada una por separado, después de analizar la propia figura del Rey. Como denominador común encontramos que en ambos casos cabe hablar de unas limitaciones al poder regio, si bien más marcadas en la Corona de Aragón; en la misma Castilla los Reyes Católicos declaran que son administradores de un poder recibido de Dios, y las Cortes de Burgos de 1518 no tienen empacho en recordar a Carlos V el pacto callado que existía entre Príncipe y súbditos; es más, que el Príncipe no es, en último término, sino un mercenario puesto en el poder para gobernar bien, que era la misma tesis formulada medio siglo antes por las Cortes de Ocaña frente a Enrique IV (1469).

Por el contrario, las tendencias absolutistas se marcan en las declaraciones regias fundamentando decisiones personales por su ciencia cierta y por su poderío real absoluto, que en aquel caso han ejercido. En ellos las limitaciones son una tradición que suelen respetar, pero sin dejar de proclamar su libertad de acción. Es claro que para ejercer su poderío absoluto debían verse respaldados por una necesidad urgente, que los ponía al respaldo de la opinión pública, como cuando Isabel en su Testamento restituye a la ciudad de Ávila los lugares que Enrique IV había donado al duque de Alba, aplicando entonces la fórmula absolutista:

> ... de mi propio motu e cierta sciencia e poderío real absoluto, de que en esta parte quiero usar e uso...

La medida se justifica como tomada por el bien común y se le da fuerza legal como si hubiera sido acordada en Cortes, empleándose la misma fórmula anterior ya consagrada por los romanistas desde la Baja Edad Media e incluso reflejada en textos literarios del siglo XIV, como en el *Libro de Buen Amor* del Arcipreste de Hita, en el que son frecuentes las referencias al poder absoluto del Príncipe («quien puede fazer leyes, puede contra ellas ir»). Y empleando ya la expresión de «cierta ciencia». Los Reyes Católicos se llaman vicarios de Dios en la Tierra y, como tales, defensores de la religión y administradores de la justicia.

El Rey es, pues, el primer juez del reino, el mejor alcalde, como se recogería en la literatura posterior (con las atribuciones judiciales que la época daba a esta función). Y su vinculación religiosa, la sacralización de sus funciones, vendría dada tanto por la carga tradicional como por las guerras divinales en que desde los Reyes Católicos se meterá la Monarquía. Por lo tanto, se considera obligado por su oficio a obrar a favor de la comunidad, en lo que coincide con la mayoría de los teóricos políticos de la Escuela de Salamanca; con la diferencia de que para estos (Vitoria, Soto, Mariana) su poder procede de Dios, pero a través del pueblo, mientras la Corona afirma su vinculación directa con la divinidad. Su título será, con los Reyes Católicos, de Alteza, que desde Carlos V quedará relegado para el heredero, asumiendo el más ceremonioso (y más en la línea de quienes se consideran representantes de Dios en la Tierra) de Majestad. Los Reyes tienen buen cuidado de convocar Cortes para el reconocimiento del Príncipe heredero, tanto en Castilla como en Aragón, pero por separado y nunca conjuntamente; grave medida, adoptada en parte por las dificultades jurídicas que entrañaba una convocatoria común, en parte por el peligro que suponía para la Corona el que las Cortes de Castilla se contagiasen del espíritu de libertad y de defensa de privilegios que tan tesoneramente defendían las aragonesas.

A las funciones de protector de la fe (aumentadas por el amplio patronato regio sobre las tierras conquistadas en el sur a los infieles y sobre las descubiertas en el Nuevo Mundo, patronato que la Corona tenderá a extender sobre todo el territorio hispano) y de juez supremo, hay que añadir otras dos: la legislativa y la militar. En cuanto a la legislativa, vemos que la fuente de toda nueva ley procede del Monarca, bien ayudado por determinados órganos consultivos —en especial el Consejo Real—, dictaminando nuevas normas (con una actividad grande en Castilla, mientras en Aragón se reduce a interpretar la legislación tradicional), bien a través de las Cortes, refrendando en ese caso las peticiones que crea pertinentes, o proponiendo leyes nuevas de particular importancia, como la estructuración de la Santa Hermandad (Cortes de Madrigal de 1476) o la reorganización del Consejo Real (Cortes de Toledo de 1480).

Por lo que hace a la condición militar, la época del Renacimiento nos dará una nota muy singular, pues aunque en teoría el Rey siempre sea la cabeza suprema del ejército, solo los monarcas de esta primera etapa renacentista gustarán de vivir la vida del campamento. Fernando el Católico defenderá su corona en la guerra de Sucesión en el mismo campo de batalla, y dirigirá personalmente las campañas de la conquista de Granada.

Defensor de la fe, administrador de la justicia, legislador y escudo de la patria, estas son las notas más sobresalientes del Monarca en la época del Renacimiento.

El Príncipe heredero es, por supuesto, la segunda figura del Reino. Queda muy pronto vinculado al gobierno efectivo, como primer auxiliar del Rey, y para ello se establece un cuidadoso sistema educativo en las prácticas políticas, bien patente en la Corte que los Reyes Católicos ponen al príncipe don Juan en la villa soriana de Almazán.

EL Gobierno de la Monarquía

La Corona, siendo de carácter autoritario, con tendencia al absolutismo, gobierna la Monarquía desde la Corte con el auxilio de unos instrumentos consultivos que bajo los Reyes Católicos y bajo la Casa de Austria se denominan Consejos; es lo que se ha venido en llamar sistema polisinodial. Ahora bien, dentro de esos altos organismos centrales —los Consejos— cabe establecer marcadas diferencias. Los hay en función de una particular materia administrativa —y entonces están vinculados al tronco común de la Monarquía—, como puede ser la hacienda o la política internacional; los hay en relación con el núcleo principal —la Corona de Castilla—, y finalmente están los que establecen la conexión con las piezas asociadas. Por lo tanto, podríamos decir que los Consejos, con su carácter consultivo, responden en primer lugar al carácter de la Monarquía autoritaria que establecen los Reyes Católicos, y que —según sus características— sirven para atender los problemas generales —y entonces su jurisdicción abarca materias administrativas—, o para el gobierno directo de la Corona de Castilla, o para asesorar al Rey en los problemas suscitados por el gobierno de las piezas asociadas. Era el sistema que precisaba una estructura política supranacional, en la que la Corona gobernaba directamente la parte castellana (donde residía normalmente la Corte), convertida en la espina dorsal del sistema, y se hacía representar en las piezas asociadas por virreyes o gobernadores generales. Todo ello secundado por unos funcionarios elegidos a través de un cuidadoso procedimiento selectivo y para cuyo control se aplicará un método que durante bastante tiempo se mostrará sumamente eficaz. Como tanto el caso de Castilla —la columna principal de la Monarquía— como el de Aragón —la principal pieza asociada— precisarán un examen particular, veremos ahora preferentemente los órganos centrales del gobierno generales para toda la estructura y su forma de control.

Tres organismos van estableciéndose con carácter general, respondiendo a diversas necesidades por las que va pasando la Monarquía: la Santa Hermandad, creada en plena guerra civil, para asegurar el orden interno; el Consejo Real (que bajo los Reyes Católicos entenderá también en cuestiones de política exterior y de Hacienda), y la Inquisición, que aparece en función de los graves problemas religiosos planteados en el reinado de los Reyes Católicos. Por lo tanto, la atención puesta en los problemas internos y religiosos a escala nacional, la vigilancia de la política internacional y la preocupación por las cuestiones económicas, que cada vez agobian más al Estado español en los tiempos modernos.

En cuanto a la Santa Hermandad, los procuradores de las ciudades y villas piden a los Reyes Católicos, en las Cortes de Madrigal de 1476, la creación de hermandades para remediar el general desorden en que había caído Castilla, donde cada vez eran mayores los robos, asaltos y muertes. Esas hermandades debían hacerlas «cada cibdad e villa con su tierra entre si, e las unas con las otras», como único remedio para que la «gente pacífica pudiese andar seguramente por los caminos». La Hermandad tendría jurisdicción sobre los asaltos en despoblado, considerando como tales los lugares «de 60 vecinos abajo». Las mismas Cortes crearon las fuerzas de dicha institución: los cuadrilleros de la Santa Hermandad y sus alcaldes; estos habían de ser uno por cada lugar de treinta vecinos, y dos en las localidades más numerosas, y de los cuales uno había de ser hidalgo y el otro pechero, como se especifica en las ordenanzas aprobadas por los Reyes en las Cortes de Madrigal. La justicia era expeditiva, con la terrible pena de muerte a saeta contra los bandoleros que se apresasen, que ya era habitual en las hermandades organizadas en la Edad Media y contra la que protestarán más adelante las mismas Cortes de Castilla, por la desesperación en que solía caer el ajusticiado, con peligro de su alma.

La Santa Hermandad surge como un fuerte remedio contra el extremo grado de anarquía en que había caído el reino castellano bajo Enrique IV, anarquía reflejada en el relato del cronista Fernando del Pulgar cuando, tras pasar lista a la serie de continuos desórdenes, a las sempiternas rencillas entre familias nobles y al estado que ya aparecía de endémico bandidaje que asolaba las dos mesetas y Galicia, prorrumpe en una frase ya comentada que se ha hecho célebre: «No hay más Castilla; si no, más guerras habría». A tales males puso remedio la Santa Hermandad, y aun dio efectivos que aplicar en la lucha contra la princesa Juana y en la guerra de Granada. Aunque la idea era vieja, la nueva hermandad tuvo su promotor en la figura del contador mayor de los Reyes, el asturiano Alonso de Quintanilla. Se intentó extender a la Corona de Aragón, aunque sin el éxito que en Castilla, donde, por otra parte, su etapa más fecunda fue en el último cuarto del siglo XV, languideciendo ya en el siglo XVI. Aunque en sus principios se ve la colaboración de la pequeña nobleza, termina siendo alimentada exclusivamente por la clase pechera. Los cinco casos en que entendía eran: delito en despoblado, persecución de delincuentes fugados al campo, mujer forzada, quebrantamiento de moradas y resistencia contra la justicia. Su milicia fue puesta bajo el mandato del duque de Villahermosa, hermano natural del Rey. Llegó a constituirse un Consejo de la Santa Hermandad.

Más importancia adquirió el Consejo Supremo de la Santa Inquisición, por el extraordinario apoyo que recibió de los Reyes Católicos y de sus sucesores. Y ello tiene una explicación tanto religiosa como política. Pues aunque se establece para combatir a los cristianos nuevos que judaizaban, acaba convirtiéndose en la institución que vela por la unidad religiosa; ahora bien, dada la precariedad de la unidad política, esto tendrá sus repercusiones indirectas. El Consejo de la Inquisición es el único que tiene jurisdicción sobre todo el país. De este modo, pronto se convierte en un *instrumentum Regis.*

En 1478 el papa Sixto IV concedió a los Reyes Católicos el derecho a implantar en sus reinos una nueva Inquisición, organismo mixto eclesiástico-civil, frecuentemente estructurado bajo el mandato de un inquisidor general, y controlado por la Corona. Los Reyes nombraron como primer inquisidor general a fray Tomás de Torquemada, prior de Santa Cruz de Segovia.

Estructurado en sus líneas fundamentales por Torquemada, el Tribunal de la Inquisición se extendió por toda España.

Sus facultades eran las de inquirir, juzgar y condenar los delitos contra la fe. La actuación de sus primeros años fue muy dura, siendo no pocos los judaizantes condenados a la pena de morir quemados vivos en la hoguera. En su procedimiento judicial admitía la tortura para obtener las confesiones de los acusados, lo cual estaba dentro de las normas judiciales de la época, y la denuncia, sin que el acusado pudiera conocer el nombre de sus delatores. La medida fue tomada para proteger a los denunciantes de las posibles represalias de los poderosos judíos y conversos; en la práctica daba origen a tales abusos que se corrigió el sistema, permitiendo al acusado enumerar a sus enemigos, lo cual anulaba las eventuales declaraciones de estos. A las sentencias se les daba una gran espectacularidad en los famosos autos de fe.

La diferencia más clara de la Inquisición nueva respecto a la medieval es su independencia frente a la jurisdicción episcopal. Si nace para luchar contra el proselitismo judío, luego su campo de acción se extenderá tanto en el terreno morisco como, en la centuria siguiente, en el luterano. Aunque establecido con fines religiosos, al ser el único organismo a escala nacional, acabará siendo un formidable instrumento político en manos de la Corona.

El Gobierno de las piezas asociadas: el Virrey

La complejidad creciente de la Monarquía hace que junto a la Corte se organicen otros tipos de Consejos: serán los que asesoren al Rey sobre materias pertinentes a las piezas marginales de la Monarquía. Así surge el Consejo de Aragón en 1493, como más tarde, y a lo largo del siglo siguiente, conforme a las necesidades de cada momento histórico, aparecen el de Navarra (1515), el de Italia y Flandes (1555) y el de Portugal (1580). Están integrados por letrados conocedores de cada particular legislación, de forma que, cuando surge un conflicto entre el representante del Rey y las autoridades locales, y ese conflicto salta a la Corte, el Rey ha de resolverlo asesorándose del Consejo correspondiente. Pero estos Consejos eran de mucha menor importancia, por estar desvinculados del gobierno directo de los reinos correspondientes. Sirven tan solo de enlace entre la Corona y la administración territorial de las piezas marginales de la Monarquía, donde está la figura especial del Virrey.

El Virrey representa al Rey en las piezas territoriales marginales de la Monarquía, empezando por la misma Corona de Aragón. El Virreinato, institución de origen aragonés, es aceptado por Castilla durante su época de expansión, llevándolo a Navarra y pasándolo también, posteriormente, a las Indias.

El poder del Virrey es grande, como representante de la Corona, limitado en todo caso por los privilegios y las instituciones locales. Pero no en todas partes es análogo. Es mucho mayor, por ejemplo, en Sicilia que en Aragón o en Cataluña.

En la Corona de Aragón el poder de los virreyes es más reducido, en primer lugar en razón del mayor control de la Corona, y después por los grandes privilegios, no solo generales, de aquellos reinos, sino también de sus tres importantes capitales: Zaragoza, Barcelona y Valencia. Así vemos que la justicia es en Aragón independiente del poder real, escapando, por lo tanto, al mando del Virrey. Su primer magistrado es el justicia mayor, al que controlan cuatro pesquisidores.

En cuanto a los virreyes, lo mismo que los corregidores, los vemos sujetos a posible juicio de residencia. Eran gobernadores y capitanes generales en su territorio y se solían asesorar en su actuación con un Real Consejo, integrado por letrados.

El sistema selectivo de los ministros y su control

El «milagro castellano» bajo los Reyes Católicos estribó, sobre todo, en la cuidada selección de los ministros, desde los que eran designados para las plazas de los Consejos hasta los que habían de representar al Rey en las regiones y en las ciudades. Consejeros como gobernadores, presidentes de Audiencias como corregidores, todos eran nombrados después de un cuidadoso examen.

Por una parte, pues, nos encontramos con la selección de los ministros y, por la otra, con el control de sus tareas oficiales. Para ello, al final de su mandato los principales cargos alejados de la Corte —en particular, los corregidores— habían de sufrir un juicio de residencia; se nombraba un juez que emplazaba a quienes podían tener quejas de su actuación, con cuya información procedía el Consejo Real a proponer la sentencia que correspondiere.

Las Cortes de 1480 habían establecido además los veedores, especie de inspectores ya conocidos en los tiempos medievales y que ahora adquieren más importancia; su función consiste en recorrer el reino para informar al Consejo Real sobre los abusos de la justicia, el estado de las fortalezas, puentes y caminos, e incluso sobre las cuentas de los concejos.

EL *núcleo del poder: Castilla, el Consejo Real*

Dentro de la Corona de Castilla nos encontramos con la reorganización, tanto en el centro como a escala local, de las instituciones adecuadas que permiten a los Reyes el eficaz control de aquel reino. Por un lado, el Consejo Real; por el otro, los corregimientos. A ellos hay que añadir, en escalón intermedio, las Audiencias y Chancillerías. Pues hay que tener presente que en el concepto de la época gobernar era fundamentalmente administrar justicia y, a su vez, los órganos de justicia tendrán facultades más amplias de gobierno. *Justitia fundamentum regnorum* podría considerarse el lema de los Reyes Católicos, como ya hemos dicho. Por lo tanto, vamos a ver cómo está montado ese sistema judicial, desde el Consejo hasta los corregimientos.

En cuanto al Consejo Real, este alto organismo de la administración castellana en la época medieval, es ampliamente reorganizado por los Reyes Católicos en las importantes Cortes de Toledo de 1480. Entonces se marcan su constitución y atribuciones, así como se reglamenta, detalladamente, su trabajo. El Consejo Real se estructuró como un complejo órgano de gobierno, teniendo a un tiempo facultades legislativas, ejecutivas y judiciales. Entre las atribuciones legislativas era de su incumbencia preparar y redactar las leyes nuevas e interpretar las vigentes, y examinar los cuadernos de peticiones de las Cortes. En cuanto a las atribuciones ejecutivas, entendía en el fomento de la economía, así como en las cuestiones culturales y en la inspección de los órganos locales. Corregidores y alcaldes mayores caían bajo su jurisdicción. Entendía, incluso, sobre materias de orden público. En cuanto a sus atribuciones judiciales, dos eran sus principales tareas: resolver en última instancia sobre los juicios de residencia que se hacían a ciertos funcionarios públicos —especialmente a los corregidores— y entender en aquellos casos graves o en los pleitos de mayor cuantía que considerase necesario, estos previo pago por el particular de un depósito de 1.500 doblas (un millón y medio de maravedíes) que se perdían caso de no ganarse el pleito. La sala encargada de estos pleitos recibía por ello el nombre de «sala de Mil Quinientas». Siendo consultivo y, por lo tanto, dependiente de la última voluntad del Rey, en la práctica sus resoluciones eran generalmente aceptadas por el monarca, que se limitaba a refrendarlas.

En su composición se echa de ver la importancia creciente de la nueva clase de los letrados. El Consejo Real de Castilla (o Consejo Real, a secas) estaba integrado por un prelado, tres caballeros y ocho o nueve letrados. Para que sus resoluciones fueran válidas tenían que reunirse, al menos, el prelado-presidente con un caballero y dos letrados, o bien el prelado con tres letrados, o bien, en último término, cuatro letrados. En todo caso, el elemento que no podía faltar era el letrado, medida con la que se profesionalizaba la institución. A las sesiones del Consejo podían ser llamados los obispos, Grandes y maestres de las Órdenes militares, pero sin voto.

El Consejo Real venía obligado a reunirse diariamente de nueve a doce de la mañana durante los trimestres de otoño e invierno, y de siete a diez en los de primavera y verano (más exactamente, desde el 15 de octubre hasta la Resurrección y desde la Resurrección hasta mediados de octubre). Un día por semana —los viernes— el Consejo era presidido por los Reyes, guardándose para tal día los asuntos de mayor trascendencia. Se especificaba, asimismo, la visita periódica a las cárceles, así como el público anuncio de las causas que se tratasen.

Su prelado-presidente era considerado como el primer magistrado de la nación, después del Rey. Le correspondía, además de la presidencia del Consejo Real, la de las Cortes, y, andando el tiempo, la de otros Consejos filiales del Real: el Consejo de la Cámara de Castilla y el Consejo de las Órdenes militares. Su cargo solía ser permanente, y sus consejeros eran escogidos entre funcionarios experimentados y juristas notables. El Consejo Real llegó a tener funciones tan universales que igual recibía en su seno un testamento real que tasaba los abastos de la Corte o autorizaba la publicación de un libro. Era el que daba la pauta para la posterior creación de nuevos Consejos, muchos de los cuales no son sino el desarrollo de algunas de sus funciones; así el de Hacienda.

Ya hemos visto que el viernes el Consejo despachaba con el Rey, dejando para tal día los asuntos de mayor importancia, norma establecida por los Reyes Católicos en 1480 y mantenida por los Austrias, como se puede apreciar en las instrucciones de Carlos V a la Emperatriz cuando la deja de Regente en 1528.

En cuanto a sus funciones en materia de Justicia, ha de actuar como tribunal supremo para el ámbito del Reino de Castilla; ha de proceder a los juicios de residencia, en especial de los corregidores; ha de mantener la jurisdicción regia frente a las intromisiones de las autoridades eclesiásticas y señoriales; ha de vigilar que se cumplan las prohibiciones de salida del reino de caballos, armas y dinero; pero ha de cuidar de no entrometerse en el terreno de los otros Consejos, salvo en casos excepcionales y a petición del Príncipe.

El Rey presta todo su apoyo al Consejo de Castilla. Su presidente, ya lo hemos visto, es el primer magistrado de la nación, después de! Rey, y a él representa. Sus cartas habían de ser obedecidas por todo el reino, tanto Grandes y prelados como menudos, y «tan cumplidamente como si fueran firmadas de nuestros nombres», como se lee en las Cortes de 1480. En la *Nueva Recopilación* se expresa concretamente que los Grandes y prelados han de estar sujetos a su jurisdicción, siendo emplazado el que no cumpliera sus cartas «ante Nos o ante nuestro Consejo, a se excusar o recibir pena...».

El corregidor

Para gobernar las ciudades y tierras de realengo los Reyes Católicos ponen a punto una institución que también aparece en la Baja Edad Media, pero de modo transitorio e incompleto: el corregidor. Esto es, el representante del poder regio en una ciudad, en una comarca y, en ocasiones, en toda una región, que tan profundamente ha sido estudiado por Benjamín González Alonso. Esos corregidores son los jefes automáticos del cabildo municipal en la ciudad cabecera de su corregimiento y acumulan funciones tanto judiciales como gubernativas, conforme a la confusión de poderes que caracteriza al Antiguo Régimen. Incluso, dado que todas las ciudades y villas con voto en Cortes tienen corregidor, influirán indirectamente en las tareas legislativas de los procuradores en Cortes, según las directrices que reciben de la Corona. Se convierten así en un instrumento clave en el proceso de centralización que para Castilla plantean los Reyes Católicos. El corregidor se transforma, en el área local y regional, en un símbolo del nuevo Estado, lo que resalta cuando se compara con su predecesor bajomedievo. Bajo Alfonso XI, el corregidor es un representante del Rey, enviado provisionalmente a un sitio determinado para imponer el orden alterado; es decir, funciona solo en casos de emergencia y tan pronto como desaparece la necesidad acaba su cometido. Otro es el caso de esta institución bajo los Reyes Católicos, que le dan una nota radicalmente distinta al hacer permanente el cargo. En cambio, los nombramientos debían ser anuales, aunque en la práctica solía ampliarse su mandato a dos o tres años, e incluso a más tiempo. Dependiendo del Consejo Real, son confirmados por el Rey y escogidos preferentemente entre personas togadas y nobles; cuando la elección recaía en un noble, dado el carácter judicial de sus funciones, se le ponía entonces a su lado un letrado como lugarteniente, que actuaba de asesor jurídico. En todo caso, el corregidor es el juez que imparte justicia directamente en la capital de su corregimiento, delegando en lugartenientes o alcaldes mayores en las otras villas de su dominio. El corregidor viene a sustituir así a otras instituciones medievales, tales como los merinos mayores o los alguaciles mayores. Cuando los Reyes Católicos designan corregidor para el principado de Asturias, la función del merino mayor, que desempeñaban allí los condes de Luna, se convierte en un título honorífico y desaparece con prontitud, no reapareciendo hasta que la administración de Lerma, a principios del siglo XVII, demostrase sus afanes arcaizantes y políticamente regresivos.

Los Reyes Católicos dividen toda la Castilla de realengo en una red de corregimientos que para algunos tratadistas llegan hasta sesenta y seis. Se han publicado algunas relaciones de corregimientos, entre finales del siglo XV y del XVI. Es interesante su confrontación con otras dos inéditas que custodian el Archivo General de Simancas y la Real Academia de la Historia, así como con la aportada por las Cortes de 1585, porque de ella se pueden sacar algunas conclusiones.

El resultado es que aparecen claramente dos grupos de corregimientos, unos que podríamos denominar mayores y otros de menor importancia. Entre los mayores entran, por una parte, los enclavados en las dieciocho ciudades y villas con voto en Cortes, pues bien sabido es su peso político en la Castilla del siglo XVI, dado que la Corona procuraba controlar la actividad de los procuradores, junto con las instrucciones que recibían de sus ciudades, y ello a través de los corregidores; aun así, y aunque las ciudades estaban todas en un pie de igualdad en las Cortes, teniendo el mismo número de votos Toro que Sevilla, había sin embargo otras razones evidentes por las que quedaba establecida una marcada jerarquía, señalada en los sueldos de sus corregidores. Sabemos, por ejemplo —Tarsicio de Azcona lo ha publicado—, que el corregidor de Sevilla, en tiempos de los Reyes Católicos, ganaba una cifra alta: 420.000 maravedíes, en contraste con el de León, que solo tenía consignados 70.000 maravedíes; es decir, exactamente seis veces menos.

También podemos considerar como mayores a esos otros corregimientos que engloban toda una región o están vinculados a ella, como era el caso de Asturias. En fin, entre los menores nos encontramos, en primer lugar, con los fronterizos; esto es, los que tenían características de puesto militar, tales como Bayona, frente a Portugal, o Gibraltar, en la frontera marítima de Andalucía; en este grupo cabe insertar los que corrían a lo largo de la frontera con la Corona de Aragón (como Agreda, Requena y Villena) y los establecidos alrededor o dentro del antiguo reino nazarí de Granada: tales Jerez de la Frontera, Antequera y Ronda. Por ultimo, están los que se mantienen por un prestigio histórico o por una relativa importancia comarcal; ese es el caso de Arévalo, Tordesillas o Atienza, entre los primeros, y Medina del Campo, Aranda, Úbeda, Carmona y Écija, entre los segundos.

En las relaciones aparecen además, de forma esporádica, otros corregimientos que afectan a pequeñas localidades, y que cabe pensar que tienen el carácter medieval de la institución, de tipo transitorio y mientras unas determinadas circunstancias de emergencia obligan a ello, desapareciendo después o bien quedando vinculados a otros de mayor importancia próximos a ellos, tal como ocurre con Madrigal (la villa que vio nacer a Isabel) o con Huete, corregimiento este en conexión con el más importante de Cuenca.

En cuanto a los límites del corregimiento, sobre los que extendía su jurisdicción el corregidor, digamos que en la mayoría de los casos se reducen a la ciudad y su tierra. En un documento de Isabel la Católica, en el que se nombra a Rodrigo de Mercado como corregidor de Madrid, se indica:

> ... mi merced e voluntad es que Rodrigo de Mercado, mi vasallo, tenga por mí el oficio de corregimiento e juzgado desa dicha *villa e su tierra* por tiempo de un año...

Pero cuando el corregimiento está vinculado a una región, quedan también bajo él todos los lugares de realengo de ella; este era el caso de Asturias, donde había otras villas no enclavadas dentro del término de la tierra de la capital, como Cangas o Tineo, que una sentencia de la Chancillería de Valladolid de 1552 declaraba de realengo, tras pleito mantenido con el conde de Luna; y de igual manera Llanes y Ribadesella, confirmando así la anterior resolución dada en tiempos de los Reyes Católicos. Esta serie de corregimientos nos dan un mapa de la Castilla de realengo verdaderamente significativo. En el norte, contrasta una Galicia donde la tierra de realengo es mínima (la zona entre La Coruña y Betanzos, a la que hay que añadir el enclave fronterizo de Bayona), con Asturias, controlada plenamente por un corregidor que gobierna una zona mayoritariamente realenga, sobre todo después de ser «sacadas» las mencionadas cuatro villas por los Reyes Católicos al conde de Luna (Cangas de Tineo, Tineo, Llanes y Ribadesella), a lo que hay que añadir el amplio proceso desamortizador conseguido por

Felipe II, que reduce la obispalía de Oviedo de una quinta parte del territorio a poco más que el pequeño condado de Noreña. En la meseta superior destaca el rosario de corregimientos que se encadenan a lo largo de la cuenca del Duero: Soria, Aranda, Valladolid, Tordesillas, Toro, Zamora. En el sur se aprecia algo semejante en la cuenca del Guadalquivir, desde Andújar hasta Sevilla; pero destaca aún más el cordón de corregimientos que vigila el mal asimilado reino granadino, mientras el reino de Toledo está en buena parte bajo el señorío de la Mitra, y la Mancha —como Badajoz—, bajo el de las Órdenes militares de Santiago y Calatrava.

En conjunto, una apreciable porción realenga (sobre un tercio del total), que los Reyes Católicos y sus sucesores sabrán aprovechar al máximo como base de su poder.

Gobernaciones y Audiencias

La Corona de Castilla no acababa en los corregimientos, puesto que el corregidor, como representante del Rey, no tenía jurisdicción más que en las zonas de realengo. Por ello, y dado que unas dos terceras partes de Castilla estaban sujetas a la alta nobleza, al alto clero y a las Órdenes militares, era preciso completar el sistema de gobierno. En cuanto a los grandes territorios que las Órdenes militares poseían al sur del Sistema Central, la Corona realizó una labor de integración mediante la paulatina designación del Rey como su gran maestre: a la muerte de don Rodrigo Manrique, maestre de Santiago, en 1476, Isabel se presentó ante el Capítulo de la Orden y suspendió el nombramiento de nuevo maestre, que al fin sería elegido con clara mediatización de la Corona. Fue un anuncio de proyectos regios de incorporación de los poderosos maestrazgos. Consiguieron los Reyes Católicos, a tal efecto, una bula del papa Inocencio VIII, por la que se les reconocía el derecho de administración de las Órdenes conforme fueran quedando vacantes las dignidades de maestres. Así fueron incorporando sucesivamente las Órdenes de Calatrava (1490), Santiago (1493) y Alcántara (1494), esta por renuncia de su maestre. Esta situación, de momento solo válida para los Reyes Católicos, fue consolidada por Carlos V, quien logró de Adriano VI la incorporación a perpetuidad de los tres maestrazgos de la Corona de Castilla, para sí y para sus sucesores (1523). Por su parte, Felipe II incorporará la Orden aragonesa de Montesa en 1587.

La gran importancia que las Órdenes militares habían adquirido a lo largo de la Edad Media había sido un trasunto de la trascendencia de sus funciones: la defensa de la frontera de Castilla frente a la amenaza del Islam. Dueñas de cuantiosos bienes, se habían convertido en grandes terratenientes. Comarcas enteras eran patrimonio de las Órdenes, que habían llegado a ser formidables potencias dentro del Reino de Castilla. Por otra parte, su carácter entre militar y religioso había ido evolucionando hacia aspectos más mundanos, mientras que cada vez se hacía más evidente su poderío económico. De ahí que la medida de los Reyes Católicos haya que tomarla como uno de los pasos más firmes dentro de su política de afirmación de la Corona.

Es interesante recordar que Fernando el Católico, a instancias de Roma, trató de revitalizar las Órdenes devolviéndoles su antiguo carácter, dándoles empleo en la costa norteafricana, en lid con el enemigo musulmán. A ese fin reunió un Capítulo de la Orden de Santiago en Valladolid (1506). Al compás de las campañas norteafricanas de 1509 y 1510, proyecta la instalación de las Órdenes en las principales plazas conquistadas (Orán, Bugía y Trípoli), pero tal idea no acabó de cuajar ni fue recogida por sus sucesores. Los territorios de las Órdenes quedaron de este modo sujetos a la autoridad regia. El Consejo de las Órdenes propone los caballeros que habían de ocupar las encomiendas vacantes, sistema por el cual el Rey puede recompensar a los que han destacado en su servicio y, con frecuencia, a los familiares de los personajes más influyentes.

Y en cuanto a la administración de la justicia en las demarcaciones de esas tierras de Órdenes militares, la Corona es también la que nombra los gobernadores, que son los cargos correspondientes al de corregidor en tierras de realengo. Toda una maquinaria administrativa y judicial a la que antes hemos hecho referencia.

Precisamente una de las gracias más solicitadas por los altos personajes de la Corte para sus deudos y familiares consistía en obtener de la Corona alguna encomienda de las Órdenes militares, en cuanto se producía un hueco.

También puede apreciarse que las Órdenes militares tienden a invertir sus capitales ya en *juros* (esto es, valores del Estado), ya en inmuebles urbanos (casas de Toledo, de Córdoba), etc. Con frecuencia aparecen los apellidos ilustres en este conjunto de personas beneficiadas por la Corona: los Mendoza, los Manrique, los Guzmán, los Enríquez, los Pimentel, los Figueroa, los Silva, etc. Es más, se aprecia una clara tendencia a la sucesión, y si no a la vinculación totalmente hereditaria, sí al menos a la que se denominaba «de dos vidas», lo que es igual al derecho del padre a legar su beneficio al hijo. En la mayoría de los casos el beneficiario no quedaba obligado al deber de residencia.

Dos grandes territorios, dentro de la Corona de Castilla, se regían por gobernadores (dejados ahora aparte los vinculados a las Órdenes militares); esos territorios eran Galicia y Granada. El carácter militar del cargo explica tal distinción para tierras tan alejadas del centro del poder y tan expuestas a ataques enemigos, en especial el reino de Granada. En ambos casos el gobernador-capitán general se ve asistido en el gobierno por Audiencias territoriales, si bien en el caso granadino su importancia era mayor, ya que su Chancillería tenía jurisdicción sobre toda Castilla al sur del Tajo, con excepción del enclave sevillano.

Dadas las interferencias que entonces existían entre gobernación y justicia, es preciso dar el esquema de cuál era la administración de la justicia ordinaria en la Castilla de realengo. Estos eran sus escalones, desde el más modesto hasta al más alto: está, en primer lugar, el alcalde de cualquier lugar, que imparte justicia en primer grado, tanto civil como criminal. Se pasa después al corregidor, pieza clave en el gobierno regional, lo que nos obligará a examinarlo después con más detalle. Por encima del corregidor y pudiendo apelar ante ellas de su justicia están las Audiencias y las Chancillerías. En este escalón los perfiles son un tanto confusos. En Sevilla existía una de las más viejas Audiencias, que arrancaba de la época anterior, y a la que no solo vemos actuar con independencia frente a la próxima Chancillería de Granada, sino incluso tener como hijuela suya a otra Audiencia, que aparece en el siglo XVI en las Canarias; pero el área de jurisdicción de esta Audiencia sevillana solo afecta al territorio de aquel viejo reino, esto es, a la Andalucía occidental. En el norte nos encontramos también con el montaje de otra Audiencia para un territorio especialmente difícil de gobernar por su lejanía y por «la ferocidad» de sus habitantes, como ya hemos visto que reza un documento de Fernando el Católico; me refiero a la de Galicia, situada primero en Santiago de Compostela y después en La Coruña, la cual dependía directamente de la Chancillería de Valladolid. Además de la vallisoletana había otra segunda Chancillería, emplazada por los Reyes Católicos en Granada, evidentemente como una hábil medida política llevada a cabo para castellanizar más y más el antiguo reino nazarí.

Sabemos cuál era la frontera que separaba la jurisdicción de estas dos Chancillerías de Valladolid y Granada: el río Tajo. Ahora bien, no de modo rígido, puesto que cuando una cabeza de partido tenía lugares de su jurisdicción a la otra orilla del río, los arrastraba consigo bajo la dependencia de la Chancillería a la que pertenecía. Así podemos leer lo siguiente en las relaciones topográficas de Felipe II referentes a Talavera:

> ... Talavera es en el distrito de la Chancillería de Valladolid y ansi lo están los lugares de su jurisdicción que han de ir a donde va la cabeza, conforme a la ley real, no obstante que estén a la otra parte del río Tajo...

Los casos más graves podían pasar al Consejo Real, pero no por apelación de las sentencias de las Chancillerías. Digamos que estas dictaban sentencia definitiva, salvo en casos especiales, bien por la cuantía del pleito, bien por la categoría del personaje o por lo delicado del asunto. Entonces vemos intervenir al Consejo Real —por petición de la causa, no por apelación— a través de su ya mencionada «sala de Mil Quinientas», ante la que pueden ser convocados Grandes, Títulos y prelados para dar cuenta de sus actuaciones, así como consejeros, oidores y corregidores; esto es, los principales ministros de la Monarquía.

Otros procedimientos judiciales

La complejidad de la época, con sus residuos medievales, se aprecia en los numerosos casos de justicia administrativa por vía no ordinaria. Estaba, en primer lugar, la enorme zona controlada por los magnates, las mitras y las abadías. Los señores con señorío pleno administraban justicia a través de los jueces, que designaban con frecuencia a su albedrío —o, al menos, sin participación de la Corona—. Es cierto que el vasallo de señorío tenía el derecho de apelación de esa justicia señorial ante la del Rey, a través de las Audiencias (las cuales, en cualquier caso, eran las únicas que en Castilla podían dictar pena de muerte); pero, en la práctica, la justicia señorial era la realidad que tenían que sufrir más de la mitad de los vecinos de la Corona castellana.

Estaban, además, los casos de exención de la justicia ordinaria: el clero, la milicia, los estudiantes. Añádanse los consulados para las cuestiones mercantiles, y los alcaldes entregadores de la Mesta, con jurisdicción sobre los pleitos surgidos entre ganaderos y campesinos por la trashumancia del ganado lanar. Pero el caso más singular de justicia extraordinaria se ve reflejado en los alcaldes de Casa y Corte, con jurisdicción sobre los delitos ocurridos en el ámbito donde posaba el Rey; eran, pues, alcaldes ambulantes, dado el carácter nómada que tiene la Corte en la época del Renacimiento. Sus procedimientos eran sumarísimos, pudiendo llegar hasta la pena de muerte. Con los alcaldes de Casa y Corte (que podían controlar, además, la acción de los cuadrilleros de la Santa Hermandad) poseía la Monarquía un eficaz sistema para garantizar el orden en el punto más delicado, como era donde moraban el Rey y la Corte.

Todo este montaje no bastaba para impedir las venganzas personales. Los Reyes Católicos lograron extirpar muchos abusos señoriales y hacer respetar de nuevo la justicia real, con los castigos impuestos por todo su reino; sin embargo, se aprecia que los particulares que se veían amenazados solicitaban una carta especial de protección regia (cuyo coste desconocemos) como medio para disuadir a sus enemigos ante el peligro de caer en la cólera expresa del Rey, por infringir su carta de protección; curioso tipo de documento del que hay abundantes pruebas en el Registro del Sello de la Monarquía Católica. Juntos, por separado o enviando eficaces ministros de su justicia, se vio actuar con rapidez y eficacia a los Reyes Católicos, desde que la victoria de Toro les dejó con libertad de acción.

En el año 1476 organizan, con el apoyo de las Cortes castellanas (Cortes de Madrigal), la Santa Hermandad, cuya misión, como hemos visto, será de implantar la paz en el campo; su objetivo:

... que la gente pudiese andar seguramente por los caminos.

Recordemos nuevamente que en ese mismo año quedó vacante el cargo de maestre de la Orden de Santiago, por muerte de don Rodrigo Manrique, conde de Paredes (el cantado por su hijo, Jorge Manrique, en sus famosas coplas); circunstancia aprovechada por Isabel para presentarse en el castillo de Uclés, donde estaba reunido el Capítulo de la Orden, y conseguir la suspensión del nombramiento de nuevo maestre. Era el primer paso para la incorporación a la Corona de las tres Órdenes militares. En el año 1477 acuden los Reyes a Extremadura, domeñan el castillo de Trujillo y rebajan la soberbia de la nobleza cacereña; aún hoy el visitante puede constatar el testimonio de aquel paso de la ley regia al contemplar la serie de torres mochas del Cáceres viejo. El invierno de 1477 a 1478 lo dedican los Reyes a implantar el orden y la justicia en Andalucía. Después dividirán sus esfuerzos: Isabel pacifica Castilla la Vieja, mientras Fernando actúa en las Vascongadas y en las tierras salmantinas. En 1480 la autoridad regia se ha consolidado de tal modo que para reducir Galicia al orden es suficiente con mandar allí un enviado regio, el gobernador Acuña, asistido del licenciado Chinchilla. En 1483, Pardo de Cela es ajusticiado en Mondoñedo. Poco más tarde, Pedro Madruga huye de Galicia y busca refugio en Portugal. Para entonces ya era una realidad la justicia y el orden en todo el Reino de Castilla, y el cronista Andrés Bernáldez ya hemos visto que puede afirmar:

> los pobrecillos se ponían en justicia con los caballeros e la alcanzaban.

Si la victoria en la guerra de Sucesión había dado el poder a los Reyes Católicos, el contundente sometimiento de la nobleza demostró que sabían aprovechar adecuadamente su victoria. Sabían vencer y convencer. Su labor justiciera, realizada sobre grandes y menudos, iba a constituir al tiempo su mejor sistema de afianzamiento en el poder, pues les acabaría dando la adhesión completa de su pueblo, ansioso de una justicia firme que los librase de los abusos de los señores. Y esa aureola de justicieros va a sobrevivirles hasta el punto de ser recogida por la literatura posterior, como cuando Lope de Vega presenta el alzamiento del pueblo de Fuenteovejuna contra los atropellos del comendador, invocando el pueblo a los Reyes Católicos por sus señores naturales.

Las Cortes de Castilla

Aunque en sus principios las Cortes castellanas reúnen a los tres brazos (clero, nobleza y representantes de las ciudades), poco a poco los Reyes van convocando tan solo a los procuradores de las ciudades. Tampoco a todas las del reino, sino a las que más fácilmente se reúnen cabe el rey, es decir, las más importantes de las dos Castillas y de Andalucía; diecisiete en total, que, después de la conquista de Granada, se transformarán en dieciocho. Por el reino de León: León, Zamora, Toro y Salamanca; por Castilla la Vieja: Burgos, Valladolid, Soria, Segovia y Ávila; por el reino de Toledo: Toledo, Cuenca, Guadalajara y Madrid; por el Sur, las cinco cabezas de reinos: Murcia, Jaén, Córdoba, Sevilla y Granada.

No existía más que una distinción honorífica respecto a una ciudad, Burgos, que era la que representaba a las Cortes en los momentos solemnes, como en la réplica al discurso de la Corona (distinción que le disputaba vanamente Toledo), pero sin que esto supusiera una preeminencia efectiva sobre las demás ciudades o villas, lo que era el caso singular de las Cortes aragonesas, como hemos de ver.

Otra nota de su estructura: cada ciudad o villa con voto en Cortes estaba representada por dos procuradores; los cuales no corresponden la mayoría de las veces a la clase burguesa, casi inexistente en Castilla, sino al patriciado urbano.

Las principales atribuciones de las Cortes eran: votar los subsidios con que las ciudades habían de servir a la Corona; jurar, en su momento, al heredero, y presentar los cuadernos de peticiones. Atribuciones importantes por cuanto que afectan a la hacienda regia, a las reformas necesarias para el buen gobierno del reino y a la sucesión. Su importancia arrancaba de sus funciones, en cierto sentido auxiliares y en cierto sentido limitadoras del poder de la Corona. Frente al Rey era el Reino.

Su poder y su prestigio hacen que los Reyes Católicos busquen su apoyo en los dudosos momentos iniciales de su reinado, en particular para la promulgación de las grandes reformas; pero después los Reyes las convocan muy tardíamente, gracias a su relativa holgura económica.

Bajo los Reyes Católicos los servicios votados por las Cortes ascienden a la cantidad de ciento cincuenta millones de maravedíes por tres años, cantidad muy superior a la votada por las Cortes medievales y que se llegará a triplicar en el siglo XVI.

La Corona de Aragón, primera gran zona asociada a Castilla y gobernada por virreyes, tiene dos características especiales: la primera es su tenaz apego a sus estructuras tradicionales, en cuya defensa juegan un papel fundamental sus Cortes; la segunda es la primacía que entre sus núcleos urbanos ostentan las tres cabezas, Barcelona, Valencia y Zaragoza. En realidad, la Corona de Aragón no aparece como una entidad unida, sino como tres piezas independientes, puesto que ni siquiera las Cortes —y esta es la gran diferencia con Castilla— unen a los tres reinos. Mientras Castilla y León habían procedido a una plena conjunción en la Baja Edad Media, este proceso unificador no se había logrado entre Aragón, Cataluña y Valencia. En la Corona de Castilla ninguna ciudad tiene privilegios especiales en su seno de las Cortes, donde todas las ciudades y villas representadas están en pie de igualdad; en la Corona de Aragón el peso de Barcelona, Valencia y Zaragoza es abrumador dentro de cada uno de los reinos respectivos. Es cierto que las Cortes de la Corona de Aragón podían ser generales, pero eso solo quería decir que el Rey las convocaba el mismo día y en el mismo lugar, donde escuchaban reunidas el discurso inaugural de la Corona, pues, por lo demás, cada reino realizaba después sus deliberaciones por separado. La primacía de las capitales se nota en todas ellas en el hecho de que estaban representadas por cinco síndicos, frente a las demás ciudades o villas que solo contaban con uno. Las catalanas y valencianas reunían los tres brazos, que en las propiamente aragonesas eran cuatro, por estar dividido el de la nobleza en dos: alta nobleza e infanzones.

Sus debates eran semejantes, externamente, a los de Castilla. El Rey las convocaba —siendo precisa esa convocatoria previa para la reunión— y debía presidirlas. Se iniciaban con el discurso del representante real (discurso de la Corona), en el que se daba cuenta a las Cortes de los últimos acontecimientos de interés general y de la labor regia en beneficio de los reinos, para señalar después sus necesidades; a continuación los brazos se reunían para tratar la propuesta regia y para discutir las súplicas que habían de presentársele.

Las atribuciones de las Cortes eran las mismas que en Castilla: velar por la pureza de la sucesión (juramento del heredero); votar, en su caso, los subsidios que habían de darse al Rey, y pedir las reformas necesarias en la legislación.

Más independientes frente al Rey, raras veces votan subsidios que no sean para atender las propias necesidades. En la práctica, la dificultad encontrada por la Corona para hallar apoyo en sus empresas externas en las Cortes aragonesas hizo que no fueran convocadas con la frecuencia que en Castilla.

En el Reino de Aragón nos encontramos con el justicia mayor, cargo supremo de la administración de la justicia, pero con otras atribuciones que desbordaban las meramente judiciales: la principal de ellas consistía en que era el intérprete de los Fueros y el juez ante el cual cualquier aragonés podía apelar en los casos considerados de contrafuero (esto es, de atropello por parte de las autoridades en contra de los privilegios aragoneses). El justicia mayor había de proceder de la clase noble, era nombrado por el Rey y solo podía ser removido por él, con el consentimiento de las Cortes. Tenía un consejo asesor formado por diecisiete letrados y varios lugartenientes. De sus sentencias se podía apelar al Rey y su actuación era controlada por las Cortes.

La justicia en Zaragoza seguía administrada por un cargo de origen musulmán: el *zalmedina,* que era designado por la Corona de una cuaterna presentada por la ciudad. El cabildo municipal se regía por un jurado de cinco miembros, asistidos por dos auxiliares. Como órgano consultivo estaba el Consejo Municipal, integrado por veinticuatro personas. Estos cargos se elegían por insaculación, en dos fases; en la primera, para sacar trece electores, que después tenían facultad para aprobar o rechazar los nombres de los candidatos insaculados para los distintos puestos. La intervención de la Corona se logra a partir de Fernando el Católico, en las listas de personajes (generalmente de la nobleza) de las que se procedía a la insaculación.

Por lo que hace a Barcelona hay que señalar una importante reforma realizada por Fernando el Católico (en sucesivas intervenciones, entre 1481 y 1493). La reforma establece dos órganos municipales básicos: el Consejo de Ciento y los *consellers*.

El Concejo de Ciento estaba integrado por la burguesía y las clases trabajadoras en esta proporción: cuarenta y ocho ciudadanos (entendiéndose entonces por tal término al que vivía de sus rentas sin necesidad de trabajar, pero sin pertenecer a la nobleza), treinta y dos mercaderes, treinta y dos artesanos y treinta y dos menestrales, con un total de ciento cuarenta y cuatro miembros.

Los *consellers* eran cinco: tres ciudadanos, un mercader y un quinto alternado entre las profesiones de artesano o menestral. Existía, por lo tanto, cierto reparto del poder municipal entre las diversas clases sociales, si bien con predominio claro de los ciudadanos y mercaderes o clases altas urbanas.

Las piezas principales del poder municipal en Valencia eran el Consejo General y los jurados.

En esta ciudad solo vemos intervención popular en el Consejo General, cuerpo consultivo muy numeroso (semejante al Consejo de Ciento catalán), de ciento cuarenta y dos miembros, integrados por seis caballeros, cuatro juristas, cuarenta y ocho ciudadanos y ochenta y cuatro artesanos y artistas. Pero sus atribuciones principales eran judiciales y consultivas, por lo que estaban al margen del verdadero poder municipal.

LOS INSTRUMENTOS EN POLÍTICA EXTERIOR: DIPLOMACIA, EJÉRCITO, INFORMACIÓN

El Estado moderno precisa de dos instrumentos que le ayuden en su proyección exterior: diplomacia y ejército. En la línea cada vez más acusada de competencia internacional, todos los Estados renacentistas adquieren plena conciencia de que sin una información adecuada y sin un ejército eficiente quedan fuera de juego, desbordados, cuando no bajo la amenaza de una sorpresa desagradable. Por otra parte, el ejército es también un instrumento que puede aplicarse al interior. ¿Y acaso el prestigio de una acción afortunada en el exterior no fortalece al Príncipe en el interior? Maquiavelo podía subrayarlo en sus escritos, sin más que constatar la realidad que lo circundaba. Y de este modo nos encontramos con una rotunda diferenciación de los tiempos medievales. Ahora el Príncipe, mejor servido y con fuerzas más pujantes, quiere asomarse al exterior. Es una tentación y al mismo tiempo una necesidad, pues por propia experiencia sabe que no puede vivir encasillado en su territorio.

Y lo primero que necesita es una información, junto con la puesta a punto de un sistema que le ponga en relación con los Estados de su tiempo. La creciente complejidad de las relaciones internacionales hace que estas no se limiten a meros contactos entre vecinos, efectuados de forma esporádica. El Estado-nación y la misma ciudad-Estado están troceando la Cristiandad en fragmentos de aristas cada vez más hirientes, y los Príncipes han de estar alerta para contrarrestar cualquier maquinación externa, cuando no dispuestos a realizar las suyas si el ansia de engrandecimiento y el afán de la gloria les dominan. No pocas veces el empleo de la diplomacia y del ejército se suceden, aunque en otras la acción bélica viene doblada por la diplomática, en un quehacer sincrónico, para asegurar sus efectos, pues la diplomacia está más frecuentemente al servicio de la violencia que para impedirla. La gloria del Príncipe renacentista es la que marca las directrices, y el Príncipe suele amar la guerra, porque anhela la fama que acompaña al soldado afortunado. Es algo que impregna la vida cortesana, que está en la educación de la nobleza, en las historias que se leen de los héroes de la Antigüedad. Las armas engrandecen los Estados y hacen célebres a sus Príncipes. Se oculta la otra cara: las desventuras y miserias de la guerra, los horrores que han de sufrir los pueblos que las padecen y aun los propios guerreros. Pues la guerra es el oficio de los Príncipes, que se acuerdan tarde o nunca de lo que sufren sus pueblos. Basta recordar el consejo de Maquiavelo:

> La principal ocupación y el estudio preferente de un príncipe debe ser el arte de la guerra y la organización y disciplina de los ejércitos, porque esta es la verdadera ciencia del gobernante, y tan útil que no solo sirve para mantener en el poder a los que han nacido príncipes, sino también para que simples particulares lleguen a este estadio supremo. En cambio, es frecuente ver perder sus estados a los príncipes que viven en la molicie y el reposo.

E insiste machaconamente:

> Repito, pues, que la principal causa para perder el poder es desdeñar el arte de la guerra, y la primera para alcanzarlo profesar dicho arte.

Y el ejemplo vivo se daba a cada momento. ¿Qué le había ocurrido a la casa Sforza de Milán?

> Por tener un ejército —recordará el secretario florentino— llegó Francesco Sforza de simple particular a duque de Milán, y sus hijos, por esquivar las fatigas y disgustos del ejercicio de las armas, bajaron de duques a simples ciudadanos.

Por lo tanto, no solo la gloria renacentista, sino también el afianzamiento en el poder, se esconde tras el ejercicio de las armas, a juicio de Maquiavelo, que era buen crítico en tales materias.

Naturalmente, existen diferencias notables con épocas posteriores. De momento puede decirse que no se practica la guerra total, salvo en todo caso en la frontera que la Europa oriental tiene con el Turco. La guerra está constantemente en el pensamiento del Príncipe, más que en la mente del pueblo. Es su quehacer, su oficio, y para realizarlo se servirá de profesionales, de mercenarios que han hecho de la guerra su vida. Los pueblos, si no son el escenario de los combates, viven la guerra de una forma indirecta, como algo lejano de que se ocupa su Príncipe; esto es, lo más corriente es que no sean guerras populares, compartidas y sentidas por el pueblo. Son los Príncipes los que guerrean, más que los pueblos. Esto es lo que suponen, para franceses como para españoles, la serie de campañas en las que se ventila el dominio de Italia. En contraste, la guerra de Granada fue una auténtica guerra popular, y así los cronistas nos pueden describir a los vecinos de los pequeños lugares castellanos saliendo a echar flores a las tropas que pasaban camino del frente granadino. Pero eso será la excepción, al menos en la Europa occidental. Por ello, si la guerra de un modo u otro supone tanto en la historia de los tiempos modernos, será necesario apreciar cuáles son las ideas de los teóricos respecto a un incipiente derecho de gentes, cuál es el grado de evolución del instrumental diplomático y cuál el del ejército, con las problemáticas que esas estructuras plantean. Más que el desmenuzamiento del ir y venir de los soldados, que puede provocar confusión y caer en lo anodino, importa señalar las directrices que campean en las relaciones entre los pueblos y las circunstancias que alentaron o dificultaron los avances de los ejércitos. La guerra puede dar la supremacía, incluso por encima de las realidades económicas. Si el soldado es mercenario, el Príncipe más rico puede ser también el más poderoso, el mejor armado y, dado que los pueblos normalmente están de espaldas a la guerra, la riqueza del Príncipe no tiene por qué ser la del pueblo. Su tesoro puede llegarle por otras vías, sin olvidar la propia guerra. En otras palabras: una máquina de guerra a punto puede dar el predominio a un Príncipe sobre un país de nivel de vida superior al suyo que le sirve de punto de partida. Ni la industria ni la ciencia condicionan todavía la guerra. En la época del Renacimiento pueden darse aún las mayores sorpresas. Por ejemplo, que la supremacía europea la consiga un pueblo como el español, muy por debajo del nivel demográfico y económico del resto de la Europa occidental (Francia, Italia, los Países Bajos, Alemania).

Esta es la importancia particular que tiene este tema: que en él radica la explicación de los triunfos de los tercios viejos, a lo largo de toda la Alta Edad Moderna.

La diplomacia

Toda proyección exterior eficaz requiere una clara delimitación de los territorios propios: la frontera. Una frontera conocida y vigilada es tanto como una frontera controlada.

En el siglo XVI no todas las naciones contaban con tal ventaja. De ahí que eso nos pueda servir de punto de referencia para graduar el tipo de evolución de los Estados de la época. Por ejemplo, sabemos que Inglaterra, favorecida por sus especiales condiciones de insularidad, consigue un control perfecto de sus ventanas al exterior, hasta el punto de que cuando ocurre la muerte de María Tudor, en noviembre de 1558, el nuevo gobierno de Isabel logra bloquear los puertos e impedir que la noticia llegue rápidamente al continente.

Un caso parecido lo tenemos en España, que a su condición de Península añade la barrera de los Pirineos. Los Reyes de la Monarquía Católica pueden vigilar, con oportunas aduanas, casi todo lo que entra o sale de sus reinos hispanos. Lo cual no importa tan solo para los efectos de una política económica (un mercantilismo incipiente), sino también para vigilar el paso de los hombres, de las armas, del dinero y, sobre todo, de las ideas. Ello es importante y señala la superioridad de estos Estados de la Europa occidental (añádase Francia) frente a aquellos otros de la Europa oriental, como el reino de Polonia o el ducado de Moscovia, abiertos a cualquier invasión, con fronteras fluidas, sin clara delimitación de sus *limes* fronterizos.

Es, por otra parte, otra diferenciación con los tiempos medievales. Otra más, pues los Príncipes de la Edad Moderna aspiran a controlarlo todo con la mayor perfección posible y consideran lícita una intervención en los movimientos comerciales. Postura antitética a la medieval, en la que el comercio con otro país era considerado como un derecho solemne dentro de la Cristiandad. Precisamente como un rescoldo de esa mentalidad observamos que los particulares insisten en su derecho a proseguir las prácticas comerciales con otros países, aun con aquellos que estén en guerra con sus Príncipes. Es una de las sorpresas con que se encuentra el estudioso del siglo XVI: que la guerra no rompe del todo el comercio. Las provincias Vascongadas mantienen frecuentemente a lo largo de la primera mitad del siglo su tráfico con Francia, aun en las etapas en las que Carlos V y Francisco I lidian en el campo de batalla.

Estos Estados que están concretamente delimitados en sus contornos frente a los vecinos son, precisamente, los que más intensa vida internacional practican. Y, como nota fundamental, ofrecen todos ellos una tendencia a la que podríamos llamar política dinástica.

La época concedía un valor especial a la política matrimonial de sus soberanos, lo cual estaba justificado por la equiparación, al menos en el orden práctico, entre el Príncipe y el Estado. Podía ser, además, no solo un medio de forjar una alianza, sino también el sistema por el cual podían integrarse varias formas estatales simples en otras más complejas.

España tenía a este respecto el ejemplo claro de la actuación de los Reyes Católicos, cuya magistral política matrimonial había servido para los fines propios del Estado y para poner un freno a sus enemigos.

Las Embajadas. Ya hemos indicado que es la Italia del *Quattrocento* la que da origen al representante permanente en el exterior. Es un sistema que se hace tan preciso que pronto lo vemos adoptado por las demás potencias de la Cristiandad. Como se trata ante todo de obtener información lo más amplia posible, el punto fundamental y primario lo constituirá la Embajada de Roma. Y sabemos muy bien hasta qué punto los embajadores de Fernando el Católico en la Ciudad Eterna le ayudaron, desde allí, con su información y doblando con la acción diplomática la tarea eficaz iniciada por sus armas en la conquista del reino napolitano.

Para Gustav Zeller las Embajadas constituían verdaderos centros de espionaje, focos de fricción entre los Estados más que puentes de negociación. Es evidente que en algunos casos concretos la información de la Embajada casi no se distingue de la que puede facilitar un espía en territorio enemigo; recordemos a este respecto la labor de los españoles en la Corte de la reina Isabel de Inglaterra cuando se enciende el problema del cautiverio de María Estuardo. Pero, todo sumado, ha de tomarse este hecho de las Embajadas permanentes como un avance en las relaciones internacionales, por su posibilidad de salvar las crisis políticas a través de negociaciones, superando el recurso a las armas. Para nosotros, los hombres del siglo XXI, los despachos de los embajadores constituyen una preciosa fuente de información para la historia de las relaciones diplomáticas, así como una ventana sobre los Estados de la época. ¿Será preciso recordar, en este orden de cosas, el valor singular de las famosísimas *Relazioni* de los embajadores venecianos.

La Embajada permanente trae consigo el montaje de una estructura central —el Consejo de Estado— y un personal especializado, algunos de cuyos miembros habrá que contar entre los principales ministros del reino: los secretarios del Consejo de Estado. La precisión de guardar el secreto hará que se desarrolle ampliamente el sistema de la escritura cifrada, con funcionarios especialistas, tanto en la Corte como en las Embajadas, para cifrar y descifrar la correspondencia. Y si la lengua oficial de los tratados aún continúa siendo el latín, la nacional es la que se impone en esta abundante correspondencia secreta.

Embajadas permanentes como algo muy peculiar de los tiempos modernos, pero que no eliminan las Embajadas extraordinarias, bien las que hacen frente a una situación imprevista, bien las que tienen por único objetivo —al igual que hoy día— el parabién o el pésame oficial por sucesos determinados.

El instrumento bélico: el ejército

Es, a todas luces, el instrumento más importante de que dispone el Príncipe para su creación del nuevo Estado, ya que le asegura la obediencia de sus vasallos en el interior y le pone a resguardo de sus enemigos en el exterior. El historiador ve en él también a uno de los impulsores del capitalismo moderno, como en general todo el fenómeno de la guerra, al posibilitar grandes inversiones en el suministro de víveres, ropa, armas y municiones. La uniformidad de estos pedidos (simbolizada en el «uniforme» del soldado, que acabará imponiéndose sobre la anárquica vestimenta del mílite del Medievo), uniformidad en cuanto a sus unidades y en cuanto a su periodicidad, así como su cuantía creciente, es uno de los incentivos para las inversiones de los hombres de empresa. Dicho esto, para dejar constancia del extremado interés que tiene el tema del ejército en la historia de los tiempos modernos, hay que señalar que, por lo general, nos encontramos con el instrumento perfeccionado por el poder para su apoyatura; el ejército será reorganizado desde el poder y siempre lo vemos al servicio del poder. En este período la oposición, las pocas veces que se manifiesta violentamente, no encuentra la forma de organizar su propio ejército —el ejército de la revolución—, y de ahí su inevitable derrota, sea la de los comuneros en Castilla, la de los agermanados en Valencia o la de los campesinos en Alemania. En la Europa del Renacimiento quizá el caso inglés pueda contemplarse como una excepción, significada en la batalla de Bosworth (1485), que dará el poder a Enrique VII, si bien más habría que considerarla como un arreglo final de aquella sociedad para salir de la crisis de la guerra civil (guerra de las Dos Rosas), mediante el enlace de las Casas de Lancaster y de York.

En todo caso —y también aquí el final de Ricardo III podría ser un ejemplo ilustrativo—, el Príncipe precisa con urgencia una fuerza de coacción para imponerse sobre la nobleza feudal; una fuerza suficiente, al menos, para domeñar a los señores de los empinados castillos: un ejército eficaz, pero costoso, y que por ello queda ya muy por encima de las posibilidades señoriales. Los grandes señores podrán tener todavía fuerzas armadas a su servicio, pero mantener todo un ejército ya solo podrá hacerlo el Príncipe. Los antiguos señores de la guerra, como el señor de Castronuño o el de Monleón, serán dominados y sus castillos arrasados, porque frente al castillo el Príncipe puede plantar su artillería y obtener el mejor blanco que jamás pudo soñar un artillero, y frente a la caballería nobiliaria, desplegar su infantería bien pertrechada de armas de fuego. Ya en Crécy (1348) y en Azincourt (1415) la caballería francesa había tenido que rendirse ante los disciplinados infantes ingleses ¡armados aún con arcos! Era solo el anticipo de lo que ocurriría cuando los estrategas armasen a su infantería con arcabuces, sustituidos después por el más rápido y manejable mosquete. En Nancy (1477) es la caballería borgoñona la que cae derrotada en combate con los cuadros suizos. En otras palabras, el caballero valiente, pero desordenado y menor en número, es vencido por el infante disciplinado que aguanta hombro contra hombro.

Pronto las batallas las decidirá la potencia de fuego, y el que sepa articular las masas de infantes y darles la adecuada protección artillera creará el instrumento preciso, la máquina de guerra con la que imponerse. Eso, y no otra cosa, es lo que conseguirá una de las figuras más notables de la milicia renacentista, el español Gonzalo Fernández de Córdoba, con justicia conocido bajo el nombre de Gran Capitán. Aquel soldado, que había combatido en la guerra de Granada, había sabido sacar las oportunas conclusiones y las aplicó más tarde con singular fortuna en las campañas de Italia; este es el secreto de la serie de increíbles victorias de los tercios viejos hispanos, que los harán los dueños del campo de batalla durante generaciones, hasta mediados del siglo XVII. Que los mismos temibles cuadros suizos fuesen superados por el Gran Capitán y por los soldados formados en su escuela se debe a esa transformación. El núcleo fundamental del ejército moderno, al estilo suizo, lo constituía el cuadro de infantería, impresionante bloque con cuadro de cien piqueros de frente y un fondo de sesenta. Cada cuadro, pues, lo integraban 6.000 soldados, y tres de estos cuadros se consideraban ya la base suficiente de infantería para cubrir las necesidades de un ejército, que con las otras formaciones podían llegar a los 40.000 o 50.000 soldados. Para vencer aquellos bloques compactos de piqueros, con sus picas de cinco metros de largo, entre los que se incrustaban los ballesteros (más tarde sustituidos por los arcabuceros), era preciso ganarles en movilidad, sin perder su fuerza, hacer o deshacer el bloque según conviniese, pero manteniendo siempre el orden: eso es lo que consigue el Gran Capitán con el tercio de 3.000 soldados, repartidos en doce compañías de 250 soldados. Dos tercios componían una coronelía y dos coronelías una división, con un total ya de 12.000 infantes, armados de picas y arcabuces en proporción de dos a uno (proporción elevada después por el duque de Alba a la mitad), consiguiendo una potencia de fuego como hasta entonces no se conocía. Por otra parte, la habilidad del español en el manejo de aquellas rudimentarias armas de fuego se hizo proverbial, hasta dar lugar a la frase de Carlos V:

> La suerte de mis batallas ha sido decidida por las mechas de mis arcabuceros españoles.

Este hecho, añadido a que una modesta industria de armamento pudiera todavía respaldar la base de producción necesaria, dio la oportunidad a España; más tarde, entrada ya la época del Barroco, al aumentar notoriamente los efectivos militares, esa base de producción militar (sobre todo en relación con la artillería) solo podía darla una industria más poderosa, desbordando cada vez más las posibilidades hispanas. Pues hubo también una coyuntura militar para España, entre las campañas de Italia y el final de la guerra de los Treinta Años, que en este caso supo aprovechar al máximo, bien servida por el hidalgo y el segundón de casa noble, pero también por los humildes pecheros de las dos mesetas, en especial por los sufridos pastores.

Con esta exposición, ¿qué es lo que encontramos de moderno en el nuevo ejército? Su reclutamiento, su armamento y su táctica. En cuanto al reclutamiento, durante algún tiempo aún perduran las mesnadas señoriales, que acuden dirigidas por la alta nobleza al ser llamada esta por la Corona; ese es el caso de la guerra contra la princesa Juana o del conflicto posterior de las Comunidades. Pero, cada vez más, esto constituirá tan solo la parte complementaria, estructurándose lo fundamental de la máquina militar sobre la base de un reclutamiento organizado por el Estado, ya exigiendo a las principales ciudades y regiones unos cupos determinados de soldados, pagados por ellas, ya enviando oficiales reclutadores. Sabemos que Asturias mandaba entre 300 y 500 soldados cuando se iniciaba una nueva campaña militar. Se trataba, por lo tanto, de milicias ocasionales, a diferencia de las reclutas generalmente hechas en las zonas meseteñas, en las que se buscaba nutrir las filas de los tercios viejos con nuevos profesionales. Pues los soldados se incorporaban ya por lo general a la milicia, haciendo de ella su profesión; siendo también mercenarios, la ventaja para la Monarquía Católica estribaba en que los tercios viejos no servían a ningún otro Príncipe, a diferencia de los infantes suizos o de los landsquenetes alemanes, siempre buscando el mejor postor. El infante español del tercio viejo es fiel a su Príncipe de por vida, y sus sentimientos patrióticos pueden ser un elemento no despreciable a la hora de entrar en combate; aunque también perciba su paga, no supedita su acción militar al cobro de sus haberes, o al menos no tan tajantemente como los suizos o los alemanes; incluso llegan a darse casos, como en la campaña de Nápoles de 1528, en que los tercios aplazan el cobro de su paga en favor de las formaciones mercenarias extranjeras, más exigentes. Así pues, a sus otras condiciones naturales añadían los españoles esa otra de la fidelidad, dando una gran ventaja a su Príncipe.

Aunque la infantería pase a ocupar ese importante papel, cada vez más acusado a lo largo de la Edad Moderna, la caballería es claro que aún sigue teniendo su importancia, en especial para misiones que nadie como ella puede seguir realizando; así, para envolver al enemigo, para obligarlo a entrar en combate, y para consumar la victoria, persiguiendo a las formaciones vencidas en retirada. Pues precisamente una de las dificultades podía consistir en conseguir que el enemigo aceptase la batalla, produciéndose así gran número de campañas indecisas que prolongaban la guerra, hasta que el cansancio o la quiebra económica (o las dos cosas al tiempo) forzaban a los contendientes a buscar la paz.

Esa caballería podía ser pesada o ligera; en el primer caso, el modelo europeo era el hombre de armas (o *gendarme)* francés, con su furia famosa que le podía dar la victoria a la primera acometida, como había ocurrido en Marignano (1515).

Si la caballería pesada era el principal recurso militar de Francia, especie de arma de choque sin rival en su género, la caballería ligera más renombrada era la turca.

También la artillería estaba dividida en dos ramas (de sitio y de campaña), siendo la primera la verdaderamente eficaz. Fernando el Católico, que además de estadista de primer orden era también un gran soldado, así lo comprendió, y supo sacar un gran fruto del adecuado empleo de la artillería a lo largo de la guerra de Granada; basta con examinar los bajorrelieves de la sillería del coro de la catedral toledana para apreciar, a través del testimonio artístico de Rodrigo Alemán, el efecto que la artillería fernandina causó en las despavoridas poblaciones musulmanas, particularmente en las primeras campañas. En cuanto a la ligera, su escaso alcance (100 m) e imprecisión le daban solo un valor psicológico. De todas formas, la artillería, pesada o ligera, aún carecía de perfección técnica. No existía uniformidad en el tipo de cañones, pudiendo verse en los ejércitos hasta cincuenta distintos, lo que dificultaba su municionamiento, que consistía en pesadas bolas de hierro o piedra («la pelotería», lanzadas desde 300 metros como máximo). Los cañones solían ser aún de bronce, y tan pesados, que hacía falta grandes esfuerzos de bestias y hombres para su traslado, así como la labor de zapadores para arreglar los caminos, afianzar los puentes o para ayudar a pasar los puertos de montaña.

La información

El Estado (en estos momentos ya hemos podido ver hasta qué grado personificado por el Príncipe) necesita información; una información lo más pronta y lo más precisa posible. Casi podríamos decir que de ella se alimenta; al menos, no cabe duda de que es la que le permite tomar las decisiones adecuadas y en el momento oportuno. Pues un

Príncipe sin información pertinente es como si estuviera desarmado; se hallaría a merced de cualquier sorpresa, tanto procedente del exterior como incubada en el interior. Y bien sabido es que un buen político es aquel precavido que trata de no verse sorprendido por los acontecimientos. Por lo tanto, ha de montar un sistema tal que le depare la oportuna información, tanto del exterior como del interior.

En cuanto al exterior, está claro que esta es la principal tarea asignada a las Embajadas, y sus representantes procuran cumplirla concienzudamente en minuciosos despachos, que duplican y triplican a fin de que lleguen a su destino, y escritos en lenguaje cifrado por la naturaleza de su contenido. Los embajadores venecianos, prototipo de personal preparado para estas funciones, tenían obligación, además, de realizar al final de su misión una acabada descripción del país donde habían estado acreditados, dando particular cuenta de todos los detalles concernientes a las leyes, costumbres, riqueza y, por supuesto, fuerzas de aquella nación que los había cobijado: son las *Relazioni* venecianas, que aún siguen constituyendo una preciosa fuente para el historiador de los tiempos modernos. Esta información permitía al Príncipe preparar sus alianzas o salir al paso de las conjuras internacionales; con frecuencia, es evidente, tenían también la misión de provocar, desde el mismo seno de la Embajada, dificultades al Príncipe vecino si este era incómodo; dificultades realizadas bajo cuerda, lo que motivaba las consiguientes represalias y situaciones conflictivas.

No se agotaba ahí, en el terreno de la diplomacia, la necesidad que el Príncipe tenía de información, ya que también precisaba la complementaria del interior de su reino: noticias fidedignas, por ejemplo, del número y riqueza de sus vasallos. Pues ¿acaso no ha de sostener el Príncipe unas estructuras políticas cada vez más costosas? Eso sin contar con la guerra, en la que una y otra vez se ve envuelto, y que siempre es demasiado cara. Por lo tanto, los vasallos han de pagar. Y para saber en qué medida, surgen los censos, ya sea el somero realizado por Alonso de Quintanilla a finales del siglo XV, ya sea el más completo montado por la administración imperial en Castilla, entre 1528 y 1536.

¿Le basta con esto al Príncipe? ¿No ha de tratar de evitar, en lo posible, desagradables desviaciones internas referentes a las directrices que marca? Esto es, ¿no se ha de precaver también de una oposición violenta a su gobierno? De ahí que desde los Reyes Católicos, al transformarse la Monarquía en un Estado confesional, la Corona precise conocer los posibles disidentes, y no cabe duda de que, bajo ese punto de vista, la Inquisición se nos transforma, de repente, en una formidable máquina de obtener información. Será sobre materia religiosa, preferentemente, pero desde el momento en que los conversos son sospechosos de judaizar, esa materia toma también un carácter político. Por lo tanto, se trata de acopiar información, que por la naturaleza de su contenido ha de ser confidencial (el secreto de la diplomacia va aquí a la par con el secreto inquisitorial) y, por ende, manuscrita, lo que obliga al montaje de un sistema que la transmita al centro del gobierno lo más rápidamente posible: el correo. Aquí la Monarquía Católica contará con la organización desarrollada por la familia de los Tassis, a partir del reinado de Carlos V, heredando así una preciosa institución montada por la Casa de Borgoña. Ellos constituirán el correo mayor y el servicio de postas con la arteria principal, Milán-Bruselas: las velocidades máximas que se obtenían eran de 135 kilómetros por día, a base, como es natural, de relevos de caballos; era el «ir por la posta», sinónimo de viaje veloz, aunque muy fatigoso.

Naturalmente, las dificultades de obtener información crecían con el espacio a dominar.

Aparte esas consideraciones, y una vez visto cómo obtiene la Corona la información, es necesario apreciar cómo la reparte. Se trata de una tarea que está en función de la opinión pública: en función de conseguir el mayor consenso popular posible a la actuación del Príncipe. Pues el Príncipe necesita contar con esa opinión pública, que le respalde en sus decisiones y le asegure; caso de que no la consiguiera, se produciría lo más grave: una escisión, con peligro de divorcio, entre gobernante y gobernados, que obligaría al Príncipe a imponerse por la fuerza de las armas, ya que no habría sido capaz de hacerlo por la fuerza de la razón. Sería el camino hacia la tiranía y franquear la puerta a la rebelión.

En esos momentos, salvo en casos excepcionales, el Príncipe tiene particular interés por repartir su información en el interior, más que en el exterior, y por estos conductos: en primer lugar, dándola a las Cortes, que es la institución que representa al reino; en segundo lugar, a los grandes personajes de la nobleza y del clero; y, en tercer lugar, a la nación entera, a través de las ciudades y villas. Por lo tanto, es una información que con la técnica de la época se reparte en dos fases, la primera casi exclusivamente dentro del sector urbano, si bien luego se difunde, en una segunda fase, por la tierra circundante. A las Cortes, el Rey procura convencerlas a través de su discurso inaugural, en el que pormenoriza su actuación desde la anterior convocatoria, resaltando todo su buen quehacer de gobernante y sus desvelos por la cosa pública; de esa manera justifica también ante los procuradores en qué ha invertido el dinero que ha recibido, para terminar esbozando los problemas que tiene planteados, para los que, a su vez, precisa nuevamente del concurso económico de sus súbditos. Es, por ello, una doble justificación, de lo que ha realizado y de la petición nueva. A los grandes personajes y a las ciudades y villas les envía cartas circulares, aunque, por llevar su firma, daban la impresión de personales. Finalmente, y con la ayuda de cronistas y escritores asalariados, se dará cuenta de los logros más espectaculares en informaciones breves, para las que ya puede utilizarse el reciente invento de la imprenta: hojas volanderas, con grabados, que llegan a las capas populares, en las que se cuenta la reciente boda principesca (pues resulta importante alimentar los sentimientos monárquicos del pueblo, haciéndole vivir la vida de la familia real) o el último triunfo logrado: la toma de una ciudad en la guerra de Granada o las victorias de los tercios viejos en el Reino de Nápoles.

Pero ¿se dice al país todo lo que se sabe? Evidentemente, no. Se trata dé una información controlada. A lo más, se dice una parte de la verdad. Carlos V dará cuenta del triunfo de la elección imperial, pero no del sucio juego de sobornos, de ofertas y contraofertas entonces desatado. Los triunfos se realzan, los reveses se palian, achacándolos a dificultades insuperables («los elementos», «la voluntad divina»), cuando no se silencian. La opinión pública sabrá mucho más sobre la campaña victoriosa de Ronda que sobre la penosa retirada de Fernando ante Loja.

Esa información, manejada desde el poder, tendrá a veces tareas fáciles; así, cuando se trata de excitar aún más los ánimos para la guerra de Granada. Pero, en otras ocasiones, la cosa resultará más difícil, porque la opinión pública está desorientada; es más, porque es el propio informador el que se halla perplejo.

La información: un tema revelador de los problemas de un Estado. Habría que añadir que, aunque en la época del Renacimiento contaba casi exclusivamente para el Príncipe la opinión nacional, a veces también se veía en la necesidad de acudir a la internacional, como cuando se trata de conseguir el apoyo de la Cristiandad en la guerra contra el reino nazarí de Granada.

¿Cómo se hallaba el pueblo frente a la información? No cabe duda; el urbano era el que estaba mejor informado. La ciudad misma, en especial la Corte, era fuente perenne de noticias, las más dispares. Piénsese en el pueblo vallisoletano, cuando le bastaba acercarse a la casa de los Vivero para respirar la noticia de la boda de los príncipes Isabel y Fernando. En cambio, el campo estaba ansioso de noticias, y así en las comunidades rurales cualquier novedad agolpaba al pueblo.

Claro es que todo lo dicho se refiere sobremanera a la información política, y que ahí no se agota la cuestión. Esta es la que intenta controlar el Príncipe, y aún habría que añadir que la oposición, más o menos manifiesta, tiene la suya propia. ¿Acaso Castilla entera —la Castilla comunera, se entiende— no conoce muy pronto el incendio de Medina del Campo, provocado por la soldadesca imperial? Y a buen seguro que no fue el gobierno del regente Adriano quien difundió el penoso suceso, que alteró más aún a Castilla la Vieja. Por otra parte, estaba la información que manaba de fuentes particulares. Era frecuente que los protagonistas de los grandes sucesos dieran su versión de estos, como Cristóbal Colón lo hizo de su descubrimiento de América. En ocasiones, son los cortesanos los que gustan de dar noticias de la Corte a sus amigos, en aquella época en que todavía estaba lejos de crearse la prensa; de este tono es el epistolario que el humanista Pedro Mártir de Anglería envía al arzobispo de Granada, fray Hernando de Talavera, y al conde de Tendilla, gobernador de aquel reino.

Porque los viajeros tenían siempre cosas que contar, en unos tiempos en que los viajes eran tan raros; claro es que a veces contaban incluso algo más de lo que habían visto, no resistiendo a la tentación de maravillar a su auditorio. Y lo cierto es que la misma fuerza de la noticia puede provocar el viaje, en cierto sentido al modo de los actuales corresponsales extraordinarios. ¿Qué es, si no, lo que mueve a Münzer a dejar su patria para ir a la España de los Reyes Católicos en 1494? Ya se había conquistado Granada y ya Colón había descubierto América. Estupendos sucesos. Y ver a los propios Reyes, a aquellos grandes personajes que habían trocado un país en desorden en el más poderoso de su tiempo, era ya por sí solo gran noticia. Y de esta manera, aunque con sus ribetes de adulación cortesana, podía en verdad decirles Münzer en su presencia:

> ... queriendo ver a los dueños y autores de tantas maravillas, hemos venido a Madrid, ansiosos de posar los ojos en Vuestras Majestades...

Claro es que Münzer tenía un secreto motivo, como era el de saber algo más sobre la verdad del viaje a las Indias por Occidente, pero ¿acaso no era esto otra fantástica noticia?

Porque la información es sobre la noticia, cuanto más rara y estupenda mejor. Y la noticia es un cambio, que se confirma o que se anuncia. Y el cambio es el pasar de la Historia, esa Historia en la que los hombres están inmersos, como seres históricos que son.

EL DESPLIEGUE DE LAS ARTES Y LAS LETRAS: EL PROTAGONISMO DE ISABEL

Asistamos, primero, al despliegue cultural en todos sus ámbitos, desde las Artes hasta las Letras, para tratar después de perfilar el protagonismo de Isabel.

Y puesto que estamos en la época del pleno Renacimiento, tanto en Italia como en los Países Bajos, la primera pregunta que debemos formularnos es hasta qué punto penetra en los Reinos hispanos. No cabe duda de que algo va llegando, por unas vías o por otras, ya de la mano de los humanistas, ya de los artistas e incluso de los comerciantes y de los soldados; en suma, de todos los que por su profesión tienen —o sienten— la necesidad de ponerse en contacto con Italia o con los Países Bajos. Pues el Renacimiento es tan sugestivo y tan brillante, que se apodera al punto de todos los que lo van conociendo. Por otra parte, es lo moderno, lo que supera a la cultura gótica, lo que tiene futuro.

Ahora bien, ¿en qué proporción el español se pone entonces en contacto, por ejemplo, con Italia? Tan solo unos centenares cada año, si descontamos a los soldados rasos, pues como el Renacimiento es, ante todo, un fenómeno aristocrático, puede pensarse que no calará demasiado en la milicia, salvo en su oficialidad. Y esa minoría no supone mucho para cambiar la estructura de una nación que andaría entonces por los siete millones de habitantes. Afecta vivamente a los escritores y a los artistas, porque ellos constituyen un pequeño mundo, siempre atento a lo novedoso, pero en menor grado al resto de la población, incluso a las mismas Universidades.

Un tema que se va convirtiendo en polémico, dentro de la Historia de España, es el que se ciñe a esta pregunta: ¿hubo en España Renacimiento? Evidentemente, para los que analizan tan solo las formas literarias o artísticas, la respuesta es sencilla; les basta con recordar las figuras señeras de Fernando de Rojas y Garcilaso de la Vega en las letras, de Diego de Siloé en arquitectura, de Pedro Berruguete en pintura y de su hijo Alonso Berruguete en escultura. Pero la cosa no aparece tan clara si el problema lo trasladamos al área entera de la sociedad. En todo caso, cuando se trata del enfoque de nuestro humanismo ya los puntos de vista son divergentes. Cojamos a dos estudiosos de esa cuestión, al inglés A. A. Parker y a nuestro compatriota Luis Gil. Pues bien, en este caso nos encontramos con que el extranjero es el que tiene mejor concepto del nivel alcanzado por nuestro humanismo, pues en conjunto estamos —siempre según Parker— ante un verdadero Siglo de Oro de la cultura española. Muy distinto es el juicio de Luis Gil, que podríamos resumir con estas breves palabras: El humanismo español del siglo XVI hay que considerarlo como una gran frustración. Aunque habremos de pormenorizar, más adelante, las razones de ambos tratadistas, lo anterior nos bastará, de momento, para centrar el debate.

De todas formas, insisto en que la cuestión, bajo el punto de vista de la Historia de España, ha de llevarse más lejos y con una visión más amplia del problema; no solo al debate sobre tal o cual figura —aunque, por supuesto, hayan de tenerse en cuenta—, sino al conjunto de la sociedad española de la época. Esto es, lo que hemos de tratar de conocer es hasta qué punto la obra de las catedrales renacentistas, por ejemplo, es representativa de esa sociedad. Y así siguiendo, deberemos examinar los demás testimonios de aquel pasado, tomándolos no aisladamente, sino en el contexto social en el que fueron elaborados. Pues lo que nos importa, en definitiva, es el conocimiento de aquella sociedad.

Y así, lo primero que salta a la vista es una aparente contradicción entre unas estructuras sociales ancladas a la tierra, escasamente adineradas —salvo la excepción de la ciudad de Sevilla y, en menor grado, de Burgos— y unas muestras, en artes y letras, que indiscutiblemente son renacentistas. ¿Cómo podríamos explicar esto? Para ello, lo primero es analizar por separado esos testimonios.

Carácter de nuestra arquitectura

Pero lancémonos al campo. Hagamos algo de Arqueología Moderna, como hicimos un equipo de profesores de la Universidad de Salamanca (Ana Díaz Medina, Baltasar Cuart, José Ignacio Fortea y yo mismo), allá por los años setenta. ¿Y con qué nos encontramos? A primera vista, cierto es que tanto los palacios del conde de Mirada en Peñaranda de Duero y del duque de Medinaceli en Cogolludo, como las catedrales de Granada y Málaga, son de marcado estilo renacentista. Pero habría que añadir algo más. Pues en el caso de los palacios señoriales citados (que son, sin disputa, los más representativos de este período), así como en el de los patios renacentistas de los castillos de La Calahorra y de Vélez, no responden a un contorno urbano renacentista. Tanto Peñaranda de Duero como Cogolludo son dos emplazamientos militares, uno sobre la línea del Duero y otro sobre el Sistema Central, y de sus fines bélicos aún se conservan sus sendos castillos. Concretamente el enclave de Cogolludo estuvo en manos de la Orden militar de Calatrava hasta el siglo XII. Ambos pasan a dos grandes linajes nobiliarios, el primero a los Zúñiga y el segundo a los Cerda. En los dos casos, y siguiendo un proceso propio de los tiempos modernos, el poderoso noble deja de habitar el castillo para implantar su sede en un palacio que construye en el corazón de la villa. Evidentemente, porque, bajo el punto de vista del orden, nada tiene que temer. Han pasado ya los tiempos revueltos de mediados del siglo XV y el Estado es el que garantiza el orden. Pero dejemos ahora de lado ese aspecto de la cuestión. Examinemos el contorno urbano en que esos dos palacios quedan enclavados. Y la conclusión es la misma: son villas semirrurales sobre las que presiona el campo circundante. En el caso de Peñaranda de Duero, aún es bien palpable: apenas si podemos considerarla como una pequeña aldea burgalesa. Una copia casi exacta se da en Berlanga, aguas arriba del Duero, donde la pequeña villa rural está enseñorieda por un macizo castillo asentado sobre la colina a cuya falda se agrupan las humildes casas del lugar; castillo alzado por el inquieto señorío del siglo XV, mientras a su ladera, ya formando parte del pueblo, construye don Juan de Tovar, en tiempos de Carlos V un palacio del que hoy no se conserva más que la fachada, que a través de sus huecos deja ver, al fondo, la masa imponente del castillo, en contraste así con nuestro frágil Renacimiento. En Almazán levantan los Hurtado de Mendoza otro palacio, del siglo XVI en este caso, en la misma plaza mayor. En Cogolludo nos encontramos con otra de las muestras de este Renacimiento señorial, medio por medio del agro, obra magnífica de Lorenzo Vázquez; la rústica plaza, el ambiente rural que cerca el palacio en la misma villa —aún hoy de difícil acceso—, la estampa del castillo señoreando la villa, es de nuevo el esquema repetido de Peñaranda de Duero o de Berlanga.

Por lo tanto, en ninguno de estos casos cabe hablar de testimonios representativos de una sociedad adinerada, como tampoco es lícito hacerlo al mencionar esos castillos con patios renacentistas que la alta nobleza alza en el sur, de los cuales el más representativo es el edificado por el marqués de Zenete a principios del siglo XVI cerca de Guadix, sobre el pequeño lugar de La Calahorra.

Muestras excelentes, pero aisladas asimismo, de la nueva arquitectura renacentista se dan dispersas un poco por toda España, pero sobre todo por la antigua Corona de Castilla. Baste mencionar la iglesia de Santa María la Mayor de Pontevedra, el convento de San Marcos de León, el colegio mayor de Santa Cruz de Valladolid (obra del arquitecto Lorenzo Vázquez, bajo el mecenazgo del cardenal Mendoza), la torre de Santa María del Campo (provincia de Burgos), la escalera dorada de la catedral burgalesa (donde deja la huella de su genio Diego de Siloé), o su hermana menor la catedral de Burgo de Osma; la Universidad de Alcalá de Henares, de Hontañón; el palacio Mendoza de Guadalajara, el Ayuntamiento de Sevilla, de Diego de Riaño, o, finalmente, el famoso palacio inacabado que Carlos V encargó a Pedro Machuca que alzase en medio de la Alhambra granadina. Sin pretender agotar el repertorio de ejemplos, diré que constituyen casos aislados, que no se ven suficientemente apoyados en el conjunto urbano a que responden. En ese orden de cosas solo se puede recordar a Salamanca, en la zona meseteña, y a Úbeda y Baeza, en la andaluza. Claro es que en Toledo se construyen los hospitales de Santa Cruz y de Afuera (o de Tavera), junto con el Alcázar y la puerta de la Bisagra, donde marca su genio Covarrubias; pero la ciudad sigue con una nota predominantemente medieval. Y apréciese que esas construcciones se deben, sobre todo, a la Iglesia —la poderosa mitra metropolitana— o a la Corona. En todo caso, habría que subrayar la influencia de Carlos V sobre nuestro Renacimiento, marcando aquí su nota cosmopolita sobre nuestro ambiente más tradicional. Así, la mayor parte de las obras que se construyen con arreglo al nuevo estilo llevan también el escudo imperial, como si fuera un sello de fábrica, que encontramos tanto en la puerta de las Escuelas menores de Salamanca como en el Ayuntamiento de Ciudad Rodrigo, o en la puerta de la Bisagra toledana. Y quizá esa sería la explicación de la zona jiennense, que cae bajo el influjo del todopoderoso ministro imperial que fue Francisco de los Cobos.

Dejando, pues, por el momento a un lado el caso maravilloso de Salamanca, llama la atención el que Sevilla o Burgos, o Valencia, nuestras tres ciudades más adineradas, muestren tan pocos testimonios ciertamente representativos del momento renacentista. En la época anterior, Barcelona alzó su espléndido barrio gótico. Nada semejante encontramos en Valencia, heredera en el siglo XVI de su prosperidad cara al Mediterráneo. Única muestra en verdad importante del estilo renacentista en toda la Corona de Aragón es la iglesia de Santa Engracia de Zaragoza. Es cierto que para Sevilla, junto con el Ayuntamiento, obra de Riaño, cabe recordar los palacios de Las Dueñas o de Pilatos, y que en Burgos los textos citan la mansión de Miranda, el Cubo y la puerta de Santa María; esta, por otra parte, de proporciones tan toscas que ya se desprende de esta directriz. Pero, en suma, muy poca cosa para tan amplios conjuntos urbanos, el uno controlando el comercio y los tesoros de América; el otro, el tráfico de las lanas con el norte de Europa.

Vayamos ahora al rosario de catedrales construidas en el siglo XVI, probablemente el mayor alarde arquitectónico de nuestro Renacimiento. Y entonces apreciamos, con asombro, que las dos que surgen en la meseta superior —las de Salamanca y Segovia— son de traza gótica, aunque en ellas trabajen figuras tan dentro de los cánones renacentistas como Rodrigo Gil de Hontañón. Y las dos pueden tomarse como los ejemplos más tardíos de la arquitectura gótica que se construye en toda Europa. Ante esa circunstancia el propio Parker exclama: «Claro ejemplo de la fuerza de la tradición en el Renacimiento español». ¿Qué hemos de decir ante las catedrales de Granada, Málaga y Guadix? Se levantan en plena zona musulmana, en una tierra sin ninguna tradición de arte cristiano; cultura que seguía presente en el siglo XVI, a escala popular. Es evidente aquí que la minoría cristiana, representativa de los vencedores, impone el nuevo estilo, porque, entre otras cosas, cuando Diego de Siloé es llamado a Granada, no tiene ninguna traba impuesta por la tradición que coarte su acción: es más, si alguna modificación toma para cambiar sus elementos renacentistas, lo hará del arte musulmán, como esas columnas cabalgando sobre columnas, al aire de la mezquita de Córdoba. En todo caso, las tres catedrales no responden a un contorno social renacentista, en aquellas tierras todavía con tan fuerte impronta musulmana; a lo más, a la índole de la pequeña minoría de población cristiana. Cierto que Jaén asombrará con su bellísima catedral, obra de Vandelvira, que puede ser considerada como una de las muestras más lograda del Renacimiento europeo fuera de Italia; ahora bien, no cabe duda de que está dentro de la órbita de influencia ejercida por la obra maestra de Siloé en la capital del antiguo reino granadino.

Así, de una en otra, acabamos concluyendo que en toda España solo podemos hablar de una ciudad que, monumentalmente considerada, haya vivido la esencia del Renacimiento. Y esa ciudad es Salamanca. ¿A qué peregrinas circunstancias podemos achacarlo? ¿A una causa material, cual es la existencia de la cercana cantera de Villamayor, con su ponderada piedra rosada que al contacto con el sol y el aire se va dorando de forma paulatina? Evidentemente, la razón es muy pobre. Habría que citar la influencia del libro de Diego de Sagredo (*Medidas del Romano)* que aparece en 1526 con ilustraciones sobre el nuevo estilo. Pero cabe también pensar que no es ajena al hecho la conexión intelectual que mantenía entonces el Estudio salmantino con los italianos y muy particularmente con el de Bolonia, a través del famoso Colegio de San Clemente de los Españoles, la fundación del cardenal Albornoz que se remonta a los años finales del siglo XIV. Pues habría que considerar si no hay una común razón que explique el que nuestras dos universidades más importantes del siglo XVI —Salamanca y Alcalá de Henares— constituyan dos de los monumentos más representativos de nuestro Renacimiento. Y no es otro el caso de la Universidad de Oñate, en el País Vasco, o incluso el regusto de un tardío Renacimiento que campea sobre la ovetense, terminada ya entrado el siglo XVII, o sobre la pequeña de Burgo de Osma.

El arte de la imagen

Si examinamos los testimonios que nos depara nuestra cultura, la sorpresa es aún mayor. En principio, casi toda su totalidad se refiere a la obra hecha por retablos y enterramientos de las iglesias. Se abre con un italiano —Fancelli— creador de la tumba del príncipe don Juan en Santo Tomás de Ávila y se cierra con las figuras de la familia imperial, debidas a otros dos italianos: Leo y Pompeyo Leoni. Y en medio tenemos las piezas de Bartolomé Ordóñez, de Damián Forment y de Alonso Berruguete, pero también del borgoñón Bigarny, del francés Juni y de Rodrigo Alemán. ¿Dónde pueden admirarse las obras de estos artistas? En la catedral de Barcelona, la de Ordóñez; en los retablos del Pilar de Zaragoza o del monasterio de Poblet, la de Damián Forment; en la sillería del coro de la catedral de Toledo, la de Rodrigo Alemán; en la Capilla Real de Granada, la de Bigarny; en el retablo del monasterio de San Benito, la de Alonso Berruguete (hoy en el Museo de Escultura de Valladolid); en fin, en las catedrales de Salamanca (finísima pieza de *Santa Ana enseñando a leer a la Virgen),* Segovia y Valladolid, la de Juni, por no citar, claro está, más que algunas de sus piezas más representativas. Los mejores retratos serán los fúnebres, como el de Cisneros, hecho por Bartolomé Ordóñez; el del cardenal Tavera, obra de Alonso Berruguete, o el del arzobispo Valdés, en Salas, creado por Pompeyo Leoni, y que hoy compone la mejor pieza escultórica del siglo XVI de toda Austrias. Y no debemos olvidar este hecho significativo: cuando el rico mercader de Medina de Rioseco Álvaro de Benavente, a mediados del siglo XVI, quiere gastar su dinero, lo que hace no es edificar ningún palacio, sino adornar su capilla funeraria, bajo la protección de la Inmaculada, en la iglesia de Santa María, y esta será la obra maestra que ejecute Juan de Juni.

Pues bien, también aquí nos encontramos con una sorpresa, pues es en la rica serie de medallones salmantinos donde puede apreciarse lo mejor de nuestra escultura del Renacimiento, vinculada a la vida civil, no a la eclesiástica, como la serie dedicada a la familia del palacio de Sandoval de aquella ciudad. También aquí nos encontramos con uno de los pocos desnudos paganos (la figurita representando a Venus de la fachada de la Universidad).

Si atendemos a la pintura, tras la aplastante carga de la italiana del Renacimiento, el contraste es inmenso; nada de verdadera talla que ofrecer, salvo la obra de Pedro Berruguete, a la que podría añadirse un retrato que es un logro feliz: el de un caballero valenciano, el señor de Vilanova, obra atribuida a Juan de Juanes, que nos presenta con viril arrogancia a un caballero que bien podría ser de la Corte renacentista del virrey de Valencia, el duque de Calabria. Por lo demás, bastaría —en contraste con Italia— recoger el juicio de Lafuente Ferrari: «... casi ningún desnudo femenino [y] predominio absoluto del tema religioso». Y aun, dentro de ese tema religioso, nada que permita recordar las *sacre conversazioni,* como la que puede apreciarse en *La Flagelación* pintada por Piero della Francesca para el palacio ducal de Urbino. Un examen de nuestra pintura renacentista pone de manifiesto que el único gran maestro es el ya citado Pedro Berruguete, el pintor de la casa de Montefeltro en Urbino, que más tarde dejará piezas tan espléndidas como las que pueden admirarse en la iglesia de su pueblo natal, Paredes de Nava.

Tras esta rápida visión de nuestros testimonios artísticos del siglo XVI apreciamos que el Renacimiento español está vinculado a estos sectores: en primer lugar, a la Corte, con una Isabel, cada vez más protectora de las Artes y de las Letras, desde que el año 1492 trae la paz a sus Reinos; y en la siguiente generación, con Carlos V, el Emperador, la figura cosmopolita, el que manda construir en el más puro estilo renacentista su palacio de Granada; y en relación con el Emperador, sus ministros, entre los que sobresale la familia del poderoso Francisco de los Cobos, que con sus palacios y sus fundaciones (palacios de Vela Cobos y de Juan Vázquez de Molina —sobrino de Francisco de los Cobos y también secretario de la Cancillería imperial— y hospital de Santiago, mandado edificar por el obispo Diego de los Cobos) da su aire renacentista a la ciudad de Úbeda. En segundo lugar, a la Iglesia, pero más particularmente la vinculada al antiguo reino de Granada, como si la minoría cristiana allí asentada quisiera mostrarse en la proa de su tiempo, ligándose también al arte renacentista. En tercer lugar, a la Grandeza, construyendo, eso sí, la mayoría de sus palacios en un ámbito curiosamente rural o semirrural. En cuarto lugar, a la Universidad, tanto en sus edificios (Salamanca, Alcalá de Henares y las mismas Oñate y Burgo de Osma) como en sus colegios mayores (Santa Cruz de Valladolid, Fonseca —vulgo Irlandeses— de Salamanca). Y en quinto lugar, a los emporios urbanos, de los que verdaderamente cabe destacar a Salamanca, pues en este caso en la misma Sevilla solo puede citarse —como hemos visto— el Ayuntamiento, construido por el salmantino Diego de Riaño, ya que en el propio palacio o Casa de Pilatos, alzado por el marqués de Tarifa a finales del siglo XV, lo más renacentista que tiene es su portada, ejecutada no en Sevilla, sino en Génova, por el artista italiano Aprile. Yo diría, en definitiva, que muy poco para poder hablar de una sociedad renacentista, tal como se nos aparece en Italia.

Claro que el arte, si no ha de ser olvidado, tampoco es el único testimonio que de una época hemos de tener en cuenta. Tanto más cuanto que en ese terreno hemos de habérnoslas con un tiempo muy breve, que apenas si sobrepasa el medio siglo. Repitámoslo una vez más: a principios del Quinientos aún construimos nuestras catedrales en el estilo gótico, y bajo Felipe II asistimos ya a la obertura de una nueva sinfonía: la barroca.

Sentido de la literatura

En la literatura estamos ante un tiempo renacentista más largo y más profundo. Las obras maestras se suceden. Y tienen un formidable precursor con la obra cimera del siglo XIV, el *Libro de Buen Amor* del genial Arcipreste de Hita. En el siglo XV, la poesía alcanza ya niveles de primera fila: el marqués de Santillana, Juan de Mena y Jorge Manrique son buena prueba de ello. En la primera mitad del siglo XVI, abriendo y cerrando ese período, dos piezas maestras: en el teatro, *La Celestina,* de Fernando de Rojas, y en la novela picaresca, el *Lazarillo de Tormes,* de pluma anónima. En el intermedio transcurre la vida y la obra de uno de nuestros más grandes poetas: Garcilaso de la Vega. Entreverados con ellos, los autores menores, pero también de verdadera valía: Pulgar, Alfonso y Juan de Valdés, Juan del Encina, Lope de Rueda, fray Antonio de Guevara, Diego de San Pedro, Jorge de Montemayor, etc. Y, corriendo a todo lo largo, los muy leídos y divultgados libros de caballerías, y entre ellos, como señero, el *Amadís de Gaula,* conforme a la versión hecha por el «muy honrado e virtuoso caballero» Garci Ordóñez de Montalbo, regidor de Medina del Campo, a principios del siglo XVI.

¿Que impresión obtendremos de la contemplación y de la lectura de esta serie de obras? En ninguna de ellas late el despreocupado goce de la vida tan representativo del puro Renacimiento italiano. Por el contrario, lo primero con que topamos es con un deje de melancolía, que es lo que rezuma tanto de las *Coplas* de Jorge Manrique como de la escultura anónima del *Doncel* de Sigüenza. Pero también un aire de grandeza y de seguridad personal, como se desprende de la toledana iglesia de San Juan de los Reyes, con la serie de escudos regios y con los emblemas de los yugos y las flechas como motivo primordial de decoración (el testimonio en piedra que nos recuerda que los Reyes Católicos han luchado contra la invasión portuguesa y que han vencido, esto es, la justa réplica al impresionante monasterio luso de Batalha). No menos altivez tiene la *Gramática castellana* de Nebrija, hecha pensando en el Imperio que se iniciaba, y al que la lengua debía preceder; un caso curioso del intelectual al servicio del poder.

Podríamos añadir que el impacto de la cultura nórdica primero, e italiana después, con su entrecruce a finales del siglo XV, da como resultado un Renacimiento muy peculiar. Tal se observa si tomamos como modelo *La Celestina*. Si analizamos su contenido, nos encontraremos ante el estallido de una pasión desordenada que provoca la belleza física de una mujer, cuyas formas juveniles nos serán descritas como si se tratara de esculpir un desnudo en bajorrelieve. Melibea se aparece como una diosa para Calisto, con un tono pagano, tal como podría encontrarse en la literatura renacentista italiana, que viene a justificar las irresistibles ansias carnales en que se consume Calisto. El tema, tratado a estilo italiano, quedaría quizá en un mero relato del goce de los sentidos corporales. ¿De qué otra forma retozan y se deleitan aquellos cortesanos a los que Boccaccio reúne en la montaña, al resguardo de la peste que campea sobre la ciudad? La muerte es lo que han dejado atrás, y quizá para olvidar su omnímoda presencia se alza ese telón de cuentos licenciosos que constituyen el *Decamerón,* como una evasión para adolescentes atolondrados o como unas hierbas narcóticas a consumir por un grupo aterrado. De este modo, el drama de la vida se oculta tras una comedia erótica. No será ese el resultado en España, donde el aspecto trágico de la existencia cobra toda su dimensión; y así, la consumación del deseo carnal trae para Calisto y Melibea el pronto e irremediable castigo.

La atonía de nuestro humanismo

Dentro de ese panorama del Renacimiento, ¿cómo se desarrolla nuestro humanismo? Es aquí donde hay que consignar la tesis de Luis Gil: estamos ante una gran frustración. En primer lugar, el cultivo del latín era muy escaso, incluso en la universidad, provocando las ironías de Nebrija ante los disparates de algunos comentaristas de textos latinos sacados de los Sagrados Libros, en prédicas hechas ante el claustro, sin que nadie los percibiese: «Yo solo me reí y di del codo a los que cerca de mí estaban oyendo», nos dejará escrito. Pues, si así era en las letras latinas, aún peor acontecía en el campo del griego, terreno todavía más yermo; y ello tenía su explicación, pues el helenismo era la piedra de escándalo para muchos teólogos, que miraban con temor a los helenistas que podían manejar fuentes más directas sobre los textos bíblicos, novedad aceptada por Cisneros, pero mirada con sumo recelo después del estallido de la Reforma (pues hay que recordar que el gran Cardenal muere el mismo año en el que Lutero hace públicas sus 95 tesis en Wittenberg contra la predicación de las indulgencias).

Que la Inquisición influyó en la atonía de nuestro humanismo, parece probado por mil vías: estaba ya en la desconfianza con que miraba toda novedad, en el destierro voluntario de Luis Vives o en los procesos del Brocense y de fray Luis de León. Suele aducirse como prueba del vigor de nuestro humanismo el nombre de primera magnitud que en las letras de la Europa imperial ocupó Juan Luis Vives. Y en verdad que es justamente al contrario, pues el humanista valenciano hubo de buscar en los Países Bajos el clima propicio para el desarrollo de sus inquietudes intelectuales. El rigor con que procedió la Inquisición contra sus familiares, incluso contra los restos de su madre, tenía que apartarlo de la idea de un posible retorno. Por otra parte, es notorio que veía con pena el estado de nuestra cultura, empezando por la materia básica de la rareza de los libros cualificados que se imprimían, a tenor con la escasez de los lectores. Los libros más solicitados, dentro de esas cifras escasas, son los piadosos, los de caballerías y, dentro del tono menor, los de romances. Y esto es lo que encontramos tanto en las bibliotecas de las clases cultas como en el lote de los libreros ambulantes, a tenor de los que vendía por las calles de Granada san Juan de Dios, antes de abandonar su humilde oficio para volcarse en la obra hospitalaria.

Que España empezara desde mediados del siglo XVI a desviarse de las veredas por las que caminaba la cultura europea suele achacarse a la orden impuesta por Felipe II prohibiendo estudiar en las universidades europeas, con la excepción de estas cuatro: las tres italianas de Roma, Nápoles y Bolonia, juntamente con la portuguesa de Coimbra. Cuán dañina fue la medida regia, tomada por resguardar a nuestra fe de posibles contagios heréticos, se puede comprender. Sin embargo, los contactos universitarios con Europa seguían a través de esos cuatro hilos. Más fuerza hizo la presión emanante del rigor con que —a partir de los autos de fe de 1559 y 1560— volvió a actuar la Inquisición, después de un período más tranquilo que se correspondió prácticamente con la regencia de Cisneros y con el reinado de Carlos V. Con el inquisidor Valdés se reorganiza el Tribunal, se hace más severa la censura y se establece el Índice de libros prohibidos. Se controla con mayor rigor todo lo que está en torno al quehacer del intelectual, personaje siempre mirado con recelo por el hombre autoritario lanzado a la política, pero ahora mucho más desde que se sospechan posibles desviaciones de la fe. Porque la ortodoxia no es solo una cuestión religiosa, sino que se entiende que afecta también a la política, en parte por la tradicional obligación de que la espada del Príncipe defienda los principios religiosos, en parte porque toda alteración religiosa se considera que trastorna gravemente el cuerpo social de la república y, por ende, socava también las mismas estructuras políticas. Por ello, y dado que los conversos son tenidos a la par como gente aguda y como sospechosos en su fe —amigos en suma, de novedades—, todo alarde de talento puede resultar peligroso. El doctor Villalobos, médico de la Corte imperial, no se atreverá a disentir públicamente del dictamen que emiten sus colegas en la última enfermedad de la Emperatriz, y en carta privada lamentará el que pueda ser tachado de agudo y, en consecuencia, insultado su abuelo; esto es, teme que sea recordado su linaje, y eso le cohíbe a la hora de mostrar su disparidad en momento tan crítico.

Tan arriesgada se convierte la tarea del intelectual, que fray Luis de León temerá que de entre sus alumnos salga un posible delator. Y el hombre del pueblo se mostrará orgulloso de su analfabetismo, que le ponía a cubierto del brasero inquisitorial, como aquel aspirante al oficio de alcalde que nos evoca Cervantes en su entremés *La elección de los alcaldes de Daganzo,* lo cual se hallaba en plena correspondencia con los afanes del arzobispo de Toledo Silíceo, cuando quiere imponer los estatutos de limpieza de sangre para el acceso al cabildo de aquella catedral, razonando que más prefería cristianos viejos menos doctos, que otros nuevos más preclaros por sus letras y aun por sus parentescos (eran frecuentes los enlaces entre linajes nobiliarios y conversos), pero más inciertos en la firmeza de su fe. La Inquisición penetra en la Universidad española, escudriña sus bibliotecas, vigila la actuación de su profesorado y advierte repetidas veces a sus rectores que la tengan al tanto de cualquier novedad sospechosa.

De esa manera, limitados los contactos renovadores con el exterior y enrarecido el ambiente interior, el despliegue de nuestro humanismo tenía que ser por fuerza de pobre cuantía. El que tenía conocimientos e ingenio para criticar a los clásicos, también podía hacerlo de los libros sagrados o de los textos de los Santos Padres, y sobre él se cernía una sombra de sospecha. En suma, demostrar profundidad de conocimientos e independencia de carácter era altamente comprometido.

Este fue el drama de la intelectualidad española del siglo XVI. Así se comprende el exilio voluntario de Juan Luis Vives, las inhibiciones del doctor Villalobos y el heroísmo desplegado en su cátedra por fray Luis de León. Así se comprende, también, el desmedrado desarrollo de nuestras imprentas, en muchos casos en manos de extranjeros, como los Hutz y los Gieser, impresores alemanes que se ven sucedidos en Salamanca por otros italianos, como los Giunta y los Portonari. En Valladolid —que era uno de los centros culturales de mayor tradición— no llegan a cuatrocientos los libros impresos en el siglo XVI. En Madrid hay que esperar al traslado de la Corte para que surja la primera imprenta, que no empezará a funcionar hasta 1566. El panorama será más sombrío en otras zonas más apartadas: así, en Oviedo, pese a que su Universidad —el legado del inquisidor Valdés— abre sus puertas a principios del siglo XVII, serán precisos más de cincuenta años para que se instale la primera imprenta, que no hay que decir que es la primera del Principado. No existían imprentas con caracteres adecuados para imprimir textos griegos, salvo en Alcalá de Henares, gracias al amparo de Cisneros, y aun aquel material tipográfico se perdió a poco de la muerte del Cardenal, de forma que cuando Felipe II ordene que se haga una nueva edición mejorada de la *Biblia políglota,* habrá que intentarlo en Amberes, no en España. Añádase la general penuria de libros. Es cierto que el mecenazgo de Felipe II crea en España una de las más importantes bibliotecas de Europa, con miles de ejemplares (impresos o manuscritos) de extraordinario valor; pero en lugar de vivificar un centro universitario (bien necesitado de ellos, pues la pública de Salamanca solo tenía unos cientos de obras) enterró aquel tesoro en un lugar tan apartado como lo era entonces El Escorial, fuera del alcance de la mayoría de los estudiosos de su tiempo.

Ciertamente sería incompleto el cuadro si no se recordase que es en este ambiente tan particular en el que, como se ha de ver, brotan la fuerza de la literatura mística, en la hora de la máxima plenitud política, y la desgarrada —y valiosísima— literatura picaresca, compañera de los grandes desastres exteriores; pero eso son los contrastes de nuestro Barroco, que en su momento serán analizados. Para la época del Renacimiento será suficiente con indicar que el decidido apoyo de los Reyes Católicos al movimiento cultural es sincrónico con la puesta en marcha del opresivo sistema inquisitorial, nefasto para el adecuado desarrollo de nuestro tardío humanismo. Durante el respiro que supone la época más tolerante del reinado de Carlos V, el erasmismo irrumpe con fuerza en España y captará personalidades del clero, como Vergara, o de la administración, como el secretario imperial (y escritor) Alfonso de Valdés. Más tarde esa corriente cultural irá adelgazándose. Las perspectivas, desde mediados del siglo XVI, iban empobreciéndose inexorablemente.

La música

Acudamos, en fin, a otro testimonio histórico, por lo general injustamente orillado: al de la música. Pues no olvidemos que el siglo de Willaert y de Palestrina lo es también de Francisco de Soto, Antonio de Cabezón *el Ciego,* de Salinas y de Tomás Luis de Victoria. Evidentemente, el Renacimiento musical se abre bajo el doble magisterio de Italia y de los Países Bajos, manteniéndose aún viva la polémica de a cuál de los dos países corresponde darle el primer puesto en el reparto de papeles. En todo caso, las conexiones y las influencias son muchas entre las dos regiones. Sirva de ejemplo el caso de Willaert, el flamenco llamado en 1527 —esto es, el año del *saco de Roma*— a Venecia, para ocupar allí el puesto de maestro de capilla de la iglesia de San Marcos. La segunda mitad del siglo está presidida por Palestrina, desde Roma, y por Orlando Laso (cuyo nombre italianizado no debe engañarnos, pues nació en Mons) desde la Corte de los Wittelsbach en Baviera; un italiano y un flamenco, si bien el hecho de que Orlando Laso italianice su nombre es de suyo harto significativo. Pero esto ocurre ya a lo largo del primer ciclo del Barroco, el que está bajo el signo del movimiento de la Contrarreforma tal como se ha fraguado en Trento, mientras que lo que ahora nos interesa es la época inmediatamente anterior. Pues bien, también aquí apreciamos cuán breve es nuestro Renacimiento, quizá porque cuando empieza a manifestarse llegan muy pronto las noticias del desgarramiento espiritual de la Cristiandad, fruto de la Reforma. Sabido es que la furia iconoclasta de los reformados dejó la vía libre para la expansión de la música sacra, revitalizada con transfusiones de música popular, tal como vemos hacer a Lutero. Todo el norte de Europa empieza a salir del canto gregoriano, fenómeno que ciertamente apuntaba en la misma España, hasta que el Concilio de Trento volvió a entroncar con fuerza con la tradición musical. Entre la música que se recoge en el cancionero musical de palacio, donde la tradición medieval se funde con los nuevos aires renacentistas, y la obra de Cabezón (que muere en 1566), apenas si transcurre medio siglo. Y con él nuestra música toma ya ese aire grave propio de nuestro primer Barroco. Y es Cabezón un buen exponente de la asimilación de la doble influencia ítalo-flamenca que en este terreno (como en el de las artes) venía recibiéndose en España. Mientras Carlos V sigue con su capilla musical flamenca (una de las más renovadoras de su tiempo), Antonio, el organista ciego, pasaba de la capilla musical de la Emperatriz a la de su hijo, el príncipe Felipe. Bien conocida es la influencia que Cabezón ejercía con su música sobre el que sería Rey Prudente; tanta que, según Rastuer, es la muerte de Cabezón lo que provoca en Felipe aquella aguda crisis taciturna de la que ya no saldría. Lo cierto es que Cabezón, por deseo expreso del Príncipe, no le abandona nunca, acompañándole en sus largos desplazamientos por Europa, como cuando casa con María Tudor en Inglaterra o cuando acude a los Países Bajos para presenciar, como primer testigo, la abdicación de su padre el Emperador. Y el Rey tenía en su palacio el retrato de su músico ciego, como se complace en recordárnoslo el hijo, Hernando de Cabezón.

Mas Cabezón pone el sello hispano sobre el legado que recibe, sea de Italia o de Flandes. Óigase, si no, su canción *Ultimi mei suspiri,* en la que glosa una canción profana del flamenco Verdeloth; canción que en él se torna profundamente grave, se concentra hasta la máxima espiritualidad. No cabe duda: también con el lenguaje musical España está entrando de lleno por la vereda mística que se corresponde con la fase manierista o de un primer Barroco. Quizá podría decirse que también aquí Carlos V agrupa las formas renacentistas europeas, mientras que en España Felipe II marca la evolución hacia el Barroco. Por algo —y volvemos ahora al terreno del arte— casi todos los monumentos de nuestro Renacimiento se ponen bajo la simbólica protección de las alas del águila bicéfala imperial, y eso en Salamanca como en Úbeda o en Ciudad Rodrigo. Su capilla musical era tan valorada que, cuando abandona el poder, Maximiliano —el futuro Emperador— la pide con suma instancia, obteniendo de su primo y cuñado la respuesta de que accedería a todo lo que le pidiera menos a eso, por lo mucho que para él representaba, como puede verse por la correspondencia que guarda el Archivo Imperial de Viena (el famoso Haus, Hof und Staats Archiv), y que tuve la suerte de encontrar y de estudiar en aquella capital.

Estamos, por lo tanto, ante una música cortesana y palaciega, como la que podía ejecutarse asimismo en la Corte de los virreyes de Valencia, Germana de Foix y Fernando, duque de Calabria; como la que podía sostener también, por supuesto, cualquiera de los Grandes de España por aquellas fechas.

Ahora bien, ¿hasta qué punto es esta la representación musical de la época? ¿Cómo sentía el pueblo los cambios musicales? ¿No estaremos ahí en el terreno, mucho más pétreo, de lo folclórico, esto es, de formas que se conservan año tras año, sin apenas mutaciones de importancia a lo largo de siglos enteros? ¿Qué es lo que debemos matizar, lo que cambia o lo que permanece? La respuesta puede ser ambiciosa: ambas cosas, puesto que lo uno se vincula a las minorías rectoras y lo otro a las masas populares.

La Universidad española del Renacimiento

En el Renacimiento la Universidad española adquiere un notable impulso, en particular en el ámbito castellano. En efecto, a las dos tradicionales de Salamanca y Valladolid se suman, en el espacio de medio siglo, las andaluzas de Sevilla y Granada, las norteñas de Santiago de Compostela —que aparece en 1501— y la de Oñate, cuya fachada con el águila bicéfala proclama que se ha erigido en pleno reinado del Emperador (en 1542, por fundación de Rodrigo de Mercado). Hay que recordar, asimismo, las de Sigüenza y Toledo, en la Meseta, y la de Osuna, vinculada a la casa ducal. En su mayoría son universidades amparadas por la Mitra, como la que el arzobispo Fonseca crea en Santiago, o como la de Sigüenza, o al igual que la más modesta que el obispo Acosta ampara en Burgo de Osma. En la Corona de Aragón había Estudios universitarios en Barcelona, Zaragoza, Huesca y Lérida. De todas ellas, la de mayor pujanza seguía siendo la medieval de Salamanca, y hay que pensar que las pequeñas no pasarían de ser centros de estudios teológicos para mejor formación del clero regional; así sería el caso tanto de Sigüenza como de Burgo de Osma. Cuando Cisneros crea la suya, aunque no logre eclipsar la tormesina (ni era esa su intención), al darle un aire nuevo acorde con el signo del humanismo cristiano que pedían los tiempos, pudo emparejarla en fama con ella.

Esas dos universidades no se distinguían solo por la dirección de sus estudios, más anclada en la forja de teólogos escolásticos y de juristas la de Salamanca, más vinculada a las nuevas corrientes escriturarias y humanista la de Alcalá de Henares, sino también por el sistema de provisión de cátedras, que en Salamanca solía ser a perpetuidad y que en Alcalá era cuatrienal. Pero ambas tenían —como Valladolid— la doble base del Estudio y el Colegio, esto es, que también en Alcalá aparece el colegio mayor, una creación ya de los albores del Renacimiento, como garantía de que el estudiante pobre podía tener acceso digno a las aulas universitarias, liberándolo de la mendicidad y del hambre; a su vez, el colegio mayor, con su selección de estudiantes, vivificaba los estudios. El colegio mayor surge como una necesidad social en el ámbito universitario; antes, el estudiante pobre tenía que seguir sus cursos a trompicones, si es que podía hacerlo, mendigando la sopa boba de los conventos o pidiendo para el sustento de los meses escolares en el período de vacaciones. Cierto que los colegios universitarios, entre mayores y menores, no daban cabida ni a la décima parte del alumnado, pero mientras mantuvieron en vigor el sistema selectivo vitalizaron la Universidad; otra cosa fue cuando sus plazas de becarios, cada vez más codiciadas (por el apoyo que los colegios recibían de antiguos colegiales bien situados y por la segura colocación que obtenían una vez terminados sus licenciaturas y doctorados), fueron a parar poco a poco a manos de segundones de ilustres linajes, con desprecio de las normas fundacionales. Se llegó a invertir los términos, pasando los colegios de instrumentos a dueños del sistema universitario, con el control de sus cátedras: así ocurrirá en la época del Barroco.

El modelo de estructura universitaria, tal como lo daba Salamanca, era muy personal dentro del tiempo europeo, pues admitía la intervención del alumnado en los puestos principales de gobierno, pero con órganos colegiados de control en manos del profesorado. El rector y su consejo de ocho consiliarios eran estudiantes y por ellos elegidos. La segunda dignidad universitaria era el canciller, puesto en manos del cabildo catedralicio, a través del cual la catedral —bajo cuyo patrocinio estaba la Universidad como fundación catedralicia, que era lo más frecuente— controlaba la vida económica de los estudios (tenía una de las llaves de su arca y, como maestrescuela, administraba justicia, conforme al fuero estudiantl, lo que daba ocasión a no pocas fricciones con la justicia ordinaria del corregidor. Para ello tenía jueces y cárcel propia, siendo la máxima autoridad judicial en el ámbito universitario).

Los órganos de gobierno estaban asistidos —y controlados al tiempo— por los claustros de diputados, de catedráticos y por el pleno. De ellos el más singular era el de diputados, integrado por las dos primeras dignidades universitarias (el rector y el maestrescuela) y por veinte diputados, de ellos diez catedráticos y otros diez universitarios que podían ser doctores, licenciados y hasta simples alumnos; eso sí, estos con un cierto grado de veteranía, pues se les exigía la edad de veinticinco años. Pero, en todo caso, nos encontramos ante la constante presencia del estudiante en los órganos de gobierno universitario, lo que, unido a su participación en las oposiciones para cubrir cátedras vacantes, en las que tenía derecho a voto, configura un sistema universitario muy democrático. Se comprende que tal reglamentación sirva de modelo de reivindicación para las actuales generaciones universitarias. Las mencionadas oposiciones a cátedra —vitalicias o temporales— se hacían ante los alumnos inscritos en el curso, que tenían derecho a voto. El control de estos se efectuaba mediante las oportunas listas en las que se apuntaban no solo los nombres, sino también las señas físicas personales de los estudiantes, para que nadie pudiera ser suplantado; curiosas listas que aún pueden comprobarse en el archivo de la vieja Universidad de Salamanca. En la práctica, el sistema podía degenerar en intentos de soborno por parte de los opositores y en ruidosas campañas previas, como si se tratara de unas elecciones parlamentarias de nuestros días. ¿Podía pesar más la campechanería de un opositor vulgar que la ciencia de otro más retraído? Cabe preguntárselo. De hecho, se sabe que por ese sistema Nebrija fue desplazado en Salamanca por un rival más afortunado, cuyo nombre hoy nadie recuerda.

¿Qué disciplinas se impartían? La Universidad abarcaba desde los estudios de tipo secundario (las escuelas menores), con los que se adquiría el título de bachiller, hasta las licenciaturas en teología, derecho canónico y civil *(utriusque iuris)* y medicina. Para recibir el título de bachiller en Artes había que cursar el *trivium* (gramática, retórica, lógica) y el *cuadrivium* (aritmética, geometría, música y astronomía). La influencia de la nueva orientación tomada por la Universidad de Alcalá, con la preferencia por las lenguas clásicas, se hace notar con la fundación del Colegio Trilingüe (latín, griego, hebreo) en 1511 (contemporánea, por lo tanto de la obra cisneriana), pero que no cuajaría hasta 1555. En relación con la licenciatura en medicina está la existencia de una cátedra de astrología, si bien padeciendo cierta inestabilidad, posiblemente por falta de profesorado competente; la época, sin embargo, le atribuía importancia, por considerar que no se podía dominar una ciencia aplicada como la medicina desconociendo la influencia que los astros ejercen sobre las personas.

Aunque las universidades no eran entonces centros estatales —si bien gozaban de la protección de la Corona, que les concedía privilegios tanto de tipo jurídico como fiscal—, y no tenían, por lo general, una subvención económica a cargo del erario público, a la inversa sus ingresos podían tentar a la Corona, demasiado apremiada por las empresas exteriores bajo los Austrias. Mediante donativos, entre voluntarios y forzosos, las arcas de las universidades colaboran más de una vez en la financiación de las campañas militares, como la defensa de la frontera navarra con Francia en 1529, en la contraofensiva en Alemania después de la crisis de 1552, o en la defensa de Orán en 1558; en todos esos casos, al menos, las arcas de los Estudios salmantinos se vaciaron, con el consiguiente detrimento de sus actividades, pues los fondos de la biblioteca o los pagos del profesorado dejaban bastante que desear.

Precisa es la referencia a la institución que mientras se mantuvo fiel a los principios fundamentales trajo consigo el auge de la Universidad, y que cuando se corrompió produjo su decadencia: el colegio universitario. Había en el siglo XVI cuarenta y cinco colegios, de los que diecisiete eran a modo de seminarios para el clero que seguía los estudios teológicos en las universidades. Solo seis de ellos adquirieron la categoría de mayores, condición que viene dada no tanto por la vía jurídica como por la importancia de la fundación, por las gruesas rentas que acumulaban y por la influencia que adquirieron en la vida nacional. Su localización permite comprobar, a la vez, cuáles eran los principales centros universitarios. Aquí destaca de nuevo Salamanca, la cual poseía cuatro de esos colegios mayores, desde el más antiguo fundado en España por el obispo Anaya en 1417 (a imitación del alzado por el cardenal Albornoz en Bolonia medio siglo antes), hasta el último de Fonseca, de 1521, pasando por el del obispo de Cuenca en 1500 y el del obispo de Oviedo en 1517. Los otros dos estaban vinculados, respectivamente, a la Universidad de Valladolid (colegio mayor de Santa Cruz) y a la de Alcalá de Henares (colegio mayor de San Ildefonso). De cuatro de ellos se conservan aún sus edificios, verdaderas joyas arquitectónicas de lo mejor que compuso el Renacimiento español, como la espléndida portada que alza Lorenzo Vázquez en el de Santa Cruz de Valladolid, o el fabuloso conjunto del Fonseca salmantino, donde colabora la inspiración del humanista (en este caso Pérez de Oliva), con el genio de nuestros mejores artistas del XVI: Covarrubias, Diego de Siloé, Pedro de Ibarra y Juan de Álava, sin olvidar la intervención de Alonso Berruguete en el retablo de la capilla. Se ha dicho que el conjunto da la impresión de lo perfecto, «de belleza saciada»; quizá podría añadirse, en esa misma línea de pensamiento, que sus ejecutores parecían animados por un afán de insaciable belleza, en increíble competencia: la fachada, entreverada de granito y de piedra rosada de Villamayor; las arcadas del patio, con su serie de medallones; el arranque de las dos escalinatas fronteras, la espléndida capilla, el retablo, las rejas; el conjunto, en suma. Diríase que una embriaguez de lo bello ha poseído a sus elaboradores. Medio siglo transcurre desde el principio hasta el fin de la obra, y pese a ello nada rompe la unidad del conjunto, como si asistiéramos a la cristalización en piedra de un increíble sueño de una noche de verano.

Todas esas obras están bajo el mecenazgo de la Iglesia, financiadas y dotadas por prelados como Anaya y Fonseca, o como el cardenal Mendoza o Cisneros. La Iglesia española cumple así un esfuerzo cultural en nuestro Renacimiento, de tal calibre, que se comprende que sea la misma que sabe destacar en la magna asamblea del Concilio de Trento. Habría que añador, después de contemplar las fachadas de las Universidades de Salamanca y Alcalá, que el mejor arte renacentista está vinculado a estos ambientes universitarios, y que en esa causa ha de estribar el que sea la ciudad de Salamanca (la representación cumbre del sistema universitario) la que también rezuma más de ese aire renacentista, como no lo tiene ningún otro lugar de España. No es la cantera próxima de Villamayor, con su piedra rosada, la explicación convincente; esa es una materia prima que ayuda, pero de sí inerte. Hay que buscar la inspiración de ese sorprendente hálito, tan poco desarrollado en el resto del país en el orden de conjuntos arquitectónicos, en esa inquietud universitaria, que aquí arrebata también a los eclesiásticos que en ella colaboran. La Universidad española es renovada a lo largo del Renacimiento. Eso es todo.

¿En qué medida el colegio universitario —y, muy especialmente, el colegio mayor— contribuye al auge y a la decadencia universitaria? Al auge mientras recibe en su seno a lo mejor de un alumnado carente de recursos, estimulado por un afán de ser digno del apoyo que recibía. Podrá con justicia ocupar después los principales puestos de la magistratura o las cátedras universitarias. El olvido de los fines fundacionales, empezando por la subversión del sistema selectivo de sus becarios, traerá en la época del Barroco no solo la decadencia de la institución, sino incluso de la propia Universidad, al ocurrir que cualquier colegial pueda ocupar sus principales cátedras, como tendremos ocasión de apreciar.

Hay que señalar también que la más importante fundación universitaria del Barroco, la creada en Oviedo y que abre sus puertas a principios del siglo XVII, arranca del ímpetu de nuestros hombres del Renacimiento, en este caso del generoso legado del arzobispo Fernando de Valdés; figura llena de contrastes, con aspectos sombríos, pero que aquí hay que recordar por su gesto acertado de dotar a su patria chica de la institución cultural que estaba precisando.

¿Qué es lo que da esa Universidad a la ciencia de su tiempo? ¿Está España en esta línea emparejada con el resto de Europa? Hemos visto que nuestros estudios clásicos no son muy profundos, ni nuestro alarde editorial —salvo excepciones, eso sí, de primera magnitud, como la *Biblia políglota*— demasiado brillante. Los escritores como Luis Vives se quejarán de la escasez de lectores, todo lo cual indica que el nivel cultural medio no era alto, en relación con los tiempos. Sin embargo, por un proceso que está en la propia dinámica del ímpetu con el que España entra en los tiempos modernos, nuestra Universidad tiene logros espectaculares. Alcalá de Henares, con su forja de humanistas cristianos, y Salamanca, con la figura impar de Francisco de Vitoria, el fundador del derecho de gentes y el severo corrector de la política regia, se inscriben en lo mejor del quehacer intelectual de la Europa del Renacimiento.

El protagonismo de la reina Isabel

¿Cabe hablar de un protagonismo de Isabel la Católica en este despliegue de la cultura hispana durante su reinado? Sin duda alguna. La Reina acomete alguna de las obras arquitectónicas más destacadas, como el Hospital para los peregrinos de Santiago de Compostela —hoy convertido en espléndido Hostal que lleva el nombre de los Reyes— y como el monasterio de San Juan de los Reyes, de Toledo, que se alza en recuerdo de la victoria de Toro, iniciándose en 1477 y terminándose en 1504, por lo tanto, a lo largo de su reinado. Un soberbio monumento a cargo de Juan Guas que, si mantiene la traza de un gótico tardío, también posee en su claustro una espectacular ornamentación con los emblemas regios del águila de san Juan, más a tono con las nuevas corrientes artísticas.

En cuanto a la escultura, Isabel encarga a Gil de Siloé, uno de los grandes artistas de finales del siglo XV, los sepulcros de sus padres Juan II e Isabel de Portugal, junto con el de su hermano Alfonso, que pueden admirarse en la Cartuja de Miraflores, y que, junto con el retablo de talla policromada, forman, a juicio de María Elena Gómez-Moreno, «el conjunto escultórico más rico del siglo XV».

En pintura, la soberana de Pedro Berruguete había heredado de su padre Juan II una buena colección de piezas, en especial de pintores flamencos, que ella aumentaría hasta conseguir una de las mejores colecciones de su tiempo, y que llevaba consigo en su continuo ir y venir por Castilla. Protectora de artistas —como lo fue de escritores y humanistas—, bien puede decirse de ella lo que nos indica el gran estudioso del arte de su tiempo, J. V. L. Brans:

> Su actividad artística resulta de tal importancia, que no sería exagerado considerar el arte hispano-flamenco como el fruto del feliz encuentro del genio flamenco con el de una Reina enamorada de la belleza[3].

Algo similar podría indicarse de las Letras, y en particular de la poesía. En este terreno sí que la Reina había heredado una notable biblioteca de su padre Juan II, el Rey-poeta, si no por su obra literaria, sí por su mecenazgo a los poetas de su tiempo. Según el inventario de 1503, había en el alcázar de Segovia una selecta colección de 183 libros, entre los que no pocos eran de lectura piadosa, pero también de literatura profana, conservados por la Reina, pese a que entre ellos aparece nada menos que Boccaccio. Aquí se podría recordar la protección de Isabel a poetas de la talla de Jorge Manrique, que morirá, no lo olvidemos, en 1479, luchando en pro de su Reina en Castillo de Garcimuñoz (Cuenca), poseído por el obstinado enemigo de Isabel, el marqués de Villena. Isabel en persona encargará piezas literarias a Gómez Manrique, al que estimaría tanto que lo designaría nada menos que corregidor de la ciudad de Toledo, y quien, recordando en su nuevo oficio su condición de poeta, haría poner en las Casas Consistoriales toledanas aquellos inspirados versos:

> Nobles, discretos varones
> que gobernáis a Toledo,
> en aquestos escalones
> desechad las aficiones,
> codicias, amor y miedo.
> Por los comunes provechos

---

[3] J. V. L. Brans, *Isabel la Católica y el arte hispano-flamenco,* ob. cit., pág. 227.

dexad los particulares:
pues vos fizo Dios pilares
de tan riquísimos techos,
estad firmes y derechos.

De igual modo la vemos como protectora de humanistas, acogiendo en su Corte a figuras como los italianos Pedro Mártir de Anglería y Lucio Marineo Sículo. De forma que conseguirá la admiración de los humanistas españoles, bien presente en Nebrija, tal como lo refleja en el Prólogo a su *Gramática castellana,* que tanta ocasión nos dio para el justo comentario en otra parte de este libro; de igual modo que pudimos mencionar la conexión de la Reina con el mundo universitario, que el Estudio salamantino cifraría haciendo que el busto de Isabel y Fernando adornara su fachada, con el simbólico lema de la mutua dedicación de la Universidad a sus Reyes y de los Reyes a la Universidad.

¿Y en cuanto a la música? No podemos orillar ahora ese aspecto tan importante de nuestra cultura.

Pues bien, baste decir que la capilla musical de la Reina era verdaderamente importante, como pudo demostrar hace tiempo su gran estudioso Higinio Anglés, si bien no lo fuera tanto como la que poseía el rey Fernando.

Para terminar esta visión del protagonismo de Isabel en el campo cultural, una última referencia, y es en torno a la educación que dio a sus hijos. Münzer alabaría lo que vio en la Corte, cuando la visita en 1494, admirando la formación de la infanta Juana, a tono de la cual sería, sin duda, la de los demás hijos, como subraya uno de los mejores conocedores de nuestro Siglo de Oro, el profesor Ricardo García Cárcel. Y una cosa es cierta y sorprendente: que cuando los Reyes Isabel y Fernando quieren ultimar la educación de su hijo Juan, poniéndole en la villa soriana de Almazán aquella Corte propia, para que se adiestrara en las futuras tareas de gobernante de su pueblo, le rodean de juristas y de letrados.

Y es que Isabel, como Fernando, soñaba con hacer de su hijo el futuro Rey-legislador, más que el Rey-soldado. Los recios tiempos de la guerra, los de la lucha por el trono y los de la conquista de Granada, ya habían pasado.

Para la nueva España en paz, Isabel, como Fernando, soñaba con que su hijo la gobernara como un sabio y prudente juez, y acaso con sus ribetes de humanista.

Un sueño, cierto, que nunca se haría realidad. Pero eso no sería achacable a la gran Reina.

CRONOLOGÍA

1451 Nace el 22 de abril la Reina en Madrigal.

1452 Nace el 10 de marzo Fernando el Católico en Sos (Aragón).
Federico III es coronado Emperador.
Nace Leonardo da Vinci.

1453 Nace el 17 de diciembre el infante Alfonso, hermano de Isabel, en Madrigal.
Los turcos toman Constantinopla: fin del Imperio bizantino.
Nace Gonzalo Fernández de Córdoba, el Gran Capitán.

1454 Muere el 21 de julio Juan II, padre de Isabel.
Liga italiana de Lodi contra las invasiones extranjeras.

1455 Niñez de Isabel y Alfonso en Arévalo, con su madre, la reina viuda Isabel de Portugal (hasta 1462).

1456 Los turcos toman Atenas.

1458 Pío II, Papa (1458-1464).

1459 Comienza en Inglaterra la guerra civil de las Dos Rosas (1459-1485).

1460 Muere Enrique el Navegante de Portugal.

1461 Luis XI, Rey de Francia (1461-1483).

1462 Nace el 28 de febrero la princesa Juana, hija de Enrique IV, mal llamada «la Beltraneja».
Isabel y Alfonso son llevados a la Corte de Enrique IV.
Iván III inicia su reinado en Moscú (1462-1505).
Pío II convoca Cruzada contra los turcos.

1464 Abu'l-Hasan' Ali, Emir de Granada.

1465 La llamada «farsa de Ávila» contra Enrique IV, el 5 de junio.
Isabel logra salir de la Corte y refugiarse en Arévalo.

1467 17 de diciembre: Isabel festeja en Arévalo los catorce años de su hermano «Alfonso XII, Rey de Castilla».
Carlos el Temerario, duque de Borgoña (1467-1477).

1468 5 de julio: Muerte del infante Alfonso.
19 de septiembre: Vistas de Guisando con Enrique IV: Isabel, proclamada Princesa heredera del trono.

1469   Mediado mayo: Isabel se fuga de Ocaña y se refugia en Valladolid.
19 de octubre: Su boda con Fernando de Aragón, con una Bula pontificia falsa.

1470   El 2 de octubre nace la infanta Isabel.
Finales de octubre: Enrique IV deshereda a Isabel.

1471   Manifiesto de Isabel el 21 de marzo, frente a las acusaciones de Enrique IV.
Pontificado de Sixto IV (1471-1484).
1 de diciembre: Bula de Sixto IV legalizando el matrimonio de Isabel
y Fernando.
Nace Alberto Durero.

1472   Embajada del cardenal Borja.

1473   Reconciliación de Isabel con Enrique IV en Segovia.
Nace Nicolás Copérnico.

1474   Muere el 11 de diciembre Enrique IV.
Isabel es proclamada en Segovia como Reina de Castilla, el 13 de diciembre.

1475   Concordia de Segovia entre Isabel y Fernando (15 de enero).

1476   1 de marzo: Decisiva victoria de Fernando en Toro sobre los partida-
rios de la princesa Juana.
Cortes de Madrigal: Establecimiento de la Santa Hermandad.
Coplas de Jorge Manrique a la muerte de su padre.

1477   Primer viaje de Isabel a Sevilla.
Muere Carlos el Temerario de Borgoña.

1478   Nace en Sevilla, el 30 de junio, el príncipe Juan.
Bula de Sixto IV: nueva Inquisición en Castilla.

1479   Muere el 19 de enero Juan II de Aragón: Fernando e Isabel, Reyes de
Castilla y Aragón.
4 de septiembre: Paz de Alcáçobas con Portugal y fin de la guerra de
Sucesión.
7 de noviembre: Nace la infanta Juana, futura Reina de Castilla y Aragón.

1480   Cortes de Toledo: Reorganización del Consejo Real.
Asalto a Otranto por los turcos: gran alarma en Europa.

1481   Primer viaje de Isabel a la Corona de Aragón: es nombrada Corregente de la Corona de Aragón.
Se encienden las hogueras inquisitoriales: primer Auto de Fe en Sevilla.

1482   Pérdida de Zahara: inicio de la guerra de Granada.
Toma de Alhama por el marqués de Cádiz.
29 de junio: Nace la infanta María, futura Reina de Portugal.
Fracaso de Fernando en Loja.

1483   Batalla de Lucena: Boabdil, prisionero.
Conquista de Gran Canaria.
Muerte de Luis XI: crisis de Tarazona.
Bula *Summis Desiderantes Affectibus* contra la brujería.

1484   Primeros triunfos de Fernando en la guerra de Granada: Toma de Álora y Setenil.

1485   Toma de Ronda y Marbella.
Asesinato del inquisidor aragonés Pedro de Arbués en Zaragoza.
Nace en Alcalá de Henares, el 16 de diciembre, la infanta Catalina, futura Reina de Inglaterra.
Enrique VII Tudor vence en Bosworth: fin de la guerra civil inglesa de las Dos Rosas.

1486   Toma de Loja.

1487   Toma de Málaga.
Conquista de Kazán por el zar Iván III.

1488   Bartolomé Díaz dobla el cabo de Buena Esperanza.

1489   Toma de Baza, tras largo asedio.

1490   Matrimonio de la infanta Isabel con el príncipe Alfonso de Portugal.
A los pocos meses, muerte del Príncipe luso.

1491   Fundación de Santa Fe.

1492   2 de enero: Rendición de Granada y fin de la Reconquista.
Expulsión de los judíos.
Nebrija publica la primera *Gramática castellana.*
12 de octubre: Colón descubre América.
Alejandro VI, Papa (1492-1503).

1493   Los Reyes reciben a Colón en Barcelona.
Bulas alejandrinas sobre las navegaciones castellanas.
Segundo viaje de Colón a las Indias.
Cisneros, confesor de la Reina.
Tratado de Barcelona con Carlos VIII.
Maximiliano I, Emperador (1493-1519).

1494   Tratados de Tordesillas con Portugal.

1496   Boda de la infanta Juana con Felipe el Hermoso.
Alejandro VI concede el título de Reyes Católicos a Isabel y Fernando.

1497   Boda del príncipe Juan y la archiduquesa Margarita. A los pocos meses, muerte del Príncipe en Salamanca, el 5 de octubre.

1498   Muerte de la princesa Isabel, heredera del trono.
Luis XII, Rey de Francia (1498-1515).

1499   Revuelta de los moriscos granadinos.
Vasco da Gama llega a la India.

1500   Nace Carlos V, futuro Rey de España y Emperador (24 de febrero).
Muere en Granada el príncipe Miguel (20 de julio).

Tratado de Granada con Francia: reparto de Nápoles.
Álvares Cabral descubre Brasil.
Fernando de Rojas: *Tragicomedia de Calisto y Melibea.*
1502 Primer viaje de Juana y Felipe el Hermoso a Castilla para ser jurados Príncipes de Asturias.
1503 Grandes victorias del Gran Capitán en Italia: conquista de Nápoles.
1504 Testamento y muerte de la Reina (26 de noviembre).

FUENTES Y BIBLIOGRAFÍA [1]

FUENTES

ANGLERÍA, Pedro Mártir de, *Epistolario,* trad. de José López de Toro (en *Colección de documentos inéditos para la Historia de España,* tomos IX-XII, Madrid, 1953-1957).
— *Una embajada de los Reyes Católicos a Egipto (Legatio Babylonica),* ed. de Luis García y García, Valladolid, CSIC, 1947.
BERNÁLDEZ, Andrés, *Memorias del reinado de los Reyes Católicos,* ed. crítica de Manuel Gómez-Moreno y Juan de Mata Carriazo, Madrid, CSIC, 1962.
CASTIGLIONE, Baldassare, *El Cortesano,* ed. de Mario Pozzi, Madrid, Cátedra, 1994.
COLÓN, Cristóbal, *Textos y documentos completos,* ed. crítica de Consuelo Varela. Estudio introductorio de Juan Gil y Consuelo Varela, Madrid, Alianza Editorial, 1984.
— *Libro copiador de Cristóbal Colón. Correspondencia inédita con los Reyes Católicos sobre los viajes a América,* ed. crítica de Antonio Rumeu de Armas, Madrid, Col. Tabula Americae, 1989, 2 vols.
COLÓN, Hernando, *Historia del Almirante,* ed. de Luis Arranz, Madrid, Historia 16, 1984.
Cortes de los antiguos Reinos de León y de Castilla, Madrid, Real Academia de la Historia, IV, 1883, con importante estudio de Manuel Colmeiro.
FERNÁNDEZ DE OVIEDO, Gonzalo, *Batallas y quinquagenas,* ed. crítica de Juan Bautista de Avalle-Arce, Salamanca, Diputación, 1989.
FITA, Fidel, «La verdad sobre el martirio del Santo Niño de La Guardia, o sea el proceso y quema del judío Jucé Franco en Ávila», *Bol. RAH,* 1987, vol. XI, págs. 7 y sigs.

---

[1] Siglas: *BAC,* Biblioteca Autores Cristianos; *CODOIN,* Colección de documentos inéditos para la historia de España; *CSIC,* Consejo Superior de Investigaciones Científicas; *RAH,* Real Academia de la Historia.

— «La Inquisición de Ciudad Real en 1483-1485: el proceso de la Pampana», *Bol. RAH,* 1892, XX, págs. 462 y sigs.

Flor nueva de romances viejos, ed. crítica de Ramón Menéndez Pidal, Madrid, Espasa Calpe (Col. Austral), 1948.

ISABEL LA CATÓLICA, *Testamento,* ed. Archivo General de Simancas, Valladolid, 1944.

LALAING, Antonio de, *Primer viaje de Felipe el Hermoso a España* (en *Viajes de extranjeros por España y Portugal,* ed. de J. García Mercadal, Madrid, Aguilar, 1952, I, págs. 433-548).

LÓPEZ DE MENDOZA, Íñigo (marqués de Santillana), *Canciones y decires,* ed. de Vicente García de Diego, Madrid, Espasa Calpe (Clásicos Castellanos), 1954.

MANRIQUE, Gómez, *Cancionero,* ed. A. Paz y Meliá, Madrid, 1885.

MANRIQUE, Jorge, *Cancionero,* ed. de Augusto Cortina, Madrid, Espasa Calpe (Clásicos Castellanos), 1952.

Memorias de don Enrique IV de Castilla, II: Contiene la col. diplomática del mismo Rey, Madrid, RAH, 1913.

MÜNZER, Jerónimo, *Viaje por España y Portugal,* ed. López de Toro, Madrid, 1951; también en la ed. de García Mercadal, *Viajes de extranjeros...,* ob. cit., I, págs. 328-417).

NEBRIJA, Antonio de, *Gramática castellana,* ed. Rogerio Sánchez, Madrid, 1931.

PADILLA, Lorenzo, *Crónica de Felipe I* (en CODOIN, VII, págs. 5-267).

PALENCIA, Alonso, *Crónica de Enrique IV,* traducción de A. Paz y Meliá, Madrid, 1904-1908, 4 vols.

PÉREZ DE GUZMÁN, Fernán, *Generaciones y semblanzas,* ed. de J. Domínguez Bordona, Madrid, Espasa Calpe (Clásicos Castellanos), 1954.

PULGAR, Fernando del, *Crónica de los Reyes Católicos,* ed. de Juan de la Mata Carriazo, Madrid, Espasa Calpe, 1943, 2 vols.

— *Claros varones de Castilla,* ed. de J. Domínguez Bordona, Madrid, Espasa Calpe (Clásicos Castellanos), 1954.

— *Letras. Glosa a las coplas de Mingo Revulgo,* ed. de J. Domínguez Bordona, Madrid, Espasa Calpe (Clásicos Castellanos), 1949.

SUÁREZ FERNÁNDEZ, Luis, *Política internacional de Isabel la Católica. Estudio y documentos,* Valladolid, 1965-1972, 5 vols.

ESTUDIOS

ALCALÁ, Ángel, y Jacobo SANZ, *Vida y muerte del príncipe don Juan. Historia y literatura,* Valladolid, Junta de Castilla y León, 1998. (En especial el estudio de Ángel Alcalá, «Vida y muerte del Príncipe don Juan, hijo de los Reyes Católicos», págs. 13-217.)

ALCALÁ, Ángel, y otros, *Inquisición española y mentalidad social,* Barcelona, Ariel, 1984. (Son las ponencias del Simposio sobre la Inquisición de Nueva York, 1983; de especial interés la ponencia de Benzion Netanyahu, «¿Motivos o pretextos? La razón de la Inquisición», págs. 23-44.)

AMADOR DE LOS RÍOS, José, *Historia social, política y religiosa de los judíos de España y Portugal,* Madrid, Aguilar, 1973 (reed.).

ANGLÉS, Higinio, *La música en la Corte de los Reyes Católicos,* Monumentos de la Música Española, I, Barcelona, CSIC, 1940.

AZCONA, Tarsicio de, *Isabel la Católica,* Madrid, BAC, 1993.

BALLESTEROS BERETTA, Antonio, *Cristóbal Colón y el descubrimiento de América,* tomos IV y V de su *Historia de América,* Barcelona, Salvat, 1945.

BATLORI, Miguel, *Alejandro VI y la Casa Real de Aragón (1491-1498),* Madrid, 1958.

— *Humanismo y Renacimiento. Estudios hispano-europeos,* Barcelona, Ariel, 1987. (En especial el cap. IV: «Cataluña y América», págs. 73-99, por su estudio sobre los derechos de Fernando a la posesión de las Indias.)

BENITO RUANO, Eloy, *Toledo en el siglo XV: Vida política,* Madrid, CSIC, 1961. (Con importante Apéndice documental.)

— «Granada o Constantinopla» (en *Hispania,* 1960, XX, págs. 267-314).

BRANS, J. V. L., *Isabel la Católica y el arte hispano-flamenco,* Madrid, Ediciones Cultura Hispánica, 1952. (Importante aportación iconográfica.)

CAMÓN AZNAR, José, *Sobre la muerte del Príncipe don Juan,* Madrid, RAH, 1963. (Es su discurso de ingreso en la Real Academia de la Historia, con notable *laudatio* de su antecesor, Gregorio Marañón, y su visión de España.)

CARO BAROJA, Julio, *Los judíos en la España moderna y contemporánea,* Madrid, 1961, 3 vols.

— *Los moriscos del Reino de Granada,* Madrid, Istmo, 1976. (Uno de los estudios más logrados del gran historiador.)

CARRETERO ZAMORA, Juan Manuel, *Las Cortes de Castilla a comienzos de la época moderna (1476-1515),* Madrid, 1988.

— *Corpul documental de las Cortes de Castilla (1475-1517),* Madrid, Cortes de Castilla-La Mancha, 1993.

CARRIAZO, Juan de la Mata, «Historia de la guerra de Granada», en *Historia de España Menéndez Pidal,* tomo XVII: *La España de los Reyes Católicos,* I, págs. 387-914. (Erudito estudio del tema, por quien ha realizado la mayoría de las ediciones críticas de las Crónicas de la época.)

CASTRO, Américo, *La realidad histórica de España,* México, 1954. (Importante, aunque discutible estudio, en especial por su tesis sobre el enfrentamiento de cristianos viejos y cristianos nuevos en la España medieval y moderna.)

— *De la edad conflictiva: El drama de la honra en España y en su Literatura,* Madrid, Taurus, 1961. (Sugestiva visión de su tesis sobre el drama español de la poda de sus tres culturas, desde los tiempos de los Reyes Católicos.)

CEPEDA ADÁN, José, *En torno al concepto del Estado en los Reyes Católicos,* Madrid, CSIC, 1956. (De particular interés por su exhaustivo análisis de los principales cronistas del reinado.)

— «El conde de Tendilla, primer alcaide de la Alhambra», en *Cuadernos de la Alhambra,* 1970, págs. 21-50.

CORTÉS ALONSO, Vicenta, *La esclavitud en Valencia durante el reinado de los Reyes Católicos,* Valencia, 1964.

DIOS, Salustiano de, *El Consejo Real de Castilla (1385-1522),* Madrid, Centro de Estudios Constitucionales, 1982. (Espléndida tesis doctoral. Sin duda, el mejor estudio sobre la regia institución.)

ESCUDERO LÓPEZ, José Antonio, *Los secretarios de Estado y del Despacho (1474-1724),* Madrid, 1969, 4 vols.

FERNÁNDEZ ÁLVAREZ, Manuel, *La sociedad española del Renacimiento,* Salamanca, Anaya, 1970.

— *Juana la Loca,* Espasa Fórum, 2003 (18.ª ed.).

— «La crisis del nuevo Estado (1504-1516)», en *Historia de España Menéndez Pidal,* tomo XVII: *La España de los Reyes Católicos,* vol. 2, págs. 645-729).

GARCÍA CÁRCEL, Ricardo, *Orígenes de la Inquisición española. El Tribunal de Valencia (1478-1530),* Barcelona, 1976. (Prólogo de Henry Kamen. La obra de uno de los más destacados discípulos de Juan Reglá. Con importante Apéndice incorporando la nómina de los procesados por el Tribunal valenciano entre 1484 y 1530.)

— *Las culturas del Siglo de Oro,* Madrid, Historia 16, 1989. (Es mucho más que un pequeño ensayo; una revisión del concepto de España, superando el viejo debate entre Claudio Sánchez-Albornoz y Américo Castro de mediados del siglo pasado. Incorpora una breve antología de textos de la época.)

GÓMEZ MOLLEDA, María Dolores, «La cultura femenina en la época de Isabel la Católica», en *Revista de Archivos, Bibliotecas y Museos,* 1995, núm. 61, págs. 137-195.

GONZÁLEZ ALONSO, Benjamín, *El Corregidor castellano (1348-1808),* Madrid, Instituto de Estudios Administrativos, 1970. (Otro modelo de tesis doctoral por uno de los mejores historiadores de nuestras instituciones políticas.)

— *Gobernación y Gobernadores. Notas sobre la Administración de Castilla en el período de formación del Estado moderno,* Madrid, Universidad, 1974.

GONZÁLEZ SÁNCHEZ, Vidal, *Isabel la Católica y su fama de santidad. ¿Mito o realidad?,* Madrid, Ediciones Internacionales Universitarias, 1999. (Estudio documental sobre algunos de los aspectos más controvertidos de la Reina, apoyando la santidad de Isabel.)

HUME, Martin, «Isabel la Católica», en *Reinas de la España Antigua,* Madrid, La España Moderna, s. a. (v. 1900), págs. 9-132. (Precioso estudio de uno de los más notables hispanistas de finales del siglo XIX y principios del XX, más olvidado de lo que debiera.)

KAMEN, Henry, *La Inquisición española,* Madrid, Alianza Editorial, 1974 (2.ª ed.). (Uno de los libros más divulgados del conocido hispanista inglés.)

KLEIN, Julius, *La Mesta,* Madrid, Alianza Editorial, 1981. (El estudio clásico sobre tan importante tema, aparecido hace casi un siglo, en 1919. Buen prólogo de Ángel García Sanz.)

LADERO QUESADA, Miguel Ángel, *Castilla y la conquista del reino de Granada,* Valladolid, 1967.

— *La Hacienda Real de Castilla en el siglo XV,* La Laguna, 1973.

— *La España de los Reyes Católicos,* Madrid, Alianza Editorial, 1999. (Completísima síntesis sobre aquel reinado, por uno de sus mejores especialistas.)

— «Coronel, 1492: De la aristocracia judía a la nobleza cristiana en la España de los Reyes Católicos», en *Bol. RAH,* 2003, CC, 1.º, págs. 11-24.

LLORCA, Bernardino, *La Inquisición en España,* Barcelona, ed. Labor, 3.ª ed., 1954. (Documentado estudio del conocido historiador jesuita, en la línea de defensa de la temible institución.)

LLORENTE, Juan Antonio, *Memoria histórica sobre cuál ha sido la opinión nacional acerca del Tribunal de la Inquisición,* Madrid, 1821; reed. con valioso Prólogo de Valentina Fernández Vargas, Madrid, Ed. Ciencia Nueva, 1967. (Pese a los casi doscientos años de su aparición, sigue siendo valiosa su lectura.)

LÓPEZ BENITO, Clara Isabel, *La nobleza salmantina ante la vida y la muerte (1476-1535),* Salamanca, Diputación, 1992. (Excelente trabajo de nuestra historia social que tuve la fortuna de prologar.)

MANZANO Y MANZANO, Juan, *Cristóbal Colón: siete años decisivos de su vida, 1485-1492,* Madrid, Cultura Hispánica, 1964. (Fundamental.)

— *La incorporación de las Indias a la Corona de Castilla,* Madrid, Cultura Hispánica, 1948.

MARAÑÓN, Gregorio, *Ensayo biológico sobre Enrique IV de Castilla y su tiempo,* Madrid, Espasa Calpe (Col. Austral), 1998. (Con notable Prólogo de Julio Valdeón del célebre estudio de Marañón publicado en 1930.)

MARAVALL CASESNOVES, José Antonio, *Estado moderno y mentalidad social, siglos XV a XVII,* Madrid, Revista de Occidente, 1972, 2 vols. (Uno de los mejores ensayos del gran historiador.)

MARTÍN RODRÍGUEZ, José Luis, *Enrique IV de Castilla, Rey de Navarra, Príncipe de Cataluña,* Hondarribia, Nerea, 2003. (Una documentada reivindicación del denostado hermanastro de Isabel.)

MENÉNDEZ PIDAL, Ramón, «El difícil camino de un trono», en *Historia de España Menéndez Pidal,* tomo XVII, 1.º, págs. XI-CXVI, Madrid, 1969. (Constituye el Prólogo al tomo dedicado a los Reyes Católicos. Se trata del último ensayo del gran maestro de la historiografía española del siglo XX, inconcluso por su muerte.)

NETANYAHU, Benzion, *Los orígenes de la Inquisición en la España del siglo XV,* Barcelona, Crítica, 1999. (Indispensable.)

OCHOA BRUN, Miguel Ángel, «La diplomacia de los Reyes Católicos», en *Historia de la diplomacia española,* tomo IV, Madrid, Ministerio de Asuntos Exteriores, 1996. (El más completo estudio sobre un gran tema, hasta ahora demasiado olvidado.)

PÉREZ, Joseph, *Isabel y Fernando: Los Reyes Católicos,* Madrid, 1988. (Sugestivo ensayo del más prestigioso de los actuales hispanistas franceses.)

PÉREZ BUSTAMANTE, Rogelio, y José M. CALDERÓN ORTEGA, *Enrique IV, 1454-1474,* Burgos, Diputación de Palencia, 1998. (Otro de los libros de la prestigiosa serie «Reyes de Castilla y León» patrocinada por la Diputación de Palencia.)

RUMEU DE ARMAS, Antonio, *El Tratado de Tordesillas,* Madrid, Mapfre, 1992. (El mejor estudio sobre el trascendental tratado con Portugal.)

— *Nueva luz sobre las capitulaciones de Santa Fe concertadas entre los Reyes Católicos y Cristóbal Colón* (Estudio institucional y diplomático), Madrid, CSIC, 1985.

SAN MIGUEL PÉREZ, Enrique, *Isabel I de Castilla, 1474-1504,* Burgos, Publicaciones de la Diputación de Palencia, 1998. (Obra escrita con buen conocimiento de las fuentes y de la principal bibliografía del reinado de la Reina Católica.)

SEGURA GRAÍÑO, Cristina, «Las sabias mujeres de la Corte de Isabel la Católica», en VV. AA., *Las sabias mujeres: educación, saber y autoría, siglos III-XVII,* Madrid, 1994, págs. 175-187.

SILIÓ CORTÉS, César, *Isabel la Católica, fundadora de España. Su vida, su tiempo, su reinado (1451-1504),* Madrid, Espasa Calpe, 1943. (Una apologética visión de la vida y del reinado de Isabel, en la que el autor maneja las fuentes impresas de la época.)

SUÁREZ FERNÁNDEZ, Luis, «La España de los Reyes Católicos: las bases del reinado; la guerra de Sucesión», en *Historia de España Menéndez Pidal,* Madrid, Espasa Calpe, 1969, tomo XVII, 1.º, págs. 5-383. (La obra de uno de los máximos especialistas del reinado.)

— «Restablecimiento de la Monarquía de los Reyes Católicos; el máximo religioso; la gran política: África o Italia», en *Historia de España Menéndez Pidal,* Madrid, Espasa Calpe, 1969, tomo XVII, 2.º, págs. 3-800.

— *Los Reyes Católicos,* Madrid, 1989-1990, 5 vols. (La puesta al día de sus importantes estudios sobre el reinado de Isabel y Fernando. Fundamental.)

— *Isabel I, Reina,* Barcelona, Ariel, 2001, 2.ª ed. (La obra divulgadora sobre la Reina Católica, escrita con brillante estilo.)

— *Claves históricas en el reinado de Fernando e Isabel,* Madrid, Real Academia de la Historia, 1998. (Recopilación de artículos publicados entre

1963 y 1996. A destacar el postrero, con su análisis del Testamento de la Reina.)

TORRE Y DEL CERRO, Antonio de la, *Los Reyes Católicos y Granada,* Madrid, 1946. (Sobre notable base documental, por uno de los maestros de la historiografía española de mediados del siglo XX.)

— *La Casa de Isabel la Católica,* Madrid, 1954.

TURBERVILLE, A. S., *La Inquisición española,* México, Fondo de Cultura Económica, 1960, 4.ª ed. (primera ed. inglesa: 1932). (Excelente síntesis sobre tan polémica institución.)

VAL VALDIVIESO, María Isabel, *Isabel la Católica, Princesa de Castilla (1468-1474),* Valladolid, 1974. (Precioso estudio sobre base documental inédita que cubre uno de los períodos peor conocidos de la Reina.)

VALDEÓN BARUQUE, Julio (ed.), *Sociedad y economía en tiempos de Isabel la Católica,* Valladolid, Ámbito, 2002. (Se trata de las ponencias al II Simposio sobre el reinado de Isabel la Católica, celebrado en Valladolid y Buenos Aires, en el otoño del año 2001. Destacaría, como muy novedoso, «Los conflictos sociales en tiempos de Isabel la Católica», de Julio Valdeón Baruque, págs. 229-248, y «Las líneas maestras de la obra política isabelina en Castilla», de María Isabel del Val Valdivieso, págs. 265-285.)

VICENS VIVES, Jaime, *Fernando II de Aragón,* Zaragoza, 1962. (Importante estudio sobre el Rey Católico, por uno de los mejores historiadores españoles del siglo XX, con la carencia de no abarcar más que hasta el año 1481.)

— *Juan II de Aragón (1398-1479). Monarquía y revolución en la España del siglo XV,* Barcelona, 1952.

VILLAPALOS SALAS, Gustavo, *Fernando V de Castilla (1474-1516,* Burgos, Publicaciones de la Diputación de Palencia, 1998. (Con buen conocimiento de las fuentes impresas y de la más destacada bibliografía.)

VINCENT, Bernard, *1492, «El año admirable»,* Barcelona, Crítica, 1992. (Sugestivo ensayo del destacado hispanista francés.)

ZURITA, Jerónimo, *Anales de la Corona de Aragón,* Zaragoza, 1988 (1.ª ed., 1562-1580). [Muy cercano a los hechos del reinado (n. 1512), Zurita puede considerarse como un historiador más que como un cronista y, sin duda, el mejor de aquel siglo.]

ÍNDICE ONOMÁSTICO